Die Nacht von Jesi

PETER BERLING

DIE NACHT VON JESI

NEC SPE NEC METU
gewidmet
PARS PRO TOTO
PRIMIS INTER PARES

Werner Ingrid Ida Dario
Jochen Klaus Harry Thies Sylvia
Alexander Philipp Mario
Alberte Karli Babs Nicola
Peter Anja Bess Antonio
Ulli Thomas Toni Claudia
Renate Günter Kaktus Katrin
Mascha Gisi Dieter Daniel
Leo Wolfi Numi Su Martin
Walter Heuler Willi Michael
Magdalena Molly Carolin
Elke

BASTEI-LÜBBE -TASCHENBUCH
Band 12 478

© 1994 Weitbrecht Verlag in K. Thienemanns Verlag,
Stuttgart und Wien
Lizenzausgabe: Gustav Lübbe Verlag GmbH,
Bergisch Gladbach
Printed in Germany April 1996
Einbandgestaltung: Gisela Kullowatz
Titelbild: Archiv für Kunst und Geschichte (Collage)
Die Abbildungen im Innenteil entstammen
dem Codex Manesse.
Satz: KCS GmbH, Buchholz/Hamburg
Druck und Bindung: Ebner Ulm
ISBN 3-4o4-12478-2

VORSPIEL ZUM ERSTEN AKT

Im Dunkel der vergehenden Nacht steht Rinaldo auf der Leiter, Donna Alfia am Fenster. Sie singen verhalten als Duett ein Poem aus dem Alt-Italienischen.

Rinaldo
Da es Euch gefällt, o mein Lieb,
daß mir ein solch groß Glück beschert –

Alfia:
Mit allem, was in meiner Macht,
daß Ihr die Erfüllung findet.

Rinaldo:
So gewährt meines Herzens Trieb,
zu entflammen Euch nicht verwehrt –

Alfia:
Alles meine Hoffnung entfacht,
was Euer Gefallen bindet.

Rinaldo:
Von Euch ich mich nimmer trennen
will, Herrin von solch Fähigkeit,
die ich lieb voller Zärtlichkeit,
nehmt hin meiner Sinne Brennen.

Kraft, edle Frau, mir habt verliehn,

Alfia:

PROLOG

meines Verlangens drängend Glut,
Euch zu lieben mir beschieden,

Noch ist es nicht Tag in Jesi. Scheinwerfer tauchen die Szenerie in ein unwirkliches Licht, das im Vordergrund der Bauten harte Schatten erzeugt, den oberen Teil des Blutgerüstes, den Ort des Geschehens, jedoch im diffusen Morgengrauen beläßt, was durch über die Plattform kriechende Nebelschwaden noch verstärkt wird.

Der Galgen selbst wirft keinen Schatten, sein Holz ragt nicht düster gegen den diesigen Himmel, sondern prägt sich wie ein schwarzes Brandsiegel in die Steinfassaden der dahinterliegenden Palazzi des Marktes mit ihren dumpf glotzenden Fensterhöhlen oder ängstlich verschlossenen Jalousien. Kein Licht. Das war so angeordnet worden. Wie viele Augenpaare starren hinter ihnen auf das Gerüst, harren des Geschehens mit der ihren Träumen eigenen Furcht?

Nacheinander steigen sie auf die Bank, keiner stößt sie, um Gleichmut bemüht wie um Gleichgewicht, denn die Hände sind ihnen auf den Rücken gebunden. Meine mir auch. Bin ich der in der Mitte, der ob seines Arsches Schwere Mühe hat, den Schritt nach oben aus dem Stand zu vollbringen? Oder der letzte, der einen Augenblick zögert, als könne dies dazu führen, daß er übersehen würde, ausgespart, vergessen? Keine Ausnahme. Jedem wird die Schlinge um den Hals gelegt. Der Henker prüft von einer hastig gereichten Trittleiter aus den Sitz des Knotens, gibt auch wohl diesem oder jenem der Verurteilten einen gutmütigen Kniff in die Backe — wenn man sich nicht bereits kannte, so kommt man sich nahe in dieser Stunde, eine lächerliche Vertrauensseligkeit schleicht sich ein. Es wird schon werden! Gut? Besser? Nichts! Die Sorge des Henkers ist insofern die Angst des zu Richtenden, als daß diese den ordentlichen Ablauf der Exekution stören könnte.

Mit mir erlaubt er sich dieses Anbiedern nicht, der Herr Jakob, Henker der Marken. Mir gegenüber ist er befangen und bemüht, dies durch untadelige Korrektheit, ja Unpersönlichkeit auszugleichen. Dadurch macht er mir das Leben nicht leichter, denn auch ich möchte Nonchalance zeigen. Der Unterschied zwischen uns ist eben der, *ich* fühle den feuchtschweren Strick um den Hals, fachmännisch als Röhre geknüpft – und damit steigt die Angst hoch, unkontrolliert wie die Quecksilbersäule eines Thermometers bei hitzigem Fieber. Die kleinste Unachtsamkeit und schon hat man das Tau mit dem Knoten am Hals! Ein falscher Tritt von der Bank könnte ärgerliche Langzeitfolgen haben. Ich bin in letzter Minute den Delinquenten zugeteilt worden, es fehlte einer. Die Zahl mußte stimmen. Dafür bin ich auch. Ich hasse Nachlässigkeit bei der Arbeit, bei Terminen.

Das angesagte Morgengrauen weicht schon dem Grau des winterlichen Morgens. Wir, die Verurteilten, rücken eng zusammen, auf Tuchfühlung. Unser Atemdunst, den wir stoßweise von uns geben, wabert sichtbar in der Kälte. Eine mir nicht ersichtliche Unsicherheit kommt auf, die Prozedur gerät ins Stocken. Lästiger, nicht vorgesehener Hoffnungsschimmer.

Sind sie übermüdet, sollen sie sich gefälligst zusammenreißen! Ich bin – nein, pardon, mein Gott, Du bist des Henkers Herr! Die saubere Lösung der Aufgabe besteht darin, die Bank mit einem Ruck wegzuziehen. Damit würden diese ausgepfiffenen Atemwölkchen erlöschen wie der dünne Rauchfaden einer verglühten Kippe. Entweder Vollzug als Erlösung – oder erlösende Gnade! Der Inkubus bezieht seinen lähmenden, erdrückenden Schrecken aus einer Kette von Aufschüben, einem ständigen Hinauszögern des unausweichlich Erscheinenden. Der schleichende Vollzug schnürt die Gurgel zu, nicht der Fall ins Leere mit einem Knoten im Genick, von dem sie sagen, er bräche den Wirbel sofort mit dem Straffen des Strickes. Na bitte!

Der Henker steigt von seiner zusammenklappbaren Leiter und schaut sich fragend um. Seine Gehilfen zucken mit den Achseln.

»Rinaldo!« ruft eine weibliche Stimme ärgerlich, und alle Augen, auch die Hälse der Verurteilten, drehen sich in die Richtung, wo sie den Säumigen vermuten.

Dann gibt der Henker endlich eine Anweisung: »Eh bé – pausa di caffè!« Er überläßt die ausgeliehene Aluminiumleiter den Bühnenarbeitern und stiefelt die Treppe des Gerüstes hinunter.

Da kommt Rinaldo, der Narr, mit dem vermißten Henkersutensil an. Er keucht unter dem Gewicht eines Ungetüms von fichtener Sprossenleiter.

»Rinaldo, so geht das nicht!« beschwert sich der Henker und setzt umständlich seine randlose Brille auf. »Ich habe dich klar und deutlich gerufen.«

Ich kann das bestätigen, doch der Angeschuldigte, ein untersetzter Krauskopf mit auffällig ausgeprägtem Riechorgan, zeigt keinerlei Reue.

»Die Leiter! Wo ist die verdammte Himmelsstiege?‹ Das war dein Stichwort —«

Der Narr drückt die von ihm angeschleppte klobige Holzleiter dem Henker an die Brust, das heißt, er läßt sie wortlos auf den schmächtigen Herrn Jakob zufallen, daß der fast erschlagen wird.

»Sie müssen mich früher rufen, Signor Tagliabue«, sagt er ärgerlich. »Das Biest will getragen sein. Versuchen Sie's doch mal!«

»Nichts für ungut, Rinaldo!« stöhnt der Henker unter der Last. »Dafür muß die Regie Vorsorge treffen.«

Er hat das laut genug gesagt, daß die rothaarige Assistentin es hören muß. Ich halte mich raus aus dem Streit um Stichwort und richtiges Timing. Man hat mich noch nicht ›abgehängt‹, und wir baumeln noch, wenn man die Füße leicht anzieht, uns im nicht vorhandenen Winde an der umgeschnallten Hakenkonstruktion drehend, die unter unseren Wämsern in Kragenhöhe verborgen ist. Das klingt spaßig, aber ein solches Gefühl mochte sich nicht einstellen, nicht bei mir jedenfalls. Mit der makabren, von mir selbst zu verantwortenden Situation in dieser Zeit, heute und in den Marken, kann ich fertig werden. Mir gehen aber die nicht aus dem Kopf, die wir darstellen, ›den welfisch Rat der Stadt Jesi und ihren Podestà‹, der damals, im Jahre A. D. 1194, so mir nichts, dir nichts sein Leben lassen mußte.

Nur weil der Stauferkaiser den Ort mit seinem Besuch beehren wollte, dafür mußten sie sterben — pfff, Hausputz: Zwingt welfische Flecken raus! Wäscht stauferweiß rein! So einfach, wenn auch nicht schmerzlos, ging das. Dabei befanden sich seine Majestät nur auf der Durchreise, hastig nach Sizilien eilend, ganz andere Greuel im Gemüte wälzend. Vielleicht hat er die ihm zu Ehren Gerichteten nicht einmal wahrgenommen? Vielleicht war seine Stippvisite auch nur der Anlaß, um die herrschende päpstliche Parteispitze bei dieser Gelegenheit abzuservieren? Oder wollte man auf Nummer Sicher gehen, denn im Gefolge des Kaisers Heinrich VI reiste, bereits zurückhängend, die Sänfte mit der hochschwangeren Kaiserin Constanze, eine kaiserliche Geburt in den Mauern einer Stadt bescherte stets einen großzügigen Griff in die Schatulle? Schenkungen, Privilegien, nicht zu vergessen die obligaten Stiftungen für die Kirche? Da konnte man schon mal ein paar Augen zudrücken, auch wenn es sich um papsttreue Welfen handelte. Es ist diese Beiläufigkeit des Mittelalters, die mich frösteln macht, so faszinierend ich ansonsten diese Epoche empfinde. Wer weiß, ob ich an jenem Weihnachtsmorgen 1194 nicht zu denen gehört hätte, die nicht, wie ich jetzt, mit lauter Stimme verlangen konnten: »Hängt uns endlich wieder ab!« Ich glaube, nach dem Gang zum Standesamt erscheint mir der zur eigenen Hinrichtung als der schlimmste Alptraum.

Beides sind aber nicht meine Alternativen. Ich habe mich auf einen Pakt eingelassen, der weder Scheidung noch Desertion offenhält. Ich bin mein eigener Gefangener, mein eigener Galeerensträfling. Das Schiff, das ich rudere, steuere und kommandiere, heißt ›Stupor Mundi‹, das ›Staunen der Welt‹, und ist ein Theaterstück, vermessenerweise eine Art Oper oder ein ›Historical‹, wie ich es gern nennen würde, um gleich darauf hinzuweisen, daß es mit hergebrachten Kunstformen, alten Zöpfen, radikal brechen will. Ich habe es selbst geschrieben, bin auch der Schiffskoch, der die hungrige Mannschaft verköstigen muß, die meine Texte spielen und singen soll. Ich bin der Mast, in deren Takelage sie turnen, Fahnen schwenken, die Segel setzen, bin die Wanten, deren Lecks ich stopfen muß, bin die Planken, auf denen sie herumtrampeln wie auf meinen Nerven.

Kurzum, ich bin der Produzent. Kapitän, aber nicht der Reeder. Das ist der Hurenbock, mit dem ich einen Vertrag geschlossen habe — ›wider die guten Sitten‹ wäre blanke Untertreibung! Maxi, das Schwein, mein Partner, kann mich jederzeit hängen lassen. Und das tut er auch.

Seit Tagen warte ich auf das Geld.

Marktplatz von Jesi, früher Wintermorgen, noch dunkel, leicht nebelig. Rechts und links die noch unbewirtschafteten Marktbuden, Stände und Karren, darunter rechts die Bank des Metzgers, dahinter sein Haus (oben Einsicht in das eheliche Schlafzimmer mit Fenster zur Piazza). Links im Hintergrund die Taverne, Einsicht in den Weinkeller, im Obergeschoß die Behausung des Narren. In der Mitte des hufeisenförmigen Platzes erhebt sich das hölzerne Podium, zu dem eine Treppe hinaufführt. Darauf ist der Galgen errichtet. Jakob, der Henker, und seine Gehilfen legen einem halben Dutzend Welfen die Stricke um die Hälse, darunter auch der Hals des guelfischen Podestà, des bisherigen Bürgermeisters. Jesi will sich wieder stauferisch geben, nähert sich doch der Kaiser mit stattlichem Heer. Kleine Verzögerung der anstehenden Exekution.

Jakob: Die Leiter! – Wo ist die verdammte
                                           Himmelstiege?

Rinaldo, Possenreißer und Narr des Ortes, bringt eiligst die Leiter, die er zum Fensterln bei des Metzgers Weib benutzte, und ermuntert die Verurteilten, sich ihr Sterben zu erleichtern.

Rinaldo: Singt ein Lied, singt ein Lied!
              Von der Liebe Lust, von des Weines Suff,
              von des Fressens Völle, von des Sanges
                                           Schmelz!
              Singt ein Lied, singt ein Lied!
              Weil von dem erfüllten Leben
              ob gelebter Fülle eben
              sich gar der Abschied leichter fällt,
              es sich zum Abschied leichter fällt.

Chor der
Gehängten: Der Liebe Suff, des Weines Völle
            singen wir ein Lied, singen wir ein Lied.
                                           Furz, rülps.

Einen nach dem anderen ziehen Jakob und seine Gehilfen
hoch, so daß die Stimmen röchelnd absterben.

Rinaldo: Singt ein Lied, singt ein Lied.

Chor der
Gehängten: Ist uns vergangen, ist uns... krächz, stöhn...

Rinaldo: Singt ein Lied, singt ein Lied!

Chor der
Gehängten: Furz, rülps, krächz, stöhn...

Der Henker und seine Helfer verlassen das Gerüst, hocken
sich beim Henkerskarren zum Umtrunk nach getaner Arbeit
nieder.

Jakob: Der Trunk! Wo bleibt des Sellers feuchte
                                    Morgengabe,
             die uns zusteht bis zum Grabe?

Eine Schankmaid aus der nahen Taverne kredenzt den Krug.

Maid: Den fleiß'gen Verbrauch er stets betont,

Kapitel I

Der Gehängte

Ich, Manuel J. Berghstroem, benutzte nicht den Lift, sondern kam die Treppe herunter. Die Rezeption war nicht besetzt, nur mein Fahrer Emilio schlief mit offenem Munde in einem der Kunstlederfauteuils. Die Steinplatten des Marktes von Jesi waren noch feucht vom Nachttau. Sie reflektierten das grelle Licht der teuren Scheinwerfer, die das Gerüst, die Aufbauten ausleuchteten, während man die Verurteilten abnahm, damit sie sich die Beine vertreten konnten. Ich wies den Oberbeleuchter an, den Generator abzuschalten. Das diffuse Licht des beginnenden Tages schien mir hell genug.

»Der Maestro wünscht aber die harten Schatten —«

»Nicht während der Pause!«

Wenig überzeugt von der Sparmaßnahme seines Produzenten fuhr der Mann das Aggregat herunter.

»Wessen Aufgabe ist es eigentlich —« grollte Jakob, der Henker, ausgerechnet gegenüber Mia, die eh nicht wußte, wo ihr der Kopf stand, »— die ausgewählten Herrschaften zu der unter Kunstschaffenden erforderlichen Disziplin anzuhalten?« und bediente sich an dem Thermosbehälter mit lauwarmem Kaffee. Er spie ihn aus.

»Ich meine nicht den Herrn mit der Leiter«, fügte er bedächtig hinzu, »sondern die zu Hängenden. Da fehlte einer! Und sorgt gefälligst dafür —« fuhr er die davonhastende Assistentin an, »daß eure deutsche Pi . . . diese obskure Flüssigkeit wenigstens heiß ist!«

Die rothaarige Mia bremste ihren Lauf ab. »The Hanging belongs to the second Unit, and that's my fucking business, mine, only mine, Mister Tagliabue! Und wegen des Muckefucks beschwer dich bei der Produktion!« Damit ließ Firebirdie den

14

hageren Herrn vom Aussehen eines Professors der Ornithologie stehen.

In der Tat fehlten bereits zwei der Delinquenten. Sie waren nach Hause gegangen, weil es ihnen zu kalt war. Doch Mia verspürte keine Lust, dies Herrn Tagliabue zu offenbaren. Sonst wäre er vielleicht auch noch auf die Idee gekommen, sich im Hotel aufzuwärmen. ›Jakob der Henker‹ war mit einem emeritierten Ensemblemitglied des ehrwürdigen ›Teatro La Fenice‹, der Oper von Venedig, besetzt. Als solches war der Herr jetzt beleidigt. ›Second Unit‹, das klang zweitklassig. Mit zitternden Händen fingerte Signor Tagliabue eine Selbstgedrehte aus dem silbernen Etui und ließ sich von einem seiner Gehilfen Feuer geben.

Ich hatte die Szene aus dem Hintergrund beobachtet und mich nicht eingemischt, zumal mir das Problem bekannt ist. Und ich denke nicht daran, jedesmal einzuspringen, wenn irgendwo ein Komparse fehlt − ob nun Henkersknecht oder Gehängter! Mia beklagt sich in zunehmendem Maße über das Ausmaß der Desertion, den absoluten Mangel an Verantwortungsgefühl der lokalen Kleindarsteller und Statisten. Das hat nichts mit den zu Hängenden noch mit dem Henker zu tun, noch mit der Frage, ob ›ghibellinisch‹, sprich staufisch, oder ›guelfisch‹ gleich päpstlich. Zwar ist der äußere Anlaß, der Besuch des Kaisers in ihrer Stadt, für den welfischen Stadtrat der bedauerliche Grund, ungefragt in den Himmel befördert zu werden − wäre der Papst gekommen mit einem ähnlich großen Heer, hätte es die Anhänger der Staufer, also die kaiserliche Partei, getroffen. Das war wie Blumensträuße, die man zum Willkommen darbot. Wer sie heute überreichte, konnte morgen schon selbst das Gebinde darstellen und das Köpfchen traurig hängen lassen. Diesen Fatalismus in Fragen von Leben und Tod voranzustellen, erscheint mir wichtig, damit das Geschehen, das ich schildern möchte, nicht mit der − zweifellos geheuchelten − Ethik unserer Tage beurteilt wird. Dramatisch empfunden wurden nicht Erhalt oder Verlust von Menschenleben, sondern die Klärung von Fragen der Ehre, des Blutes, also des feudalen Anspruchs, des dynastischen Erbes − und des rechten Glaubens. Dafür wurde gefochten, gelitten, gestorben, und zwar mit weitaus mehr Emphase, als wir heute für Imagepflege, Geldkarriere, Konsum und Entertainment aufbringen.

Ich muß dringend zur Bank, auch wenn es mich keineswegs dorthin zieht. Ein flaues Gefühl in der Magengrube sagt mir, daß dort die Überweisung noch immer nicht eingetroffen ist. Ich zögere die Konfrontation mit der Wahrheit hinaus. Mein Blick hält sich an den Bauten auf der Piazza fest, sichtbares Symbol der − wenn auch gefährdeten − Existenz von ›Stupor Mundi‹.

Die Piazza gleicht im Grundriß in gewisser Weise dem einer romanischen Kirche. Sie fällt, von der Apsis aus gesehen, dem ›besseren‹ Halbrund des oberen Ranges, an dem sich auch unser Hotel befindet, stark ab zur Mitte, wo jetzt ein Obelisk den früheren Zisterneneinlaß markiert. An ihrer Stirnseite dagegen hat man noch das alte Niveau erhalten, um nicht mit dem Kopf gegen den Bogen des inzwischen recht tief gelegenen kleinen Tores in der Mauer zu stoßen. So führen gleich über seiner steilen Kopfsteinauffahrt auslaufende Treppenstufen zur inzwischen höher gewachsenen Piazza. Man sieht das kleine Tor fast nicht, weil die Palazzi der Renaissance es überbaut haben. Nur die Einlässe − man könnte denken, es handele sich um Garagentore zu den alten Kasematten, links davon − lassen die Nähe der ehemaligen Zitadellenmauer ahnen. Rechts davon münden im spitzen Winkel zwei Gäßchen, dazwischen liegt die alte Apotheke, trotz unserer Bühnenaufbauten immer noch von beiden Seiten hintenherum zu erreichen. Der Corso beginnt gleich links unterhalb der erhöhten Apsis, während das Gran Hotel di Suevia, erste Adresse am Platze, wo wir abgestiegen sind, mit seiner klassischen Front den rechten Abschluß des Kreissegments bildet. Sein Portal liegt an der danach steil abfallenden Seitenstraße, über die man zur Tiefgarage und zum Wehrgang gelangt. Die beiden Längsseiten der Piazza schmücken Arkaden, nur einmal unterbrochen von der anderen Hauptzufahrt, der Viale della Libertà, die versetzt zum Corsobeginn mündet, so daß die Prozessionen in S-Form um den Obelisken und den feinen, oberen Teil geleitet werden können.

Wir haben uns mit der Bühne genau in der schräg gegenüberliegenden Ecke breitgemacht, wo eh kein Automobilverkehr möglich ist. Hier fällt alles eng verwinkelt und steil ab, bietet dafür aber als Kulisse einen malerischen Hintergrund, wenn man sich das Mittelalter als Neuschwanstein für Arme vorstellt. Um eine maximale Sicht auf das Geschehen von ›Stupor Mundi‹

zu ermöglichen, steigt unsere Bühne hinten stark an, was zwar der Apotheke und einigen Läden das Licht wegnimmt, dafür aber Zuschauersitze, von denen man sieht und hört, bis hinauf zur Apsis erlaubt. Die teuersten Logen werden die Balkons unseres Hotels sein!

Flankierend zu dem Hauptpodium sind zwei Gebäudekomplexe der mittelalterlichen Häuserzeile vorgesetzt, die raffinierterweise sowohl Fassade zeigen als auch voyeuristische Einsichten in ihre Innereien. Rechts das Haus des Metzgers mit Schlachtbank unten und vielerlei abgehäutetem Getier, und oben das eheliche Schlafzimmer des Meisters Ugo und seiner Donna Alfia. Wenn sie im Hemde aus dem Fenster lehnt, kann man ihr alabasternes Gesäß von den teuersten Plätzen aus bewundern. Auf der anderen Seite, links also, erhebt sich die Taverne. Dem Blick war gestattet, hinab in die Cantina zu wandern, als auch die Stiegen hinauf in die luftige Klause des Narren von Jesi.

In einem dieser Betten vermutete ich Rinaldo, wahrscheinlich mit seiner holden Beatrice. Vielleicht das einzig Richtige an einem naßkalten, miesen Wintertag wie heute. Ich mußte zur Bank. Doch erst mal hielt ich die vorbeitrabende Mia an, für anständigen ›caffè‹ zu sorgen: »Das ist bei Nachtarbeiten und Überstunden wichtiger als der Lohnzuschlag!«

»Darauf kann ich verzichten!« gab sie ihrem Producer heraus. »Ich bin erregt! Genio del cazzo!«

»Grazie cara«, sagte ich und ließ von der Unverwüstlichen ab. Mit ›genio del cazzo‹ war auch nicht ich gemeint, sondern Reinhold.

Ich sehe mich den ehrwürdigen Palazzo meiner vagen Hoffnung wie ein verunsicherter Bankräuber betreten. Ich schrieb einen Scheck über zehn Millionen Lire aus und schob ihn dem Kassenbeamten hin. Der tippte Betrag und Nummern in seinen Computer, schaute zweimal, dreimal auf das Formular, auf den Bildschirm, dann schüttelte er den Kopf. »Herr Berghstroem verlangt nach dem Direktor!« Der sei nicht da, erst am Nachmittag wieder. Dann sei die Bank geschlossen, wandte Berghstroem ein, immer noch beherrscht. Der Mann hob ohne Bedauern die Schulter. Berghstroem war nahe daran zu explodieren, da bohrte sich mir wie ein Revolverlauf ein Finger in den Rücken. Es war Don Achille. »Kann ich Ihnen behilflich sein?«

Jesis Vizebürgermeister glich selbst in Figur und Auftreten einem Sparkassenangestellten, eine graue Maus, aber ›Stupor Mundi‹ aus unerfindlichen Gründen freundlich gesinnt.

»Was gibt's denn?« fragte er, so daß es seinem Spiegelbild als· Rüge in den Ohren klingen mochte. Der hinter der Panzerscheibe zuckte nochmals mit den Schultern, aber diesmal schon entschuldigend. Doch Berghstroem antwortete:

»Ich fragte nach einem Landeplatz für den Helikopter unseres Finanziers, der sich demnächst vom Fortschritt der Arbeiten an ›Stupor Mundi‹ überzeugen will und dabei auch Wert darauf legt, die wichtigsten Persönlichkeiten der Stadt Jesi kennenzulernen, nachdem er immerhin jede Woche fünfzig Millionen hier investiert.«

»Eine Ehre —« beeilte sich Don Achille zu sagen. »Daran soll's nicht scheitern. Eine Landung auf der Piazza wird nicht gehen, das ›Centro Storico‹ hat ein totales Überflugverbot durchgesetzt, aber das Hospital verfügt über —«

Berghstroem winkte ärgerlich ab. »Das ist keine Art, wie man Gäste empfängt in dieser Stadt, hier —« er wies auf die zunehmend schrumpfende Gestalt hinter dem Panzerglas, »— hier ist der Direktor nicht vorhanden, und ich bekomme nicht einmal diesen lächerlichen Scheck eingelöst!«

»Wieviel ist es denn?« fragte Don Achille.

»Dieci«, signalisierten die Hände stumm und bescheiden.

»Vi garantisco io!« entschied der Vizebürgermeister, und hinter der Scheibe ertönte ein erleichtertes »come non detto, dottò«, und der Scheck wurde ausgezahlt.

Ich stopfte die Scheine, ohne sie eines Blickes zu würdigen, in die Brusttasche und klopfte Don Achille nun meinerseits freundlich auf den Rücken.

»Wegen des Landeplatzes werden wir schon eine würdige Lösung finden, wir bleiben in Kontakt!« Energischen Schritts verließ Berghstroem die Bank.

Auf der Piazza hatte Ray die ›Ballade vom gefangenen König‹ vorgezogen, angesichts der Schwierigkeiten, die Mia mit den Komparsen hatte. Die Ballade hatte den Vorteil, nur von ihm selbst und Rinaldo bestritten zu werden. Bibbernd vor Kälte, es hatte ein feiner Nieselregen eingesetzt, stichelte Rinaldo, der Narr:

Das höchste Lösegeld der Weltgeschichte
trägt längst dem Kaiser Heinrich schnöde Früchte.

Darauf griff der Regisseur als Minnesänger mit klammen Fingern in die Saiten seiner umgehängten Laute und trug mehr krächzend als klagend vor:

Am edlen Helden sich der bereichern tat,
dem Papst zum Hohn, Sizilien zum blut'gen Leib,
der Finsterling die keusche Constanze freit
und greift nach dem Thron, den sie zu bieten hat,
Richard, o Richard!

Rinaldo, der Narr, der sich eigentlich — laut Regieanweisung — ständig an seinem aufgesetzten, das heißt unterlegten Buckel zu kratzen hatte und nicht an seinem Gemächte, was er meist tat, schlug die Arme kräftig um den Leib, um mit erhöhter Zirkulation sich Wärme in den Händen zu verschaffen, denn sein Gewand hatte keine Taschen.

Er käm zu spät, der Staufer nahet schon,
die Prinzessin geschwängert, raubt er den
NORMANNENTHRON.

Ray erblickte mich und wandelte sein ›Richard, o Richard‹ in ›Emmy, o Emmy!‹ um, seinen Producer herbeiwinkend.
»Haste Geld?«
Ich nickte.
»Dann schlage ich vor, du erzählst mal allen hier Beteiligten —« Ray wies mit großer Geste über Piazza und Bühne, wo aber kaum Statistenhaufen zu sehen waren, nur Jakob, der Henker, und seine Gehilfen harrten noch frierend aus, »die politischen Hintergründe von ›Stupor Mundi‹, damit sie die Zusammenhänge besser verstehen.«
»Was zum Beispiel Richard Löwenherz mit der Geschichte zu tun hat«, mischte sich Bea ein, die in zwei Decken gehüllt aus der Dekoration trat.
»Und diese jetzt unbedingt erforderliche historische Instruktion«, fuhr Ray unbeirrt fort, »erteilst du uns am besten in der Pizzeria, wo ein warmer Ofen —«

»Nein«, entschied ich finster lächelnd. »Nicht in der Pizzeria, im Restaurant unseres Hotels. Ich lad' euch ein«, hinzusetzend, als ich den Zweifel ob der wesentlich höheren Kosten aufkommen spürte.

Wir zogen sofort los. Ich wußte, was ich tat, sagte es zu Mia, als wir gemeinsam, als letzte, dem Hotel zustrebten.

»Da können wir's aufs Konto schreiben!«

»Ich brauch' Geld, Manuel«, sagte Mia. »Dringend. Zweieinhalb für die Pension, drei bis vier für die Komparsen, mindestens drei für die ›Cestini‹ der letzten Wochen —«

»Laß die Pausenverpflegung ab sofort vom Restaurant ›Le Delizie‹ kommen.«

»Zu teuer!«

»Da brauchen wir nicht gleich und bar zu bezahlen!«

Mia schüttelte mißbilligend den roten Schopf. »Weiterhin eine Rate an die Tischlerei, an den Lichtverleih, Platzmiete —«

»Jaja«, stoppte ich den Fluß. »Wieviel?«

»Zwölf, nur um das Dringendste zu erledigen, wenigstens Anzahlungen, sonst drehen sie uns den Strom ab.«

»Neun«, sagte ich und griff zur Brust. Ich zählte für mich eine Million ab und drückte ihr den Rest in die Hand.

»Und was ist mit den Diäten — von unserer Wochengage gar nicht zu reden?«

»Sie müssen noch warten!« beschied ich sie. »Ich warte auch.«

Wir betraten das Hotel.

Als sämtliche Nachspeisenwünsche erfüllt waren, Macedonia, Tiramisù, Panna cotta, Charlotte, Profiterolles, Torta di Mandorla, di Limone, ai pinoli, della Nonna, ergriff ich, Manuel J. Berghstroem, das Wort, großzügig aufs ›dolce‹ verzichtend.

»Infolge von Streitigkeiten zwischen den ursprünglichen Herren, den Griechen und den sich als Nachfolger Roms betrachtenden Lombarden, fällt der Süden des heutigen Italiens — Apulien, Benevent, Kalabrien und die Insel, das ›Königreich beider Sizilien‹ — gegen Ende des neunten Jahrhunderts in die Hände der von Tunis übergesetzten Araber. Mitte des elften beginnt eine Handvoll Normannen mit ihrer Vertreibung und errichtet ein christliches Königreich, das den Papst als obersten Lehnherrn sieht. Doch die feudale Oberschicht der neuen Herren ist so dünn, daß sie schon hundert Jahre danach vom Aussterben bedroht wird.« Ich trank den inzwischen gereichten Caffè aus und bestellte mir ein Glas Wasser nach, die anderen verlangten nach Grappa, Ray nach einem französischen Cognac.

»In Deutschland herrschen zu dieser Zeit bereits die Staufer, ein schwäbisches Geschlecht. Ihr Reich dehnt sich über die Alpen nach Mittelitalien, bis an die Grenzen des ›Patrimonium Petri‹, dem Kirchenstaat. Kaiser Friedrich I ›Barbarossa‹ erkennt die Chance, den Süden dazuzugewinnen, und verheiratet seinen zweiten Sohn Heinrich VI mit der letzten Erbin der sizilianischen Königswürde, Constanze von Altavilla, d'Hautville. Die bereits 31jährige Prinzessin wird aus dem Kloster geholt und 1186 dem zehn Jahre jüngeren Heinrich zu Mailand angetraut.«

»Und wann kommt der ›Cuor di Leone‹?« schnappte Bea dazwischen. »Den find' ich so süß!«

»Der war stockschwul«, klärte Rinaldo sie auf.

»Vier Jahre darauf stirbt Barbarossa auf dem Weg zu einem Kreuzzug, den er zusammen mit dem König von England, Richard the Lionhearted, durchführen wollte. Richard beleidigt dann den Herzog von Österreich, der als ranghöchster Vasall des Kaisers das Kommando über die Deutschen übernommen hatte. Der Herzog reist ab und schwört Rache, lächerlich, aber —« ich nahm einen Schluck, »— wie das Leben so spielt, ging sein Wunsch in Erfüllung: Der Löwenherz läuft ihm auf der Heimreise in Wien in die Arme, weil der den Weg über die Alpen ins welfische Bayern nicht fand. Herzog Leopold verkaufte die Beute gegen gehörigen Gewinnanteil an Kaiser Heinrich, und der preßt England den gesamten Thronschatz ab —«

»Und Richard, der arme?«

»Bea«, sagte Ray, »schau dir Robin Hood an und stör die Emmy nicht!«

»Mit diesem Lösegeld, die größte jeweils gezahlte Summe der Weltgeschichte, kann nun Heinrich eine Armee ausrüsten, die den Süden Italiens erobern soll, denn die Normannen und auch ihr offizieller Souverän, der Papst, möchten inzwischen den Staufer längst nicht mehr zum König — wenn sie ihn je gewollt haben. Der war bisher mit seiner Constanze kinderlos geblieben, aber nun fügt es sich, nach acht Jahren vergeblicher ehelicher Bemühungen, daß die Kaiserin schwanger wird, was natürlich dazu führt, daß böse Zungen —«

»Vierzig ist nicht zu alt!« stellte Bea fest.

»Damals«, entgegnete ich, »sah man das entschieden anders –, und die Maßnahmen, die der kaiserliche Hof ergriff, deuten auch darauf hin, daß man sich der fragwürdigen Situation bewußt war. Aber das Kaiserpaar mußte nun die offiziell verkündete Schwangerschaft durchstehen und mit glücklicher Geburt des Erben zum Abschluß bringen. Damit kommen wir nach Jesi –«

Ich verlangte nun auch nach einem Grappa und schöpfte Atem, nachdem der ›Nonnino nero‹ mir durch die Kehle geronnen. »Im Dezember 1194«, so fuhr ich dann fort, »überschreitet das kaiserliche Heer die Alpen und zieht die Adriaküste hinab. Constanze, hochschwanger, kann das Marschtempo nicht mithalten, Heinrich läßt sie mit einer Nachhut zurück und zieht mit der Armee weiter gen Sizilien. Weihnachten läßt er sich in Palermo zum König krönen, richtet ein furchtbares Blutbad unter den Verwandten Constanzes an, ohne zu wissen, daß diese ihm am gleichen Tag zu Jesi – weiter war sie nicht gekommen, da setzten die Wehen ein – den gewünschten Sohn geboren hatte.«

»Und dann?« fragte Ray. »Nun erzähl die Geschichte auch zu Ende!«

»Die Geschichte von Friedrich II.?« warf Rinaldo zwischen Abwehr und Unglauben ein.

»Na ja«, entrang ich mir erschöpft, »der Säugling wird dem Herzog von Spoleto zur Obhut übergeben, die arme Constanze wird nach Bari zum Kaiser befohlen, sie gehorcht.«

»Die Ehe darf man wohl als gestört bezeichnen«, gab Bea zum besten.

»Das war sie schon lange«, beschied sie der Chronist. »Doch herrschten im Hochadel damals noch rigorose Sitten, was die dynastische Verantwortung anbetraf, die jedes Opfer verlangen konnte. Drei Jahre später ereilt der Tod den grausamen Heinrich in Messina, ohne daß er seinen Sohn je gesehen hat. Bevor die Reichsdeutschen zugreifen können, läßt die Mutter das Kind aus Spoleto entführen und krönt den Vierjährigen Pfingsten 1198 im Dom zu Palermo. Im August stirbt dann auch Constanze –«

Ich liege im Bett von meiner Mia, in der Pension ›Quattro Stelle‹, stillschweigende Übereinkunft, seit ich einmal dort vor

Erschöpfung eingeschlafen war. Mia wird so schnell nicht auftauchen, als Assistentin bleibt ihr einiges zu tun, bevor sie verschwinden darf. Das Programm für die nächsten Proben muß
zwischen Regie und Technik abgestimmt werden, und die daraus resultierenden Vorbereitungen sind dann noch anzuleiern.
Da ist ›Firebirdie‹ eisern, weswegen ich sie ja auch engagiert
habe.

Mia Parker ist beileibe nicht mein Typ. Rothaarige, tizianrot,
um genau zu sein, stürzen mich nur dann in Verwirrung, wenn
das Haar um ätherische oder sahnefarbene, exotische Gesichter
wallt, blau geädert an den Schläfen, mit großen tiefliegenden
dunklen Augen, hohen starken Backenknochen und einem breiten Mund. Ein nerviger Hals geht über in einen hochgeschosse-
nen Körper, und dann Beine, Beine, Beine –

Firebirdie ist leider von gedrungener Statur, fast stämmig,
und mit Sommersprossen übersät. Ich liege in ihrem Federbett
und denke an den weichen Leib von Beatrice, die ich Rinaldo
ausspannen könnte. Aber will ich das? Bei ihr, auf ihr, sehe ich
mich als Liebhaber jämmerlich versagen, fühle ihr hitziges
Fleisch unter mir erkalten, spüre, wie sie sich meiner Umarmung
entzieht, ihre Enttäuschung mit keinem tröstenden Wort
bemäntelnd, höre am Rauschen des Bidets, wie sie sich der dürf-
tigen Spuren meiner ejaculatio praecox entledigt, sehe blinzeln-
den Auges, wie sie ihren Bademantel überwirft und mich grußlos verläßt, um sich bei Reinhold zu holen, was dem Rubensleib
dieser blonden Kuh zweifellos zusteht.

Alle Welt ist der irrigen Meinung, Produzenten im Showbusineß wälzten sich im Sex wie Keiler in einem Koben voller Säue,
zigarrerauchend, whiskeyschlürfend, in freier Wahl zwischen
fahrigen ›blowing jobs‹ karrieresüchtiger Starlets und dem a
tergo genommenen Hintern der abgebrühten Diva, weil die
Wege zum Ruhm derartige Macht verleihen. Weit gefehlt! Sie
sind durch die Bank impotent, in des Wortes rarer Bedeutung,
schuld daran sind die Finanziers, Typen wie du, Maxi! Gut
ficken ist einfach, wenn man Geld hat (oder keines braucht),
aber zu beiden Kategorien gehört der arme Schweinehund von
Executive-Producer nicht. Er ist auf den täglichen Cashflow
angewiesen, und du läßt ihn nach der Wurst springen, die du
gerade so hoch hältst, daß er sich das Stück abbeißen kann, das
den Tagesbedarf deckt, in ständiger Angst, daß morgen die

Ration noch kleiner oder ganz verweigert wird. So bettelt deine Kreatur grunzend und schnaufend mit Faxen, hüpft und schnappt, zumal ihr im Hinterkopf auch noch dämmert, daß sie als erste geschlachtet wird, wenn die ganze Sauerei schiefgeht. Sie fühlt den Bolzen an der Stirn, das Messer am Hals, die Füße wollen den Dienst versagen, ob des gnadenlosen Hechelns, des demütigenden Flehens, Mahnens und Wartens auf den erlösenden Anruf der Bank. Und da soll einer noch vögeln können?

Im wirren Halbschlaf höre ich die Wetternachrichten:

... ein Kälteeinbruch, verursacht durch das Vordringen einer polaren Kaltluftfront mit Tendenz zum Abstieg in niedrigere Breitengrade. Noch nicht vorhersehbar ist das Verhalten dieses schnell heranziehenden Tiefs nach Alpenüberquerung, wonach es, veränderlichen Winden ausgesetzt, auch eigene Turbulenzen erzeugen wird, wenn es in der nördlichen Adria auf das sich bislang beständig haltende Mittelmeerhoch stößt. Vereinzelte Schauer in den Marken bei zunehmenden Winden aus West-Südwest. Es folgt der Meereszustandsbericht: Ancona, bewegt; Bari ...

Das Plätschern des Waschbeckens irritiert mich, so daß ich die Augenlider hebe. Mia steht gebeugt gegen das Licht der Neonröhre über dem Spiegel, mir ihre nackte Rückenpartie zuwendend, und wäscht sich − mangels einer Dusche − mit dem Waschlappen. Ich schließe die Augen wieder und stelle mich schlafend, bis sie zu mir ins Bett gekrochen kommt. Das fahle Licht des Wintermorgens läßt sich nicht verdrängen, auch wenn sie vorher die Vorhänge zugezogen hat. Sie kuschelt sich an mich, bemüht, mich nicht zu wecken. Die Ausdünstung ihrer vom kalten Wasser glühenden Haut, das Kitzeln einzelner Haare ihrer ungebändigten Löwenmähne in meinen Nasenlöchern lassen mich das Versteckspiel beenden. Ich lege meinen Arm um sie.

»Mein Armer«, fragt sie, »ist das Geld gekommen?«

»Nein«, seufze ich. »Vielleicht morgen −«

»Wir haben schon morgen«, erinnert sie mich. »Die Bank schließt um halb zwei.«

»Weck mich um eins«, billige ich ihr zu. Ich weiß, daß sie

mich nicht aus Eigennutz an meine Pflichten gemahnt, sondern um den Fortgang der Produktion besorgt — wenn nicht sogar um meiner selbst willen.

»Wieso zahlt dein Zastermaxe so schleppend? Er könnte doch regelmäßig per Bankauftrag —«

»Pia Mia«, sagte ich, »Weil es ihn nicht interessiert, ob wir mit dem Stück vorankommen, an das er sowieso nicht glaubt, sondern einzig und allein, wie wir uns abstrampeln —«

»Wie?« lehnt sich meine Firebirdie auf. »Der Geldsack will für seine läppischen Kröten gar keinen Erfolg sehen, der ihm seinen Einsatz doppelt und dreifach — ?«

»Nee«, sage ich und weide mich an ihrer Empörung, »der braucht die Rendite nicht, nicht einmal den Rückfluß. Das kann der einfacher haben, der macht Geld mit Geld. Der will den Kick, wie sich ein Haufen Verrückter begeistert, verzweifelt, besessen, hemmungslos und wütend den Arsch aufreißt, um ›Stupor Mundi‹ auf die Bühne zu stellen.«

»Aber das freut ihn wenigstens?«

»Ich bin mir nicht sicher. Sagen wir mal so: Wenn's funktioniert, ist's schon recht! Mit der Art von Lässigkeit macht man Kohle. Geht Maxi in eine Spielbank und setzt ›plein‹, dann kommt meistens die Zahl.«

»Wie langweilig«, schnurrt Mia, nimmt meine Hand und legt sie auf das Gekräusel ihres Venushügels.

»Eben«, sage ich und übergehe die stumme Einladung, indem ich keinen Finger rühre. »Mit uns hier, in den gottverlassenen Marken zur blödesten Jahreszeit, leistet sich der Herr eine Schöpfungsgeschichte, in der er den lieben Gott spielen kann, wir aber den arbeitsaufwendigen Teil der Kreation übernehmen — aus Lehm die Organisation backen, die Inspiration uns aus den Rippen schneiden und uns dann noch bei Obst und Schlange mit der Produktion herumärgern. Und das, weiß Gott, in keinem Paradies!«

»Woher willst du das wissen?« argwöhnt Mia. »Ich bin ja nur eine knapp tariflich bezahlte Erfüllungsgehilfin, aber euch, die Macher, will er wahrscheinlich abkochen, und zwar gewaltig.«

»Ich habe einen Vertrag«, sage ich, eigentlich unlustig, mich noch des weiteren über die Umstände auszulassen, »der besagt klipp und klar, daß Maxi zahlt, solange ihn unser Treiben hinreichend interessiert.« Damit endlich Ruhe herrscht, gebe ich meinen Mittelfinger preis.

Mia quittiert es nur mit einer leichten Veränderung der Tonlage. »Klipp und klar nennst du — ?«

»Ich kenne Maxi«, sage ich und nehme mich ihrer Klitoris an, was mich zugegebenermaßen leicht erregt, Mia sehr.

»Du kennst Maxi nicht!«

Um keine zu gehobene Stimmung aufkommen zu lassen, fahre ich hastig fort: »Ich habe die Sache in der Hand. Von dem Thrill meiner Berichte, die ich ihm geben muß, hängt es einzig und allein ab, ob er den Fortgang für spannend genug empfindet, uns weitermachen zu lassen —«

»Hör auf!« keucht Mia wütend und wendet sich von mir ab. Ich benutze die freigewordene Hand, mir eine Zigarette aus der Packung zu fingern.

»Scheiße!« sagt Mia traurig.

Ich rauche und lasse sie an meiner Zigarette mitziehen. Ich schaue zur Decke der billigen Pension in Jesi und sage ihr nicht, daß ich alles, auch die Begebnisse dieser vorgerückten Morgenstunde, zum Bestandteil meines Berichtes machen werde.

Mia stützte sich auf und sieht mich prüfend an:

»Bei mir hier kannst du die Hosen runterlassen, doch vor dem Kerl darfst du dich nicht entblößen und alle dazu, die mit dir zu tun haben!«

Da ich mich nur damit zu beschäftigen scheine, Rauchwölkchen in Form von Kringeln aufsteigen zu lassen, rüttelt sie mich, ihre fuchsrote Mähne fällt über mein Gesicht und zerstört meine Kreise.

»Erfind lieber was! Das kannst du doch. Schwindel ihm was vor, übertreib, bausch auf! Was treibt dich denn, diesem Maxi wie ein kleiner Zuträger von der Stasi jeden Furz zu stecken, den wir hier lassen?«

Ja, was? Ich schweige. Der Dämon der Treue und der des Verrates wohnen nicht nur in derselben Brust, siehe Hagen von Tronje, sondern auch in meiner. Sie werden eins, je untrennbarer, je bedingungsloser sie herrschen. Gefeit vor ihnen ist nur der Laue. Ich habe mit Maxi einen Vertrag geschlossen. Der bindet uns beide weit über das Geschriebene hinaus. Wenn ich beschwören will, daß er sich daran hält, verbietet sich mir jedes Hintertürchen der genehmen Auslegung. Er will meine Seele, ich will ›Stupor Mundi‹. Ich kann das Mia nicht erklären, weswegen ich auch »Jaja« murmele, als sie mich drängt. »Versprich mir das, Manuel?«

Mia ist die einzige, die mich so nennt, und wie danke ich es ihr?

»Ja«, lüge ich in ihre grüngrauen Augen hinein und spüre zum Dank ihren heißen Schoß an meinem Schenkel, was mich kalt läßt.

Sie hat ja recht, ich bin kein Doktor Faustus, sie kein Gretchen. Ich habe mir in den Kopf gesetzt, die staunende Welt der Medien um ein Spektakel zu bereichern, das mich unsterblich machen wird. Dafür gehe ich über Leichen — aber ich bin kein Idiot, nicht dein nützlicher Idiot, Maxi!

Ich denunziere meine Mitarbeiter, verrate die, die mir vertrauen, vielleicht sogar mich lieben, zumindest mir helfen wollen. Das könnte dir so passen, alter Kokobock! Ich bin dein Spitzel, Tarnname: die dicke Emmy. Manche bedienen sich auch der Verstümmelung ›Manni‹, beides von meinem Vornamen Manuel herzuleiten, Manuel J. Berghstroem. Die Italiener sagen ›Berkestrom‹, weil sonst das ›H‹ hinter dem ›G‹ für sie keinen Sinn macht, und rufen mich ›Emanuele‹.

Die unterschiedliche Vertraulichkeit basiert einmal auf dem Hang meiner ausnahmslos schwulen Freunde, alles und jeden mit weiblichen Attributen zu behängen, während das blöde ›Manni‹ der kumpelhaften Art meiner Techniker entspricht, die schon seit Jahren mit mir zusammenarbeiten — obgleich sie nach jeder Höllenfahrt von Produktion schwören, es sei nun endgültig das letzte Mal gewesen, daß sie sich von mir hätten ausbeuten lassen oder übers Ohr hauen. Mir ist beides hekuba, solange sie nicht an das ›Jot Punkt‹ rühren, das für den mir peinlichen Vornamen ›Jonathan‹ steht, Danaergeschenk eines früh verschollenen Taufpaten. Nur du, Maximilian Bock, quälst mich mit der Anrede ›Jonathan‹, was allerdings den Vorteil hat, daß keiner weiß, von wem du sprichst. Du schüttest dein stiernackiges Großwildjägerlachen über Jonathan aus, der dem Erfolg hinterherläuft, mit den falschen Stoffen oder ungeeigneten Personen. Gut, ich habe Pleiten gebaut, aber immer überlebt. Ich sehe mich als Kreativer, und in Italien, wo mein Ruf noch nicht ruiniert ist, hält man mich für wohlhabend, wenn nicht sogar reich. Darüber könnte ich lachen! Aber diesmal, und das weißt du auch ganz genau, habe ich den richtigen Stoff an Land gezogen, weswegen du ja auch eingestiegen bist. Ich werde dir die Berichte schreiben, weil du mich in der Hand hast, aber ich denke nicht daran, ›Jonathan‹ als Ich-Erzähler mehr zu entblößen als alle anderen. Nackt sind wir sowieso schon, doch unsere Seelen — wenn sie auch in Fetzen gehen wie die Würde unserer Intimitäten, unserer Träume, die wollen wir dir nicht in den Rachen werfen, nur weil du der Schiffseigner bist — jedenfalls nicht bis zum Untergang. Wie sich dann jeder verhält, werden wir ja sehen. Ich glaube an Rettung, an die Insel mit der Schatzkiste. Dann tritt die Gewinnklausel des Vertrages in Kraft: du 60 Prozent, wir 40 Prozent — um genau zu sein: fünf Prozent der Regisseur Ray Maulman, zehn Prozent der Komponist Reinhold Schilling und 25 Prozent meine Wenigkeit, womit sowohl meine Producer-Tätigkeit als auch mein Libretto abgegolten sind.

Das muß ich durchstehen, und zwar aufrecht, ungebrochen und nicht zu Kreuze kriechend. Insofern liegt mein Firebirdie richtig. Ich muß mich nicht in der ›Ich-Form‹ darbieten, herausgehoben unter den anderen. Von nun an wird ›Manuel J. Berghstrom‹ nichts weiter sein als einer der Handelnden, ein Objekt, über das zu berichten sein wird, wenn es sich so ergibt. Keine schleimig-feuchte Spur soll mehr zu dem führen, der die Berichte schreibt. Das mußt du in Kauf nehmen, Maxi! Du läßt dich ja auch nicht persönlich sprechen.

Während er diese Tüllgardine der Scham zuzieht, fällt jenem Berghstroem ein, in 110 Minuten muß er zur Bank, sonst ist sie zu, und Berghstroem erfährt nicht, ob die gewährten Einblicke hinter die Kulissen dich vorläufig zufriedengestellt haben. Moloch!

Die Morgendämmerung setzt ein. Von weither tönt der
Gesa...
Mire...
Weg...
scher...
wo e...

Kapitel II

DER MAGIER

Ramon
 In welcher Gruft dich auch verzehrt der
            Schmerz –
 von Leopoldens gekränktem Eitel
 an des gier'gen Kaisers leeren Beutel
 schnöd verkauft, ich wein um dich, Löwenherz!
 Richard, o Richard, halt aus, halt aus,
 bist bald wieder bei Muttern zu Haus!

Rinaldo:
(für sich)
 Das durft' Elenor längst erleben,
 den g'samten Thronschatz drangegeben!

Ramon:
 In welchen Schoß du auch bettest den Sterz,
 hüt' dich vor Johann, deines bösen Bruders
            Neid!
 Der Ohnland trachtet nach des Königs Kleid –
 Verlaß dich nur auf Muttern liebend Herz,
 Richard, o Richard, halt aus, halt aus,
 bleib in den Wäldern, komm nicht nach Haus!

Rinaldo:
 Das höchste Lösegeld der Weltgeschichte
 trägt längst dem Kaiser Heinrich böse Früchte.

Ramon:
 Am edlen Helden sich der bereichern tat, dem
 Papst zum Hohn, Sizilien zum blut'gen Leid –
 der Finsterling die keusche Constanze freit
 und greift nach dem Thron, den sie zu bieten

Don Achille hatte das Team von ›Stupor Mundi‹ zu einer offiziellen Besichtigung des Rathauses eingeladen. Der Producer übermittelte die Einladung nur an Ray und Rinaldo, und die nahmen Mia Parker mit. Als sie dann im Municipio eintrafen, war der Sitzungssaal gefüllt mit sämtlichen Honoratioren der Stadt Jesi. Berghstroem sah die Marchesa, Monsignore Pasquale, aber auch den Apotheker, den Bankdirektor und viele ihm unbekannte, aber gewichtig dreinschauende Figuren, die jetzt den Einzug der kleinen ›Stupor-Mundi‹-Delegation mit Applaus begrüßten. Dann trat eine etwas peinliche Stille ein, und Don Achille wandte sich flüsternd an Berghstroem:

»Der Kulturausschuß erwartet von Ihnen ein paar Worte zu den Staufern und Jesi —«

»Was?« entfuhr es Berghstroem. »Ich soll jetzt einen Vortrag halten?«

»Nur einige Sätze über Friedrich, ›Stupor Mundi‹ und so.«

Es blieb an ihm hängen, weder Ray noch Rinaldo machten die geringsten Anstalten, ihm diese Aufgabe abzunehmen. Er hatte es ja auch eingebrockt. Also nahm er seinen Hut ab und trat vor an das Rednerpult, als sei er zu keinem anderen Behufe hier erschienen — jetzt würde er denen ein Schnippchen schlagen. Frei, wie jeder sehen könne, ohne Manuskript, legte Berghstroem los:

»›Stupor Mundi‹ — das Wort vom ›Staunen der Welt‹ — steht für Friedrich II, die Herrschergestalt, in der das glanzvolle Geschlecht der Staufer kulminiert. Es ist der Höhepunkt, also Gipfel einer Aszendenz, die kaum 60 Jahre zuvor mit der Königswahl des Herzogs von Schwaben, Konrad III von Hohenstaufen, begonnen hatte. Schon eine Generation später entwickelt das Geschlecht seinen vollen Glanz: Friedrich I ›Barbarossa‹, sein Neffe und Nachfolger, ist der erste Staufer, der sich zum Kaiser krönen läßt. Dieser legendäre Herrscher versteht es wie seit Karl dem Großen kein deutscher Imperator, die Macht des Römischen Reiches sowohl gegenüber aufsässigen Stammesherzögen, wie den Welfen, als auch gegen die Unabhängigkeitsbestrebungen der lombardischen Stadtrepubliken und vor allem gegen den weltlichen Herrschaftsanspruch der römischen Kirche durchzusetzen. Es muß den Menschen der damaligen Zeit noch in Erinnerung gewesen sein, wie diese im sogenannten ›Investiturstreit‹ einen Deutschen Kaiser zu Canossa gedemütigt hatte. Ihre Mißgunst verfolgte auch Barbarossa durch seine gesamte Regierungszeit. Insgesamt sechsmal war er gezwungen, nach Italien zu ziehen. 1186 holte der Kaiser zum entscheidenden Gegenschlag aus: Er krönte seinen Sohn und späteren Nachfolger Heinrich VI in Mailand zum König von ›Italien‹, so hieß der Teil des Reiches zwischen Alpen und Patrimonium Petri, und verheiratete ihn mit Constanze d'Altavilla, der letzten Erbin des Normannenthrons von Sizilien.«

Berghstroem machte eine kleine Pause, weniger um seine Gedanken zu ordnen als um eine Reaktion auf den Gesichtern seiner Zuhörer zu entdecken. Don Pasquale schaute angestrengt zur Kassettendecke des Rathaussaals, als ob er seinen Chef um Verzeihung bitten müßte, daß sein treuer Diener sich das antat. Die Marchesa blickte, die Seelenpein ihres Nachbarn ignorierend, eisern geradeaus.

»Vier Jahre später begibt sich Barbarossa trotz seines hohen Alters ein zweites Mal auf Kreuzfahrt ins Heilige Land und ertrinkt bereits auf dem Hinweg in der Türkei. Seine Soldaten legten den Leichnam in Essig ein und führten ihn weiter mit sich — so entstand die Legende von seiner Unsterblichkeit, Vorläufer der ›Kyffhäuser-Sage‹, die er sich später mit seinem brillanten Enkel teilen mußte. Hier haben wir den Beginn des ›Staufer-Mythos‹, von dem Jesi zehrt und den wir mit unserem ›Stupor Mundi‹ huldigen wollen. Jesi und ›Stupor Mundi‹ werden zu einem multimedialen Gesamtkunstwerk verschmelzen, das der Größe und Bedeutung eines Friedrich II würdig ist!« Berghstroem hatte sich in Emphase geredet, was ihn weniger bewegte, als daß es ihm einen trockenen Hals machte. Sein Blick suchte nach einem Glas Wasser, doch da war keines. Also fuhr er fort:

»Lassen wir uns von dem noch nicht Geborenen zurückführen in seine Zeit, die Zeit der Kreuzzüge. Wie für jeden Herrscher war für Barbarossas Sohn und Nachfolger Heinrich VI ein solcher Kreuzzug Ehrensache. Doch erst mal galt das Interesse des Kaisers einem anderen Ziel, wesentlich greifbarer: Die Eroberung des Königreichs Beider Sizilien, auf das er durch seine Heirat Anspruch erheben kann. ›Unio regis ad imperium‹, diese Einverleibung des Südens der Appeninhalbinsel war ein Traum, den schon vor den Staufern alle deutschen Herrscher insgeheim oder uneingestanden geträumt hatten. Jetzt sollte er endlich — dem Papst zum Trotz — Wirklichkeit werden. Man kann die Umstände, je nach Standpunkt und Sympathie, entweder als Wunder oder als Teufelswerk ansehen. Wie auch immer: Heinrich zieht, den Bauch der Frau gefüllt wie die Kriegskasse, aus seinen Stammlanden kommend, mit seinem Heer die Adria hinab. Constanze kann das Marschtempo nicht lange mithalten, noch teilt sie die Gier ihres Gatten, Sizilien zu unterwerfen, wo ihre normannische Verwandtschaft inzwischen längst Tankred von Lecce zum König gewählt hat. Vielleicht will sie auch dem zu erwartenden Blutbad unter ihren Landsleuten nicht beiwohnen. Jedenfalls beschließt sie, ihre Reise hier zu unterbrechen, im gut befestigten Jesi, unweit des Meeres und geschützt durch das kaisertreue Spoleto, um hier ihr Kind zur Welt zu bringen.«
Berghstroem blickte befriedigt in den Saal, in dem es mucksmäuschenstill geworden war. Nur Don Achille erschien zu andächtig, wie er bei geschlossenen Augen die Hand an die Schläfe gelegt hatte — wahrscheinlich schlief er.

»Daß sie einen Sohn gebären würde«, fuhr er mit erhobener Stimme fort, jedoch ohne das gewünschte Resultat, »steht für Constanze außer Zweifel. Zuviel hängt dynastisch davon ab, ihr eigenes Sehnen kreist nur um ihn, den wahren König Siziliens, mit dem sie ihr Volk versöhnen will. Die Schreckensnachrichten vom Weihnachtsmassaker auf der Insel braucht sie gar nicht erst abzuwarten. Sie kennt Heinrichs Charakter zur Genüge, seit man sie vor acht Jahren aus dem Frieden selbstgewählter Entrückung eines Nonnenklosters gerissen und dem Staufer ins Brautbett getrieben hatte. Ginge es nach ihr, würde ›Federico‹ — den sie lieber Constanz-Roger gerufen hätte — niemals König der Deutschen werden, dieser Barbaren aus dem Norden — und schon gar nicht die Bürde kaiserlicher Würden ertragen müssen.

Das ›Wunder von Jesi‹ findet statt. Friedrich II erblickt zweifellos hier am 26. Dezember 1194 das Licht der Welt!« — Don Achille fuhr hoch. — »Daß dieses Ereignis, das wir in unserem Stück ›Stupor Mundi‹ wiederaufleben lassen wollen, damals bis heute die Gemüter so bewegt, hat nicht nur mit den Umständen, den von diversen und kontroversen Seiten ergriffenen, Aufsehen erregenden Maßnahmen und wilden Spekulationen zu tun, sondern auch mit der bald darauf einsetzenden, abenteuerlichen Entwicklung des Knaben Friedrich. Der rasante Aufstieg des ›puer apuliae‹ zur großartigen Herrschergestalt schlägt zurück auf seinen Geburtsort, den er später ›mein Bethlehem‹ zu nennen beliebt, und setzt das Geschehen dieser Nacht in ein gleißendes, aber auch vieles verzeichnendes Licht.« Die Augen des Apothekers hinter den dicken Brillengläsern funkelten wie glühende Kohlen. Auch Ray, der sonst so gerne seine, Berghstroems, Ausführungen, mit sarkastischen Bemerkungen unterbrach, war gezwungen, konzentriert zuzuhören, was den Vortragenden freute.

»Wir wollen mit unserem ›Stupor Mundi‹ diesen vielfältigen Aspekten und Versionen durchaus Rechnung tragen — und fühlen uns auch nicht im Besitz der alleinigen und einzigen Wahrheit, doch eines steht fest: Hier wurde ›Das Staunen der Welt‹ geboren, von einer Frau, der nichts ferner lag.« Es entstand Unruhe im Saal, die Berghstroem zu ignorieren beschloß. An dem Knochen würden sie einige Zeit zu knabbern haben!

»Für Heinrich, den nach Sizilien vorausgeeilten herrischen Kindsvater, stellte sich die Situation ganz anders dar. Nachdem schon sein übermächtiger Altvorderer Barbarossa dem Reich durch Heirat die Provence und das Burgund eingebracht hatte, schwebte ihm, Heinrich, nun ein Mittelmeerreich vor, das mit Zentrum Palermo — oder Neapel — hinübergriff ins Heilige Land, Byzanz auslöschte. Er bereitete sorgfältig den gewaltigsten Kreuzzug vor, den die Welt je zu sehen und zu spüren bekommen sollte, doch mitten in die Vorbereitungen, drei Jahre nach der Geburt seines Sohnes zu Jesi — er hat ihn nie zu sehen bekommen, noch danach verlangt —, wird Heinrich überraschend zu Messina von der Malaria hinweggerafft.

Bevor die Deutschen aus dem Reich sich des Knaben bemächtigen konnten« — ›Ein Glas Wasser!‹ dachte Berghstroem, ›nur einen Schluck!‹ und fuhr hastig fort, um die gestellte Aufgabe schnellstmöglich hinter sich zu bringen − »läßt Constanze ihn aus der Obhut der Herzogin von Spoleto holen und in einem Gewaltritt von eigenen Getreuen auf die Insel bringen. Pfingsten 1198 krönt sie den Vierjährigen im Dom zu Palermo zum König von Sizilien, empfiehlt ihn dem Schutz der Kirche und stirbt im August.« Er legte eine Pause ein und schickte einen hilfesuchenden Blick zu Don Achille. Alles, was er erntete, war ein zufriedenes Grinsen.

»Im gleichen Jahr nimmt in Rom Friedrichs von Constanze bestellter Vormund, der Graf Lothar von Segni, als Papst Innozenz III den Stuhl Petri ein. Damit ist dem schillerndsten aller Staufer ein nicht minder energiegeladener Gegenspieler erstanden, der eklatant, ambigue-verwirrend, hochfahrend machtbesessen, ja -süchtig, von brillanter Intelligenz, unersättlichem Wissensdurst bis zur politischen Torheit alle Facetten aufblitzen ließ, die wir auch bei dem stupenden Friedrich bewundern, die uns erschrecken, die wir jedoch dem charismatischen Staufer verzeihen. Friedrich II und Innozenz III, sie mußten sich hassen und taten es bis zum Tod des einen, Verderben des anderen.« Berghstroem blickte Mia an, die ihm einen aufmunternden Blick zuwarf. Oder stand da noch jemand hinter ihm?

»Der Bogen der Staufer war überspannt, Friedrich fügte durch die zweite seiner drei Ehen dem Stauferreich noch das nur mehr nominell bestehende ›Königreich von Jerusalem‹ hinzu, aber es war − wie wir sagen − bereits der Wurm drin. Ein Nord-Südreich vom deutschen Ordensland im Baltikum bis zur Grenzfestung Starkenberg im Libanon ließ sich nicht zusammenhalten. Es waren neben der erbitterten, bis zum Verfolgungswahn ausartenden Feindschaft der Kirche die eigenen Kinder, die ihm zu schaffen machten. Seine fast abgöttische Liebe zu Apulien ließ ihn das eigentliche Reich, Deutschland, vernachlässigen. Er schuf bestechende Gesetze und Verwaltungsstrukturen, öffnete der Kunst und der Wissenschaft die Tore, aber er verzettelte sich: Vieles, was auf den ersten Blick bei Friedrich ›Größe‹ ausmacht, ist in Wahrheit der dramatische Kampf einer gigantischen Reichsidee gegen den Untergang, einer Idee, die von einem Gottesgnadentum für den Imperator ausging, die ihm eine absolute Herrschaft sozusagen garantierte. Weder Rom noch alle anderen weltlichen Mächte waren bereit, sich diesem Konzept unterzuordnen. Friedrich lebte Teile seines Lebens als

Träumer, immer wieder vom bösen Erwachen verstört, worüber er zunehmend lamentierte — was ihn argwöhnisch, bösartig und vor allem immer verbitterter werden ließ. Erstaunlich, daß er gerade in diesen Jahren des Niedergangs, nach seiner Absetzung durch das Konzil von Lyon, noch Werke von unauslöschbarer Schönheit, von einzigartiger Harmonie schaffen konnte, wie das ›Castel del Monte‹. Zu bewundern ist eigentlich, daß er sich so lange in der Herrschaft zu halten vermochte und 1250 nicht einmal eines gewaltsamen Todes starb. Das Schauspiel seines funkensprühenden Abwehrkampfes als von immer neuen Brandherden umgebene Feuerwehr gegen alle Feinde und Brandstifter, aber auch gegen die eigenen Fehler, ist das wahrhaft Großartige, vor dem wir in unseren überschaubaren kleinen Dimensionen erschauernd verstummen.« Ein heftiger Applaus setzte ein. Selbst die Marchesa klatschte, etwas steif zwar, aber doch voller Sympathie, die Hände.

»Aber auch ohne das Auftreten eines Papstes wie Innozenz III«, fuhr Berghstroem fort, nachdem sein ob der Unterbrechung verärgerter Blick den Saal wieder zur Ruhe gebracht hatte, das blöde Klatschen verebbte, »der sein Gift des Stauferhasses in die Venen seiner willfährigen Nachfolger auf dem Stuhle Petri verspritzte, war der Zenit für die Staufer in der Nacht von Jesi erreicht.« Kunstpause.

»Was geschah nun eigentlich Besonderes in dieser Nacht? Oder geschah nichts dergleichen, und alles ist Legende, Nachwehen einer überhitzten Phantasie der Zeitgenossen, fanatische Parteigänger der Kirche einerseits, der kaiserlichen, sprich stauferischen Idee auf der anderen Seite? Die für die meisten wohl überraschende Schwangerschaft der ältlichen Constanze ist sicher der Ausgangspunkt für jede Art von Spekulationen gewesen. Der zufällig gewählte Ort für die Niederkunft und die dann spontan getroffenen ›Sicherheitsmaßnahmen‹ heizten allerlei Gerüchte an. Rufen wir uns in Erinnerung, daß die Geburt nachweislich ›öffentlich‹ hier auf dem Marktplatz stattfand, auch wenn man davon ausgehen darf, daß das eigens dafür errichtete Zelt den eigentlichen Akt des Gebärens abschirmte. Wie konnte dennoch die verleumderische Behauptung kirchlicher Kreise, das kaiserliche Kind sei in Wahrheit untergeschoben worden, sich bis heute halten oder, was schlimmer war, Friedrich zeit seines Lebens begleiten, er sei nur das Balg einer Metzgerin dieser

Stadt?« Berghstroem sah, wie Alfredo Fiorante immer unruhiger auf seinem Stuhl herumrutschte, als wolle er gleich aufspringen. Genüßlich spann er seinen Faden weiter aus – seinen Durst hatte er über den sichtbaren Qualen des Apothekers fast schon vergessen.

»Bedenken wir weiter, daß – man spricht von einem Dutzend, andere von 15, von 18 – bezeugtermaßen eine stattliche Anzahl kirchlicher Würdenträger – bis hinauf in den Kardinalsrang – der Geburt beiwohnte, und zwar, so die zeitgenössischen Chronisten, ›das Bett umstehend‹: Keiner der damals anwesenden Kleriker hat jemals ein solches Statement bezüglich eines Kindaustausches abgegeben! Nie ist eine Metzgerin aus Jesi dazu peinlich verhört worden.«

Alfredo Fiorante stöhnte hörbar auf, seine Froschaugen hinter mindestens zehn Dioptrien rollten heftig, gleich würden sie ihm davonspringen. Don Pasquale schlug ein Kreuz und sah dann zu Boden, weil die Marchesa mit eiserner Miene noch immer keinerlei Zeichen der Empörung von sich gab.

»Eine Rolle spielt sicher auch der ungewöhnliche Abschluß der Veranstaltung«, setzte Berghstroem dann versöhnlich seine Rede fort. »Der gerade geborene Knabe wird nicht – wie üblich – von der Mutter angenommen, sondern fremder Obhut überlassen, angeblich wird er in der Eile nicht einmal getauft. Das wird auf später verschoben. Hals über Kopf verläßt Constanze Jesi und reist ihrem Mann nach, weil der darauf besteht, sich in Bari noch einmal mit ihr offiziell trauen zu lassen. Will sie ihr Kind aus den Wirren heraushalten? Oder will Heinrich den kleinen Thronprätendenten nicht zwischen den Füßen haben? Belegt ist, daß Friedrich die nächsten drei Jahre in der Obhut der Margarete von Urslingen, Herzogin von Spoleto, verbringt. Hat das vielleicht alles damit zu tun, daß wir hier nicht, wie beim Stern von Bethlehem, dem Beginn einer neuen Ära beiwohnen, sondern dem Anfang vom Ende der Staufer?« Mit Genugtuung nahm Berghstroem wahr, wie seine Zuhörer an seinen Lippen hingen, aber er durfte den Bogen nicht zu weit spannen:

»Nicht seine Söhne haben das Finale eingeläutet, sicher nicht der sich großartig schlagende Bastard Manfred, der nach Friedrichs Tod noch 16 Jahre den dynastischen Niedergang hinauszögerte, ganz sicher nicht der Kaiserenkel Konrad V, dessen abgeschlagenes Haupt schließlich den Untergang besiegelt, sondern Friedrich selbst. Ohne daß es von Beteiligten wie Zuschauern, Freunden wie Feinden, so wahrgenommen wurde, wohnten sie der Explosion eines sonnengleichen Gestirns bei, ihr blendender Widerschein vermischt sich mit dem höchsten Glanz eines Geschlechts, dessen Strahlen uns noch mehr als ein halbes Jahrhundert faszinieren sollte und vielleicht deshalb so erregt, weil es das Leuchten eines Abendrots war, das schönste, das ich kenne, das Licht des ausgehenden Mittelalters. Staunend steht noch heute die Welt vor diesem Naturereignis der Geschichte — ›Stupor Mundi‹!«

Berghstroem deutete in das erst verhalten einsetzende Beifallklatschen so etwas wie eine Verbeugung an. »Ich danke« — murmelte der Producer — »wenn schon nicht für Ihr Verständnis, so doch für Ihre Aufmerksamkeit!«, nahm seinen Hut und ging, den jetzt kräftig aufbrandenden Applaus völlig ignorierend. Er sah sich auch nach seinen Gefährten nicht um, noch verabschiedete er sich von seinen Gastgebern. Er schritt — ohne auf den Weg zu achten — die nächsten Steinstufen hinab durch eines der Stadttore und lief so lange weiter die Straße aus Jesi heraus, bis er plötzlich unten im Tal vor dem Bahnhofsgebäude stand. Im Buffet ließ er sich einen doppelten Grappa einschenken und sah im Fernsehen, der Apparat war über der Tür zur Küche angebracht, eine Fußballübertragung der zweiten Liga an.

Ray, Rinaldo und Mia nahmen die Glückwünsche des Don Achille, der Marchesa Fluvia und des Bankdirektors entgegen, wie schön der Signor Berkestrom doch geredet habe, wie gefühlvoll und tiefschürfend. Selbst der Priester war voll des Lobes. »Che bel discorso! Cosi emotionante e commovente! Parole di profonda conoscenza!« Nur Alfredo Fiorante schwieg abseits vor sich hin.

Von einer Führung war dann auch nicht mehr die Rede, sie hatten die Bibliothek besucht, das ›Goldene Buch‹ gebührend bewundert, in dem es von Grußbotschaften Deutsch-Italienischer Staufer-Vereine, Ehrenvorsitzenden europäischer ›Federico-di-Suevia‹-Komitees, Ordinarien für Hochmittelalterliches nur so wimmelte, und waren erschöpft — Champagner war ihnen nicht angeboten worden, nur ein Kaffee in Plastikbechern aus dem Automaten vor dem Büro des ›Vice-Sindaco‹ und, alleingelassen, auf den Rathausturm gestiegen. Von dort hatte man einen prächtigen Überblick hinunter in die verwinkelten Gassen, auf Dächer und Innenhöfe. Ein geübtes Auge konnte den Verlauf der Stadtmauer erkennen und hinausschweifen in das hügelige Land mit dem Fluß, den verfolgend bis zum Meer.

»Die Emmy«, maulte Ray, auf der Brüstung sitzend, wo ihn Mia fotografierte, »läuft immer zu großer Form auf, wenn sie vor bewunderndem Laienpublikum auftreten darf.« Er warf mit rascher Bewegung sein langes Haar zurück und lächelte der Assistentin ins Objektiv. »Wir müssen uns mit seinem gereimten Handlungsleitfaden herumschlagen, der wenig über Aufbau und Dramaturgie, schon gar nichts über den Spannungsbogen der Geschichte verrät. Nur dumpfe Andeutungen.«

»Bis jetzt bist du noch nicht abgestürzt, lieber Ray.« Rinaldo dachte nicht daran, das Gemeckere ernst zu nehmen. »»Stupor Mundi‹ beginnt zwar dunkel im Vorspiel, aber weder dumpf noch knisternd geheimnisvoll, sondern trocken, fast mit trockenem Humor.«

»Du kannst unserem Librettisten alles unterstellen, nur nicht das!« begehrte der Regisseur auf. »Das ist deine ›Sicht der Töne‹, Sir Rainald.« Er streckte Mia die Zunge raus. »Ein lustig Spiel von Leben und Tod, Sterben und Geburt. Das Glücksrad dreht sich«, knurrte er wie ein Wolf, der Kreide zerkaute, ohne sie schlucken zu können.

»Genau!« sagte der Komponist. »Eine Erinnerung an die Wechselhaftigkeit politischen Geschicks! ›Ein närrischer Narr, wer am Rad Fortunas dreht, ein gehängter Henker, wer es schlecht versteht.‹«

»Komm zur Sache!«

»Der Beginn dient zur Introduktion von Thema, Personen und Methode. Die Geschichte muß verständlich bleiben, also Streitgespräch, unterbrochen von Balladen, Moritat. Zur Erhaltung der Melodik, damit kommen wir zu den Figuren, fügen sich dem Buffopaar jetzt die Liebenden hinzu. Kaum ist —«

»Halt«, unterbrach Ray. »Kommt der erste Choreinsatz, ›Die Deutschen‹, nicht reichlich spät? Sollte man die nicht schon vorher aus der Ferne hören?«

»Und wo bitte?«

»Ich lauf' nicht mit dem Libretto unterm Arm herum«, sagte Ray. »Wichtig ist mir ein langsames Crescendo im Hintergrund, im Untergrund, immer näher kommend, immer stärker, bedrohlicher.«

»Nicht übel«, sagte Rinaldo. »›Das Lied der Deutschen‹, eine Assoziationskette von chauvinistischen Schlagworten wird repetiert, das unterstreicht den Charakter dieser Biermarsch-Nationalhymne, die in der Folge durch den Oberhofmarschall noch personifiziert wird.«

»Richtig«, sagte Ray. »Und konterkariert wird dieses anonyme Massengegröl durch die ›Arie von der armen Kaiserin‹. ›Ricca, povera Imperatrice‹ — eine Erlösung!«

»Geht in Ordnung«, akzeptierte Rinaldo. »Wir müssen es nur der Emmy verklickern, denn dadurch erhalten wir hier mindestens zweihundert Sekunden zusätzlich.«

»Aber mehr Schwung in den Laden!« sagte Ray. »Das ist zu Anfang sehr wichtig.«

»Danke«, sagte Rinaldo, »jetzt können wir auch die Vorstellung der Hauptakteure in Ruhe beenden, die mir vorher Sorgen bereitete.«

»Wir wissen nun«, resümierte Mia, »es handelt sich um die bevorstehende Ankunft des Kaisers auf seinem Wege von Deutschland nach Sizilien, und der Kaiserin, deren Niederkunft unmittelbar bevorsteht. An handelnden Personen haben wir kennengelernt: den Narren, den Troubadour, die schöne Alfia — und im zweiten Glied: den Henker und den Marschall des Reiches.«

»Bestens, Mia«, sagte Rinaldo. »Jetzt erweitern wir diesen erlauchten Kreis noch um Bartolo, den Bürgermeister, Podestà genannt, und Meister Ugo, Metzger von Jesi und Ehemann der Alfia. Ihr Disput ›Streitduett der Eheleute‹ läuft als eskalierender Running Gag und bezieht auch das Volk mit ein, bis zur Grenze der Unerträglichkeit, keifend, schrill.«

»Aber darunter das immer gefährlichere Näherkommen der Gefahr von außen: ›Die Deutschen, die Teutonen!‹« Darauf bestand Ray.

»Was Kaiser und Kaiserin, mit ihrem Kind unterm Herzen, bewegt, das erfahren wir im Laufe des Stückes. Aber die einfachen Geschichten dieser sogenannten ›kleinen Leute‹?«

»Das ist nun mal so«, tröstete ihn Rinaldo. »Bist du nicht berühmt durch Taten, als Heiliger oder Verbrecher oder gar adelig von Geburt, kein Chronist verspritzt seine Tinte, um dein

Schicksal festzuhalten! Und doch sind sie es, von denen das Theater lebt, nicht die steifen Auftritte der Nobilität!«

»Da tut ihr Berghstroem unrecht!« empörte sich Mia. »Er hat diesen Nebenfiguren Leben eingehaucht: Die Geschichte der kurzen Freundschaft zwischen Troubadour und Narr – bei allen Kabbeleien sind sie es, die die Handlung vorantreiben, führen und tragen. Dann die Alfia, frustrierte Ehefrau des Metzgers und heimliche Geliebte des Narren, hinzu kommt später noch die Berufung zur Amme, eine Rolle in der ›großen‹ Geschichte, die sie zur wichtigen Hauptfigur machen wird.«

»Laß das die Kaiserin nicht hören!« scherzte Ray schon versöhnlicher, wie immer, wenn die Freude am Schaden nicht den eigenen betrifft.

»Dann«, breitete Mia weiter aus, »haben wir den aufregenden Werdegang des Henkers, erst beschuldigt der falschen Justiz, dann verhinderter Selbstmordkandidat, politisch Verfolgter und schließlich unverhofft geehrt als Podestà. Wir haben Sire Bartolo, dem seine Eitelkeit zum tödlichen Verhängnis wird –«

»Schon um zu erfahren, wie gefährlich ein Herrscher lebt!« mokierte sich Ray. »Prächtig wie ein Kaiser aufzutreten, ohne eine Leibwache!«

»Und schließlich, als das echte Buffopaar – denn der Narr und der Troubadour stellen keinesfalls ein solches dar –, haben wir den Marschall und seinen Hauptmann, womit der deutschen Bedrohung die Spitze genommen wird.«

»Ich sehe«, sagte Ray sarkastisch, »alles ist aufs Beste angerichtet, der Narr und der Troubadour werden zum ›Kaiserbegrüßungsfreudenkomitee‹ ernannt –«

»Die erste Delegation trifft ein, nach den ›Deutschen‹ –« ergänzte Rinaldo, »ein zweiter großer Choreinsatz: die Sarazenen, die können ruhig arabisch singen, da weiß ich, wer sie sind, verstehen muß ich sie jetzt noch nicht – und dann der Ruf –«

»›Der Kaiser kommt!‹« endete Ray.

Im Hotel war inzwischen Berghstroems alter Freund Sal Tomeï eingetroffen, den alle Welt, also die römische Theaterwelt, nur ›Tom‹ nannte, weswegen seine Rolle, die des Bischofs von Jesi, in Don Tommaso umgetauft war, der historische hieß ganz anders.

Tom war der Prinzipal einer elitären Bühne im Ghetto am

Rande der Altstadt namens ›Teatro Trilussa‹ und hatte mit mäßigem Publikumserfolg, aber höchst ehrenden Festivaleinladungen eine Berghstroemsche Adaption der Off-Broadwaykomödie ›Chica Chicago‹ inszeniert. Seitdem waren sie merkwürdigerweise Freunde. Tom war ein großartiger Schauspieler, den nur ein grotesker Kürbiskopf von Heldenrollen abhielt, aber als Cyrano war er unvergleichlich. Er hatte sein Faktotum mitgebracht, einen ungeschlachten Riesen namens Gualtiero. Der diente dem Trilussa als Heizer und Kulissenschieber und folgte seinem Herrn wie ein Hündchen. Tom hatte ihn, der von Schauspielkunst keine Ahnung, wohl aber den Dunst dessen hatte, der in den Bühnengassen zu Hause ist, schon mehrfach eingesetzt, und das Publikum raste jedesmal vor Vergnügen, besonders bei seiner Darbietung als summende Baßgeigerin in ›Damenorchester‹.

Gualtiero sollte Ugo, den Metzger, spielen. Tom hatte sich für ihn verbürgt, auch daß er schön singen könnte. Daran hatte Berghstroem seine Zweifel, als er ihm jetzt die Hand gab, gewärtig, von der Pranke zerquetscht zu werden, aber Gualtiero sagte demütig:

»Ich hoffe nur, daß mir all die furchtbaren Worte über die Lippen kommen, die ich meiner Frau Gemahlin antun muß.«

Berghstroem schaute etwas befremdet zu Tom, doch da kamen Ray und Rinaldo in die Hotelhalle und waren sogleich entzückt, in seltener Einmut:

»Grandios!« rief der Regisseur.

»Wie Anthony Quinn in ›La Strada‹!« setzte Rinaldo drauf, worauf sich Ray nicht verkneifen konnte, den Komponisten gleich wieder zu deckeln: »Nur ist Bea keine Masina!«

Ray, Rinaldo und Mia gingen hinaus in die Kälte, um die Proben auf der Piazza wieder in Gang zu bringen. Signor Tagliabue folgte ihnen mit seinen Henkersgehilfen, obgleich sie, soweit der Producer den Probenplan im Kopf hatte, gar nicht benötigt wurden.

Berghstroem war gerade im Begriff, seinen alten Freund Tom auf dessen Zimmer aufzusuchen, als ihm sein Fahrer in die Quere kam. Emilio hatte sich, seinen Mercedes inklusive, dem ›Produttore‹ weniger als Chauffeur denn als ›Segretario‹ angedient. Und weil er leidlich deutsch parlierte und sich in der

Gegend auskannte, hatte Berghstroem ihn auch genommen, trotz der horrenden Forderungen, die sich aus Lohn nebst Sozialabgaben, Urlaubsgeld, Überstundenpauschale, Rente, Wagenmiete zusätzlich Mehrwertsteuer, Kilometergeld, Benzin, Öl, Waschen, Kämmen, kranker Großmutter und der Teufel was noch zusammensetzten. Dafür pennte Emilio von morgens bis abends acht nicht zu kontrollierende Stunden in den Sesseln der Lobby, wenn er vom Fernsehen ermüdet war. Wollte Berghstroem seine Dienste in Anspruch nehmen, dann war der Wagen gerade in Reparatur oder die Großmutter, oder die Arbeitszeit war abgelaufen.

»Dottò!« rief Emilio quer durch die Hotelhalle und kramte einige zerknüllte Quittungen aus der Tasche. »Ich muß tanken, und heute ist —«

»Emilio«, sagte Berghstroem mit schnellem Entschluß, »was hast du zu bekommen?«

»Ach, das mach' ich mit der Signorina Mia aus«, versuchte der sich herauszuwinden. »Ich dachte nur an ein kleines a conto. Das Benzin ist so teuer, und ich muß —«

»Benzin? Ich dachte, das ist ein Diesel. Gib her!« befahl Berghstroem und nahm ihm die Quittungen ab.

»Wir müssen jetzt nicht genau abrechnen, dottò!«

Berghstroem hatte gesehen, daß Gualtiero gerade den Lift verließ, er winkte den Hünen zu sich. Emilio, eh schon ein schmales Hemd, schrumpfte auf Kindergröße.

»Doch«, sagte Berghstroem, »wir rechnen ab. Wenn ich richtig sehe, hast du für mich an der ›Paris-Dakar‹ teilgenommen, und zwar gleich mit einem Pulk von Service-Wagen. Das finde ich großartig, und so möchte ich deiner Zukunft als Rallye-Star auch nicht im Wege stehen. Im Gegenteil: Ich werde dein Sponsor! Mit einer einmaligen Beteiligung in Höhe von einer Million Lire. Dafür unterschreibst du jetzt sofort, daß ich dich erst als Sieger wiedersehe oder du in der algerischen Wüste umkommen wirst. Andernfalls schlägt dir Ugo, der Metzger, auf der Stelle die Zähne ein, bricht dir den Arm und die Nase dazu! Wie find'st du das?«

Emilio war bis an den Tresen der Rezeption zurückgewichen. Berghstroem stellte eine Quittung aus, ›Abfindung bar aller Ansprüche‹, und Emilio unterschrieb zitternd, zumal Gualtiero das Spiel mitmachte und langsam auf ihn zukam.

Berghstroem griff in die Brusttasche und zählte vor den Augen des Portiers den Betrag auf die Marmorplatte und würdigte Emilio keines Blickes mehr. Der nahm das Geld und verdrückte sich, während Berghstroem den Riesen auf einen Drink in die Bar einlud.

»Entschuldigen Sie mich bitte«, sagte Gualtiero sanft. »Ich trinke keinen Alkohol. Ein naturreiner Fruchtsaft wäre mir das Liebste.«

Rinaldo kam, sich die Arme warmschlagend, zurück ins Hotel. Schon um einen Grund zu haben, nicht wieder in die Kälte hinaus zu müssen, beklagte er sich bei Berghstroem:

»Ray Maulman hätte mich ja auch konsultieren können bei der Wahl des Stimmaterials. Schlußendlich zeichne ich für den Klang von ›Stupor Mundi‹, aber nein, selbstherrlich −«

Bis hier hatte der Producer ihm schweigend zugehört, doch jetzt unterbrach er den Komponisten voller Süffisanz:

»Du meinst, Rinaldo, aus der Tatsache, daß du ein noch lebender Tondichter bist, erwüchse dir ein Mitspracherecht, wie dein Werk umzusetzen sei? Weit gefehlt! Raymond Maulman wurde von mir engagiert, gerade um kein klassisches Rührstück entstehen zu lassen, sondern eine schräge, deftig-schrille Burleske, eine ›opera nera‹ − wenn es so etwas gibt!«

»Unterstell mir keinen Sülz!« wehrte sich Rinaldo. »Ich habe deinen Texten, Berghstroem, eine adäquate tonale Form gegeben. Wir sitzen also im gleichen Boot, in das Ray nun wahllos Schiffbrüchige des Showbusineß aufnimmt!«

Berghstroem mußte ihm insgeheim recht geben, doch die Position des Regisseurs war zu verteidigen, sonst brach die hierarchische Konstruktion zusammen, der er sich auch selbst unterworfen hatte.

»Maulman hatte sich bei seinem Engagement ausbedungen, bei der Besetzung völlig freie Hand zu haben − im Rahmen des knappen Budget selbstredend«, klärte er Rinaldo auf, ohne sich einen Seitenhieb zu verkneifen. »Die Blondine, die sich schon auf der Ruderbank breitgemacht hat, um bei deinem Bild zu bleiben, ist schon eine liebenswerte Konzession an dich, caro Maestro! Im übrigen ist er rigoros nach dem Konzept vorgegangen, alle Stimmen mit bekannten Interpreten der U-Musik zu bestücken −«

»— um nicht zu sagen, mit abgetakelten Schlagerstars und verwelkten Soubretten!« höhnte Rinaldo. »Gilbert Artaud, Chansonnier und Raufbold der frühen Siebziger als Kaiser!«

»Heinrich VI ist auch kein Engel!«

»Als Constanze eine Alkoholikerin wie Tilde Carson!« empörte sich Rinaldo, und Berghstroem hieb mit Lust in die Kerbe:

»Wenigstens unverwüstlich und hervorragend geeignet, das Leiden der Kaiserin sinnfällig —«

»Und für das Herzogspaar von Spoleto —«, schnappte Rinaldo, der von der Besetzung schon gehört hatte, und Berghstroem tat ihm die Freude:

»— hat er sich ›Die Küssnachter Lerchen‹ bestellt, ein alpenländisches Geschwisterpaar von größter Herzigkeit und unverdorbener Jugend!«

Weil es Berghstroem soviel Spaß bereitete, fuhr er gleich fort: »Für den kaiserlichen Hofmarschall fiel dem Herrn Regisseur ausgerechnet ›Nemo‹ ein, eine Figur, bei der ich hätte schwören wollen, der progressive, exaltierte und eher der Linken zuzurechnende Ray Maulman würde diesen weizenblonden Typen nicht mit der Kohlenzange anfassen!« Berghstroem triumphierte ob soviel kultureller Insubordination und beeilte sich, dies zu belegen: »Der Osnabrücker Barde gilt als Ausbund rechtsextremer Gesinnung.«

»Trägt sein nationales Liedgut auf Treffen von sudetendeutschen Landsmannschaften vor!« zog Rinaldo vom Leder. »Früher nannte sich dieser Herr Niemand ›Norbert von Weimar‹ und war erst Tänzer, dann Boxer.«

»Warum unterschlägst du ihm den Rausschmeißer und die Vorstrafen, wohlanständiger Spießer?« fiel ihm Ray ins Wort, der von beiden unbeachtet mit Mia zurückgekommen war.

»Es ist auch nicht mehr zu ändern«, wiegelte Mia ab. »Der Umstrittene ist heute morgen mit dem Schlafwagenzug eingetroffen und liegt schon oben im Bett.«

»Hoffentlich in meinem«, sagte Ray nur.

In Schal und Mantel vermummt standen sich auf der Bühne Rinaldo und Ray gegenüber. Mia saß unten am Regiepult, irgendwo im Hintergrund zirpte die Stimme von Bea:

Poi ch'a voi piace, amore,
che eo degia trovare
faronde mia possanza
ch'io vegna a compimento.

Das war der Einsatz, und Rinaldo, der ihr sehnsüchtig lauschte, straffte sich und wies den immer noch ob des Löwenherzens lamentierenden Troubadour zurecht:

Hört mir auf zu flennen!
Es gackern die Hennen,
wenn der Habicht überm Hühnerhof kreist,
der Papst in der Zange schwitzt,
wie ihm Heinrich im Nacken sitzt,
ihm Tuszien lieblich entsteigt,
bei Gaeta in die Eier beißt
und sich den Süden untern Nagel reißt.

»Wir überspringen Alfias Liebesgesäusel«, rief Mia, »und machen gleich weiter mit Ramon!«

»Was hast du gesagt?« ertönte die unsichtbare Metzgersgattin. »Wie nennst du Kaninchenschnuller, ignorante Karotte, irische Kulturbanausin, diese Verse? Die sind original Eff-Zwo!«

»»Wenn ihr denkt««, unterbrach sie Ray unwillig, »»daß sie mich freuen‹! Das ist Original Emmy! Ich friere und werde gleich krank, das ist meine Sorge!«

»Sollen wir abbrechen?« fragte Mia zustimmend.

»Ja«, rief Ray. »Lungenentzündung ist nicht die Todesart, die mir gut ansteht!«

Der Koch im ›Le Delizie‹ nahm den Anruf am Nachmittag entgegen, obgleich er Ruhestunde hatte, weil das Klingeln des Telefons nicht enden wollte und er dachte, es handele sich um eine wichtige Tischreservierung für den Abend. Die Stimme, offensichtlich durch ein Taschentuch gepreßt, verkündete: »Ich biete tagesfrische Feinkost an, Signor Maurizio −« Hier unterbrach der Koch, ärgerlich, daß er überhaupt aufgestanden war: »Wir haben unsere festen Zulieferer«, doch die Stimme nölte weiter, als würde sie vom Blatt ablesen: »Unser Sonderangebot: Donna Beatrice in Fleischeslust, im ehebrecherischen Lotterbett von ›Stupor Mundi‹! Hören Sie, Signor Maurizio?«

Der Koch hatte immer noch nicht begriffen, daß es sich nicht um einen extravaganten Menüvorschlag handelte, sondern um die Einleitung zu einem nicht minder verrückten Erpressungsmanöver, und sagte, den Ruf des Hauses und die ausgefallenen Marotten seines Patrons bedenkend:

»Für wie viele Personen bitte? Gesetztes Essen, oder denken Sie an ein Buffet?« Er bedachte die zusätzliche Arbeit, die da auf ihn zukam. »Und zu welchem Datum wünschen Sie?«

»Tagesfrisch! Heute, Signor Maurizio«, jetzt war auch der anonyme Anrufer verärgert. »Ihre Donna Beatrice mit einem Rammler kopulierend, geschossen garantiert am gleichen Tage.«

»Also«, sagte der Koch wütend, »Wild führen wir nicht, und solche Schweinereien schon erst recht nicht!« und knallte den Hörer auf die Gabel. Dann rief er aber doch seinen Patron in der Wohnung an, ob man nicht die Polizei benachrichtigen sollte.

Maurizio Delle Delizie beruhigte seinen erbosten Chef, der nichts auf Donna Beatrice kommen ließ und dem Anrufer eigenhändig die Eier abschneiden und in das freche Maul stopfen wollte, und befahl ihm, den Anrufbeantworter einzuschalten und nicht wieder abzunehmen.

»Du mußt mir was über diesen Komponisten erzählen«, sagte Tom. »Ich muß etwas für ›teatro oggi‹ schreiben. Ray Maulman ist schon mehrfach abgefeiert worden, und dich will ich mir noch bis zur glanzvollen Premiere von ›Stupor Mundi‹ aufsparen.« Er setzte einen Recorder in Betrieb und stellte das Mikro vor ihn auf einen Stuhl.

Berghstroem saß auf der Bettkante, während Tom den Inhalt seiner Koffer im Schrank unterbrachte.

»Wie bist du auf ihn gekommen?« erkundigte sich Tom. »Ich hab' noch nie von ihm gehört.«

»Ich hatte Rinaldo aus den Augen verloren, bis ich vor einem Jahr in Spoleto auf dem Festival seinen Namen im Programm sah.«

»Ich weiß ja, Emanuele«, sagte Tom mit aufrichtiger Bewunderung für den Freund. »Du hast das Händchen.«

Als die Stimme wieder anrief, nahm keiner ab. Signor Maurizio war inzwischen eingetroffen und hörte sich die Botschaft über den eingeschalteten Lautsprecher an. Tonfall und die verschrobene Art hatten sich nicht verändert.

»Wenn Sie Interesse an meinen Kochkünsten haben, Signor Maurizio«, klang es, »dann kommen Sie heute abend zum Bahnhof, zur Ankunft des ›Roma-Rimini‹, 18.12 Uhr, Bahnsteig 2. Bringen Sie ein Eierkörbchen mit, von einem Handtuch bedeckt. Haben Sie verstanden? Eier im Tuch! Der gebündelte Inhalt sollte dem entsprechen, was Ihnen ein zwölfgängiges Menü der Liebeskünste Ihrer Frau exklusiv wert ist. Oder ganz Jesi wird zu Tisch gebeten, Touristen-Menü! Das ist die Alternative!«

»Die stockende, ungepflegte Sprechweise«, sagte Signor Maurizio amüsiert, als ein Knacken in der Leitung anzeigte, daß der Erpresser aufgelegt hatte, »paßt nicht zu dem anspruchsvollen Text. Den hat ihm jemand anderes geschrieben, der —«

»Vielleicht beteiligt ist?« sagte der Koch. »Padrone, lassen Sie mich hin —«

»Der für mich kein Interesse an Geld hat, sondern am —«

»Skandal?« erregte sich der Koch. »Ich schneid' ihm —«

»Das wäre vielleicht die gewünschte Schlagzeile: Koch schneidet Ei«, lächelte der Ehemann, »weil Nobelrestaurantbesitzer gehörnt, ›cornuto‹!«

»Das lass' ich nicht zu!«

»Der Anschlag zielt aber auf Donna Beatrice, die Karriere meiner Frau, nicht auf ihre Ehre! ›Stupor Mundi‹ ist im Visier des Verfassers.«

»Dem schneiden wir die Zunge, die Hand, die Nase ab!«

»Nein, den Gefallen tun wir ihm nicht!«

»Und was hatte deinen alten Freund Rinaldo ausgerechnet nach Jesi verschlagen, dieses Nest am Rande der Zivilisation?« befragte Tom den Verfasser von ›Stupor Mundi‹.

»Darüber spricht er nicht gern. Ich schätze ein paar leidige Plagiatgeschichten. Er war immer ein genialer ›Nachempfinder‹«, sagte Berghstroem lächelnd. »Aber diese Mutmaßung ist bitte ›off records‹!«

»Ich schneide das sowieso nach anderen Gesichtspunkten zusammen, ›teatro oggi‹ ist schließlich kein Skandalblatt«, lachte Tom. »Außerdem wäre Jesi da nicht sehr ergiebig. Hier geschieht nichts, was einen gescheiten Aufhänger abgäbe!«

»Also weiter mit Nachrichten aus der Provinz: Der deutsche ›Professore‹, bald im Städtchen als ›il genio‹ bekannt, stellt seine vielfachen musikalischen Talente —«

»Second hand!« spottete Tom, aber Berghstroem ließ sich nicht vom Pfad tugendsamer PR abbringen.

»— dem kulturellen Leben Jesis zur Verfügung, unentgeltlich, aber nicht umsonst! So findet er auch bald wieder eine Mäzenin: Donna Beatrice, Frau des örtlichen Delikateßwarenhändlers und Besitzers des einzig genießbaren Restaurantangebots in Jesi — wenn man von den Ansprüchen Rinaldos ausgeht. Donna Beatrice, unüberhörbar anhaltinischer Herkunft, entdeckt unter der leitenden, sie am Klavier begleitenden Hand des ›professore ingenuo‹ ihre Stimmbegabung wieder.«

»Ha«, rief Tom. »Ist das jene Jane Mansfield der Marken, deren Foto unten im Produktionsbüro an die Casting-Wand gepinnt ist? Kein Wunder, sie jetzt auf eurer Besetzungsliste zu finden!«

»Nö«, sagte Berghstroem offenherzig. »Sie spielt ›Alfia, das Metzgersweib‹ und — nebenher — ›amante segretissima‹ des Narren von Jesi, dargestellt von Reinhold Schilling.«

»Ich ahne es«, sagte Tom. »Im Leben wie auf der Bühne!«

»Sie hat Stimme«, verteidigte der Producer die Wahl, »wenn man gewisse schrille Obertöne überhört — die jedoch zupasse kommen, wenn sie mit ihrem Metzgersgatten keift. Mein Fall«, ergänzte Berghstroem, »ist dieses Wogen und Beben, diese zarthäutige Schwere ja nicht!«

»Ah ja?« frozzelte der ungläubige Tom, der zudem seinen Freund Berghstroem kannte. »Seit wann?«

»Eine Stunde Pause!« schärfte Mia dem Narren auf der Piazza ein. Rinaldo verschwand in der Dekoration. Ray schlug sich mit seiner umgehängten Laute und seiner ›Ballade vom gefangenen König‹ herum.

Nicht von seinem Streifenwagen aus, sondern von der öffentlichen Zelle aus telefonierte der Maresciallo, offensichtlich von Maurizio Delle Delizie mit der delikaten Mission betraut.

»Donna Beatrice ist zwar auf dem Probenplan als anwesend vermerkt«, meldete er, »aber ich sehe sie nicht. Jetzt begibt sich auch unser Ergänzungsobjekt, der Professore, von der Bühne weg, steigt die Treppe über der Metzgerswohnung hinauf, zum ehelichen Schlafzimmer der Alfia.« Der Maresciallo hielt kurz inne, weil ihm mit Recht die Idee kam, der gehörnte Ehemann könnte es in den falschen Hals kriegen.

»Wenn meine Vermutung richtig ist, daß unser Eierdieb noch gar nicht im Besitz des Zwölfer-Omelettes ist, müßte er jetzt zuschlagen — 15.47 Uhr. Einsatzbeginn! Melde mich wieder«, schnarrte er, um sofort mit Schmalz anzufügen: »Sie und Ihre werte Frau Gemahlin, Sie können sich auf mich verlassen!«

Es war eine Operation ganz nach seinem Geschmack. Hier waren Phantasie und vor allem Fingerspitzengefühl gefragt, auch ein Carabiniere sollte sich als befähigt erweisen, in die Tiefen menschlicher Sexualität hinabzusteigen. Das traute sich der Maresciallo zu. Es war seine Spezialität.

Berghstroem war mit dem Mikrofon ans Fenster getreten und schaute gemeinsam mit seinem Freund Tom hinunter auf die Piazza, auf die Bühne, die jetzt von Ray als Troubadour Ramon de Mirepoix allein beherrscht wurde. Nicht daß er darüber sehr glücklich erschien, denn Mia ließ ihm nichts durchgehen und schickte ihn alle naslang unerbittlich zurück in die Ausgangsposition.

»Rinaldo war mittlerweile zum Elektronikvampir geworden, hockte in seinem Turm zu Jesi, darin verbissen, mittelalterliche Klänge überkommener Instrumente und überlieferter Texte wieder zu Leben zu erwecken«, gab Berghstroem seinem Interviewer preis. »Töne, von denen unsereins nur ahnen kann, wie sie geklungen haben mögen.«

»Aber dein Reinhold, der weiß es?« wandte Tom spöttisch ein. »Überliefert sind nur die Texte, und auch die oft erst Jahrhunderte später schriftlich fixiert — was kann einer da schon groß — ?«

»Wenig«, gab Berghstroem zu, setzte jedoch gleich dagegen: »Das gibt uns jede Freiheit!«

Der Maresciallo setzte sich in seinen Streifenwagen und fuhr geräuschvoll von der Piazza. Kurz darauf tauchte er zu Fuß hinter der Bühne auf, er mußte wohl den steilen Weg durch das kleine Tor genommen haben, schlenderte an der Apotheke vorbei, ohne deren Inhaber Fiorante zu grüßen, und lenkte seine Schritte zur hölzernen Bühnentreppe, die an der Rückfront der Konstruktion hinaufführte, direkt bis zum Schlafzimmer der

Metzgersleut. Der Carabiniere schaute hinunter, um sich zu vergewissern, daß niemand seine nun folgende sportliche Leistung beobachtete. Er kletterte wagemutig vom Treppengeländer aus, Klimmzug, auf die mit Dachpappe isolierte Bretterabdeckung und blieb dort erst mal schnaufend bäuchlings liegen.

Seinem Auge bot sich keineswegs eine überschaubare Fläche, sondern eine wilde Landschaft von potemkinschen Schornsteinen, Giebeln und Zinnen, die über das Metzgershaus hinweg dem Zuschauer eine mittelalterliche Stadt vorgaukelten. Dazwischen waren Scheinwerfer verpackt, die sowohl diese Kulisse als auch das darunterliegende Schlafzimmer in das rechte Licht setzen sollten. Letzteres war das Ziel der Begierde des Maresciallo, entschuldigt durch seinen Auftrag, den Erpresser dingfest zu machen. Sie waren sozusagen Kollegen, nur daß der andere seinen voyeuristischen Drang mit Fotos belegen mußte. Da bis zur Abfahrt des Zuges nach der Berechnung des Carabiniere nicht mehr die Zeit blieb, die Aufnahmen zu entwickeln und zu kopieren, schloß er auf den Gebrauch einer Sofortbildkamera. Deren summendes Mechanikgeräusch mußte ihm das Versteck des Fotografen verraten.

Er lauschte. Nichts dergleichen war zu hören.

Der Maresciallo bohrte mit seinem Kugelschreiber ein Loch in die Dachpappe und preßte sein dienstliches Auge dagegen. Alles, was sich seinem Blick darbot, war das Ende eines Federbetts und vier nackte Füße, die allerdings so ineinander verschränkt waren, daß er nicht umhin konnte, im Dienste der Wahrheitsfindung seinen Standort weiter nach vorn zu verlegen. Er robbte, wie im Manöver gelernt, geräuschlos vorwärts, den Kugelschreiber zwischen den Zähnen. Neue Bohrung, neues Bild: Jetzt sah er nur noch auf ein wildwogendes Federbett und sonst nichts. Er verlegte seinen Beobachtungsposten diesmal gleich seitlich, um den Feind in der Flanke zu fassen. Diesmal war ihm Glück beschieden, doch nur kurz.

Der Maresciallo blickte in die Augen von Rinaldo und darüber in die wehende blonde Haarpracht der Donna Beatrice, die offensichtlich nicht Roß, sondern Reiterin war und ihren Ritt jetzt mit solcher Begeisterung absolvierte, daß sie hinter sich griff und das vermaledeite Federbett über beider Köpfe stülpte. Also war schleunigster Rückzug auf Position ›zwei‹ angesagt.

In diesem Moment vernahm der Maresciallo ganz deutlich

und in unmittelbarer Nähe das typische Auswurfgeräusch einer Polaroidkamera. Darum wollte er sich jetzt nicht kümmern. Er rollte sich mit einer heftigen Bewegung rückwärts, es knackte, brechendes Holz, der Boden senkte sich unter ihm, der Schornstein vor ihm wurde in die Luft gehebelt und gab den knienden Fotografen frei, der vor Schreck seine Kamera fallen ließ, als er der Staatsgewalt in Uniform ansichtig wurde. Der Täter sprang auf und entzog sich seinem Schicksal durch sofortige Flucht, unter Hinterlassung des Tatwerkzeugs und seiner gesamten fotografischen Ausbeute. Derartige Hast und soviel Respekt wären beileibe nicht notwendig gewesen, denn der Maresciallo hing bis zu den Achseln im Pappdach, und es dauerte eine gebührende Zeit, bis er sich befreit und hochgestemmt hatte. Noch als seine betreßten Hosenbeine und seine gewichsten Stiefel ins eheliche Schlafzimmer hinabhingen, hatte Bea einen schrillen Schrei begonnen, den sie, ohne abzusetzen, stufenweise bis zum hohen C hinaufjagte. »Ai ladriiiii!« Als jetzt das von den Aufregungen gerötete Gesicht des Maresciallo im Loch erschien, hatte das Federbett schon längst alles wieder züchtig zugedeckt, und Rinaldo sagte spöttisch:

»Sie haben Ihre Dienstvorschrift zu weit ausgelegt. Es handelt sich höchstens um ein Antragsdelikt!«

»Ich kenne meine Vorschriften«, raunzte der Maresciallo wütend von oben hinab, »aber der Verbrecher ist mir entkommen!« Er zog sich zurück, bückte sich und sammelte die verstreuten Fotos ein, stopfte sie in seine Taschen, bevor er die Polaroidkamera über der Öffnung in der Zimmerdecke schwenkte. »Tatwaffe sichergestellt!«

Berghstroem und Tom hatten fasziniert dem Kampf des Maresciallo mit den Tücken einer leichten Bühnendekoration beobachtet, die Flucht des Burschen, den er offensichtlich verfolgt hatte, und das Verschwinden seines Unterleibs in der Abdeckung.

»Neue Varieté-Variante: Carabiniere ohne Unterleib!« spottete Tom.

»Der Kerl sah aus wie Emilio, mein Fahrer«, sinnierte Berghstroem. »Ich mußte ihn rausschmeißen.« Dann schüttelte er den Kopf, wischte den abwegigen Gedanken beiseite und nahm das unterbrochene Gespräch wieder auf:

»Reinhold Schilling, unser Rinaldo, bezieht seine Vorstellungen aus ›Vox medioval III‹, einem Computer, den er mit allen emotionalen Beschreibungen füttert, die er sich aus Bildern, von schlüpfrigen, oft auch derben Buchillustrationen verkommener Mönche bis zu schwärmerischen Fresken von berühmten Heiligen besorgt, denen im Märtyrertod ein Orgasmus widerfährt — so behauptet jedenfalls Reinhold. Er sucht und findet sie im Wortgeplänkel der »canzo« der Troubadoure und — zugegebenermaßen mehr brünstigen als inbrünstigen Marienliedern. Was er sich dabei aus den Fingern saugt oder sonstwo her — vulva immacolata — entzieht sich meinem ungeschulten Wissen, aber die von ihm erzeugten Klangfarben überzeugen mich. Ich gebe zu, ihrer Faszination zu erliegen.«

»Das scheint mir der Fall«, schmunzelte Tom und verstaute die leeren Koffer oben auf dem Schrank. »Also ist Rinaldo der creator spiritus von ›Stupor Mundi‹?«

»Rinaldo war unfähig gewesen — es hatte sich nicht erwiesen, denn er hatte es gar nicht erst versucht —, das, was ihm vorschwebte, schriftlich niederzulegen, geschweige denn, ein Libretto zu verfassen. ›Stell dir eine Art dramatisierte Carmina burana vor‹, hatte er mich gelockt, ›die stupenden Vorgänge der Nacht von Jesi, einer Nacht in den Tagen um die Weihnacht, im Jahre 1194 —‹, ›Ich weiß!‹ hatte ich mich stupide gebrüstet und zappelte schon an der Angel.«

»Die Geburt von ›Stupor Mundi‹!« begeisterte sich Tom, er war nicht leicht zu begeistern. »So habt ihr also den Titel gefunden —?«

»— der ›Die Nacht von Jesi‹ wegwischte und meine Bedenken gleich mit!« ließ sich Berghstroem von der Emphase seines Freundes anstecken. »Ich setzte mich hin und schrieb das Libretto, das du kennst, in einem Rutsch!«

»Fabelhaft«, sagte Tom. »Du bist der Größte! Komm, ich lad' dich zum Nachtessen ein. Gibt's hier ein gutes Restaurant?«

»Das ›Le Delizie‹ ist das einzige«, sagte Berghstroem und reichte Tom die Hand, damit der ihn hochziehen sollte.

»130 Kilo, schätze ich.«

»Falsch! 145.« Es war schön, daß Tom jetzt da war — und das mit der Einladung traf sich auch gut. Berghstroem hatte keinen größeren Schein mehr in der Tasche.

»Delle Delizie?« sagte Tom, als Berghstroem auf den Beinen stand, bereit, den Gaumenfreuden entgegenzueilen.

»Alfia, des Metzgers Weib und des Narren heimlich Geliebte wird von Madame Beatrice gegeben, eine zur Delikatesse verfeinerte Parallele der Geschichte einst und jetzt.«

Der Maresciallo meldete telefonisch die Unschädlichmachung des Täters an Herrn Delle Delizie.

»Wollen Sie Strafantrag stellen? Dann würde ich ihn verhaften.«

»Wieso? Ist er Ihnen entkommen?«

»Nein, doch, ich hab' ihn im Griff. Er ist sicher so blöd, den Zug um 18.12 Uhr zu nehmen. Dann haben wir ihn.«

»Ich verzichte«, sagte Signor Delle Delizie. »Wann darf ich Sie zum Essen erwarten? Meine Frau würde sich sicher sehr freuen —«

»Ich weiß nicht«, antwortete der Maresciallo.

Er verließ die Telefonzelle, stieg in seinen Wagen und fuhr zum Bahnhof. Emilio tauchte erst auf, als der Zug schon zur Weiterfahrt abgepfiffen wurde. Der Maresciallo drückte ihm die Kamera in die Hand und knurrte: »Laß dich hier nicht wieder sehen!«

Er schob ihn in den abfahrenden Zug und knallte die Tür hinter ihm zu.

Ein barocker Hintern quillt dem Auge entgegen. ›Holdes Schwein‹, flötet Beas Stimme und zündet dem unter ihrer weichen Last Verborgenen eine Zigarette an. Der träumende Berghstroem kann es nicht sein, denn ihm ist ja die Kehrseite zugewandt. Er quält sich, dem Schwung ihrer Hüften folgend, sich selbst in der ersehnten, wie mit Schauder von sich gewiesenen Lage des Fundaments, des Pfeilers zu sehen, der die Fülle trägt und hebt. Sein Blick gleitet, als sei sein Kopf eine rollende Kugel, mit Augen besetzt, die sich nicht schließen wollen, durch ihres Bauches glatte Schüssel, bis sich ihm der Hügel samten entgegenwölbt. Wie Lippen zusammengepreßte Schenkel, sich kaum öffnend, sich nie ganz schließend, gleich einer Muschel im Meereswasser, bergen hinter des Vlieses furchterregender Pracht den Eingang zum Tempel, marmorne Wächter und Wärter zugleich.

Es war der Leib der Beatrice Delle Delizie, der sich des Nachts in Berghstroems von Finanzproblemen, Ängsten und Ehrgeiz, unterdrückter Lust und chronischer Bronchitis verschwitzten Träume schob. Er preßte sein Gesicht in das nasse Kissen, Beas weißes Fleisch, und wollte doch nicht entdeckt werden, weigerte sich, die Rolle des Liebhabers auch nur im Traum zu akzeptieren. Er verdrückte sich, erfand Auswege.

Berghstroem war die Himmelsleiter nicht hinaufgestiegen, sondern hatte es vorgezogen, als verschämter Voyeur die Künstlertreppe hochzuschleichen. So hatte Rinaldo herhalten können, die Ansprüche zu befriedigen, denen er sich nicht gewachsen fühlte, der hatte keine Wampe und dafür sicher einen großen Schwanz, dieser untersetzte, hagere Typ eines Fauns. Berghstroem atmete schwer, rasselnd und zwischen Apnoen keuchend, nach Luft schnappend. Er wußte, daß er schnarchte, und hatte Angst, sich den Liebenden zu verraten.

Rinaldo blies der auf ihm Thronenden den Rauch in die Nase. ›Memmemmemein, Bold‹, tremolierte Bea. ›Unhold, kein Sold, Rheingold.‹ Sie verlagerte die Tonart. ›Die Kugel rollt, es raucht der Colt, tausend Volt, was ihr wollt, Liebe zollt, im Blute tollt, Minne hold, der nackte Geil —‹

›Tilt!‹ sagte Rinaldo, der Berghstroem entdeckt hatte. ›Wer stört?‹

Berghstroem wollte im Boden versinken, er wälzte sich unruhig im Schlaf, dabei Bea anlächelnd, während er Rinaldos Blick auswich.

›Kein feiner Herr, dein Producer‹, seufzte Madame, dem Eindringling ihr Gesicht zuwendend, ohne jedoch die Position der besitzenden Reiterin aufzugeben. ›Er hätte wenigstens anklopfen können.‹

Ihre Zunge züngelte rosa über ihre feucht glänzenden Lippen, so daß Rinaldo die Geste nicht sehen konnte. Einladend griff sie unter ihre Brüste und hob sie dem Geliebten entgegen. Dräuend und schwer beugte sie sich zu ihm herab, ihn zu ersticken — es war doch *er*, Berghstroem, der unter ihr lag und verloren war! Er öffnete den Mund zum Schrei — und fand sich allein in seinem Hotelbett, das dicke Kopfkissen über sich gezerrt, schwer atmend. Es war noch dunkel, aber auf der Piazza brannten schon die Scheinwerfer. Ray hatte mit den Proben begonnen. Berghstroem taumelte ins Bad.

Auf der Bühne probte Ray mit Rinaldo, dem Narren, dessen

›Moritat über die Vergänglichkeit‹, die sich an die Exekution im Morgengrauen anschloß. Pflichtbewußt waren der Signor Tagliabue und seine Gehilfen zur Stelle. Sie hockten bei dem Henkerskarren und versuchten sich durch die Plane gegen den Nieselregen zu schützen. Ihre Opfer, der gehängte welfische Stadtrat, waren erst für später bestellt. »Dafür aber diesmal vollzählig!« hatte Mia versichert.

Rinaldo war oben auf der Treppe zum Galgen sitzengeblieben und sann über die Vergänglichkeit nach.

> Nicht jeder Welf, der sich vom Boden hebt,
> fortan als Englein zum Himmel schwebt.
> Nicht jeder Ghib, der ihm Flügel machte,
> fortan als Schurke in der Hölle schmachte.

Jakob, der Henker, und seine Knechte fielen zustimmend ein: ›Nein, nein wahrhaftig nicht!‹

> Gestern noch Bürgermeister fein und Ratsherr,
> bei seinem Weibe lag er in dunkler Nacht so warm,
> doch heut' tritt er vor seinen höchsten Richter,
> den Strick am Hals noch spürt er im Morgengrau
> so arm.

›Wahr, wahr, leibhaftig wahr‹, bestätigen Signor Tagliabue und seine Mannen.

> Vergänglich der Wandel auf Erden ist,
> wer grad oben auf die darunter pißt –
> ein närrisch Narr, wer am Rad Fortunas dreht
> ein gehenkter Henker, wer es schlecht versteht.

Das verwirrt den Meister Jakob. Er und seine Gehilfen wissen jetzt nicht so recht, ob der Narr sie nicht auf den Arm nimmt: ›Ja! Nein, ja! Jesus Maria, nein!‹

> Ihr Narren!

schloß Rinaldo seinen Vortrag.

»Ich seh' ja ein«, empfing der Regisseur Berghstroem, »daß,

wenn eine Stadt wie Jesi im umstrittenen Grenzgebiet zwischen Kirchenstaat und Reich die Partei wechselt, praktischerweise die welfischen Parteigänger des Papstes liquidiert und durch staufische, kaisertreue ersetzt werden.« Ray gab sich gegenüber seinem Produzenten ausgesprochen milde zu dieser frühen Morgenstunde. »Aber wäre nicht Köpfen besser als Hängen?«

Raymond Maulman, Erzengel mit schulterlang herabfallendem Blondhaar, stützte sich auf ein imaginäres Flammenschwert, so wichtig war ihm die Frage. Doch so wie der Regen Rays Haarpracht zu tropfenden, dunklen Strähnen reduziert hatte, so wenig mochte Berghstroem die Idee ernst nehmen.

»Du denkst an Rinaldos Haupt?«

Ray, sonst zu Scherzen stets aufgelegt, verwies dem Producer die Albernheit mit noch größerer Sanftmut. »Narrenköpfe sind als Blutopfer ohne jeden Wert. Mir geht es darum, gleich im ersten Bild dem Publikum zu zeigen, wo wir sind und wie das Leben spielt.«

»Köpfen auf offener Bühne«, wagte der einzuwerfen, »bedarf eines komplizierten technischen Aufwands, sehr teuer −«

»Es geht mir mehr darum, liebe Emmy«, sagte Ray, »die Situation in den Griff zu bekommen: Etwas Großes steht bevor, da ist ein Blutopfer durchaus angesagt − so wie man die Körper Neugeborener in die Fundamente der Säulen großer Kathedralen einmauerte −«

»Und zwar lebendig«, setzte Berghstroem hinzu, grad falsch.

»Wohl kaum«, klärte Ray ihn auf. »Das rituelle Töten des Säuglings war sicher ein Teil der Beschwörung.«

»Na ja«, frotzelte Berghstroem, der sich ungern korrigiert sah, schon gar nicht zu nachtschlafender Zeit. »So konnte man auch unliebsame Kinder der Liebe verschwinden lassen. Gewisse Kreise im hiesigen Baugewerbe betonieren heute noch ›Rompipalle‹ mit ein, die ihnen auf die Eier gehen.«

»Das sollte jemand wie du, Emmy«, Ray war jetzt ärgerlich ob des Producers Flapsigkeit, »sich stets vor Augen halten«, sagte er und warf ihm einen Blick zu, als stünde der schon mit den Füßen im Zementbottich.

»Also«, lenkte Berghstroem ein, »nach dem Schock eines gewaltsamen Todes, ob Strang oder Schwert, erfährt der Zuschauer, daß sich der deutsche Kaiser aufmacht, den Süden Italiens zu erobern.«

»Das allein ist nicht genug!« warf Ray ein. »Es geht auch um die Kaiserin und das Kind, das sie unterm Herzen trägt, den zukünftigen König Siziliens – und der Deutschen!«

»Letzteres lassen wir mal dahingestellt«, blockte Berghstroem ab. »Kaiser Heinrich VI ist zu diesem Zeitpunkt 29 Jahre alt und sicher nicht gewillt, sich von der deutschen Würde zurückzuziehen. Für Sizilien hingegen braucht er den nachweislichen Sohn der Normannenprinzessin als Legitimation zur Machtübernahme. Daß er ihn dort in personam gar nicht haben wollte, zeigt uns ja sein Verhalten gleich nach erfolgter, erfolgreicher Geburt. Klein-Friedrich muß erst mal in Spoleto bleiben.«

»Gut«, sagte Ray, »das zeigen wir ja alles, und auch die Hintergründe werden vom Librettisten –« er deutete Berghstroem eine Verneigung an – »in dankenswerter Weise verständlich dargestellt. Doch mir geht es um eine andere Dimension. Die des Magischen, des Kultischen, des Mythischen.«

»Ein bißchen viel auf einmal«, spottete Berghstroem, der jetzt Oberwasser hatte. »Ich versuche ganz im Gegenteil, den natürlichen Vorgang von seinen Ungereimtheiten, vom Schlamm der Geschichte zu befreien, mit dem vor allem die Kirche die Geburt von Jesi beworfen und zugekleistert hat.«

Sie saßen auf der Piazza vor der Bühne, um sie herum die ›Gehenkten‹, die sich die Beine vertraten, und der Henker, der seinen Kaffee trank, der ihm nicht schmeckte. Langsam dämmerte der Morgen herauf, der Regen hatte nachgelassen.

»Versteh mich nicht falsch«, sagte Ray und warf sein langes Haar mit einer ruhigen Bewegung seines Kopfes zurück. »Irgendwelcher Hexensabbat, verquaste Zauberrituale, schwarze Messen liegen mir fern, doch die Geschichte von den zwei fast zur gleichen Zeit geborenen Knaben, das angestrebte, das abgewehrte, doch immerhin mögliche Vertauschen, verlangt nicht nur eine kriminalistische Lösung, sondern auch eine Überhöhung. Es ging um die Krone eines Reiches, um das Blut des legitimen Königs! Dafür kann, dafür muß man Opfer bringen!«

So, wie sich Ray jetzt in Eifer geredet hatte, war er nicht so leicht mehr von seiner fixen Idee abzubringen, das wußte Berghstroem. Oder Ray hatte schon die erste Linie in der Nase. Berghstroem grinste und sagte: »Das Opfer soll ich wohl bringen, Ray, indem du mich dazu verdammst, mir eine solche Szene an passender Stelle einfallen zu lassen?«

Ray nickte befriedigt, und Berghstroem, der Produzent, schob den Librettisten beiseite.

»Auf jeden Fall nicht jetzt, eingangs des Stückes — eher, wenn wir tatsächlich zur kaiserlichen Geburt schreiten!«

Inzwischen war helltrüb der Tag angebrochen. die fleißigen Bürger von Jesi waren aus den Betten gekrochen und umstanden neugierig das durch rotweiße Straßenbauabsperrungen reservierte Areal von ›Stupor Mundi‹. »Wie im Zoologischen Garten, Abteilung exotische Tierwelt«, befand Mia.

»Wer um seinen Nachtschlaf gebracht wird, durch probenbedingte Tätigkeit, weniger durch das monotone Brummen des Generators«, unterbrach Berghstroem belustigt das zu erwartende Lamento der Assistentin, »als die unvermittelt einsetzenden Gesangsproben, mit schockartig aufgedrehtem Playback Rinaldos höchst dramatischer Orchestermusik —«

»— wird von der Gemeinde nach einem mir nicht erklärten Schlüssel entschädigt.« Mia erlaubte ihrem Arbeitgeber keine Faxen und riß den Diskurs wieder an sich. »Wir zahlen dieser dafür eine stattliche Pauschale als ›Drehgenehmigung‹, und dennoch geschieht es laufend, daß nachts die Fenster über uns aufgerissen werden und wüsteste Beschimpfungen uns Tod und Verderben androhen.«

»Oft gefolgt von Güssen übelriechener Liquida«, mischte sich jetzt auch Ray ein.

»Ich habe den Apotheker im Verdacht, bestimmte Leute mit der Mixtur gratis zu versorgen. Sein Laden liegt grad hinter unserem Podium«, fiel ihm Mia ins Wort.

»Weswegen er beim Gemeinderat auf Geschäftsschädigung klagt.«

»Don Achille, der Vizebürgermeister, ist auf unserer Seite«, war Berghstroems schwacher Trost.

»Weniger Don Pasquale!« lachte Ray. »Er sieht in ungebrochener Tradition in allem, was mit Federico di Suevia zusammenhängt, verdammenswertes Teufelszeug: ›Festeggiare l'anticristo? Idea da froci e drogati!‹«

»Der Priester meidet die Piazza«, bestätigte Berghstroem. »Hochwürden hat angekündigt, daß die bevorstehende Marienprozession diesen Ort öffentlich zelebrierter Sünde gleichfalls schneiden würde. ›Drogenabhängige Schwule feiern den Antichristen!‹ Jetzt muß ich aber zur Bank.«

»Den Weg kannst du dir sparen. Heute ist Halbfeiertag, ›Immacolata Concezione‹.«

»Der Tag, an dem der Papst eigenhändig hundert geweihte Pariser ansticht!« kommentierte Ray.

Berghstroem ging trotzdem. Es war keine müde Lira mehr in der Kasse. Aber das wußten nur er – und Mia. Hoffentlich hatte die noch nicht alles Geld ausgegeben.

Mittlerweile hatte Rinaldo unter dem wachsamen Ohr des Regisseurs seine ›Moritat über die Vergänglichkeit‹ abgeliefert, was diesen in seiner Wahl des Komponisten für die Rolle des ›Narren von Jesi‹ bestätigte.

»Ich hoffe nur, lieber Ray«, sagte Rinaldo, als er selbstbewußt die Bühne hinabstiefelte, »daß du mich morgen von deinen Sangesqualitäten als Troubadour wenigstens annähernd so zu überzeugen weißt wie von deinen antiklerikalen Scherzen!«

Ray lächelte gequält. »Die ›trovaire‹ waren Dichter, sicher nicht jeder ein Stimmwunder. Mir reicht's, wenn Jesi einen Narren hat, der auf den Spuren von Placido Domingo knödelt –«

»Neid! Nichts als der blanke Neid!« sagte Rinaldo freundlich und legte seinen Arm um den Regisseur, als sein Blick auf einen Herrn fiel, der sich dem Regietisch genähert hatte. Er rührte applaudierend die Hände, doch ohne ein klatschendes Geräusch zu erzeugen.

»Alfredo Fiorante«, stellte er sich vor. »Ich bin der Apotheker –«

»Ach der!« entfuhr es Ray, aber Rinaldo übertönte ihn:

»Ein Kollege!« pries er ihn laut an. »Signor Fiorante ist der Vorsitzende des Gesangvereins ›Cantate‹!«

Der hob abwehrend die Hände. »Nicht als solcher nähere ich mich, bescheidener Diener der Kunst«, er verbeugte sich vor Ray, »sondern als Verfasser eines Traktates über die Geburt des erhabenen Staufers zu Jesi und die höchst mysteriösen Geschehnisse in besagter Nacht.«

Er griff in seine Aktentasche und zog eine druckfrische Hochglanzbroschüre heraus. Auf knallgelbem Grund prangte unter dem Reichsadler der Titel: ›La Congiura dei Cardinali‹. Bevor die Sprachlosen, zu ihnen hatten sich auch Mia und der Herr Tagliabue gesellt, auf ›Die Verschwörung der Kardinäle‹ reagieren konnten, fuhr er fort:

»Ich führe darin den Beweis, meine Herren, daß die Bischöfe und Kardinäle, deren reichliche Anwesenheit zu Jesi in jener Nacht unstrittig bezeugt wird, keineswegs gezwungenermaßen, also von der stauferischen Soldateska herbeigeprügelt, dort als Zeugen der Geburt zusammenkamen, sondern daß eine Verschwörung perfidester Art zugrunde lag —«

Der Apotheker holte Atem, was Ray dazu benutzte, schnell und arrogant zwischenzufragen: »Und zu welchem frommen Behufe, werter Herr?«

»Das will ich Ihnen sagen«, ratterte Alfredo Fiorante wieder los. »Sie trafen sich zu einem Festessen zu Ehren ihres obersten Herrn —«

»Des Papstes?«

»Oh, nein«, klärte ihn der Apotheker auf. »Sie waren Teufelsanbeter, und in seinem Namen zelebrierten sie das Abendmahl, nachdem das unschuldige Kind geschächtet und zerteilt worden war, gegart und gesotten, am offenen Höllenfeuer im Taufbecken gebraten, denn auch der Herr der Finsternis ist ein Feinschmecker —«

»Also Kannibalismus unter Purpurträgern! Ich bekomme doch noch mein Blutopfer«, spottete Ray. »Und woher hatten sie das Kind?«

Jetzt war es der Fiorante, der ihn fassungslos ansah ob solcher Ignoranz. »Es war natürlich Friedrich, der Kaiser!«

»Den haben sie aufgefressen?«

»Sicher!« triumphierte der geschichtsbewußte Apotheker. »Der Kaiserin wurde das Kind des Metzgers in die Wiege gelegt. Sie zeichneten es mit einem Kreuzmal unter der Achsel, das dem falschen Friedrich zeit seines Lebens erhalten blieb. Letztlich taten die hohen Herren ja ein gutes Werk, denn der Staufer war ein Balg des Teufels, Satan hatte Constanze geschwängert, sie hätte in ihrem Alter gar nicht mehr empfangen können —«

»Mahlzeit«, sagte Rinaldo. »Ich versteh' nur nicht, taten sie es für den Nachfolger Petri oder für Belzebub?«

»Sie dienten der Kirche«, verkündete Alfredo Fiorante. »Danach erteilten sie sich gegenseitig die Absolution. Die Gefahr, in der das Papsttum schwebte, rechtfertigte die Wahl der Mittel. In der allerhöchsten Not hält sich die ecclesia cattòlica immer noch an den Gevatter!«

Rinaldo sah das ein, aber Ray gab sich noch nicht geschlagen. »Wieso wurde dann aus Friedrich II kein treuer Sohn der ›Allein Seligmachenden‹?«

Der Apotheker lächelte verschmitzt. »Den Herrn der Finsternis ärgerte das Kreuzmal unter der Achsel, das war gegen die Vereinbarung. So stachelte er den Kaiser zeit seines Erdenwandels gegen den Heiligen Vater auf, doch, wie wir alle wissen, bei seinem Tode starb Friedrich versöhnt, im Zeichen des Kreuzes!«

»Tolle Story«, entrang sich Ray, was zur Folge hatte, daß der Apotheker ihm das Heft in die Hand drückte.

»Ihr könnt meine Erkenntnisse frei verwenden. Ich wäre stolz. Ich bin ein großer Verehrer der Kunst, des Theaters, der Oper im besonderen!«

Ray legte das Druckerzeugnis mit gekünsteltem Respekt auf dem Pult ab. »Unser Producer, der auch für das Libretto verantwortlich zeichnet«, beschied er den Fiorante, »soll es lesen.«

»Ach, der Signore Berkestrom«, verdunkelte sich des Apothekers Miene, der erwartet hatte, Ray würde sofort mit der Lektüre beginnen, zumindest in dem Traktat blättern. »Dem habe ich schon ein Exemplar in sein Fach gelegt.«

Er verabschiedete sich mit einem Diener. »È stato un piacere —«, murmelte er.

Mia hatte schon wieder die Zügel in die Hand genommen. Die Zeit drängte. Der Regen hatte wieder verstärkt eingesetzt.

Für den Kaiser waren mittlerweile die Verurteilten wieder an die Haken geknüpft worden, an denen sie wie Fallschirmspringer in ihren Gurten baumelten, bereit, beim Hochziehen des Seils möglichst gequälte Gesichter zu schneiden.

Es war der einzige Auftritt dieser Kleindarsteller, und sie legten alles an Ausdruckskraft hinein, was ihnen zur Verfügung stand. Ihre Gesichter lagen im Schatten, ein Effekt, den die Sichtblenden der Scheinwerfer eigens erzeugen, damit man nur ihre Beine sah. Ihr Sterbegesang wird von einem hinter dem Gerüst versteckten Chor gedoubelt. Doch der ist wegen des schlechten Wetters erst gar nicht gekommen. Also werden sie — vollständig durchnäßt — wieder abgenommen und nach Hause geschickt.

»Umsonst ist der Tod«, sagte der Narr.

Alfia tritt mit der letzten Strophe ab und überläßt das Feld den Männern.

Dietrich:
Ruhe, Zucht und Ordnung
sind der Untertanen Zier.

Rinaldo:
Bravermann lehnt sich nicht auf.

Dietrich:
(geht ab)
Man muß sie nur zu ihrem Glücke zwingen,
ihnen Ruhe, Zucht und Ordnung bringen.

Rinaldo:
(leise)
Wer's Maul aufmacht, kriegt eins drauf.

Ramon:
(leise)
Heinrich, o Heinrich, mir graust's vor dir!

Rinaldo:
(laut)
Ketzer sind Zersetzer!

Rinaldo sieht, daß Dietrich außer Hörweite, und traut sich.

Rinaldo:
Mit Recht grault's dem Schwätzer,
der sich ereifert grad jetzt und hier.
Des Narren Freiheit ist's,
zur rechten Stund zu scheiben –
nun mag auch Rinaldo
einen Tyrann Tyrannen heißen
als der Minne Jünger, des Grales Hüter
sich froh zu erkennen geben –
(laut)
Dem Papst wünsch ich ein langes Leben!
Habt Ihr's gehört, Herr Mareschall?
In der Hölle soll er schmoren!

Alfia:
Ch'eo v'amo dolzemente,
e piace a voi ch'eo agia intendimento.

Rinal

Alfia

gurrt

Rinal

Kapitel III

DER MOND

di sì amoroso bene,
ca spero e vo sperando
c'ancora delo avire.

RAMON: Das Fell sollt man Euch über die Rappen ziehn –
gleich hör ich noch, Ihr seid der Lohegrini!
Des Grales Ritter gar aus Artus' Rund!
Herr Rinaldo, Ihr treibt's mir gar zu bunt!

Alfia: Allegro meo coragio;
e tutta la mia spene,
fu data in voi amando
ed in vostro piacire.

Rinaldo: Mir wenigst der Minne Freud und Leid
vergönnt –

(zu Alfia)   Adieu, adieu, mon amour –

(zu Ramon)   und endlich Euren edlen Namen nennt!
Bienvenu le troubadour!

Ramon: Ramon de Mirepoix! Mein erster Gruß

(stellt sich vor)   Eurer Dama minniglich gehört,

Der Troubadour verneigt sich in Richtung Alfia, die gerade
noch schnell hinter die Metzgersbank eilen kann, denn es
nähert sich ihr Ehemann Ugo, der Metzger, einen störrischen
Ochsen am Strick hinter sich herziehend. Ein vierschrötiger

Ich Narr!« rieb sich der Regisseur an Rinaldo. »Verflucht sei der Tag, an dem ich hier erschienen! Voluptatis avidus«, schmetterte Ray Maulman völlig unprogrammgemäß, »magis quam salutis!«

»Mortuus in anima curam geor cutis!« antwortete der Narr, den es vergnügte, »das ist ein ander' Carmen. »Wenn auch nicht übel instrumentiert, Maestoso!«

Ray ließ sich von Mia ein Glas Champagner reichen, die Flasche mußte immer hinter ihm hergetragen werden, Marke: nur vom Besten! Rechnung an die Produktion. Er schritt den Weg ab, den er als Troubadour nehmen wollte und überfiel den Komponisten mit einer neuen Spitze:

»Mit solch schrillem Pathos könnte ›Die Normannen woll'n ihn nicht, Sizilien gar fürchtet sich‹ auch klingen, wenn die Melodie einem lebenden, inspirierten Tondichter aus dem Bauch, aus dem Zwerchfell, aus der Kehle geströmt wäre, aber was deine Maschine sich hat einfallen lassen, kann nicht einmal mit ›diu chünegin vun Engellant‹ konkurrieren!«

»Damit wären wir wieder beim Löwenherz, denn das bezieht sich auf seine Mutter, die schöne Eleonor ›lege an minen armen‹«, erklärte Reinhold mit aufreizender Ruhe. »Sie war es, die das Lösegeld zu Heinrich brachte.«

»Weich mir nicht aus!« knurrte der als Troubadour verkleidete Regisseur, der sich in dessen Haut nicht wohl fühlte.

»Ray«, sagte der Narr freundlich, »wenn du Probleme hast, weil du es nicht singen kannst, dann sag es ruhig. Wir können die Ballade vereinfachen, bis aufs Niveau eines Abzählverses —«

»Das könnte dir so passen! Während du dich zum Pavarotti von Jesi aufblähst —«

»Hab keine Angst«, sagte Reinhold leise und legte seinen Arm um Rays Schulter. »Wir probieren es jetzt mal —«

»Playback ready?« rief Mia, und Ray hing sich die Laute um.

»Die etwas groteske Situation ist dadurch entstanden, daß Ray schon beim ersten Zusammentreffen, das ich organisiert hatte, von Reinhold und seiner Stimme beeindruckt war«, informierte Berghström seinen Freund Tom, etwas abseits vom Ort des Geschehens, doch in Sichtweite. »Und weil Ray gern aus dem Bauch heraus entscheidet — wenn nicht aus dem Gekröse —, hat er Reinhold, der gar nicht auf die Idee gekommen war, in die Rolle des Narren hineingeredet. Ich hab's unterstützt, zuweil es mir einen wirtschaftlichen Rationalisierungseffekt versprach. Dann wurde dem Maestro klar, daß er sich mit dieser Konstellation faktisch einen Coregisseur geschaffen hatte. Nun hatte er den Komponisten permanent zwischen den Beinen, schon dank seiner Tätigkeit als aktives ›Festkomitee‹.«

Tom war schnell von Begriff. »So hat er als Gegengewicht sich den Part des Troubadours aufgehalst?«

»›Ray kann fabelhaft anderen beibringen, was sie wie singen sollen, kann es ihnen auch vormachen —‹ war Reinhold verzweifelt in mich gedrungen, ›aber wenn er sich selber gibt — eine Katastrophe!‹«

»Das ist nun dein Job!« lachte Tom, nicht ohne Schadenfreude. »Wer doppelt einsparen will, muß zwiefach leiden. Das ist nun mal so!«

»Ich hab' Rinaldo in die Pflicht genommen: ›Du wirst ihn über die Klippen führen und das Beste daraus machen — wie bei Bea!‹«

»Das nennt man Erpressung!«

»Eine schlichte Aufforderung zum Tanz! Sie machte Reinhold klar, daß er seine Geliebte nur als ›Alfia‹ durchsetzen konnte, wenn ich — und der Maestro — es zuließen.«

Auf der Bühne war mittlerweile von fern der Marschgesang des deutschen Fußvolks zu hören:

Ruhe, Fleiß und Zucht und Ordnung...

Die das Volk darstellenden Komparsen riefen weisungsgemäß: ›Arrivano i tedeschi! Die Deutschen kommen!‹, was unüberhörbar war, denn es tönte nochmals, mit kleiner Variante:

Rinaldo schaute verwundert, daß er fast seinen Einsatz verpaßte. Die unsichtbaren Deutschen grölten weiter:

> ... sind des Glückes Unterpfand!
> Damit wollen wir die Welt beglücken
> gegen der Sikulaner Tücken!
> Deutsche Brüder, in die Hand
> des gerechten Schwertes blanke Blöße,
> daß es in die heidnisch Mauren stöße!
> Vertreibt sie von des Reiches Rand!

»Sag mal!« wandte Rinaldo sich an den Regisseur. »Hat die Emmy das von Nemo texten lassen?«

Ray lachte: »Die Reps würden ihrem Lieblingsbarden was pfeifen! ›Des aufrechten Schwanzes blanke Blöße...‹«

> Außer Rand und Band, außer Rand und Band!
> Fort von des Raaaiches – fort von des Reiches Rand!

Der Antrittsbesuch bei der Marchesa Fulvia Costa-Pelicosi ließ sich nicht länger aufschieben. Rinaldo, der sich im Gestrüpp des kulturellen Flechtwerks von Jesi einigermaßen auskannte, hatte es Berghstroem mehrfach nahegelegt. Schon als Gegengewicht gegen das ›Centro Storico‹, dem der Apotheker zuzurechnen sei, empfehle es sich, mit der streitbaren alten Dame vom ›Circolo Culturale‹ auf gutem Fuß zu stehen. Außerdem gehöre ihr das Hotel, in dem man wohne, und noch vieles mehr in der Stadt.

Berghstroem nahm Mia mit. Die Parker wirkte irgendwie besänftigend, vertrauenerweckend auf konservative, ältere Herrschaften, die in ihm vielleicht eine unseriöse Erscheinung sehen mochten.

»Du wirst sie schon einwickeln, Manuel«, sagte Mia, die seine Gedanken erraten hatte. »Was wollen wir eigentlich von ihr?«

»Nichts«, antwortete Berghstroem. »Außer: vermeiden, daß sie und ihr Kulturzirkel gegen ›Stupor Mundi‹ Stellung beziehen. Wir brauchen Verbündete, Mia. Den Pillendreher werden wir bald zum Feind haben, wenn er merkt, daß wir seine literarischen Ergüsse nicht zur Vorlage unseres Stückes machen —«

»Das läßt sich nicht umgehen?« Mia war immer für Ausgleich.

Sie fuhren in Mias Auto, einem Mini, das wirkte bescheidener, die Straße zwischen den Hügeln oberhalb der Stadt hinauf.

»Es nicht vermeiden, hieße — auch wenn unser Ray sich mit Wonne daran delektieren würde — wir legen uns mit dem Rest von Jesi an, dem Rat der Stadt, der Kirche. Kardinäle Roms als teufelsanbetende Kannibalen! Das ist zu starker Tobak, vor allem, wenn es auf der Bühne gezeigt werden soll!«

»Gib zu, Manuel, dir gefällt's auch!«

Sie bogen von der Straße in einen nicht asphaltierten Serpentinenweg ein, der sich zwischen Olivenhainen und Rebstöcken bergan schlängelte.

»Warum hast du Ray als Regisseur engagiert?« fragte Mia ihren Beifahrer. »Ihr kanntet euch schon?«

»Das kann man wohl sagen!« grinste Berghstroem. »Raymond Maulman ist für mich die einzige Garantie, aus meinen geschmacklosen Texten und Reinhold Schillings verkitschtem PC-Gemüt eine ›opera buffa‹ zu schaffen, die meinen literarischen Ansprüchen und Rinaldos klassischen Vorbildern, sprich ›Vox Medioval III‹, genügt.«

»Wie genügsam!« warf Mia ein.

»Mir reicht es, ein Stück spannender Historie am Zipfel zu erwischen, publikumsgerecht aufzuarbeiten und verständlich zu machen. Aber Ray schafft Kunst!«

»Umstrittene«, bemerkte Mia, und Berghstroem stieg darauf ein.

»Sonst wär's ja wohl keine!«

»Mit Ray riskierst du einen Flop«, sagte Mia. »Kannst du dir das leisten?«

»Ich leiste mir Ray!«

»Du bist seiner Provokation erlegen —«

»Avec plaisir!« lachte Berghstroem. »Ich bin seiner Faszination verfallen. Das ist wie beim Roulette: Ich bin ein Vabanquespieler — er auch!«

»Da du immer noch nicht ganz pleite bist —« ärgerte sich Mia, »faites votre jeu!«

Berghstroem wußte, daß Mia solches Gerede gegen den Strich ging und sie sich sorgte, doch er wollte ihr auch nichts ersparen.

»Als sein Vater sich in Israel erschossen hatte, weil seine Frau mit einem jungen Palästinenser durchgebrannt war, schickt die Großmutter den Knaben Ray, dessen Freund der Ehebrecher war, auf die Universität von Toulouse, wo er Philosophie studieren soll. Ray zieht es statt dessen vor, nach Paris zu entschwinden, wo ihn Coco Chanel beherbergt, und beginnt, die Callas mit einer 8-mm-Kamera zu filmen, wo sie singt und schreitet. Er wird in ihren Hofstaat aufgenommen, assistiert bald mehreren Regisseuren und Dirigenten, die ihn vor allem, dank seines stürmischen, aber liebenswürdigen Temperaments, als ›go between‹ zu der launischen Diva einsetzen. Die junge Soubrette Tilda Carson vermittelt ihm dann seine erste eigene Inszenierung in Bochum, ausgerechnet ›Agnes von Hohenstaufen‹. Das Publikum spie Gift und Galle, die Kritik zerfetzte ihn in einer Art und Weise, daß der Frevler über Nacht berühmt wurde. Die Folge war, daß sich jetzt die Häuser um ihn rissen, man leistete sich – wenigstens einmal pro Abonnement, seinen Maulman, den garantierten Skandal. Ich lernte ihn kennen, als er sozusagen die erste Runde durchgestanden hatte – fünf Niederschläge, aber keinmal bis neun auf den Brettern. Wer bei ihm physische Weichheit vermutet, der täuscht sich. Es bedarf nicht einmal der Lederjacke –«

»– lässig über die teuren Designerklamotten geworfen«, spöttelte Mia, doch Berghstroem ließ sich im Fluß seiner Erzählung nicht aufhalten.

»– sondern nur eines Drucks seiner Hand, um dir klarzumachen, daß er keinen Rocker, keinen Skinhead fürchten muß, der auf seine sanfte, fast zärtliche Art hereinfällt.«

»Das stimmt«, sagte Mia versöhnlich. »Ray duldet keinerlei Anmache, vor allem nicht die geringste Verächtlichmachung von Minderheiten, sei es die eigene homosexuelle, sei es die ethnische – Fremde, zu denen er sich hingezogen fühlt.«

»Seine Herkunft schimmert durch. Du siehst im Hintergrund das Märchenschloß der Großmutter dieses modernen Lancelot, aber er scheißt darauf, kotzt dir aufs Parkett, falls du den Fehler machst, ihn in ein solches einzuladen. Champagner in der letzten Hafenkneipe ist ihm lieber – der teuerste, wenn du ihn bezahlst, der du hier mit deinem lumpigen Geld sein Mäzen sein willst, während er dir seine letztlich unbezahlbare Schaffenskraft, seine Kreativität schenkt, seine Visionen, seine Exaltation noch obendrein!«

»Jetzt denkst du an Maxi, hab' ich recht?« feixte Mia. Berghstroem nickte bissig.

Die Villa, der Landsitz der Costa-Pelicosi, lag eine halbe Stunde Weges in den Hügeln oberhalb der Stadt, mitten in den Weinbergen. Eine zypressenbestandene, rumpelige Allee führte auf den nicht sonderlich gepflegten Palazzo zu. Das Anwesen verfügte über Insignien verblichener Grandezza, wie einen stillgelegten Springbrunnen, etliche ramponierte Statuen und einen verwilderten Park, alles wohl zu groß dimensioniert, um standesgemäß in Ordnung gehalten zu werden. Vor dem Portal erschien ein dienstbarer Geist, der ihnen mitteilte, ›la Marchesa sarebbe ancora in viaggio, il Signor Berkestrom möge es sich zwischenzeitlich im Park bequem machen‹. Er deutete auf einen Volvo mit deutschem Nummernschild, compatrioti seien bereits im Pavillon ›della scena girévole‹.

Weniger neugierig auf die deutschen Landsleute als auf ein Theater mit ›Drehbühne‹ stiefelten der Produzent und die Assistentin durch das ziemlich verwilderte Anwesen. Einen Gärtner wollte sich die Marchesa offensichtlich nicht leisten, es wären auch mehrere vonnöten gewesen, die Hecken zu beschneiden, das Gras aus den Kieswegen zu jäten und das Unkraut aus den Rosenrabatten. Das Gelände fiel leicht talwärts, hinter einer Wiese tauchte unter Bäumen ein hölzerner Rundbau auf, dem ein überdachter Säulenbau vorgelagert war. Sie traten näher.

Unter dem Dach dieser Vorhalle des Tempels waren ringförmig Zuschauerbänke angeordnet, die auf die einzige Öffnung des Rundbaus ausgerichtet waren. Ein Fernsehteam mit zwei Videokameras hatte sein Licht aufgebaut. Einer der Techniker betätigte einige Hebel am Schaltkasten seitlich der Bühne, rasselnd und schnarrend setzte sich der unsichtbare Mechanismus in Bewegung. Der Vorhang ging auf.

Auf dem sichtbaren Bühnenausschnitt war die Schlußszene von ›Othello‹ dargestellt. Der Mohr betrat das Zimmer, in dem Desdemona auf einer Dormeuse ruhte, ›Niun mi tema‹ holperte sein zu tiefer Tenor von der Walze, während er in staksigen Schritten auf die Liegende zusteuerte, sich über sie beugte und ihr die Kehle zudrückte. Mit unverständlichem Krächzen sank er dann neben ihr nieder, die Beleuchtung verlosch, und der Vorhang schloß sich wieder, ruckweise. Es waren lebensgroße Puppen, die da spielten, aufs schönste gekleidet, wenn auch leicht zerschlissen oder von Motten angefressen.

»Wollen Sie sehen, wie Tosca den Scarpia mit dem Brotmesser erdolcht?« fragte der Älteste des Teams, offensichtlich der Anführer. »Wir sollten uns vielleicht erst bekanntmachen« sagte er, als Berghstroem und seine Begleiterin zögerten. »Mein Name ist Franck.«

Berghstroem fiel auf, daß er nicht der deutschen Unsitte nachkam, ihm die Hand zu schütteln, die er fast schon ausstrecken wollte.

»Das sind meine Mitarbeiter Wolff, Hettrich und Galinsky«, er wies ohne besonderen Nachdruck auf die anderen. »Sie brauchen sich die Namen nicht zu merken, wir firmieren unter ›Franck & Co‹.«

»Berghstroem«, sagte Berghstroem, ohne besonderes Vergnügen bei der Bekanntschaft zu spüren.

»Ich weiß«, sagte Franck und setzte erklärend hinzu: »Herr Bock hat uns geschickt, wir werden Ihre Arbeit in Jesi dokumentieren.«

»Ah ja?« sagte Berghstroem und ärgerte sich, daß die Ankündigung nicht im geringsten in Form eines Ersuchens gekleidet war. Typisch Maxi. »Dies ist unsere Assistentin Mia Parker«, schob er nach. »Mit ihr können Sie alle Verfahrensfragen klären.«

»Da gibt es wenig zu klären«, eröffnete ihm Franck. »Wir haben die Anweisung, und daran werden wir uns strikt halten, Ihre Probentätigkeit nicht zu stören, geschweige denn in deren Ablauf mit irgendwelchen Wünschen einzugreifen. Wir sind lichtunabhängig, arbeiten völlig lautlos und werden uns bemühen, auch unsichtbar zu agieren. Am besten, Sie kümmern sich gar nicht um uns. So können wir die Kontakte auf ein Minimum beschränken.«

»Wie Sie meinen«, sagte Berghstroem. »Es ist jedoch formal die Einwilligung aller Beteiligten einzuholen, besonders der Darsteller.«

»Ich weiß«, sagte Franck. »Das Recht am Bild ist heilig.«

»Das weniger«, sagte Berghstroem, »aber es könnten sonst nicht absehbare Forderungen auf Herrn Bock zukommen.«

»Er hat uns bereits mit vorgedruckten Formularen versorgt, die ich Sie bitten würde, von allen unterschreiben zu lassen.«

»Geben Sie die Fräulein Parker«, sagte Berghstroem und wandte sich zum Gehen.

»Sie sollten noch den ›Bacio di Tosca‹ bewundern«, sagte Wolff höflich zu Mia. »Oder ziehen Sie Mozart vor? Das Ende des Don Giovanni? Wenn die Statue durch die Tür kommt? Diese Spieldose ist einzigartig«, geriet er ins Schwärmen, »bedenkt man, wie beschränkt damals die technischen Mittel waren!«

Da Mia ihn freundlich anlächelte, setzte er das Karussell nochmals in Bewegung. Durch den zur Seite ruckenden Samtvorhang konnte man sehen, wie sich die Bühne drehte und jetzt das Zimmer des Polizeichefs auf der Engelsburg zeigte. ›Si adempia il voler vostro‹ – der böse Scarpia sitzt am Tisch und schreibt, während Tosca, seine inquisitorischen Fragen beantwortend, sich langsam das Messer vom Tisch greift und es hinter ihrem Rücken verbirgt. Endlich ist er fertig, breitet seine Arme aus, um die Frau an sich zu ziehen, ›Tosca, finalmente mia!‹ dröhnt sein Bariton etwas scheppernd aus dem Trichter, da sticht sie zu, er streckt den Arm aus und stolpert, das Messer in der Brust, auf sie zu. Sein Röcheln erstarb mitten in der Bewegung seines Falls.

»Die Sicherung!« sagte Hettrich entschuldigend und machte sich am Schaltkasten zu schaffen. »Nur einen Moment, Fräulein!« sagte er, doch Mia lachte:

»Ein hübsches Spielzeug, wohl mehr für große Kinder als für Freunde des Belcanto!«

»Herr Bock will es kaufen«, informierte Franck den schon beiseite getretenen Producer.

»Maxi als Opernnarr ist mir neu!« sagte der, und weil sich der Mechanismus und damit auch die Walze mit dem ›Ich sterbe, ich sterbe‹-Gestöhn wieder in Bewegung gesetzt hatte, fügte er laut hinzu: »Ich kann mir nicht vorstellen, daß die Marchesa sich das gute Stück, sicher eine Kindheitserinnerung, abhandeln läßt.«

»Ach«, sagte der Herr Franck, »dann kauft er eben das ganze Grundstück. Wir dokumentieren es für jeden Fall.«

»Ah«, entfuhr es Berghstroem. »Sie dokumentieren wohl

alles, von dem Herr Bock meint, er könne es kaufen? Komm, Mia, wir gehen!«

»Halt!« sagte Herr Franck und hielt Berghstroem das Mikro hin. »Beginnen wir doch gleich mit der Arbeit. Wie kamen Sie auf die Idee von ›Stupor Mundi‹?«

Berghstroem hatte nicht die geringste Lust, sich vorschreiben zu lassen, wann und ob überhaupt er Statements über diese Frage abzugeben hatte, zumal sie sein Inneres betraf. Doch eine Verweigerung könnte Maxi übel vermerken – also sagte er:

»Ausgehend von der Voraussetzung, daß ich auf Grund meiner Studien und Kenntnisse jedes Lehramt für Geschichte des Hohen Mittelalters bekleiden könnte, faszinierte mich schon immer die Konstellation dieser einen Nacht im Jahre 1194, in der eigentlich alle bekannten Kulturen, ja Welten aufeinanderprallten, und zwar in einer ungeheuren Verdichtung: Imperium und Kirchenstaat, Barbaren aus dem Norden – verglichen mit der arabischen Zivilisation, der Philosophie der Griechen – ausgezogen, um das mythische Kleinod Sizilien zu erobern, das goldene Vlies. Intrigen, dynastisches Denken, feudaler Machtanspruch bilden den Makrokosmos, Leidenschaft, Liebe, Treue, Glauben, Verzicht den privaten, intimeren Teil. Hier die Kirche, dort das Reich. Hier die Blüte der Staufer, nimmersatt, großartig, gewalttätig – hier der aussterbende Glanz des normannischen Königshauses. Hier Heinrich, brutal und verschlagen – hier Constanze, leidend, sich opfernd. Das kommt alles in einer Nacht zusammen und gebiert ein Kind: ›Stupor Mundi‹!«

»Danke, Herr Berghstroem!« rief Franck ihm nach, als sich der Producer abrupt abwandte.

Hinter ihnen ertönte der Triumph der Tosca, ›è morto! Or gli perdono!‹, als sie über die Wiese wieder zur Villa hinaufschritten.

»Mir gefallen die Burschen nicht«, murmelte Berghstroem. »Sie haben etwas Reptilhaftes an sich, als seien sie aus einem Film wie ›Blade Runner‹ entstiegen.«

»Ach«, sagte Mia, »da fand ich die Androiden ganz sympathisch.« Sie hakte Berghstroem unter. »Ich glaube, Manuel, du stehst unter dem Eindruck dieses makabren Spielzeugs, wo tote Puppen die Menschen ersetzen. Die Jungs sind vielleicht ganz in Ordnung, halt Videotechniker, die sind so –«

»Schöner Trost«, sagte Berghstroem, »diese Typen für die nächsten Wochen ständig zwischen den Beinen zu haben!«

»Schau einfach nicht hin!« riet ihm Mia. Sie waren auf der rückwärtigen Terrasse angekommen. Der alte Diener erwartete sie.

»Die Marchesa ist untröstlich. Sie läßt sich tausendmal entschuldigen, aber sie ist irgendwo mit einer Panne liegengeblieben.« Er machte dabei die despektierliche Geste eines gekippten Gläschens. Offensichtlich eines zuviel für die alte Dame, dachte sich Berghstroem, überging aber die Indiskretion und sagte: »Macht nichts.«

Mia verabschiedete sich freundlich mit der landesüblichen Floskel: »Porti alla Signora Marchesa il nostro rispetto e le dica che saremmo lieti di conoscerla presto!« Sie bestiegen den roten Mini und fuhren nach Jesi zurück.

»Stinky, der Kaiserverspeiser, war schon wieder da!« empfing der Regisseur Ray Maulman seine Produzenten. »Er gibt keine Ruhe —« amüsierte er sich, was auch daran liegen mochte, daß die Flasche Champagner zu Füßen seines Regiestuhls zu zwei Dritteln geleert war. »Ob du schon mit dem Umschreiben deines Librettos begonnen hättest, wir könnten seine Erkenntnisse ja wohl nicht unberücksichtigt lassen — oder wie wir das historisch belegte Problem des untergeschobenen Kindes zu lösen gedächten —« Ray hatte seinen diebischen Spaß an der Situation.

»Erstens«, sagte Berghstroem, der sich nicht provozieren ließ, »wird etwas nicht dadurch zum historischen Fakt, daß die eine daran interessierte Seite über Jahrhunderte hinweg bösartig das Gerücht vom Metzgersbalg nährt, zweitens — aber lassen wir das«, sagte Berghstroem gelangweilt, setzte sich neben ihn und goß sich den Rest aus der Flasche ein. »Was hast du ihm geantwortet?«

Ray bekam einen Lachanfall, daß er husten mußte, oder er hatte sich verschluckt. »Daß aus technischen Gründen die Freßorgie der Kardinäle im verschlossenen Zelt nach der Geburt stattfinden müßte, wo keiner sie sieht, die Kindsverzehrer!«

»Und woran erkennt man, daß es das Kind des Metzgers ist, das die arme Kaiserin dann in den Armen hält?«

»Das hat mich Signor Fiorante auch gefragt, man müßte doch wenigstens das Kreuzesmal unter der Achsel sehen —«

»Auf die Entfernung?« protestierte Berghstroem.

»Richtig«, sagte Ray. »Ich hab' ihm angeboten, daß die Einge-weihten unter den Zuschauern, denn es handele sich ja um ein höchst brisantes, höchst esoterisches Geheimnis, es daran mer-ken könnten, mit welcher Hingabe, zu der nur die Liebe der natürlichen Mutter fähig ist, sich Alfia, die Amme, des kaiser-lichen Kindes annehmen würde. Zumindest sie weiß es, und er, der Geheimnisträger Alfredo Fiorante, und ich als sein konspira-tiver Mitwisser wüßten um die Wahrheit. Es sei völlig unnötig, dich, Emmy, darin einzuweihen.«

»Fabelhaft!« sagte Berghstroem. »Und darauf hat er sich ein-gelassen?«

»Er ist ganz beglückt abgezogen.«

»Können wir jetzt weitermachen?« maulte Rinaldo von der Bühne.

Ray warf einen Blick auf die Uhr. »Wir beide haben jetzt als Darsteller Pause.« Er war wie der Narr in seinem Kostüm, als Troubadour gekleidet, was ihm gefiel, besonders die enganlie-genden Strumpfhosen mit dem reichlich ausgestopften Gemächte. Das ließ seine langen Beine zur Geltung kommen, die von den kurzen, etwas krummen Rinaldos abstachen. »Geh zu deiner Delikateßmamsell — oder Kaffee trinken«, beschied er ihn. »Jetzt kommen erst mal die Deutschen!«

Er zeigte auf Nemo und Waldemar, beide schon in voller Rü-stung als kaiserlicher Hofmarschall und sein Hauptmann, die aus den Kasematten, wo die Umkleideräume lagen, heranstolziert kamen. Rinaldo griff sich Berghstroem und schob mit ihm ab. Sie gingen in die Pizzeria, aus der gerade ›Die Deutschen‹ aufbrachen, um auf der Piazza zu wirken. Sie grölten ihr Lied jetzt schon.

»Es macht ihnen offensichtlich Spaß, sich selber als teutoni-schen Invasorenhaufen zu karikieren«, ärgerte sich Rinaldo.

»Ray hat auf wirklich deutschen Stimmen bestanden«, ent-schuldigte sich der Producer. »Mia hat das Problem gelöst, indem sie vom Nato-Fliegerhorst eine Busladung Bundes-wehr-Bodenpersonal organisiert hat.«

»Die mopsen sich dort bei der Wartung zwischenlandender Phantoms und saufen sich hier die Hucke voll.«

»Was willst du?« sagte Berghstroem. »Die Jungs sind mit Feuereifer bei der Sache, haben, wie du hören konntest, meinen Text und deine Melodie schon intus!«

»Schon, schon«, entgegnete Rinaldo und machte sich über seine Pizza her. »Aber sie gehen den Jesianern auf den Wecker!«

»Sicher nicht den Kneipenbesitzern!« suchte Berghstroem das Thema abzuschließen. »Außerdem sind sie sehr preisgünstig.«

»Sie singen Nazilieder«, muffelte Rinaldo. »Das bringt unsern Freund Achille auf die Palme, den Vizebürgermeister, von dessen Wohlwollen wir in zunehmenden Maße abhängig sind.«

»Wieso?« begehrte der Producer auf. »Wir sind Arbeitgeber, das muß einen Gewerkschaftler doch freuen?«

»Wir haben sowieso in Jesi schon etliche Feinde«, nörgelte Rinaldo. »Der Apotheker bleibt nur so lange versöhnt, bis er kapiert hat, daß Ray ihn geleimt hat —«

»Dann wird er wieder seine stinkenden Nachttöpfe über uns ausleeren!« lachte Berghstroem. »Damit müssen wir leben.«

»Signor Fiorante hat nicht nur den Gesangverein ›Cantate‹ hinter sich —«

»— den wir brauchen, weil außer dem Opernchor in Jesi kaum ausgebildete Stimmen aufzutreiben sind!«

Rinaldo nickte betrübt. »Don Achille hat mit Alfredo und seinem Verein zwar nichts am Hute, wohl aber mit den ›compagni‹ seiner eigenen Partei. In seinem Büro im Rathaus häufen sich die Proteste der Genossen gegen uns wegen der Okkupation öffentlichen Grundes — und jetzt auch noch wegen der nicht von der Hand zu weisenden Erinnerung an die Nazi-Landser!«

»Ich kann denen weder das Saufen noch das Singen verbieten!« empörte sich Berghstroem.

»Du kannst wenigstens dafür sorgen, Emmy«, drang Rinaldo in ihn, »daß Nemo von ihnen ferngehalten wird. Der hat ihnen gleich nach Probenschluß eine Freirunde in der Taverne versprochen. Das fehlte noch, daß der ihnen seine Schlesierhymne beibringt!«

»Ich werde Don Achille einladen«, sagte Berghstroem, »und sie werden ›Ciao, bella, ciao, ciao, ciao‹ für ihn singen. Du wirst sehen, dem alten Stalinisten werden die Tränen kommen!«

»Was trägt die denn für 'n Fummel am Leib?« mokierte sich plötzlich Ray über die zu ihrer ›Arie von der armen Kaiserin‹ angetretene Bea. In der Tat hatte sich die Metzgersgattin wohl in ihren Sonntagsstaat geworfen, einen blauen Traum aus Taft und Samt, den Busen sichtbar hochgeschnürt.

»Der Kaiser kommt!« verteidigte sich Bea. »Da putzt sich auch des Metzgers Weib!«

»Erstens hast du dafür überhaupt keine Zeit, du bist ohne Unterbrechung im Einsatz, Liebste«, erklärte ihr Ray mit verdächtiger Sanftmut. »Zweitens: Wer hat dir, Frau aus dem Volke, denn diese Hofrobe verpaßt?«

Es folgte ein längeres betretenes Schweigen, vor allem, da die herbeigeeilten Kostümassistenten mit den Achseln zuckten, dann brach es aus Bea heraus:

»Das Kleid hab' ich mir genommen, weil's mir paßt!« schrie sie plötzlich nicht den Regisseur, sondern ihren Rinaldo an. »Warum muß ich immer in Sack und Leinen herumlaufen? Sag du doch auch mal etwas!«

Rinaldo schaute sie gequält an und sagte dann leise, aber deutlich: »Zieh es aus, Alfia.«

Ray, nahezu gerührt von dieser kindlichen Eitelkeit, glättete die Wogen. »Wir werden uns zusammen überlegen, Bea, ob du zu Beginn des zweiten Akts, wenn du nach deiner Niederkunft aus deinem Hause kommst, etwas anderes trägst −«

Bea ging hin und umarmte ihn, streckte ihrem Liebhaber die Zunge raus und rannte weg.

»Wir proben das später«, entschied Ray versöhnlich. »Emmy, sorg dafür, daß sie sich wieder einfängt.«

»Ich −« sagte Rinaldo.

»Du bleibst hier«, beschied ihn der Regisseur. »Wir nehmen unseren Disput wieder auf: Le Fou versus le Troubadour!«

»Wir leben in Erwartung von Elgaine Coeurdever, der Designerin«, sagte Mia mit leichtem Vorwurf in der Stimme zu Berghstroem. Sie saßen in der Bar des Hotels, von der aus man durch die gehäkelten Tüllgardinen die Piazza im Auge behalten konnte.

»Ray hat sie sich gewünscht«, gab der Producer ihr die Auskunft. »Nur auf Maulmans Zureden hat sie sich herbeigelassen, ›Stupor Mundi‹ als Art Director zu betreuen.«

»Zu Gesicht bekommen haben wir die Dame noch nicht −«

»Aber was bisher nach ihren Entwürfen in römischen Kostümhäusern gefertigt wurde, kann sich sehen lassen!« verteidigte Berghstroem die Wahl seines Regisseurs.

»Auch die Rechnungen!« mauerte Mia. »Die ich nur in Kopie erhalte!«

»Maxi hat − in einer Anwandlung von Großmut«, klärte

Berghstroem die Störrische auf, »die Begleichung direkt übernommen.«

»Ihre implizite Aufgabe scheint darin zu bestehen, die Manesse-Handschrift mit all ihren erlauchten Minnesängern, edlen Damen und Rittern zum Leben zu erwecken!«

»Das ist doch wunderschön!« versuchte Berghstroem seine widerborstige Assistentin zu begeistern.

Ein bissiges »Dabei soll mich nicht stören«, war der Erfolg, »daß diese Illustrationen auf das Jahr 1410 zu datieren sind, während wir uns − dank der Gnade des feststehenden Geburtsdatums − im noch längst nicht so raffinierten Fin de siècle des zwölften Jahrhunderts bewegen!«

»Was soll's!« sagte Berghstroem.

»Was soll's?« echote Mia erbost. »Die Zeitdifferenz ist so unwesentlich wie die zwischen der Mode bei Ausbruch der französischen Revolution und der Landung auf dem Mond!« Jetzt geriet das Fräulein Parker richtig in Fahrt. »Der prominenten Opern-Ausstatterin scheinst du völlig freie Hand gegeben zu haben, egal, was es kostet! Nur uns hältst du kurz. Ich will nicht undankbar sein, letztlich kommt es der Produktion ja zugute, solange wir diese Verschwendung nicht anderswo einsparen müssen. Jedes Stück ist von Hand genäht, die Stoffe, Brokat, Damast und Sammet, sind eigens gewebt, mit Gold und Silberfäden durchwirkt, mit echtem Pelz verbrämt und besetzt mit Jaspis, Amethyst, Karneol und anderen Achaten. Du solltest damit anschließend auf Wanderausstellung gehen, durch die berühmtesten Museen. Am besten, Manuel, du kaufst dir eine passende Burg dazu oder endlich einen eigenen Palazzo in Venedig!«

»Scherz beiseite, Mia. Elgaines Entwürfe samt Konstruktionsplänen für die Bauten hier auf der Piazza von Jesi sind genial! Knapp und wirkungsvoll − und bis ins letzte Detail durchdacht, eine Spitzenkönnerin, vor der wir Dilettanten uns schon vor ihrer Ankunft beschämt verneigen können!«

»Ray fühlt sich überfahren. Nicht, daß ihm die Arbeit seiner Kostümberaterin mißfällt; wohl aber, daß sie ihn − nach dem ersten Gespräch − nicht ein einziges Mal konsultiert hat. Von Absprache, Entwicklung einer gemeinsamen Idee, die sich in sein Konzept der Inszenierung einfügt, ganz zu schweigen!

»Liebe Mia Parker«, sagte Berghstroem, »wir danken Ihnen für dies einseitige, doch informative Gespräch. Una bottiglia di Champagner«, wendete er sich dann an den Barkeeper, »per il Signor Maulman! Das ist noch immer die beste Medizin bei ihm für erlittene Unbill. La porti direttamente fuori sulla piazza!« Dabei wies er hinaus auf den Platz, wo Ray auf seinem Regiestuhl saß.

Ray verspürte den Wunsch, die beiden Metzgerseheleut' schon mal zusammen auf der Bühne zu sehen, und so wurden deren Proben, eigentlich nur Stellproben, vorgezogen. Es blieb nicht aus, daß sie sich dabei bereits ›ansangen‹, wenn man das wüste Gekeife, die Drohungen und Flüche so freundlich benennen will.

. »Nach dem schockartigen Vorspiel zum ersten Akt«, erklärte der Regisseur seinen beiden Metzgern den weiteren Verlauf der sie betreffenden Arbeit, »trete als erster ich als durchreisender Troubadour auf, Ramon de Mirepoix geheißen, der sinnigerweise, also mit einiger Verspätung, noch immer auf der Suche nach dem gefangenen König Richard Löwenherz ist. Rinaldo, der Narr von Jesi, klärt mich über das Vergebliche meines Mühens auf. Da hören wir zum erstenmal von ferne die Stimme der Alfia, die mit ihrem ›Poi ch'a voi piace, amore‹ in kühner Zeitmaschine in das spätere Leben des Kaisers Friedrich II vordringt und bereits vor seiner Geburt diese bekannte Poesie des Staufers uns hören läßt. In der Folge singen wir alle drei, also der Narr, Alfia und meine Wenigkeit, ziemlich durcheinander sämtliche möglichen Mißverständnisse eingeschlossen. Herauskristallisiert sich dabei die heimliche Liebesbeziehung zwischen der schönen Metzgersgattin und dem buckligen Narren von Jesi. Wir überschlagen jetzt die Ankunft der Deutschen, auch die erste große geschlossene Arie der Alfia, ›Ricca, Povera Imperatrice‹. Gerade hat der Narr soviel Vertrauen zu mir geschöpft, daß er mir, dem Fremden, seine Liebe zu Alfia anvertraut, und die Dame auch mein Aug' erfreut, da tritt äußerst störend ihr Ehemann, Ugo der Metzger, auf. Er ist gleich eifersüchtig und jagt seine Frau aus ihrem Gärtlein zurück hinter die Metzgersbank. Diese Demütigung vor dem Liebhaber und vor dem Fremden läßt sich Alfia nicht gefallen. Es kommt zum ersten heftigen Wortwechsel zwischen den ungleichen Eheleuten. Das inzwi-

schen versammelte Marktvolk liebt diese Streitigkeiten und
heizt sie an.«

Kuttelugo, Schmandverpfropfer, Würstestopfer!
Kuttelugo, Knochenhacker, Panzenbacker!

»Anfangs sind es noch die nettesten Verbalinjurien«, fuhr Ray
fort. »Doch sie sind harmlos gegen die pausenlose Eruption von
obszöner Vulgarität, der sich die Metzgersleut' untereinander
hingeben. Ugo will tätlich werden, Alfia sucht Schutz unter den
Marktfrauen und singt empört und traurig ihre Arie ›Come mi
piacerebbe‹. Danach wechselt unsere Aufmerksamkeit wieder
zu den Deutschen, die unter ihrem Hofmarschall die baldige
Ankunft des Kaisers vorbereiten sollen. Dabei wird auch die
Frage der rechtmäßigen Hinrichtung des welfischen Stadtrats
noch mal aufgeworfen. Rinaldo denunziert den Henker, und der
singt in seiner Verzweiflung die ›Arie vom Befehlsnotstand eines
Henkers‹. Der arme Wicht versucht sich selbst zu entleiben,
doch der Galgen ist schon abgebaut. Er wirft sich in den Brunnen, doch die Frauen ziehen ihn im Eimer wieder hoch. Er legt
seinen Kopf auf den Hackklotz von Meister Ugo und bezichtigt
sich des Kopulierens mit dessen Ehefrau, doch der Henker ist so
häßlich, daß selbst der vor Wut und Eifersucht nur noch rot-
sehende Metzger ihr diese Geschmacksverirrung nicht zutraut.
Dabei tut Donna Alfia alles, um ihren Mann zur Raserei zu bringen. Und auch das Volk will jetzt Blut sehen. Doch den tapferen
Henker verläßt seine Todessehnsucht schlagartig, als jetzt die
deutschen Söldner auftreten und dem ›Welfenmörder‹ furchtbare Strafe androhen. Er läßt sich von Ugo vor dem teutoni-
schen Ingrimm verstecken. Damit wechselt das Interesse vom
Streit der Metzgersleut' zur hohen Politik: ›Der Kaiser kommt!‹
Ende erster Akt, erster Teil.«

Schon der erste Auftritt Gualtieros als Ugo, in dem ›Streitduett
der Eheleute‹, seine grobschlächtige Erscheinung, seine unge-
bärdige Vulgarität, sorgte für einiges Aufsehen in der Stadt. Der
Zustrom auf der Piazza stieg sofort an, die Empörung einiger
älterer Zuschauer nicht minder.

UGO: Weib! Trügst du nicht Frucht unterm Herzen,
         von mein' Samen dir gespendet fein,
         Piephahn möcht dich nicht länger kosen,
         die Peitschn ließ dir das Scherzen vergehn.

Alfia: Mann! Du in der Liebe panschst
         wie du manschst fett dein' Wurstbrei!
         Dein Piephahn mich nur noch traurig macht,
         auch wenn's Kindlein mir lacht im Leibe.

»Nichts freut Ray so sehr wie Schockwirkung«, sagte Berghstrom besorgt zu Rinaldo, »wobei ihm schnurz ist, ob anziehend oder abstoßend!«

»Er ruft damit die personifizierte Moral Jesis auf den Plan. Jedes Wort, das die da oben auf der Bühne austauschen, geht wie ein Lauffeuer, wie Rohrpost, ins Rathaus, ins Parteilokal, in die Büros der verfeindeten Gesangvereine, Kulturligen, und Opernfreunde, bis auf den Landsitz der Marchesa! Hast du der jetzt endlich deine Aufwartung gemacht?«

»Die erste und einzige Audienz, die sie mir gewährte«, antwortete Berghstroem kleinlaut, »war per Telefon. Es war mehr ein Vorsprechen. Ich habe ihr ›Stupor Mundi‹ als mittelalterliches Weihespiel verkauft, die kirchliche Einflußnahme, das kulturelle Mitwirken lokaler Institutionen besonders herausgestrichen.«

»Und was hat sie gesagt?« grinste Rinaldo boshaft.

»»Papperlapapp! Junger Mann, auf die Pauke hauen müßt ihr hier! Die Posaunen von Jericho! Diese Stadt hat sonst taube Ohren!‹«

»Und dann?«

»Dann hat sie aufgelegt.«

»Dafür erscheint sie jetzt persönlich!« Er zeigte zum Portal des Hotels hinüber. »Siehst du den feuerspeienden Drachen nahen, Manuel? Penitate!«

Da kam schon Mia angehetzt, und hinter ihr Nemo.

»La Marchesa Fulvia è fuori di se per la volgaritá che profana il cuore della città, come se qualcuno avesse caccato davanti a casa sua!«

»Die Marquise Fulvia ist außer sich ob der Vulgarität, die das

Herz der Stadt besudelt, als hätte ihr jemand vors Haus geschissen«, übersetzte sie für Nemo. »Damit meint sie sicher uns in ihrem Hotel!«

Berghstroem ließ sofort den vehementen Streit der Metzgersgatten unterbrechen und Alfia mit Proben zu ›Com' mi piacerebbe‹ einsetzen. Ray war natürlich dagegen, er wollte die Konfrontation. »Dabei droht auch dir der Rauswurf aus dem ersten und in seiner Klasse einzigen Haus am Platze!« überzeugte der Producer seinen widerspenstigen Regisseur und warf Rinaldo in die Bresche, schickte ihn der Marchesa entgegen. »Der Maestro hat einen Stand bei der streitbaren Dame.«

Die Marchesa hatte jetzt krückstockfuchtelnd die Mitte der Piazza erreicht, auf den Priester gestützt, was ihn hinderte, das Kreuz zu schlagen, wie sonst, wenn er das Teufelswerk von ›Stupor Mundi‹ erblickte. Don Pasquale schaute diesmal einfach nicht hin.

»Potte, fotte, cazzo! Was muß ich mir hier anhören, Maestro?« bürstete die Marchesa den Rinaldo gleich ab, die bösen Worte genüßlich und laut genug in den Mund nehmend, daß Don Pasquales gesenkter Blick gleichsam zwischen den Steinplatten versank, als habe sich die Erde aufgetan. »Pestello, mazzapicchio, stoßen, ficken, vögeln −!«

»Das sind Blähungen des Bösen«, schmiß sich der Komponist gleich ran wie der Schmied von Winkelried. »Nur Ohren, vom Herrn der Finsternis verstopft mit krankem Eiter, können derartige Textstellen in meiner Tonschöpfung vernommen haben. Nie kämen solche Unsagbarkeiten meinen Sängern über die Lippen!« Er wies auf Alfia, die gerade ihr Lied sittsam zum Playback seufzte:

COM' MI PIACEREBBE −
WIE GERN WÜRD' ICH
MICH FREIER MINN' ERGEBEN.
DOCH GRAB MEIN MANN
KENNT SIE NICHT,
UND EIN' NARREN WÄHLT KEINE
TUGENDHAFTE DAME SICH.

COM' MI PIACEREBBE —
WIE GERN WÜRD' ICH
EIN KIND DER LIEBE SCHENKEN.
DOCH GRAD MEIN MANN
liebt mich nicht,
und der Narr, gut als Vater,
brächt mich gar vors Hochgericht.

»Dachte ich mir's doch gleich.« Befriedigt stieß die Marchesa
mit ihrem Stock auf. »Don Pasquale! Dove cantato, niente pec-
cato!« und wandte sich zum Gehen.

Da trat der Apotheker eifrig hinzu: »Von wegen ›Wo Gesang,
da keine Sünd‹! Ich hab's aber deutlich gehört, nichts als
Schweinereien —!«

Die Marchesa Fulvia maß ihn mit einem Blick, der ihn hätte
schweigen lassen müssen, aber der Mann rannte in sein Verderben und setzte triumphierend hinzu:

»— wie in einem Pornofilm!«

Sie nahm sich Zeit für ihre beißende Replik. »Wie unser lieber
Maestro schon andeutete, gibt es Krankheiten im fortgeschrit-
tenen Stadium. Wem der Eiter schon zu den Ohren rausläuft,
der tut gut daran, sich schleunigst eine ordentliche Dosis Anti-
biotika in die Arschbacken zu jagen, das solltet Ihr als Pharma-
cus eigentlich wissen, aber Ihr könnt Euch auch ein Klistier setzen!«

Jetzt wollte der Apotheker im Boden versinken, das Loch
dafür hatte schon Don Pasquale gebohrt, der jetzt endlich
dazu kam, drei Kreuze zu schlagen, eines hinter dem Rücken
der davonstöckelnden Marchesa, der er schnellstens nach-
folgte.

Ray Maulman kam herangeschlendert und klopfte dem Tink-
turenmixer auf die Schulter.

»Ihr seid immer eingeladen, Herr Kollege. Es gibt einen Platz
in der ersten Reihe — da hört Ihr jedes Lustgestöhn und könnt
Signora Beatrice von hinten in die Möse gucken, wenn sie die
Beine breitmacht —«

Der Apotheker war nicht mehr zu verstören. Er schien aus
einer Starre zu erwachen und lächelte den Regisseur dankbar,
fast strahlend an. »Ich bin ein Verehrer der Kunst«, stammelte

er. »Ich liebe Künstler – Ihr seid meine Freunde!« und machte sich aus dem Staub.

»Wir entschärfen! Ab sofort soll Ugo etwas von ›Pflug, Samen und Furche‹ singen, statt von all den anderen Sachen!« sagte Berghstroem aufatmend, auch wenn es sein Platz gewesen war, den Ray da geopfert hatte. Schließlich war er der Librettist. »Ich hasse nichts so sehr«, sagte er, »als vor der Zeit aus einem Hotel auszuziehen. Es sei denn, ich wüßte die Rechnung nicht zu bezahlen.«

Berghstroem wurde zum Telefon gerufen. Mia war dran. »Der Bankdirektor hat –«

»Der kann mich mal!«

»Die Überweisung ist eingetroffen! Er hat dir schon ein Scheckheft vorbereitet. Sie lassen dich durch den Personaleingang noch rein. Du brauchst nur zu unterschreiben!«

»Sag ihm, ich käme morgen gegen Mittag!«

»Champagner!« sagte Ray. »Champagner für alle!«

Auf Einladung Berghstroems saßen sie bis in die frühen Morgenstunden im ›Le Delizie‹. Das Feinschmeckerrestaurant des Signor Maurizio Delle Delizie erstreckte sich über mehrere Etagen, da es am zum Wehrgang und Stadtmauer abfallenden Hang der Stadt lag. Oben war der Eingang, vom Corso aus, dem Feinkostgeschäft vorbehalten, und von da aus führten Treppen, an Weinlagern, Olivenfässern, Käseregalen und von den Deckenbalken baumelnden Schinken vorbei, hinab in ein verschachteltes System von Tonnengewölben. Der untere Einlaß, der für Kenner, ging vom Wehrgang aus, an der Küche vorbei, und man gelangte so direkt in den ›Salotto‹, den Hauptraum dieses subterranen Freßparadieses.

Es war ein Festessen, was da aufgetischt wurde, in dessen Zubereitung der Chef, auf Wunsch von Donna Beatrice, seinen ganzen Ehrgeiz als größter Küchenmeister der Marken eingesetzt hatte – und dies, obgleich die Gäste erst in das Gewölbe einfielen, als er eigentlich schon den Küchenjungen angewiesen hatte, den Herd zu säubern. Auch waren die Schauspieler von der Piazza in seinen Augen keine Feinschmecker, sondern meist hungrige Mäuler, besonders der dicke Berkestrom, ein verfressener Ignorant. Da lobte sich der Küchenchef schon eher den ›Ingeniere‹ Rinaldo, das war ein Kenner und Genießer, wie man schon an seiner ›relazione amorosa‹ mit Donna Beatrice sehen konnte, der Frau des Patrons. Signor Delle Delizie ließ sich von seiner Angetrauten die Hörner aufsetzen, ohne je zum Tranchiermesser zu greifen. Der Koch hätte dem Ehebrecher die Eier abgeschnitten, aber der Patron lächelte nur, wenn er die beiden turteln sah. ›Der Kunst muß man Opfer bringen!‹ war Maurizio Delle Delizies Wahlspruch, und er ließ den besten Wein aus dem Friaul auffahren, einen Pinot de Pinot, der ihm nicht zu schade war, um mit dem ›Rombo in cartoccia‹ kredenzt zu werden.

Der Chef rückte seine hohe Mütze zurecht und ließ sich in der Tür zum Salotto sehen. Ray, der Regisseur, der mit dem Engelsgesicht und den langen Haaren, entdeckte ihn und applaudierte. Die Tischrunde fiel in den Beifall ein. Der Steinbutt war von vorzüglicher Konsistenz gewesen, weiß und zart wie ein Babypo oder die Brüste der Donna Beatrice. Der Chef verneigte sich dankend und entschwand wieder in seinem Reich. »Putz jetzt die Platte, die Pfannen und den Türkensäbel!« wies er den Küchenjungen an. »Die sind satt und glücklich!« Er prüfte den makellosen Glanz des Tranchiermessers, eine ziselierte Silberarbeit, feinstes Sheffield, mit dazugehöriger zweizinkiger Gabel, eigentlich nur für Fisch gedacht. Aber der Patron hatte es scharf schleifen lassen wie eine Rasierklinge. Vielleicht wollte er doch seinem ungetreuen Weibe irgendwann einmal die Kehle durchschneiden.

»Dieses deutsche Videoteam«, sagte Ray zu Berghstroem, »das du uns aufgehalst hast —« Der Producer machte eine abwehrende Geste, konnte sich aber nicht äußern, weil er gerade auf der Suche nach einer Gräte war. »Franck & Co, wie sie sich nennen —«

»Die stehen nicht auf unserer Lohnliste!« stieß Berghstroem trotz vollen Mundes hervor. »Sie agieren als unabhängige Unit!«

Das besänftigte den Regisseur keineswegs. »Sie filmen alles und jeden Furz, ohne direkt zu stören, sie verlangen kein Extralicht, keine Wiederholung —«

»Sie machen auch keinen Lärm«, konnte sich Berghstroem endlich verständlich äußern, doch Ray ließ ihn nicht zu Wort kommen.

»Im Gegenteil«, sagte er, »sie bewegen sich unangenehm lautlos auf ihren luftgefederten Nahkampfsohlen, und doch belasten sie die Stimmung wie aus dem Nichts aufgetauchte Zombies.«

»Sie tun nichts Unrechtes«, entgegnete Berghstroem, »sind knapp, aber höflich, und alle Mitwirkenden haben auch unterschrieben, daß sie mit der ›Videoaufzeichnung der Proben und jedes öffentlichen Auftretens‹ einverstanden sind und daß das dafür fällige Honorar mit der Gage abgegolten ist.«

»Okay, Recht am Bild«, zürnte Ray. »Doch war wohl keinem klar, daß deine vier Mann starke Observierungstruppe mit zwei Kameras jeden Schritt und Tritt aufnimmt, sobald die zu observierende Person auch nur ihr Hotelzimmer verlassen hat.«

»Daß sie einem nicht bis aufs Klo folgen, dünkt mich grad Wunder«, fiel jetzt auch der ansonsten sehr zurückhaltende Signor Tagliabue in die Klage ein.

»Doch wie ich dich kenne, Emmy«, fuhr Ray fort, »prallt mein Wunsch nach etwas mehr Zurückhaltung seitens dieser Ossis an deinem fetten Bauch ab wie Fäustetrommeln gegen die Gummiwand einer Irrenhauszelle!« Berghstroem konnte nur einverständig nicken, er hatte gerade den letzten Leckerbissen in den Mund geschoben.

Der Nachtisch war noch nicht aufgefahren, da bekam der Produzent schon die nächste Beschwerde serviert. »Mia wird der Statisten nicht mehr Herr«, sagte Ray, »was sicher nicht an ihrer holden Weiblichkeit liegt.«

»Ich kann mich selbst verarschen!« unterbrach ihn die Assistentin energisch. »Die Leute, die wir aus der einheimischen Bevölkerung rekrutieren, sind durchaus willig und kommen auch zuhauf, stellen sich auch nicht blöd an, aber haben nicht den geringsten Sinn für ihre künstlerische Verpflichtung.«

Der Regisseur kam seiner Assistentin zu Hilfe. »Wenn sie nach ein paar Tagen ihre Neugier befriedigt haben, bleiben sie einfach weg und neue müssen angelernt werden, in mühsamen Stellproben.«

Berghstroem ahnte schon, was kam, und vertiefte sich in sein Zitronensorbet. »Einen finanziellen Anreiz können wir ihnen nicht bieten bei unserem Budget, und die Ehre, dabeigewesen zu sein, wird wohl auf die Generalprobe verschoben, da werden sich alle drängen.« Um keine Unklarheit aufkommen zu lassen, setzte er gleich hinzu: »Profis aus Rom können wir uns erst recht nicht leisten —«

»Wohl aber?« bohrte Mia.

»Wohl oder übel deren Organisatoren, die Herren von der ›Cinemafia‹, die sogenannten Komparsenführer, moderne Sklaventreiber!« Ray war von Mia gut präpariert worden.

»Ich kenne die Gebrüder Serafini«, löffelte Berghstroem mit Genuß. »Spart man an dieser relativ kostengünstigen ›Versicherung‹, mag es passieren, daß sich ein einsamer Friedhof sekundenschnell wie ein Fußballstadion bevölkert oder eine belebte Passage mit quirligem Nachtleben und blinkenden Neonreklamen schlagartig ausstirbt und in tiefste Dunkelheit versinkt.«

»Es genügt vollauf, einen von ihnen zu engagieren«, Mia gab nicht auf. »Sie halten zusammen wie Pech und Schwefel und entscheiden sowieso autoritär, welcher Hilfe der Klient bedarf.«

Jetzt meldete sich auch Tom zu Wort. »Die großen Zeiten der Revolverhelden Mark Sheraton, Tony Hilton und Ed Hyatt sind vorbei, aber die Macht über die anderen, die namenlose Masse der Cowboys, Falschspieler, Raufbolde und Sheriffs ist ihnen geblieben, weil sie rechtzeitig die Gesetze des Italo-Westerns verinnerlichten«, führte Tom eloquent aus. »Die Monopolstellung ihres Clans — ursprünglich nacktes Faustrecht — verbinden sie mit der Zuverlässigkeit von seriösen Geschäftspartnern.«

»Ich habe sie angerufen, und weil sie jetzt im Winter nichts zu tun haben, würden sie alle drei kommen. Zum Preis für zwei!« trumpfte Mia auf.

»Auch bei diesem Supermarkt-Rabatt«, blockte Berghstroem ab, »haben wir nicht das Geld, die Serafinis zu engagieren, uns ihren Schutz zu kaufen!«

Signor Maurizio Delle Delizie, der Patron des synonymen Ladens, rollte eigenhändig das Wägelchen mit den langhalsigen, dickbäuchigen Grappa-Flaschen herein. Den Liebhaber seiner Frau bediente er zuerst und mit ersichtlichem Respekt.

»Lei è un genio, Ingeniere!« säuselte er und hob prostend sein Glas, seiner Frau und allen anderen zulächelnd. Es war — wie schon gesagt — früher Morgen, als die Mannschaft von ›Stupor Mundi‹ das Gewölbe verließ. Sie konnten bereits den oberen Ausgang benutzen, dem zum Corso hin, weil die Putzfrauen schon die gläserne Tür zur Feinkosthandlung aufgeschlossen hatten. Es lohnte sich nicht mehr, ins Bett zu gehen.

Rinaldo: Donna Alfia gehört mein Lieb und Sehnen.
(leise)

Ramo...

Rinal...

Kapitel IV

Der Streitwagen

Ugo: Weib! Was treibst du dich im Garten um,
statt hinter der Bank zu stehen?

Alfia: Ich wollt nur nach den Äpfeln sehn,
hab auch Gelust nach bittersüßer Birn.

Ugo: Halt dich an Leber, Kutteln, Hirn!
Eva im Obst die Schlange fand –

Alfia: – und ihren Adam hat erkannt!
Wenn ich aus dem Gärtlein tret,
seh ich wohl, wer vor mir steht.

Leute:
(im
Chor)
Kutellugo, Schmandverpropfer,
Würstestopfer!

Ugo: Weib! Trügst nicht Frucht grad unterm Herzen,
von meinem Samen gestoßen in dein Mos'n,
mein Knüppel dick möcht dich nicht länger
rosen,
die Peitschn ließ dir vergehn das Scherzen!

Weil er selten schon so früh auf den Beinen war, begab sich Manuel J. Berghstroem zur Bank. Er wußte, was ihn erwartete. Er hatte das Konto überzogen, und das in Aussicht gestellte, fest-zugesagte, durch Fax bestätigte, längst überfällige Geld aus Deutschland war schon wieder nicht eingetroffen. Nicht nur das. Er brauchte weitere erhebliche Barmittel, und zwar sofort, sonst liefen ihm die Leute davon, das Projekt, ›Stupor Mundi‹, entglitt ihm, floß dahin wie Sand am Strand, der aus der Hand zwischen den Fingern abrieselt, je fester man die zusammen-preßt.

Nicht, daß er dieses Gefühl nicht gekannt hätte! Sein Lebens-lauf war voll von Sand, Sand, den er wie wild geschaufelt, Sand, aus dem er Burgen gebaut hatte — die erste Welle hatte sie zum Einsturz gebracht, die zweite hatte sie weggespült. Sand im Getriebe, Sand in den Hosen, Sand im Haar, Sand im Mund. Berghstroem knirschte mit den Zähnen, wenn er nur daran dachte. Wie ein braver Soldat war er durch die Wüste gestapft. Immer waren es andere, die ihn auf diesen trügerischen Grund lockten, nie seine eigene Sehnsucht nach stillen, klaren Buchten, nach der palmenbestandenen Insel, deren Strand von sandfar-bener, aber fester Konsistenz seine Schritte nicht einsinken ließ, nur Spuren aufwies, seine Spuren. Er wußte um seine Fähigkei-ten, über Sand zu gehen, ärgerlich war nur, daß der kleinka-rierte Bankdirektor, Zweigstellenleiter, weder den Abdruck sei-nes Fußes zu würdigen in der Lage war, noch seinem Auftritt Widerstand entgegenzusetzen vermochte. Manchmal wünschte sich Berghstroem, jemanden zu treffen, der sich nicht nieder-walzen ließ, von Mitgefühl umgarnen, von seiner Überredungs-kunst einlullen, überfahren oder mitreißen ließ: jemand, der einfach ›Nein!‹ gesagt hätte. Aber sie sagten, ›Technisch nicht zu bewerkstelligen‹, ›Überschreitet meine Vorschriften‹ oder ›Wie stellen Sie sich das vor?‹ Sie begannen erst es, dann sich zu erklären und hatten schon verloren. Berghstroem verließ keine Bank als abgewiesener Bittsteller. Wenn es sich um Maxi handeln würde — an den dachte er gerade mit Ingrimm —, hätte die Formulierung lauten müssen: ›Er betrat keine Bank als Verlierer.‹ Aber er war nicht Maxi.

In der Halle, wo Monitore einem unsichtbaren Publikum von potentiellen Börsenspekulanten die Aktienkurse vorflimmerten, traf er den Apotheker, der seine umständlich in der staatlichen Krankenfürsorge angesammelten Gutscheine in einen Vordruck eintrug.

»Il direttore torna subito, è andato al bar —«

»Beh«, sagte Berghstroem, »pensavo che lui mi aspettasse.«

»Sempre cosi puntuali, voi tedeschi!«

»Quasi troppo!« sagte Berghstroem, den Smalltalk abbrechend, und wandte sich dem einzigen Bildschirm zu, der zur Abwechslung, graphisch aufbereitet, die Wetteraussichten beschrieb:

Die Wetterkarte, herausgegeben vom Europäischen Meteorologischen Zentralinstitut, bestätigt die außergewöhnlich rasche Verlagerung der Kaltluft. Vom Polarkreis über Skandinavien hinweg wird sie heute nacht Nordostdeutschland und Polen erreichen. Die Voraussage für die Marken und Adria: In den nächsten Tagen grundsätzlich eine entscheidende Wetterverschlechterung, mit kräftigem Bora, lokalen Gewittern nach kurzer stellenweiser Aufhellung und vorübergehender Erwärmung — gefolgt von einem spürbaren Temperaturabfall.

Der Direktor kam zurück. Als er Berghstroem sah, beschleunigte er eilfertig seinen Schritt. — Jetzt muß er sich sogar noch entschuldigen! Der säumige Kunde erhob sich ächzend, unwillig. »Venga, venga!« rief der Herr der Bank auch schon leutselig, und Berghstroem wußte jetzt bereits, daß er das Kreditinstitut mit vollen Taschen verlassen würde. Das tat er auch eine Viertelstunde später, vom Bankdirektor bis zum Portal geleitet mit den besten Wünschen für den geordneten Fortgang des Projekts und, wenn möglich, der gegenseitigen Beziehung. ›Beziehen tut hier nur einer!‹ dachte sich Berghstroem, klopfte ihm beruhigend auf die Schulter, und der Mann bedankte sich für den Besuch.

»Wie ich seh', es kommt ein Mann und stört«, deklamierte Ray diesmal rasch und ohne Singsang, und Rinaldo fing den Ball auf.

»Emmy, der Texter! Schächten möcht' ich ihn, zerreißen mit den Zähnen!«

»Bravo!« rief Mia. »Gewöhnt euch den Quatsch an, damit er sich recht festfrißt. Bei der Premiere haben wir dann den Salat.«

»Schon gut, Muttchen. ›Mein erster Gruß unsrer Mia minniglich gehört —‹« Er verneigte sich zu der unten sitzenden Assistentin, die aber nicht mit sich spaßen ließ.

»Macht, daß ihr fortkommt! Bühne frei für Alfia und Ugo!« Die beiden Streithähne traten ab. Ray sprang hinunter, Mia räumte ihren Platz. »Hol mal Champagner!« forderte er den Producer auf. »Dann darfst du hierbleiben — aber das Maul halten!« Berghstroem kannte diesen Ton, bei dem er nie wußte, wie weit er ernstgemeint war. Der Wunsch nach Champagner sicherlich.

»Ich besorg' welchen«, sprang Mia in die Bresche, und Berghstroem gab ihr Geld.

Ugo zerrte den Esel zum wiederholten Male aus der Seitengasse herbei und schrie: »Hü, Ochse!«

Alfia stand hinterm Bretterzaun in ihrem Minigarten, den drei von der Gärtnerei ausgeliehene Zitronenbäumchen in Tontöpfen ausfüllten.

»Notier«, sagte Ray in Richtung Mia, »daß da jetzt endlich textgerechtes Obst zu sehen ist, Äpfel und Birnen, wie in Italien üblich — aus Gips!« Dann erst merkte er, daß seine Assistentin nicht da war, und Berghstroem beeilte sich, ihm zu versichern, er würde sich darum kümmern.

»Deine Birne ersetzt mir meinen Augapfel nicht!« murrte der Regisseur. »Ich hatte *dich* gebeten, Emmy! Und jetzt ist Mia fort, die dafür verantwortlich ist — nicht *du*!« setzte er hinzu. Und er hatte Recht.

Inzwischen hatte Ugo sein Tier an der Schlachtbank angebunden. »Weib! Was treibst du dich im Garten rum —« donnerte er los.

»Schneller!« rief Ray, und Ugo forcierte das Tempo. »Nein, du sollst mit dem Anbinden eher fertig werden, nicht schneller singen. Noch mal!«

Schuldbewußt trottete Gualtiero wieder auf seine Ausgangsposition.

»Bitte!« sagte Ray, und Ugo jagte den Esel voran, zurrte ihn in Windeseile fest und keuchte außer Atem: »Weib, was treibst du dich im Garten rum, statt hinter der Bank zu stehn −«

Und Alfias Stimme erklang: »Ich wollt' nur nach den Äpfel sehn −«

»Bea, ich seh' dich nicht!« monierte der Regisseur.

Die Signora Delle Delizie tauchte zwischen den Zitrusfrüchten auf. »Hier bin ich doch!« rief sie mit aufgesetzte Spitze. »Ich dachte, sie erwartet ihren Mann nicht grad am Zaun. Mit ›hab' auch Gelust‹ wäre ich dann nach vorngetreten.«

»Mir scheint, Rinaldo steckt hinter den Zitronen«, flüsterte Ray zu Mia, die gerade mit dem Champagner in der Hand an ihren Arbeitsplatz huschte. »Sieh doch mal nach − nicht du. *Du!*« Er drückte die Flasche dem Produzenten in die Hand. »Aber erst kannst du ihn noch entkorken.«

Während Berghstroem sich dieser Aufgabe unterzog, nahm sich Ray die Dame vor. »Welchen Grund hätte denn Ugo, dich im Garten zu vermuten, wenn niemand dich dort sehen kann? Du kannst anfangs abgewandt stehen, dich mit den Äpfeln beschäftigen, aber sichtbar! Once more!«

›Plop!‹ Berghstroem hatte die Flasche geöffnet, und Mia schob ihm die Gläser hin. Mittlerweile brachten die Metzgersleut' den ersten Teil ihres Streitduetts anstandslos über die Bühne. Ugo wirkte hervorragend in seiner Grobschlächtigkeit und mit seinem grollenden, stolpernden und tiefen Kellerbaß. Bea machte ihre schnippische Sache überraschend bäuerlich und sexy zugleich.

»− seh' ich wohl, wer vor mir steht −«

Dann trat eine Pause ein, sie dauerte nur kurz, dann sprang Mia auf und schrie:

»›Kuttelugo!‹ Paßt gefälligst besser auf, Leute!« Das ›Volk‹ war ihre Domäne, und sie war wütend über den verpaßten Einsatz. »›Kuttelugo!!‹« schrie sie nochmals, und schließlich ertönte ein zaghaftes, vereinzeltes ›Schmandverpropfer, Würstestopfer!‹ der herumlungernden Komparsen.

»Toll!« sagte Ray sarkastisch. »Dann übt das noch mal! Ich geh' Kaffee trinken. Emmy, komm!«

Kaum waren sie gegangen, tauchte Rinaldo hinter dem ›Gärtlein‹ auf. »Kann ich dir behilflich sein?«

Mia sagte leise, damit die es nicht hörten: »Bring deinen Mitbürgern bei, daß sie dafür bezahlt werden, eine bestimmte Leistung zu erbringen. Ich bin stocksauer über diesen lahmen Gesangverein!«

»Die sind solche Proben nicht gewohnt«, erklärte Rinaldo. »Wenn sich zu lange keiner um sich kümmert, dann läßt ihre Aufmerksamkeit nach.«

»Die werden wohl noch drei Worte im Chor brüllen können?«

»Wenn ihr Dirigent ihnen wie gewohnt den Einsatz gibt −«

»Es ist nicht zu fassen!« fauchte Mia. »›Vor mir steht‹, eins, zwei: ›Kuttelugo!‹ Das muß doch drin sein: ›Kuttelugo‹ auf Takt drei!«

»Wenn der Maestro mal die Güte haben würde, einen Durchlauf zu veranstalten, ohne Obst und Esel, dann klappt das auch.«

»Also gut«, sagte Mia. »Wir proben es. Leute, reißt euch am Riemen!«

Alfredo Fiorante erhielt Besuch in seiner Apotheke. Die vier Burschen, die sich mit ihren Videokameras filmend durch die Tür drängten, hatte er schon oft bei ihrer Arbeit bewundert. Sie waren überall auf der Piazza zu finden, immer zu zweit, wobei stets einer, der Assistent, den Operator führte, besonders, wenn sie federnden Schritts rückwärts gingen. Franck & Co bewegten sich wie Raubtiere in Zeitlupe, kraftvoll, geschmeidig und stets lautlos. Sie würden ihn, als prominenten Bürger der Stadt und unmittelbar vom Treiben auf der Piazza vor seiner Tür betroffen, jetzt ›interviewen‹, beschied ihn der Anführer knapp. »Verhalten Sie sich so, als seien wir nicht zugegen. Äußern Sie Ihre Meinung über ›Stupor Mundi‹!«

»Womit kann ich Ihnen dienen?« Der Apotheker mußte sich erst in seine Rolle finden, dann brach es aus ihm heraus. »Die Belästigung, nein, nicht Sie, meine Herren, die −« er wies hinaus auf die Bühnenaufbauten, die sich dunkel mit ihrer rüden Rückfront vor seinem Schaufenster erhoben, ihm das Licht − und wahrscheinlich auch die Laufkundschaft nahmen, »die ist nicht das schlimmste, sondern die Schmach, der bohrende, stechende Schmerz, daß ein Haufen von Dilettanten aus dem Ausland hier in Jesi eine Version, kostbare Blätter aus dem apokryphen Buch der Historie, verbreiten darf, die nicht im entferntesten mit der geschichtlichen geheimen Wahrheit der berühmten ›Nacht von Jesi‹ übereinstimmt.« Alfredo Fiorante suchte nicht nach Worten, sondern nach Hustenbonbons, die er auch seinen Zuhörern anbot.

»Ich weiß«, fuhr er dann heftig lutschend fort, »was nur wenigen offenbart wurde, aus höchst geheimen Quellen«, sein Blick rollte nach oben, um den Höchsten, zumindest seinen Stellvertreter und dessen geheime Archive einzubeziehen, »daß in jener Weihnachtsnacht zwei Kinder zur Welt kamen, keine Zwillinge, sondern höchst ungleichen Standes und verschiedener Bestimmung: Der zarte Knabe der Kaiserin, ursprünglich nach ihr ›Constantin‹ genannt, aber noch nicht getauft, hellhäutig, blauädrig, ein blondgelockter Engel — und der robuste Sohn einer Metzgerin, von fleckiger Haut wie eine Olive und mit fast rotem, struppigem Haar, so wie sich uns der Kaiser später auf allen Bildern präsentiert.« Er holte Luft und entschied sich dann für ein Glas Wasser, immer verfolgt von zwei Kameras.

»Was war geschehen?« fragte Alfredo Fiorante rein rhetorisch, wieder den Herrn des Himmels, den er von seiner Apotheke aus nicht mehr sah, als Zeugen bemühend. »Unter dem Vorwand, den schwächlichen Constantin alsbald, noch in gleicher Nacht taufen zu wollen und — als nette soziale Geste gegenüber den Untertanen — das Metzgerskind gleich mit, zogen sich die Verschwörer, Bischöfe, Äbte und Kardinäle, mit beiden Kindern zurück in das Zelt, wo ein Taufbecken schon bereitstand. Sie drängten alle Parteigänger der Staufer ab, die Kaiserin selbst war sowieso noch zu schwach, und den Angehörigen des Metzgers war der persönliche Zutritt zu solchen Ehren verwehrt, hoben beide Kindlein gleichzeitig in das mit geweihtem Wasser gefüllte Becken, drückten den kleinen Constantin so lange unter Wasser, bis kein Bläschen mehr aus seinem Näslein, aus dem schnappenden kleinen Mund entwich und er leblos im Becken schwamm, während sie den Metzgerknaben triumphierend hoch über ihre Köpfe hielten. Der schrie erbärmlich, brüllte wie am Spieß, denn der Generalvikar von Viterbo hatte ihm sein an einer Kerze zur Glut erhitztes Brustkreuz unter der Achsel ins

Fleisch gebrannt. *Dieser* Knabe wohlgemerkt wurde dann wieder in Tücher gewickelt und der stolzen Mutter, der Kaiserin, in die Wiege gelegt, während gleichzeitig der Kämmerer des Herrn Generalvikars den Metzgersleuten die traurige Nachricht mit reichlich schwerer Münze vergoldete, daß ihr Kind leider verstorben sei; ertrunken, ein Mißgeschick beim Taufakt. Der Metzger und sein Weib, die schon acht Kinder hatten, erhielten soviel der Zuwendungen, daß sie auch darauf verzichteten, das Söhnlein selbst begraben zu wollen, dafür wurden ihre beiden Ältesten von zwei Äbten ins Kloster aufgenommen, einer von den Zisterziensern, einer von den Benediktinern. Das war viel Ehr.« Fiorante durfte eine Pause einlegen, denn die Kameras mußten ob der Erzählflut die Kassetten wechseln.

»Noch in gleicher Nacht, zur Stunde der Mitternacht, trafen sich die geistlichen Würdenträger ein zweites Mal im verschlossenen Zelt. Der gewässerte Körper des Constantin wurde im Becken zerteilt, der Rumpf im eigenen Blutwasser gegart, unter der Beigabe von allerlei Zauberkraut und Meßwein, die zierlichen Extremitäten hingegen, die bekanntlich heute noch in Westafrika als Leckerbissen gelten, wurden an offener Flamme gegrillt und alles zusammen von den Herren mit Inbrunst verzehrt. Dann sammelten sie die Knöchlein ein, wozu auch der Kopf gehörte, dessen Gehirn der Generalvikar sich als besondere Delikatesse reserviert hatte, er schlürfte es lauwarm und steckte sich den Schädel in die Pilgertasche, um ihn seiner Bibliothek einzuverleiben. Die hohen Kirchenherren kamen noch ein drittes Mal zusammen, nach knapp vier Jahren, und zwar zu Assisi, als Kaiser Heinrich gestorben war und seine Witwe Constanze sofort befahl, das Kind zu ihr nach Palermo zu bringen. Es war damals in der Obhut der Herzogin Margarete von Urslingen verblieben, den Markgrafen von Spoleto, die zusätzlich und zum Dank den Titel einer ›Gräfin von Assisi‹ erhielt. Erst jetzt wurde der Knabe mit dem Kreuzesmal unter der Achsel richtig getauft, in aller Hast, in dem großen Becken der Kathedrale San Rufino, und zwar auf den Namen ›Friedrich‹.« Alfredo Fiorante atmete erleichtert auf, hängte aber noch einen Nachsatz dran:

»Übrigens das gleiche Baptisterium, das eine Generation zuvor einen anderen Täufling aufgenommen hatte, der gleichfalls einfacher, bürgerlicher Herkunft war und es zu den höchsten Ehren bringen sollte, die diese Welt zu vergeben hat. Aus ihm wurde kein Kaiser, sondern ein Heiliger: Der heilige Franziskus!«

Leicht erschöpft, aber äußerst befriedigt, ja angetan, verließen Franck & Co, rückwärts schleichend, die Apotheke und ihren als Objekt so dankbaren Besitzer.

»Uff!« sagte Wolff, »das war heiß!«

Ray kam erst bei ›Laß mir mein Kind in Ruh‹ zurück. Der Chor dröhnte im gewohnten Stil sein

Kuttelugo, Hackklotz setzen, Hosen runter!

als der Regisseur freundlich unterbrach: »Schon bei Ugos ›Weib, käm nicht das Wurm − ‹, muß der Ton bösartiger werden. Jetzt reicht's ihm, man muß spüren, man muß befürchten, daß der Metzger das tut, was er androht − ›zerbräch dir, Hur', die Knochen!‹«

Ray wandte sich an das ›Volk‹. »Jetzt hetzt ihn auf! ›Kuttelugo, Knochen-Hak-ker, Pansen-bak-ker!‹ Stakkato! Und du, Bea, kannst jetzt schrill werden, und wenn deine Stimme sich überschlägt! Sie spielt nicht mehr mit ihm, noch leidet sie still, geschweige denn, daß sie's noch lustig findet. Sie ist jetzt voller Haß und Wut! Und ›Laß mir mein Kind in Ruh'‹, das kann sie dehnen, ganz deutlich und ruhig werden, da geht's ihr ans Eingemachte. Jetzt droht sie: Ich bring' dich um!« Er drehte sich um nach Rinaldo, dem Komponisten. »Findest du nicht auch?«

»Für mich kein Problem, Ray, und der nächste Chorus ist ja auch höher angesetzt. Gegen Alfias dunkle Ruh' hämmert jetzt der Plebs, der den Eklat will: ›Hack-klotz set-zen, Ho-sen run-ter, Kut-tel-u-go, Mes-ser-wet-zen, Ho-den run-ter!‹«

»Richtig, das muß schneiden: Ritsch-ratsch!« Ray nahm einen Schluck aus dem Glas. »Und Sie, liebe Frau −« er winkte die ältere Dame zu sich, der das Solo übertragen war, »− richtig bös, bigott und spießig. Die Metzgerin ist Ihnen egal, die können Sie auch nicht leiden, dies unkeusche Weibsbild! Sie sind nur daran interessiert, Ihr Gift zu verspritzen, dafür ist Ihnen jeder Anlaß recht, der hier besonders − ohne Gnade für den braven Ugo, der Ihnen immer ein zartes Stück Filet beiseite gelegt hat. Das ist jetzt unerheblich. Jetzt wird der angeschossene Hirsch totgebissen!«

»Ja«, sagte die Frau. »Ich habe einen deutschen Schäferhund.«
»Schön«, sagte Ray, »ein kompletter Durchlauf!« und schenkte sich und Mia nach.

Gualtiero hatte intuitiv sofort nach ›Ho-den run-ter‹ im gleichen Takt zu hacken begonnen und hielt nur kurz inne, zornbebend, um ›die Frau‹ ihre vergifteten Pfeile abschießen zu lassen,
was Bea mit Wonne tat. Er hackte noch wilder weiter, Donna
Alfia hatte sich unter die ›Marktfrauen von Jesi‹ gemischt, und
Nemo, den niemand hatte kommen sehen, trompetete sein:

Wie sagt man doch bei uns in Kärnten?
Wer Äpfel im Garten hat, muß auch ernten.

Erst weit nach Mitternacht kamen die vom Stab dazu, noch
einen Ausflug in die Disko zu unternehmen — fast 20 Kilometer
entfernt oder eine gute halbe Stunde, wenn man nicht zu müde
war. Die reinen Akteure hatten es besser, die konnten sich gleich
nach dem Essen auf den Weg ins ›Dunes‹ machen, weil sie sich
nicht mit den Problemen des nächsten Arbeitstages herumschlagen mußten.

Mia telefonierte noch bis in die Puppen, vor allem immer wieder nach Rom, aber sie erreichte niemand. Schließlich machte
sie sich auf den Weg. An der Bar in der Hotelhalle hing außer
den Beleuchtern keiner mehr rum, was ihr Gewißheit gab, ihre
Chefs im ›Dunes‹ zu finden. Sie brauste mit ihrem roten Mini
aus der Tiefgarage, fuhr manierlich über die Piazza und über
den Corso zum Stadttor hinaus und ließ auf der Schnellstraße
den Morris dann losbrummen, über den Fluß, an den Maschen-
drahtzäunen des Nato-Flughafens bis ans Meer. Dann erst bog
sie ab nach Norden. Das war zwar ein Umweg, aber es kam ihr
schneller vor. Sie fädelte sich damit in den besseren Feldweg erst
ein, als das ›Dunes‹ schon fast vor ihr lag. Genaugenommen lag
da gar nichts, außer ein paar dünenartigen Erhebungen zwischen dem mediterranen Gestrüpp.

Die Diskothek hatte sich in einem aufgegebenen Bunkersy-
stem eingenistet, das die Deutschen dort zum Schutz gegen eine
Invasion der Alliierten installiert hatten. Die großräumigen
Hangars und Panzerhallen waren meterhoch mit Sand bedeckt
und wären auch heute aus der Luft nicht auszumachen, wenn

großflächige Parkplätze und ein Swimmingpool nicht die Aufmerksamkeit des Beobachters auf sie gelenkt hätten. Die ehemalige Zisterne war von den Betreibern der Vergnügungsstätte luxuriös ausgestaltet worden, mit Mosaiken und Marmorsäulen, natürlich mit Unterwasserfenstern — schließlich kostete der Zutritt zu diesem exklusiven Atrium extra —, und in die Decke hatte man ein kreisrundes Loch gesprengt, das tagsüber Sonnenlicht einfallen ließ, aber nachts das gebündelte Licht von alten Flakscheinwerfern als wandernde Kegel in den Himmel schoß. Das war Lockung und Wahrzeichen des ›Dunes‹ zugleich, dieses bläuliche Gleißen aus der Tiefe. Dort mußte Wunderbares sich verbergen, ein Mysterium, das sich nur dem Auge des eingeweihten Nachtschwärmers offenbarte.

Mia parkte den Wagen zwischen dem Volvo von Franck & Co und dem Leihmercedes ihres Producers und betrat einen der grottenartigen Eingänge, an deren Ende Panzertüren den Zugang vor unliebsamen Besuchern absicherten. Die Überwachungskamera schwenkte mit ihr mit, sie schob ihre Clubkarte in den Schlitz und wurde eingeschleust, elektronisch auf Waffen und mitgebrachte Getränke abgetastet und in das Dröhnen, Tosen und Stampfen des Labyrinths entlassen. Ein Besuch im ›Dunes‹ war schweißtreibendes Muskeltraining, es sei denn, man hatte Zutritt zu den ›Oasen‹, wo unter Plastikpalmen ein Springbrunnen plätscherte und die Musik psychedelisch bis verkitscht. Mia war aber erst mal auf Krach und Kraftexerzitien aus. Sie schob ihr Schweißband in die Stirn, rollte ihr Shirt ein und stürzte sich ins Gewühl.

Berghstroem saß mit Ray Maulman in einem Korbsessel in einer der Ruhezonen, mit feinem Sand gefüllte Hallen, in denen die Decke stellenweise aufgesprengt war, so daß man den nächtlichen Himmel sehen konnte und auch eine angenehme Brise vom Meer zu spüren war. Sie schlürften Pinacolada.

»Ich weiß, Emmy«, sagte der Regisseur, »daß es Mehrarbeit bedeutet für dich, aber mir ist des Reimes zu viel im Stück —«

»Ich hab mir so viel Mühe gegeben, die erzählerischen Inhalte in dieser Form zu transportieren —«

»Ich weiß«, sagte Ray mit betonter Sanftheit, und das fürchtete der Producer mehr als jeden Ausbruch, denn es zeigte den unbeugsamen Willen seines Freundes, sich durchzusetzen. »Ich behaupte ja auch nicht, ›reim dich oder ich fress' dich‹. Es geht um die Quantität. Du hast zuviel des Guten getan.«

»Wie schön, daß du den sprudelnden Quell, Frucht des Poeten, erkennst so hell.«

Ray schaute so, als ob daran Zweifel zu hegen wären, dann lachte er unvermittelt schrill. »Ist nicht jeder ganz bei Trost, den die Muse küßt und kost?«

Berghstroem wollte heute albern sein, auch in der stillen Hoffnung, der Kelch der dräuenden Prosa möge an ihm vorübergehen, doch Ray blieb hartnäckig. »Ich hab' mich ja damit abgefunden, daß der Troubadour und der Narr sich nur ungereimte Ungereimtheiten wie Bälle zuwerfen —«

»— dabei höchst informativ, wichtig für das Verständnis und den Fortgang der Handlung!« verteidigte Berghstroem seinen Reimbesitz.

»— auch der Marschall kann von diesem Floh gebissen sein, aber daß sich die Metzgersleut' befetzen und dabei auf Versmaß und similtonale oder konsonante Endungen achten, das scheint mir übertrieben, wenn nicht lächerlich!«

»Da hast du recht!« sagte Berghstroem, »obgleich's mir leid tut. Ich hab' mich etwas verliebt in dieses ›jingle‹, es macht die Vulgarität verdaulicher —«

»Wenn man sich überfrißt, sind Magenschmerzen meist die Folge. Das weiß jeder — außer dir! Oder man kotzt rechtzeitig, das sind dann die lieben Zuschauer, die während der Aufführung den Saal verlassen. Das willst du doch nicht?«

»Ein bißchen Bauchgrimmen möcht' ich schon in Kauf nehmen. Ich hasse satte, zufriedene Besucher!«

»Wem sagst du das? Ich bin der letzte, der dem Betrachter Frieden gönnt, doch Provokation bitte mit Inhalten und nicht mit sich schnell abnutzenden Formen!«

»Also, ich soll noch heute nacht die Streitduette umdichten, das heißt, letztlich völlig neu schreiben und dabei in dem vorgegebenen Rhythmus bleiben, denn sonst muß Rinaldo ja auch seine Musik —?«

»Wir versetzen die Proben von Ugo und Alfia und machen erst mal mit der ›Kaiserlichen Milde‹ und der ›Not des Henkers‹ weiter. Bea und Gualtiero müssen ja auch —«

»Die werden verrückt vor Glück, lieben werden sie uns verzückt!«

»Aber sie werden es schaffen«, sagte Ray und zog einen langen Schluck durch seinen Strohhalm.

Franck & Co waren von Signor Alfredo — man duzte sich schon nach dem ersten Glas — in die Taverne eingeladen worden, die leider auch das Lieblingslokal von den sonstigen ›Deutschen‹ darstellte. Rechtzeitig zum Zapfenstreich war die Soldateska laut singend abgezogen. Ein Bus hatte sie zurück in ihre Unterkünfte gebracht, ganz in der Nähe des ›Dunes‹, wo's aber kein Bier gab und auch Gesang nicht gern gesehen war, dabei hätte man ihn gar nicht gehört gegen die Phonstärke des Nachtclubs. Krach und Fremdlärm umtoste sie den ganzen Tag bei ihren Düsen, da hatten sie's abends lieber ›gemütlich‹.

»Könnt ihr mir erklären«, hakte der Apotheker sarkastisch bei seinen Gästen nach, »was das alles soll? Dieses Hickhack zwischen dem Ingeniere Rinaldo, ein begabter Compositore und passabler Bariton, und diesem langhaarigen Signor Raimondo, der wirklich nicht singen kann? Und dann dieser vulgäre, ja obszöne Streit zwischen dem Glöckner von Notre-Dame, als Fleischhauer verkleidet, und seiner nuttigen Ehefrau? Was hat das mit dem großen Staufer zu tun? Es entwürdigt ihn, entmystifiziert die Umstände seiner Geburt, zieht sein Bethlehem in den Dreck!« eiferte sich Alfredo. »Und dazu ist noch die historische Wahrheit völlig falsch dargestellt!«

Franck hatte ihn ausspucken lassen, wenn man allein seine feuchte Aussprache in Betracht zog. »Das nennt man die ›zweite Ebene‹«, erklärte er kühl. »Große und noble Ereignisse und Personen wirken auf der Bühne einsichtiger als solche, wenn man ihnen ein niederes Kontrastprogramm gegenüber oder zur Seite stellt.«

»Aha«, sagte Alfredo. »Das muß ich mir merken. Aber wen konterkariert denn Donna Beatrice, la Signora Delle Delizie? Doch nicht die Kaiserin!«

»Zwei Frauenschicksale werden gegenübergestellt. Hier das Opfer für das Reich, Würde und Verzicht — da die würdelose Bürgerliche, die unter Mißachtung selbst ihres Ehestandes sich mit der untersten Stufe einer Existenz, einem Narren, einläßt.«

»Bei dem Monster von Ehemann —!« meinte der Apotheker fast nachfühlend.

»Der ist nicht als Kontrast gedacht, sondern unterstreicht den

Charakter des Kaisers, der auf der Bühne nicht ausgebreitet werden kann, weil es ja schließlich um die Geburt des Kindes geht — bei der Kaiser Heinrich schon gar nicht mehr anwesend ist.«

»Historisch korrekt!« räumte Alfredo ein. »Also Offenlegung seiner bekannten Grausamkeit durch einen Stellvertreter?«

»Der soll ja in Sizilien wie ein Metzger gehaust haben!« warf Wolff ein.

»Ich verstehe«, sagte der Apotheker. »Dieser Berkestrom hat Talent —«

»Und ob«, bestätigte Franck, »sonst würde das Ganze hier nicht stattfinden!«

»Aber«, mäkelte der Verfasser der ›La Congiura dei Cardinali‹, »warum läßt er sich nicht belehren? Mit meinem geheimen Wissen bereichert und mit seiner Begabung zu Papier gebracht — und dann auf die Bühne, das wäre ein Ereignis, das die Welt erschüttern könnte.«

»Weil er von seiner Version — ob wahr, geheim wahr oder nicht —, von deren Erfolg so überzeugt ist, daß ihn nichts erschüttern kann. Künstler sind nun mal so!«

»Ihr seid auch Künstler!« änderte Fiorante seine Taktik. »Ihr gestaltet Bilder von bleibendem Wert, die da auf der Bühne nur für eine Nacht.«

»Eine Abendvorstellung«, lachte Wolff, »von der man nicht mal weiß, ob sie ausverkauft sein wird.«

»Ihr müßtet doch ein Interesse daran haben, daß etwas geschieht, das spannend, fürchterlich, aufregend zu verfilmen ist — anstatt dieses Gezerre von Nebenrollen?!«

»Sicher«, sagte Franck. »Nur her damit! Warum, Alfredo, stellst du deine Version nicht selbst auf die Beine, zeigst denen, was ’ne Harke ist?«

Das ging dem Apotheker runter wie Öl, aber da er einen zu kräftigen Zug aus seinem Weinkrug getan hatte, verschluckte er sich. »Ihr meint, ich solle selber —?«

»Jesi hat genügend geeignete Plätze«, meldete sich der hagere Hettrich zu Wort.

»Wenn du sie von der Piazza nicht vertreiben kannst«, schlug Wolff hinterhältig nach, »Jesi, dein Gesangverein, steht hinter dir. Dir könnte der Stadtrat öffentliche Mittel nicht verweigern —«

»Aber die Kostüme, die Sänger, das Libretto?«

»Klauen«, sagte Hettrich, »abwerben, abschreiben! Du mußt dir schon was einfallen lassen, Alfredo.«

»Denk an die kriminelle Energie, die deine Kardinäle vor 800 Jahren entwickelt haben! Schließ einen Pakt mit dem Teufel!«

Dazu war Alfredo Fiorante bereit. Er bestellte Champagner. »Französischen. Vom Besten!«

Berghstroem bestellte zwei Tequila sauer bei der nabelfreien Schönen, die in der Oase servierte.

»Und sonst?« sagte er dann. »Die ›kaiserliche Milde‹ kann so bleiben, aber der Henker — ?«

»Ein Henker muß auch nicht reimen. Dafür lass' ich dir den Podestà. Bartolo ist so eitel.«

»Gott sei Dank«, seufzte Berghstroem.

Mia erschien, verschwitzt, aber strahlend, zusammen mit Don Pepe Salò, dem Herrn vom ›Dunes‹. Er besaß noch etliche Unternehmen ähnlicher Art, allerdings an der Oberfläche, was nicht besagt, daß er nichts mit der Unterwelt zu tun hatte. Don Pepe war ein geschniegelter Mittfünfziger, ein Chamäleon, das sich servil geben konnte, von biederer, anbiedernder Herzlichkeit. Gab man ihm die Hand, hatte er einen in der Hand, verwandelte sich blitzschnell in ein Reptil der übelsten Sorte, kalt und gnadenlos. Er war kein Machtmensch. Im Gegenteil, er liebte es, sich als Diener zu geben, im Dienst zu stehen. Diese Einstellung war höheren Ortes wohlgefällig aufgenommen worden und hatte ihm erlaubt, sein Territorium stetig zu vergrößern, wie eine Öllache auf dem Wasser. Don Pepe strahlte mit Mia um die Wette, daß es ihm eine unverdiente Ehre sei, solch berühmte Künstler wie den Maestro Raimondo und den Commendatore zu seinen Gästen, Ehrenmitgliedern seines bescheidenen Clubs, rechnen zu dürfen.

Hinter ihm waren zwei Kellner im Smoking eingetreten. Sie trugen ein Tablett mit Gläsern und eine Bottle Taitinger im Kühler. Die Cocktailschwenker waren schon zwei Finger hoch mit einer rubinleuchtenden Flüssigkeit vorgefüllt.

»Dunes Imperial brut!« Don Pepe schnalzte mit der Zunge. »Das Haus erlaubt sich —« Eigenhändig goß er den Champagner auf und reichte seinen Gästen die Gläser. »Auf ›Stupor Mundi‹!«

Ray und Berghstroem, die sich erhoben hatten, tranken —

grinsend Wohlgeschmack verkündend, obgleich sie statt der süßen Plempe lieber bei ihrem Tequila geblieben wären.

»Wie geht's voran?« fragte Don Pepe ohne wirkliche Neugier, aber Berghstroem stach der Hafer, und er sagte:

»Ausverkauft bis ins Jahr Zweitausend. Wir brauchen dringend eine Nobelherberge — denn das fehlt in Jesi! —, um die besseren Gäste unterzubringen, und auch noch ein leistungsstarkes Busunternehmen, das die Touristen von Rimini bis Ancona ankarrt. Souvenirläden müssen angemietet, Pizza-Öfen eingebaut werden und dann das ganze Souvenirgeschäft —« stöhnte Berghstroem. »Wir können uns vor Angeboten kaum retten.«

»Spoleto wird vor Neid erblassen!« haute Mia in die Kerbe.

Don Pepes Grinsen war eingefroren. »Mi prendete in giro?«

»Wer würde es wagen, Ihnen was vorzugaukeln! Doch so kann es sich durchaus entwickeln, Don Pepe«, sagte Ray schnell. »So kann es kommen, vorausgesetzt, ›Stupor Mundi‹ setzt die Welt wirklich in verzücktes Staunen.«

»Erfolge kann man machen«, sagte Don Pepe ernsthaft. »Alles nur eine Frage der richtigen ›pi-erre‹.«

»Erfolge kann man auch zerreden, Kinder«, sagte der Regisseur. »Bislang probieren wir nur, und von der Generalprobe trennen uns noch gute zwei Drittel.«

Sie tranken aus, und Don Pepe verabschiedete sich dienernd. »Halten Sie mich auf dem laufenden, Commendatore«, er hatte in Berghstroem seinen Mann erkannt. »Ich stehe stets zu Ihrer Verfügung.«

Er zog sich zurück. Mia setzte sich zu Ray auf die Lehne.

»Wir müssen die ganze Nacht durcharbeiten!« sagte Berghstroem. »Neue Texte!«

»Mia muß ausschlafen«, wies Ray das Ansinnen des Produzenten an die Assistentin, seine Assistentin, zurück. »Du hast dafür morgen den ganzen Tag frei, Emmy. Da störst du uns wenigstens nicht bei der Arbeit.«

Gerade als sie aufbrechen wollten, torkelte ein Mann durch die Schwingtür zur Oase und fiel in den Sand. Zwei Kellner hoben ihn auf und setzten ihn in einen Korbstuhl, wo er sofort einschlief.

»Ist das nicht der Kerl vom Teatro Spontini, den du als Podestà ausgeguckt hast?« wandte sich Ray belustigt an Mia. »Der ist doch auch morgen dran, oder?«

»Signor Parride Tramezzina ist ein Professional«, verteidigte Mia ihre Wahl. »Vielleicht hat er vor Freude über das Engagement etwas über den Durst getrunken.«

»Oder aus Lampenfieber«, gab Berghstroem zu bedenken, während sie an dem Betrunkenen vorbei die Oase verließen.

»Wir werden's ja sehen«, amüsierte sich Ray, »wenn er überhaupt hochkommt —«

»Machen Sie dem Mann einen Caffè doppio!« sagte Berghstroem leise zu der Serviererin, »und schicken Sie ihn dann nach Hause.«

Das Mädchen nickte einverständig. »Meistens schläft Signor Parride seinen Rausch hier aus.«

»Na bitte!« sagte Ray. »Ein Professional!«

»Sonst stand nur der Apotheker zur Wahl, Signor Alfredo Fiorante —«

»Der immer seinen Nachttopf auf uns ausleert?«

»Der Vorstand des uns dienlichen Gesangvereines ›Cantate‹«, rügte Mia. »Wir können immer noch auf ihn zurückgreifen.«

»Nie und nimmer«, rief Ray. »Dieses Stinktier!«

Sie stiegen in ihre Wagen. Ray in den Mercedes, den Berghstroem lenkte, und Mia wollte im Morris hinterherfahren, als Tom auftauchte, leicht schwankend: »Du hast mindestens soviel getrunken wie ich«, sagte er gedehnt. »Laß deinen ›Testa Rossa‹ hier stehen. Wir nehmen ein Taxi!«

Er pfiff Berghstroems Leihmercedes nach, der gerade aus dem Parkplatz kurvte. Sie stiegen zu, Ray war schon auf dem Rücksitz eingeschlafen, Mia quetschte sich neben ihn, der fast die ganze Bank einnahm. Sie fuhren gemächlich zurück in die Stadt.

Als sie gerade die Stadtmauer am runden Turm passiert hatten und Berghstroem auf die Seitengasse zusteuerte, von der aus man die Tiefgarage des Hotels erreichte, war es ihm gewesen, er hätte an der schmalen Stelle, wo eine steile Steintreppe zwischen den mittelalterlichen Häusern hinauf zur Piazza führte, einen Feuerschein gesehen. Er trat abrupt auf die Bremse, daß es Mia fast zwischen den beiden Vordersitzen hindurchpreßte, haute den Rückwärtsgang rein und brauste zurück zu der Häuserschneise.

Es war der Widerschein von Flammen! Irgend etwas brannte auf der Piazza. Das konnte nur ihre Bühne sein!

Sie sprangen alle drei aus dem Wagen und hasteten die Stufen hinauf. Ray war nicht einmal von der brutalen Vollbremsung aufgeweckt worden. Tatsächlich stand eine Ecke des Galgengerüstes in Flammen, sie züngelten um die dicken Balken der Holzkonstruktion.

»Klarer Fall von Brandstiftung!« rief Tom. »Da muß jemand Benzin hingegossen haben.«

Dann sahen sie, daß Franck & Co bereits mit ihrem Videogerät zur Stelle waren und den Brand von allen Seiten filmten, wobei sie die Löscharbeiten der mittlerweile aus ihrer etwas weiter abgelegenen Pension herbeigeeilten Beleuchter eher behinderten. Erst hatten diese versucht, die Flammen mit Tüchern auszuschlagen, was sie aber nur noch höher lodern ließ. Die Römer waren wohl von der Nachricht aus den Betten geholt worden, denn sie trugen zwar keine Nachthemden, sondern leuchtfarbene Joggingklamotten am Leib, einige auch tropisch geblümte Shorts und natürlich T-Shirts. Darüber hatten sie ihre Lederjacken oder Anoraks geworfen. Die zuletzt Eintreffenden brachten schließlich einen Feuerlöscher mit. Sein Schaum machte dem Spuk schnell ein Ende. Von den Einheimischen hatte sich kaum jemand sehen lassen, geschweige denn die örtlichen Pompieri.

»Jemand hat uns den Stinkfinger gezeigt«, sagte Mia. »Dreimal darfst du raten.«

»Ich denk' gar nicht dran«, entgegnete Berghstroem. »Vergiß es!«

Dann tauchte auch Rinaldo auf, der seine Nächte zwar nicht sämtlichst mit Bea verbrachte, verbringen konnte, aber von den Exkursionen ins ›Dunes‹ wenig hielt — schon um erreichbar zu bleiben, wenn der Ehemann das Haus verließ. Das tat Signore Maurizio häufig, gern spontan. Und wohin ging er? Ins ›Dunes‹.

»Warum hat sich die Feuerwehr nicht blicken lassen?« wollte Berghstroem wissen.

»Damit ein Fremder wie du begreift, wo der Spaß aufhört. Wenn einer meint, er müsse singen —«

»Ich will davon nichts hören«, sagte Berghstroem. »Tun wir dem Anonymus nicht auch noch den Gefallen, ihn ernst zu nehmen! Meine einzige Reaktion ist: Ich geh' jetzt schlafen.« Er drehte sich noch mal um zu Mia. »Weck Ray!« sagte er. Sie hatte etwas anderes erwartet.

Aus dem Schlummer gerissen wurde Berghstroem von der Mitteilung der Hotelrezeption, da seien zwei Künstler eingetroffen, für die kein Zimmer reserviert, also auch keines frei sei. »Wie heißen sie?« fragte der Producer verschlafen zurück.

»Es sind Schweizer, ein junges Ehepaar, schön wie zwei Engel —«

»Küß die Nachtigall!« unterbrach der Gestörte. »Die sollten doch erst ich weiß nicht wann hier eintreffen —«

»Sie sind aber schon da. Ganz allerliebst sitzen sie auf ihrem Koffer. Ich bring' es nicht übers Herz, sie wegzuschicken. Wir haben da noch eine Dachkammer —«

»Warum nicht gleich!« raunzte Berghstroem ins Telefon, legte auf und drehte sich auf die andere Seite.

›Die Küssnachter Lerchen‹ hießen die beiden, fiel ihm ein, Katarina und Peter, glaubte er sich zu entsinnen, Geschwister, die in Heimatgesang und Folklore tingelten. Ray hatte sie entdeckt und aberwitzigerweise als das junge Herzogspaar derer von Spoleto engagiert. Die hatten ihren Auftritt doch erst, wenn der Kaiser wieder abreiste? Ja, bei der ›Huldigung‹ traten ›Konrad und Margarete von Urslingen‹ zum erstenmal in Erscheinung. Was wollten die jetzt schon in Jesi? Kostet nur Diäten und Hotel! Bei diesem Gedanken fiel ihm siedendheiß ein, daß er schleunigst zur Bank sollte. Die Überweisung mußte eingetroffen sein. Ärgerlich schwang er seine Beine aus den warmen Federn und stemmte sich hoch. Und wenn das Geld immer noch nicht —? Dann war ein weiteres Kreditüberziehungsgespräch mit dem Bankdirektor angesagt. Also dunkler Anzug! Doch vorher: kalte Dusche.

Das Geld war nicht da. Zum Gespräch mit dem Zweigstellenleiter kam es nicht, weil Mia ihn aus der Bank holte: Jakob, der Henker, war in den Brunnen gestürzt!

»Jemand hat die Halterung des Seiles, an dem der Bottich mit der Matratze hängt, gelockert, und Signor Tagliabue ist, nur gebremst durch das sich abwickelnde Seil und die —« Mia war völlig außer Atem vor Zorn »— Gott sei Dank schwer gehende quietschende Winde, in die Tiefe gerauscht!«

»Hat er sich verletzt?«

»Nicht die Spur«, sagte Mia, während sie über die Piazza zur Unfallstelle liefen. »Unten im Brunnen lag so viel Gerümpel, daß der Bottich nicht hart aufschlug.«

»Ich dachte, den Brunnen hätten wir gebaut —?«

»Haben wir auch, aber sinnigerweise über einer aufgelassenen Zisternenöffnung —«

»So'n Blödsinn!« schnaufte der Producer und schaute, am Tatort angelangt, in das dunkle Loch. »Da hätten doch die ein Meter zwanzig Bühnenhöhe völlig gereicht, um den Henker kopfüber verschwinden zu lassen, bis die Frauen ihn wieder hochziehen?«

»Das meine ich auch, Manuel«, sagte Mia ernst. »Und ich bestehe darauf, daß wir jetzt endlich einen der Serafinis, oder besser zwei, aus Rom kommen lassen.« Sie senkte ihre Stimme. »Es geschehen in letzter Zeit immer häufiger Dinge, die —«

»Komm, komm«, beschwichtigte Berghstroem seine Vertraute. »Wir haben kein Geld. Diese Aufpasser«, schlug er ihre wiederholt vorgetragene Bitte ab, »können wir uns nicht leisten!«

Mia blieb stehen, drehte ihm den Rücken zu, und er stampfte trotzig weiter. Dann trat Ray ihm in den Weg.

»Sprich du mit Tagliabue, Emmy«, sagte der Regisseur. »Er weigert sich, die Szene zu wiederholen, wenn kein ›stuntdirector‹ anwesend ist, der ihm garantiert —«

»Die Serafinis?« fragte Berghstroem rein rhetorisch nach.

Ray nickte. »Die würden auch das müde Volk hier auf Trab bringen, und —« er grinste —»hitzköpfige Pyromanen und sonstige Saboteure von ›Stupor Mundi‹ zur Raison.«

»Ich werd's mir überlegen«, sagte der Producer.

»Möglichst bevor es zu spät ist!« sagte der Regisseur.

»Da hinten findest du Signor Tagliabue«, wies Ray auf den geschockten Darsteller, der abseits auf einem Stuhl hockte. Doch ehe Berghstroem seine berüchtigten Überredungskünste entfalten konnte, entschuldigte sich der alte Herr mit schwacher Stimme:

»Ich war nur leicht erschrocken. Natürlich können wir sofort die Probenarbeit wieder aufnehmen, der kleine Defekt wird ja inzwischen behoben sein.«

»Danke«, sagte Berghstroem, und laut setzte er hinzu, daß alle es hören konnten. »Ich wußte ja, daß man mit Ihnen reden kann!«

Der Vormittag verging mit dem ›gemeinsamen‹ Auftritt von Waldemar und Nemo als aufgeplustertem Oberreichshofmarschall. Privatim sprach sein stotternder Hauptmann, der hier devot Befehle empfangen mußte, kein Wort mit dem blonden Recken. Nicht, daß Nemo Wert darauf gelegt hätte. Er verachtete Erfolglose wie Waldemar, erst recht, wenn sie ihn von links anmachten.

Berghstroem saß in seinem Hotelzimmer, dichtete reimlose Schimpfkanonaden und sah neidisch durch seine Balkontür dem Schurigeln zu, ohne die Stimmen hören zu können. Er war mit seiner bisherigen Metzelei keineswegs zufrieden. Ein wahres Schlachtfest, nur nicht für ihn! Er zog die Arie des Henkers vor. Die sollte als erstes fertig sein, damit die Proben keine Verzögerung erlitten. Ihm gefielen seine bisherigen Worte. Verdammt noch mal, warum sollte er sie ändern!

GERICHTET WIE BEFOHLEN!

Kann stehenbleiben!

HOL MICH DER TEUFEL IM FALL,
DASS ICH NUR EIN HAAR GEKRÜMMT

Die nächste bleibt, die nächste auch, und es endet mit:

OHN' DAS AUSDRÜCKLICH GEHEISS
DES HÖCHSTEN VERLÄNGERT ARM,
SOLL VERFAULT ABFALLEN MIR!

Das wär's. Er lief damit runter auf die Piazza und las sie Ray und Rinaldo vor. Der Regisseur sagte nur: »Na, siehste«, der Komponist machte sich wenigstens die Mühe, sie mit der vorgegebenen Melodie nachzusummen. »Das geht — bestens. Danke.«

Der Librettist wäre gern wieder in die Kleider des Producers geschlüpft, um an der Darbietung seines Texts durch Signor Tagliabue teilzunehmen, doch Ray bat ihn, nun dringend für die beiden Duette zwischen Bea und Gualtiero zu sorgen, damit die bald damit beginnen könnten, sie einzustudieren. Der Regisseur wollte ihm die entsprechenden Textpassagen zeigen und griff unter die Platte seines Pults, wo er sein Exemplar des Librettos aufzuheben pflegte, er brauchte es fast nie, weil er alles auswendig im Kopf hatte. Jetzt brauchte er es — und es war nicht da.

»Mia!« schrie er. »Wo ist mein Skript?«

»Wo du's hingetan hast!« rief die spitz zurück.

»Es ist weg! Bring mir deines!«

»Das brauch' ich selber.«

Berghstroem beendete das Hickhack, indem er Ray versprach, eine Fotokopie seines Originals zu machen, und trottete zurück ins Hotel.

Er hatte keine Lust zu dichten, so fiel ihm auch nichts ein. Das wiederum vergrößerte den Frust noch. Merke: ›Lust auf Frust!‹ Wenn er die englische Aussprache zu Hilfe nahm, ›fast ein must!‹›Miese Krise!‹›An des Gehaltes Säule stets nagt des Dichters Fäule.‹ Ätzend! Er öffnete die Balkontür, gerade als der Podestà, Messire Bartolo in Form des Parride Tramezzina, die Stufen zur Bühne hinaufstolperte, um auf das neue Stichwort, ›abfallen mir‹, seinen Einsatz zu bringen.

»Wieso denn ›mir‹?« Tramezzina war richtig zornig auf Jakob, den Henker. »Warm!« machte er ihn schwankend an, und jetzt konnte jeder sehen, daß er betrunken war, sturzbesoffen. »Warm, warm, warm! Jeder Statist ist in der Lage, sich das Gegenteil von kalt zu merken, und das ist nicht ›mir‹!«

»›Mich‹«, sagte Herr Tagliabue erregt. »Er kann *mich* mal!« Der Schauspieler des berühmten Teatro Fenice war zutiefst beleidigt. »Teatro Spontini zu Jesi — eine Provinzbühne!«

»Schluß jetzt«, rief Mia. »Wir haben geändert. Es heißt jetzt ›mir‹!«

»Also noch mal«, sagte Ray freundlich, und Mia führte den Signor Tramezzina zurück zur Treppe.

»›. . . soll verfault abfallen.‹« Diesmal fiel er schon auf der Treppe um, Gott sei Dank nach vorne, aber seinen Einsatz rettete er: »›Siedendheißes Blei mir das Lugmaul verglüh —‹«

»Danke«, sagte Ray, »nicht ›mir‹, sondern ›euch‹.«

»Once more«, knurrte Mia, doch sie hatte die Rechnung ohne den Parride Tramezzina gemacht.

»Laienspielschar!« schimpfte der jetzt. »Wieso nun wieder nicht ›mir‹, sondern ›euch‹? Wißt ihr eigentlich, was ihr wollt?«

»Ja«, sagte Mia. »Nüchterne Darsteller, die wie jeder Statist zwei Zeilen auseinanderhalten können, nämlich einmal die fremde, die ihn nichts angeht bis auf das Stichwort, das ein für allemal mit ›mir‹ endet, und die eigene, wo es ›euch‹ heißt. − Kaffeepause!«

Nach Erledigung seiner Strafarbeiten war Berghstroem den anderen ins ›Dunes‹ nachgefahren und verließ es jetzt zusammen mit Mia und Tom. Den trotz aller Mahnungen wieder volltrunkenen Podestà hatten Franck & Co auf Mias Geheiß in ihrem Volvo mit zurück nach Jesi genommen. Parride war so blau, daß sie ihn zum Wagen tragen mußten, und er protestierte weinerlich: »Dov' è il Taxi? Ho ordinato un Taxi. Voi siete degli abusivi! − Abusivi! Abusivi!« beschimpfte er die Männer, über deren Schultern er hing, die Beine schleiften nach. »Abusivi?«, amüsierte sich Wolff, »was brauchen wir eine Konzession zur Personenbeförderung!« Die Kameraleute machten nicht viel Federlesens und verstauten ihn im Gepäckraum ihres Kombis zwischen ihren Aluminiumkisten.

Berghstroem und die Seinen standen noch im Funzellicht des ›Notausgangs‹, das die in den Sand getriebene Grotte nur trüb erhellte. Die Einladung auf einen ›Nightcup‹ von Don Pepe hatten sie einstimmig ausgeschlagen, geradezu unisono. »Sollten wir Bartolo nicht doch lieber mit dem Apotheker besetzen?« wandte sich Berghstroem nach dem Abtransport an Mia, doch Tom sagte:

»Der ist stinkesauer! Heute hat er sich den ganzen Abend hinter seiner Ladentür versteckt, das Desaster mit Herrn Tramezzina angeschaut, schadenfroh, wie ein Hund auf Pfiff bereit einzuspringen.«

»Wenn wir auswechseln«, warf Mia rasch ein, »gäb's Aufruhr im Opernchor des Teatro Spontini. Für die ist Parride ein Star, ihr Lokalmatador!«

»Dafür handeln wir uns Ärger mit Alfredo Fiorante ein«, wägte Berghstroem ab. »Hinter dem steht der Gesangverein wie eine Eins.«

»Er hat mich jedenfalls noch mal angehauen«, berichtete Tom, »als ich mir Halstabletten kaufte. Er verstünde nicht, was wir uns mit der Schnapsdrossel so abquälen würden. Ich habe ihm zu verstehen gegeben, ich sei nicht die richtige Adresse für sein Angebot, er solle sich an Mia wenden −«

»Und?« fragte Berghstroem. »War er bei dir, Mia?«

»Ich hab' ihm klipp und klar gesagt, der Mann hätte einen Vertrag, und solange er sozusagen bei Neun jedesmal wieder auf den Beinen stünde, fehle dem Regisseur die Handhabe, auf technisches K. o. zu erkennen.«

»Tatsache ist«, informierte de Producer seinen alten Freund Tom, »daß Ray Stinky-Alfredo nicht mag.«

In dem um diese Tageszeit leeren ›Le Delizie‹, es war Nachmittag, saßen drei vom Typ und Charakter her ziemlich verschiedene Männer zusammen. Gastgeber war praktischerweise der Hausherr Maurizio Delle Delizie, aber es gab nichts Warmes zu essen, die Küche hatte Ruh', nur der Käsewagen konnte herhalten. Der Patron war ein fleischiger Typ, der in seiner Jugend sicher als Modell des ›latin lover‹ durchgegangen wäre, mit Kräuselhaaren reichlich auf der Brust, güldenem Kettchen samt Kreuz, nur das Bäuchlein war ein Zugeständnis an mittlerweile verlagerte Interessen. Maurizio trank. Don Achille trank auch, besonders gern den guten Roten des Hauses, nur machte es ihm und seiner Figur nichts aus. Er war ein Mann vom Lande, seine kräftige, bäuerliche Statur konnte diese Herkunft nicht verleugnen. Alfredo Fiorante kam aus der Stadt, hatte Ambitionen und studiert, wobei das letztere nicht die Erwartungen des anderen erfüllt hatte. Der Apotheker trank nicht, sah nach nichts aus und fühlte sich dennoch in seiner Bedeutung verkannt, mit dieser Apotheke zu Jesi, in die er eingeheiratet hatte, als ihn mal wieder die Differenz zwischen kulturellem Anspruch und provinzieller Wirklichkeit in tiefste Depression gestürzt hatte. ›Typisches Künstlerschicksal‹, tröstete er sich bei dieser Erkenntnis, gab aber nie auf.

»Es ist nicht einzusehen«, sagte er, der als einziger an einem Mineralwasser nippte, »wieso wir in Jesi, einer Stadt, die auf große Namen wie Spontini und Pergolesi zurückschauen kann, nicht in der Lage sein sollten, dem Größten ihrer Söhne, Federico, eine seiner Geburt vor achthundert Jahren würdigen Feier auf die Beine, sprich auf die Bühne zu stellen.«

»Das machen jetzt die Deutschen für uns«, erklärte Don Achille bedächtig. »›Stupor Mundi‹ wird in Jesi bleiben, wenn die sich längst wieder in alle Winde verstreut haben.«

»Sie tun es für uns, auch wenn sie sich dessen nicht bewußt

sind«, pflichtete ihm Maurizio Delle Delizie bei. »Billiger können wir es gar nicht haben!«

»Es ist doch eine Schande, daß die Stadt und ihr Rat«, bohrte Fiorante, »eigenen Talenten Knüppel zwischen die Beine wirft und statt dessen die Fremden unterstützt. Wir haben ein weltberühmtes Theater und sogar ein Opernhaus, zwei Chöre, wenn man den Kirchenchor von Don Pasquale nicht rechnet, ein Symphonieorchester —«

»Die alle nichts taugen!« sagte der Patron. »Das Theater steht unter Denkmalschutz, und das Orchester gehört ins Museum.«

»Ihr, Maurizio, haltet diesen präpotenten Invasoren nur die Stange, weil Donna Beatrice sich bei denen als Solistin produzieren darf, diese Dilettanten! Selbst der Tramezzina kommt bei denen zu Ehren —« geiferte jetzt Fiorante. »Im Chor von ›Cantate‹ würde sie in der letzten Reihe —«

»Wenn meine liebe Frau dort je gestanden hätte, würde sie heute auch so singen wie Euer Verein!« schlug der Patron belustigt zurück. »Und der Maestro Rinaldo hätte sie nie entdeckt.«

»Ach«, höhnte der Apotheker. »Ich vergaß, ›il genio‹ gehört ja auch quasi zur Familie!«

»Disqualifiziert Euch nicht«, knurrte Don Achille, verärgert über diesen Schlag unter die Gürtellinie. »Wenn Ihr gegen ›Stupor Mundi‹ antreten wollt, dann bietet eine Alternative.«

»Habt Ihr einen besseren Vorschlag?« forschte der Patron lauernd.

»Der Jesi ebenfalls nichts kostet?« hakte Don Achille nach. »Was hindert Euch? Braucht Ihr einen Platz, den gibt Euch die Stadt. Geld bekommt Ihr von der Bank, wenn das Konzept Rendite verspricht — oder von Sponsoren, wenn Eure Ideen brillant und werbewirksam klingen.«

»Ich würde mich sogar beteiligen«, grinste Maurizio Delle Delizie, »und alles andere kann man kaufen, auch die Gage für meine liebe Frau ist jetzt noch erschwinglich.«

»Und Rinaldo?« fragte Alfredo Fiorante hoffnungsfroh.

»Für Freunde unseres Hauses verbürge ich mich.«

»Soll ich Euch mal die Geschichte erzählen, die mir vorschwebt?« Der Apotheker hatte jetzt Vertrauen gefaßt, in seine Gesprächspartner wieder und vor allem zu sich selber. Verschwörerisch beugte er sich vor. »›La Congiura dei Cardinali‹«, hob er an, da hoben Don Achille und der Patron fast gleichzeitig beschwörend die Hände. Alfredo hielt irritiert inne. »Kennt Ihr die höchst geheime —?«

Der Vizebürgermeister mochte nicht mehr an sich halten. Er prustete den Wein, den er gerade schlucken wollte, über den Tisch, und auch Maurizio Delle Delizie lachte schallend. »Nein, nein — bitte nicht!« rief Don Achille. »Ihr habt mir schon drei Exemplare ins Rathaus geschickt —«

»Meines hat mir mein Küchenchef entwendet«, lachte der Patron. »Es ist wirklich anregend — als Rezept für traute Familienfeiern wie Kindstaufen!«

Das letzte hatte Alfredo Fiorante schon nicht mehr gehört. Er war empört aufgesprungen und hatte das Gewölbe unter stummem Protest verlassen. Die beiden prosteten sich zu.

Der Apotheker war aber der gerade heimkehrenden Donna Beatrice in die Arme gelaufen, sie hielt ihn auf. »Liebster Fiorante«, flötete sie mit strahlendem Lächeln, »Sie wollen uns doch jetzt nicht schon verlassen?« Und keine Absage duldend, schob sie den Widerstrebenden zurück in den ›Salotto‹. Die Heiterkeit der beiden anderen Männer auf sich selbst beziehend und auch die rein rhetorische Aufforderung ihres Ehegespons für bare Münze nehmend, der laut verkündete: »Meine liebe Frau, erzählt uns jetzt, was sich bei ›Stupor Mundi‹ tut«, ließ Bea sich nicht zweimal bitten:

»Wir machen Riesenfortschritte, wir sind schon beim zweiten Teil des ersten Akts. Der Kaiser kommt und sieht gar nicht aus wie ein Kaiser, hat Ray gesagt, er ist angezogen wie seine Soldaten und verlangt nur nach einem Krug Wasser, so wie unser lieber Fiorante hier.« Sie lächelte den Apotheker an, den Einwurf ihres Mannes überspielend.

»Damit endet die Ähnlichkeit auch schon.«

»Jubelchöre und Blasmusik«, fuhr Bea begeistert fort, »und jetzt treffen all die wunderschön gekleideten Gesandtschaften ein, die Sarazenen mit einem Kamel, auf dem ein Mohrenknabe die Kesselpauke schlägt, und die Griechen, die die Sarazenen nicht leiden können und immer ›Kyrie eleison‹ singen. Die Sarazenen antworten ihnen mit ›la illahu illa Allah‹.«

»Und sonst nichts?« wollte Don Achille wissen, aber das Interesse des Apothekers ging in die andere Richtung:

»Und was ist mit den beiden Kindern? Dem der Metzgerin? Es

müßte doch schon gezeigt worden sein? Und die Bischöfe und die Kardinäle? Wo bleiben die?«

»Also«, sagte Alfia, sich ihrer Bedeutung bewußt, »ich krieg' mein Kind erst im Vorspiel zum zweiten Akt. Das reicht auch völlig, denn die Bischöfe und Kardinäle werden erst zur kaiserlichen Geburt herbeibefohlen, die der Kaiser aber gar nicht abwarten will.«

»Falsch, völlig falsch!« zischte der Apotheker empört. »Sie müßten längst dasein und ihre geheimen Machenschaften vorbereiten, und dazu gehört auch dein Kind, Alfia!« und er zeigte zornbebend auf den Bauch von Donna Beatrice. Die lachte nur.

»Ich hab' mein Kissen nicht mitgebracht, aber ich kann Ihnen sagen, Fiorante, ich bin ganz schön schwanger.«

»Wieder falsch!« schrie der Apotheker. »Kein Kissen! Das Kind muß sofort geboren werden!« Er sprang auf. »Das lass' ich mir nicht gefallen!« und stürmte aus dem Restaurant, diesmal betroffene Gesichter zurücklassend.

»Was hat er nur?« wollte Bea wissen. »Es geht doch alles seinen Gang. Erst kommt jetzt das Pferd – oder es kommt nicht –, dann kommt der Podestà, wegen der Schlüssel, dann kommen die Normannen, das sind die kühnsten Ritter, die knien nicht mal vor dem Kaiser, dann wird der Podestà von zwei Straßendieben angefallen, die ihm seinen Mantel klauen wollen, dabei geht er drauf –«

»Wer? Der Mantel oder der Bürgermeister?« wollte Don Achille wissen, und Maurizio Delle Delizie spottete:

»Ihr habt wohl Angst, daß Ihr als nächstes drankommt? Aber meine liebe Frau hat noch nie etwas von der geheimen Mördersekte der Assassinen gehört. Die töteten nur höhergestellte Persönlichkeiten, auf Bestellung.« Der Patron lächelte zufrieden ob seiner Sachkenntnis in die Runde, was seine liebe Frau nicht ruhen ließ.

»Aber du weißt nicht, wer jetzt Bürgermeister wird!«

»Wer?« sagte Don Achille. »Solange es nur nicht Signor Fiorante wird!«

»Nein«, trumpfte Bea auf. »Jakob, der Henker! Der kriegt auch den Mantel, die Normannen verneigen sich endlich vor dem Kaiser, und ab geht die wilde Jagd.«

»Und wo bleibst du, mein liebes Weib?«

»Ach«, sagte Beatrice, »das habe ich ganz vergessen. Zum

Schluß wird die Kaiserin angekündigt, die gefälligst einen Sohn gebären soll. Von dem werd' ich dann die Amme. Darauf bereite ich mich schon seelisch vor.«

»Den ganzen zweiten Teil des ersten Akts?« konnte sich ihr Ehemann seinen Spott nicht verkneifen. Er hob sein Glas, und beide Herren tranken der zukünftigen Amme zu.

Gefo

Kaur
nun
ten a
habe

Kapitel V

Die Hohepriesterin

Assassinen: Entschuldet, hoher Herr, die Frage frei —
                 woran erkennt er, wer der Kaiser sei?

TERZETT ÜBER DIE HERRLICHKEIT DES KAISERS

Rinaldo: Seine Herrlichkeit auf Erden

Dietrich: ist des Glückes Unterpfand.

Ramon: Seines prächt'gen Mantel's Falten

Dietrich: umfassen weit des Reiches Rand.

Rinaldo: Über den Goldschatz seiner Städte halten
              Wache funkelnd Burgen, ehern' Festen,

Ramon: Achmardi Wälder, der Alpen Hermelin —

Dietrich: Majestas stracks zu smaragden Küsten ziehn
             großmächtig ist der Kaiser —

Rinaldo: Sein Kleider sind vom Besten!

Die Auskunft genügt den Fremden. Es sind gedungene Meu-

Die Lagebesprechung war notwendig geworden, als die dürre Telex-Nachricht eintraf, daß die Bundeswehrsoldaten wegen technischer Anforderungen ab sofort nicht mehr zur Verfügung stünden. Unterzeichnet: Der Standortkommandant. Die Jungs von der Bodentruppe des nahen Nato-Fliegerhorstes waren mit Begeisterung bei der Sache gewesen und hatten sie auch gut gemacht.

»Kann man da nichts – ?« fragte Berghstroem in die Runde.

»Nichts«, sagte Mia. »Ich hab' angerufen.«

»Sabotage!« rief Ray, als ob es ihn freute.

»Kaum! Offizielle Begründung: Erhöhte Alarmbereitschaft!« erläuterte die Assistentin. »Aber wohl auch Futterneid der nicht von uns Ausgewählten – «

»So viel zahlen wir denen doch gar nicht – «

»Spaß! Freizeitvergnügen, ungleich ausgeteilt, verdirbt die Moral der Truppe!«

»Also Wehrkraftzersetzung!« spottete Ray.

In dem am späten Vormittag unbenutzten Fernsehraum des Hotels saßen um die zusammengeschobenen Spieltische außer dem Producer, dem Regisseur und seiner Assistentin noch Rinaldo, Tom, begleitet von Gualtiero, sowie Nemo herum. Auf dem Bildschirm flimmerte die Wetterprognose, niemand hörte hin. Nemo hob die Hand.

»Vorschlag: Ich ruf' sofort einen meiner Fanclubs in Deutschland an«, er grinste selbstsicher, »und morgen haben wir hier eine Busladung deutscher Mannen. Die zahlen sogar noch die Reise selber!«

»Und fressen uns die Haare vom Kopf«, Berghstroem war skeptisch.

»Schau, wer spricht!« frotzelte Ray und signalisierte sein Einverständnis.

»Die Produktion besorgt ihnen eine Unterkunft«, sagte Nemo. »Saufen werden sie auf meine Kappe, das ist so Usus!«

»Na schön«, sagte Berghstroem. »Laß sie anrollen. Mia spricht mit Achille wegen der Jugendherberge — denn Don Pasquale wird sie sicher nicht im Gemeindeasyl haben wollen.«

»Der nächste Punkt ist«, sagte Mia, den Konflikt mit Berghstroem in seiner Eigenschaft als verantwortlichem Herstellungsleiter nicht länger scheuend, »daß der viel zu schwach besetzte Stab dieser Produktion verstärkt werden muß.« Sie holte Luft und vermied es, Berghstroem anzuschauen. »Bis jetzt hatten wir es nicht mit Statistenmassen zu tun, ein Zug ›Deutsche Soldaten‹, etwas Volk, statisch auf dem Markt. Doch schon mit denen sind wir ins Schleudern gekommen, die Einsätze klappen nicht, die wenigen Bewegungen, die vom Volk verlangt werden, verlaufen schleppend und konfus. Und wißt ihr auch, warum? Jedesmal sind es andere! Da hat sich in Jesi ein ›Karaoke‹-Bazillus breitgemacht: Man schnuppert ein paarmal ins aufregende Theaterleben, was die da so kostümiert treiben auf der Piazza, doch bald empfinden sie es nicht mehr so aufregend, die Warterei, die ständigen Wiederholungen eher langweilig, ihre Neugier ist befriedigt. Viele, die ich mühsam angelernt habe, kommen einfach nicht wieder —«

»Ich hab's ja immer schon gesagt: Den Leuten fehlt das Verantwortungsgefühl, sie kennen keine freiwillige Disziplin«, fügte Rinaldo befriedigt hinzu. »Ich kenne das von der Chorarbeit, und da handelt es sich schon um einen Kreis Interessierter —«

»Sie kommen aus Eitelkeit, aus Langeweile, und wenn ihre Mitbürger sie genügend bewundert haben, dann ist der Zweck erfüllt!« hieb Tom in die gleiche Kerbe, und Mia nahm den Faden wieder auf:

»Auf dem Programm stehen jetzt die ›Delegationen‹, die Sarazenen, die Griechen, die Normannen, mit präzis beschriebenen Verhaltensweisen. Du —« ging Mia jetzt Berghstroem direkt an, der schweigend vor sich hingebrütet hatte. »Du hast es ja selbst so konzipiert. Da kommt eine glatte Katastrophe auf uns zu, wenn —«

»— wenn wir nicht endlich die Zuchtmeister aus Rom zu Hilfe

rufen. Also ruf die Serafinis! Ich seh's ein, Mia — danke!«
Berghstroem erhob sich. »Fürs nächste ist ja erst mal Kleinkram
angesetzt —«

»Das verbitt' ich mir!« donnerte Nemo. »Das ist des Reiches
Marschalls zweiter großer Auftritt als Kärntner!«

»Nichts für ungut«, sagte Rinaldo. »Du bist das dritte Rad am
Wagen, des zum Terzett erweiterten Dauerbrenners zwischen
Troubabour und Narren!«

»Hebt euer Aggressionspotential für die Bühne auf«, sagte
Ray, »bis zum ›Ringelstechen‹. Dann stolpert unser Problem-
kind auf uns zu: Bartolo, die singende Schnapsdrossel von
Jesi!«

»Musica!« rief Rinaldo. »Trommeln und Trompeten!«

»Nichts da! Zimbeln, Lauten und Flöten!« lachte Ray.

»Bis dahin müßten die Serafinis eingetroffen sein?« wandte
sich Berghstroem an die Assistentin.

»Heute abend sind sie da«, klärte Tom ihn auf und grinste.

»Ha! Eine Verschwörung gegen die Emmy!« kreischte Ray und
verließ lachend den Raum.

Der Produzent achtete nicht mehr darauf. Durch das Fenster
sah er vor dem Hotel einen cremefarbenen Jaguar vorfahren.
Eine gazellenschlanke Dame mit Hut entstieg der Nobelkarosse:
Elgaine Coeurdever! Die gefeierte Kostüm-Designerin war endlich eingetroffen. Manuel J. Berghstroem fühlte sein Herz bis
zum Hals klopfen. Freudig eilte er in die Halle, um die lang
Erwartete als erster zu begrüßen. Er schob das Hemd in die Hose
und straffte unwillkürlich seine Wampe, doch Ray war ihm
schon zuvorgekommen. Maulman kannte die Coeurdever,
›Coeur d'hiver‹, wie er sie nannte, schon von etlichen elitären
Anlässen, wenn er auch noch nie mit ihr gearbeitet hatte.

»Das ist die dicke Emmy!« stellte Ray ihn vor. Berghstroem
hätte ihn erschlagen können!

»Ich habe viel von Ihnen gehört, Manuel«, gurrte eine rau-
chige Stimme, da klang mancher Whiskey mit, viele Zigarillos
von der langen Sorte, wie sie einen elegant zwischen ihren glänzenden Lippen rollte. Elgaine hatte eine feine Koksnase und, wie
Berghstroem gleich neugierig feststellte, etliche Narben,
Schmisse würde man bei Männern sagen, waren über die oliv-
bräunlich getönte Gesichtshaut verteilt, Reminiszenzen an ihre
Rennfahrervergangenheit. Sie trug kaum Schmuck, Perlen am

Ohr und einen einzigen massiven Armreifen. In ihren Augen blitzte dunkles Grün, als sie jetzt hinzufügte:

»Ihr ungewöhnliches Sujet und die barocke Kraft, mit der es mediengerecht von Ihnen komprimiert wurde, Manuel, waren der Ausschlag für mich, dieses Angebot anzunehmen − natürlich auch −« setzte sie ironisch hinzu und legte begütigend ihre nervige Hand auf dessen Arm »− die Herausforderung, mich mit Ray Maulman zu messen!«

Lügnerin! dachte Berghstroem, Maxi hat ihr die Mitarbeit mit Gold aufgewogen, aber er sagte:

»Elgaine«, und ließ den Namen wie eine Trüffelpraline im Mund schmelzen, »Elgaine Coeurdever, Sie stellen eine fast unanständige Bereicherung unseres Vorhabens dar, ›Stupor Mundi‹ zum Erfolg zu verhelfen!« Er sah, daß ihr die Formulierung runterging wie zwanzigjähriger Malt ohne Eis, und legte gleich nach. »Sie in Jesi zu wissen, kommt einem geglückten Bankraub gleich −«

»Ein tolles Gefühl!« sagte Ray. »Commendatore Berghstroem träumt nachts von geknackten Kühlschränken!«

»Ein Wüstling demnach«, konstatierte sie lächelnd und blies dem somit Geforderten den inhalierten Rauch ins Gesicht, wobei sie den dritten Knopf ihrer seidenen Bluse öffnete, so daß nun außer dem sehnigen Hals auch der Busenansatz zu sehen war. »Bis gleich«, versprach die Stimme.

Kleine, feste Brüste, stellte Berghstroem befriedigt fest, schlanke Taille, lange Beine. Diese schritten jetzt zur Rezeption, gefolgt vom Hausdiener, der ihr das Gepäck aus dem Wagen nachtrug.

»Ich habe eine Suite bestellt«, sagte sie, »und drei leergeräumte angrenzende Räumlichkeiten!«

Das Gewünschte stand seit Tagen bereit. Bedauerlicherweise nicht im gleichen Stockwerk wie Berghstroems Zimmer, sondern eines darüber. Der Producer ging zur Bar und orderte einen Whiskey, etwas, das er sonst nie tat. Eine Abenteuerin! Eine von seltener Klasse, Grand-Prix sozusagen. Der Whiskey brannte ihm erst im Schlund, bevor er sich wohlig im Körper verteilte. Das hatte ihm noch gefehlt − vielleicht hatte es ihm wirklich gefehlt?

»Aufregend«, sagte Tom neben ihm, »eine Handgranate!« Er klopfte seinem Freund auf die Schulter. »Wenn du den Stift rausziehst, muß du auch werfen −«

»Wirf dich mal mit hundertvierzig Kilo Lebendgewicht«, sagte Berghstroem resignierend. »Wenn die geschickt ausweicht, dann fällst du ihr nicht um den Hals, sondern landest platt am Boden.«

»Dich hat's erwischt«, sagte Tom und bestellte noch mal zwei Whiskey, und weil Rinaldo hinzutrat, gleich drei.

Eine ganze Flasche Whiskey mußte Signor Parride Tramezzina in sich oder sonstwohin geschüttet haben, denn er hielt die leere noch in der Hand, als er zur Probe ›der Schlüsselübergabe‹ erschien. Zwei seiner Sangesbrüder aus dem Chor des Teatro Spontini führten ihn bis auf die Bühne und ließen ihn dann dort stehen, breitbeinig und schwankend.

»Und wo bleibt der Podestà, auf dem ich werd' stehen —« begann er vielversprechend. Dann brachte er zwar den Teppich an der richtigen Stelle unter, verhaspelte sich aber bei der ›Schlüsselübergabe‹, ›Schlüsselübernahme‹, und endgültigen Garaus bereiteten ihm dann die ›vierzehnjährigen Jungfern in Ehren‹.

»Schön«, sagte Ray entnervt. »Gehen wir mal davon aus, daß der Künstler diesen Vierzeiler bis zur Generalprobe beherrscht und auch in aufrechter Haltung durchsteht, so wollen wir uns doch erst mal stärken, bevor wir zu der eigentlichen Arie kommen.«

»Oh«, sagte Parride Tramezzina, »die lege ich Ihnen auf der Stelle hin«, stellte sich in Positur und schmetterte fehlerfrei die gesamte Arie:

Dir, großer Staufer, o Barbarossae filius,
Imperator Imperii Romanorum,
Siciliae rex teutonicus,
entbiet' ich das Salve Jesianorum.
Henricus pacificator maximus,
dir huldigen die Marken, o Augustus!

Er brachte es sogar fertig, dabei das nötige Maß an Selbstgefälligkeit auszustrahlen, und sah sich beifallsheischend um.

Wie steht mir das? Wirk' ich pompös, solemn?
Wird seine Majestät mich erkenn'n?

»Bravo, Podestà!« rief Mia und klatschte vor Begeisterung in die Hände. Auch alle anderen fielen in den Beifall ein.

»Salve, o Caesar! Bravo Podestà!«

»Es wäre ja nun fabelhaft gewesen«, sagte Ray nach vorhergehender Sprachlosigkeit zu Mia, »wenn nicht mein Stab, sondern das dafür engagierte Volk diese Ovation dargebracht hätte — davon hab' ich nichts gehört.«

»Die waren wohl so überrascht von dem gelungenen Auftritt, daß sie ihren eigenen Part darüber vergessen haben«, verteidigte Rinaldo die Einheimischen. »Das konnte wirklich keiner ahnen!«

»Ah, soweit sind wir also«, keilte Ray zurück. »Daß die Norm zur entschuldigten Ausnahme wird und wir dankbar ihre Erfüllung entgegennehmen —?«

»Ich würde jetzt gerne essen gehen«, sagte da der wie Phönix aus der Asche wieder erstandene Podestà Bartolo, »und euch alle gern dazu einladen.«

»Tja«, sagte Ray und verdrehte die Augen zu Mia hin. »Dann wollen wir dem weiteren Wandel von Saulus zu Damaskus mal beiwohnen.«

»Ich dachte eher an das ›Le Delizie‹, das ist das Beste!« sagte Tramezzina, »glaubt mir!«

»Gerne!« antwortete ihm Rinaldo, fest entschlossen, nicht mitzugehen, denn er betrat das Lokal des Ehemanns seiner geliebten Bea möglichst selten. Die anderen zogen los.

Am späten Nachmittag trafen die Serafinis aus Rom kommend ein. Sie waren in ihrem frisierten Alfa Rekordzeit gefahren, alle drei, denn in Cincecittà war zur Zeit nichts los, was die Anwesenheit auch nur eines von ihnen notwendig machte. »Sonderangebot der ›Standa‹, der günstigen Einkaufsquelle«, begrüßte Mark Sheraton, der Älteste, den Producer, »drei zum Preis von zwei«, und als er Berghstroems skeptisches Stirnrunzeln sah, »und für dich, alter Freund, noch ein Spezialrabatt: Logis und Verpflegung sind im Honorar eingeschlossen!«

Sie schüttelten sich die Hand, und Berghstroem stellte die Brüder denen vor, die sie noch nicht kannten. »Marco, dann Antonio, Tony Hilton und Edmondo, Ed Hyatt, der Schrecken der Prärie — und der Magliana.«

»Du meinst wohl ›Manziana‹«, lachte Tony und wandte sich erklärend an Rinaldo. »Seit Menschengedenken lebt Emanuele nun schon in Rom, aber immer noch kann er die Jagdgründe der kleinen Taschendiebe und die glorreichen des Spaghettiwesterns nicht auseinanderhalten.«

»Und hartnäckig spricht er ein Italienisch, daß es einem die Stiefel auszieht —« fügte Ed feixend hinzu. »Il nostro tetesko tella Tschermannja!«

Berghstroem war froh, daß jetzt Ray auf die Brüder zukam, denn er hatte gesehen, wie die Lifttür sich öffnete und Elgaine die Lobby betrat. Schnell verabschiedete er sich und eilte ihr entgegen.

Die Coeurdever hatte sich umgezogen, sie trug jetzt anstelle des Reisekostüms enganliegende Hosen aus Gazellenleder, ein rotes Herrenhemd und darüber eine braune, abgewetzte Fliegerjacke. Ihr schwarzes Haar hatte sie mit einem gleichfalls knallroten Seidenschal gebändigt, der nur eine Strähne über die kühne Stirn fallen ließ. Berghstroem war hingerissen. Eine ›Inka-Prinzessin‹ schoß es ihm in den Sinn, er wußte auch nicht, warum. Hinter ihr trugen zwei Assistenten das Kostüm für Signor Tramezzina auf den Armen, sie verschwanden fast unter der Last des gewaltigen Prunkmantels, den sich der neue Bürgermeister eigens für die Kaiserbegrüßung hatte anfertigen lassen, ein Ärmel war noch abgetrennt, ebenso der Kragen, und der Rücken klaffte offen. Die selbstbewußte Designerin kam gar nicht auf die Idee, ihn zu fragen, ob oder wenigstens wie ihm das teure Stück gefiele, es ihm wenigstens zu zeigen. Sie schritt an ihm vorbei aus dem Hotel hinaus auf die Piazza, und ihre Domestiken folgten ihr.

»Ich fände es nicht schlecht«, sagte Ray zu den Serafinis, »wenn zwei von euch, ich denke Tony und Ed, die beiden Assassinen spielen. Die müssen heute zwar nur suspekt herumschleichen, aber im zweiten Teil müssen sie mitten im Getümmel den Podestà erdolchen und blitzschnell entweichen. Das muß spannend sein, nach was aussehen!«

»Wieso wir?« sagte Ed keineswegs begeistert. »Als hätten wir sonst nichts zu tun!«

»Wäre es nicht vordringlicher«, sagte jetzt auch Mark, »wir brächten erst mal Schwung in diesen Sauhaufen?«

Ray ließ sich nicht von seiner Vision abbringen. »Mit euch als Meuchelmörder wirkt das echt, die Leute sollen erschrecken —«

»Faccia d'angelo!« spottete Ed, doch der Regisseur hatte sich festgebissen.

»Es soll so aussehen! Wenn ich jemanden vom hiesigen Opernensemble nehme, dann kommt Othello dabei raus, der Desdemona in Zeitlupe meuchelt oder sonst ein heroischer Akt der Entleibung mit stundenlang hochgerecktem Messer. Also laßt euch von Madame Coeurdever einkleiden!«

Wenig beglückt schoben die beiden ab, und der Regisseur hielt Mark Sheraton zurück:

»Halt dich in Reserve für den Fall, daß ich den zu Erdolchenden umbesetzen muß. Unser Podestà-Darsteller fällt mir eher um, weil mal wieder volltrunken, als von der Mordwaffe tödlich getroffen. Das sehe ich noch nicht, daß Signor Tramezzina in seinem Blute die Stufen hinunterrollt. Das will selbst nüchtern gekonnt sein.« Ray Maulman achtete nicht darauf, daß dem ältesten der Serafinis der Gedanke an diese Umbesetzung keineswegs zu behagen schien.

»Also, Mark«, sagte Ray im Hinausgehen, »ich zähle auf Sie.«

»Ihr wollt sicher wissen, worum es eigentlich geht?« sagte Manuel J. Berghstroem und verfrachtete die Brüder in die Bar, ließ vier Bitter auffahren und überlegte, wo er wohl anfangen sollte mit der Legende. »Kaiser Heinrich VI zieht von Deutschland kommend − unter Umgehung Roms − gen Süden. Seine Frau Constanze −«

»Costanza d'Altavilla!« fiel Tony Hilton ein. »Ich hab' ihren Sarkophag im Dom von Palermo −«

»Soweit sind wir noch nicht«, griente Berghstroem. »Noch folgt sie ihrem Gatten auf dem Fuß, weil sie dessen Reisetempo nicht mithalten kann, denn sie ist hochschwanger. Jesi war eine durchaus eingeplante Etappe auf diesem Zug nach Sizilien, die letzte stauferfreundliche Bastion vor dem Eintritt in den Kirchenstaat.« Sie tranken alle vier, und Berghstroem bedeutete dem Barkeeper nachzuschenken.

»Wir haben es also mit verschiedenen Elementen zu tun, die hier zeitlich kaum versetzt aufeinanderprallen: Einmal der deutsche Eroberer, auf der anderen Seite seine leidende Gemahlin, denn Constanze ist Normannin, die letzte Prinzessin aus dem Hause der Könige von Sizilien, gegen das der Kaiser feindlich zieht. Das ist sozusagen die private Seite. Dann kommt Jesi in den Marken, typische Grenzstadt − mal kaiserlich, mal päpstlich, wie es gerade opportun erscheint oder der kleinen Stadt aufgezwungen wird. Deswegen wird ja auch gleich zu Anfang der welfische, papstfreundliche Stadtrat ausgewechselt gegen einen staufertreuen — das ist dann der neue Podestà, der eitle Messire Bartolo, gespielt von einem Lokalmatador, Mitglied des hiesigen Opernensembles, der sich darauf vorbereitet, den Kaiser zu begrüßen:

»Also der besagte Alkoholiker?« vergewisserte sich Mark.

»Ja«, sagte Berghstroem. »Diesem Podestà blüht das Schicksal, das ich seinem Darsteller bald an den Hals wünsche: Er wird von zwei Assassinen, gedungenen Meuchelmördern — wir wissen nicht in wessen Auftrag —, anstelle des Kaisers erdolcht!«

»Tony und ich —« spreizte Ed abwehrend Zeigefinger und kleinen Finger zum ›Horn‹, »sollen —?«

»Irgend jemand muß es machen«, sagte Berghstroem. »Wir müssen begreifen, wie verhaßt Heinrich ist, wie viele Feinde er hat.«

»Verstehe«, sagte Tony und hob sein Glas.

»Dann treten die verschiedenen Parteien auf, mit denen es der Kaiser zu tun haben wird. Sie eilen zu seiner Begrüßung nach Jesi, zur Huldigung und um Beschwerde zu führen, aus Protest. Erstens die ›Sarazenen‹, die sich im Süden vor vier Jahrhunderten festgesetzt haben, auf Kosten — zweitens — der griechischen Urbevölkerung — aufgepfropft haben sie sich auf dieses Gemisch, vor circa hundertzwanzig Jahren —, dann die ›Normannen‹, gleich dritte Delegation. Während Griechen und Muslime vor allem Religionsprobleme haben, sind die Normannen ein Politikum, zumal sie bislang dem Papst direkt unterstanden. So!« seufzte Berghstroem erschöpft. »Um es vorwegzunehmen, erscheinen dann noch zum schönen Ende die Kirchenfürsten Roms, in Vertretung des größten Feindes der Staufer, des Papstes.«

»Das reicht doch«, sagte Mark gutmütig. »Da haste dir aber was vorgenommen.«

»Das spielt alles in einer Nacht?« fragte Ed ungläubig.

»Ja«, sagte Manuel J. Berghstroem. »In der Nacht von Jesi!«

Da niemand dem Parride Tramezzina gesagt hatte, daß er am Abend seine glanzvolle ›Arie der Schlüsselübergabe‹ noch einmal wiederholen sollte, war er auch nicht aufzufinden. Ray probte in einem Durchlauf mit nur wenigen Korrekturen das erste Erscheinen der verdächtigen Assassinen, und Mark, der sich geweigert hatte, den fehlenden Podestà wenigstens zu doubeln, übte mit den weiblichen Statisten die anfeuernden Zwischenrufe der Marktfrauen. Die Coeurdever brach aber die angesetzte Kostümprobe für ›die Sarazenen‹ nach fünf Minuten bereits wieder ab und stürmte auf die Piazza.

»Erstens sind die nach meinen Entwürfen eigens in Rom gefertigten Kostüme nicht angekommen«, sie beklagte sich nicht, sondern konstatierte, »zweitens beschafft mir gefälligst adäquate Visagen für die maurischen Untertanen des Kaisers!« Das war klar an die Adresse der Produktion. Mia fühlte sich auch gleich betroffen, doch kam sie nicht zu Wort. »Setzt man diesen verhärmten Bleichgesichtern einen Turban auf«, grollte die Coeurdever, »denkt man an buntes Faschingstreiben in München, und geschminkt wirken sie noch grotesker! Es muß doch —«

»Moment«, unterbrach Mia die Resolute und winkte Mark Sheraton zu sich, während Elgaine sich einen ihrer Zigarillos ansteckte und die Bauten inspizierte, die nach ihren Architekturskizzen errichtet worden waren. Ihre beiden Assistenten, zwei schlaksige Studenten der Bühnenklasse der Pariser Akademie, notierten eifrig ihre Mängelrügen, und die Herrin kehrte mit betonter Lässigkeit zum Regiepult zurück.

Ray stellte ihr Mark Sheraton vor, was diesen gleich dazu verleitete, den mächtigen Brustkorb zu wölben und seinem Raubtiergebiß ein gewinnendes Großwildjägergrinsen abzuverlangen.

»Also Mark«, gurrte Elgaine, »es muß zwar in diesem Land von Einwanderern aus dem Maghreb nicht so wimmeln wie in Paris am Gare du Nord, aber ein paar ›beurs‹ werden sich doch hierverirrt haben —?«

»Reizend, Elgaine«, sagte Mark, »daß Sie so frei von Rassismus sind. Ich kann Ihnen mit Kameltreibern zweiter Wahl dienen, ganz in unserer Nähe, am Meer, ist ein Lager mit bosnischen Flüchtlingen. Dort sollten Sie fündig werden —«

»Nicht ich«, sagte Elgaine, und der Zigarillo wippte auf ihrer Unterlippe. »Sie, Mark!« Sie wandte sich an Mia. »Besorgt mir zwei Dutzend von der Marke, wie sie Mister Sheraton bezeichnet hat —«

»Bitte!« sagte Mia spitz.

»Bitte sehr!« sagte Elgaine. »Und vielen Dank, mein Herr!«

Das war wieder für Mark. Ray griente, als sie von dannen schritt. »Also, Kinder, ihr wißt jetzt, was ihr zu tun habt. Frau Dannemans wünscht auf ihrer Plantage nur original tabakfarbene Teints zu sehen!«

Mia kochte, Mark Sheraton sagte kühl: »Wir, das heißt ich und meine Brüder, müssen heute abend eh Don Pepe unsere Aufwartung machen, da werden wir uns mal unter den Moslems umsehen!«

»Muslime«, sagte Mia, »gibt's auch in Jesi, die sind nur nicht in einem der beiden Gesangvereine aufgenommen und daher wohl von der Mitwirkung ausgeschlossen.«

»Das werden wir sehen«, sagte Mark und wandte sich zum Gehen.

»Schade«, sagte Ray. »Ich hätte euch gern zum Essen eingeladen, am ersten Abend – statt euch gleich mit unseren Problemen zu belämmern.«

»Es ist angebracht, Don Pepe Salò nicht warten zu lassen«, sagte Mark und setzte verbindlich hinzu: »Wir sehen uns morgen!« Doch erst mal suchte er die Kasematten auf.

Die Eingänge zu den Gewölben lagen im untersten Teil der Piazza, links von der Bühne. Es waren große, hölzerne Tore, die wie Zufahrten zu den Ställen im Sockelgeschoß des viel später errichteten Palazzos wirkten. Tatsächlich mußte der Besucher auch einen langen Gang durchmessen, ehe er auf die Reste der alten Stadtmauer stieß, in denen die Lagerräume für Waffen und Munition einst untergebracht waren. Hier hatte Elgaine ihr Reich erreichtet.

Die Coeurdever stand mit Nadeln zwischen den Lippen vor einer Kleiderpuppe, die fast zusammenbrach unter der Last des Prunkmantels, und steckte den Faltenwurf ab.

»Sie sagten vorhin«, begann Mark lässig, »daß irgendwelche Kostüme nicht eingetroffen seien – hat sich das geklärt?«

Elgaine schaute kurz belustigt zu ihm auf.

»Nein«, murmelte sie und entfernte sicherheitshalber die Nadeln. »Es ist noch mysteriöser geworden. Laut Auskunft des Kostümhauses hat die Produktion telefonisch die Sendung zur Auslieferung nach Ancona umgeleitet. Dort im Hafen, angegebene Adresse: ›Riva dei Turchi‹, sei sie auch in einem Lagerhaus in Empfang genommen worden.«

»Empfangsquittung?«

»Unterschrift unleserlich«, gab sie zur Auskunft. »Doch hätte ein TV-Team die Übergabe der Kostüme gefilmt, was den Fahrer von der Auslieferung an den ordnungsgemäßen Adressaten ›Stupor Mundi‹ überzeugt hätte —«

»Das hätte ihm eher merkwürdig vorkommen sollen!« warf Mark ein. »Wer filmt schon die Ankunft von Kostümen?!«

»*Meinen* Kostümen!« korrigierte die Coeurdever seine Meinung, ohne vorher von ihrer Arbeit zu lassen.

»Und was nun?« forschte Mark.

Sie ließ sich Zeit. »Nun, lieber Mark, können Sie zeigen, was der Ruf der Serafini wert ist.«

Mark Sheraton schluckte. »Was war in den Kisten drin?«

Elgaine winkte einen ihrer Assistenten heran, und der übergab eine Liste. »Es handelt sich um die Gewänder samt Zubehör der kompletten Gesandtschaft der Sarazenen, Stück für Stück eigens angefertigt — recht kostspieliges Ausgangsmaterial«, fügte sie nachdenklich hinzu, »sowie ein Sack mit Stiefeln diversen Zuschnitts.«

»Ich werde sehen«, murmelte Mark, »was sich machen läßt«, und er verließ gruß los die mittelalterlichen Gewölbetunnel, die in den Sockel der Stadtmauer hineingetrieben waren. Nunmehr war ein Besuch bei Don Pepe unumgänglich.

Die beiden anderen Serafinis mußten noch für die letzte Probe dableiben. Ray überließ seinen Platz Mia und stieg zu Rinaldo und Marschall Nemo auf die Bühne, zum ›Terzett über die Herrlichkeit des Kaisers‹.

Bea erschien, ziemlich angeschickert mit Signor Alfredo Fiorante und Tom sowie Signor Tagliabue im Schlepptau. Der Apotheker hatte die beiden ›großen Kollegen‹, wie er sie zu betiteln sich ›bei meinem bescheidenen Talent und unbescheidener Ambition‹ erlaubte, zum Abendessen im ›Le Delizie‹ eingeladen. Ganz eindeutig zu dem Behufe, daß die Darsteller so tragender Rollen wie ›Don Tommaso, der Bischof‹ und ›Jakob, der Henker‹ sich für ihn als die Idealbesetzung des ›Podestà Bartolo‹ verwenden möchten. Das versetzte beide, sie ließen sich das fünfgängige Diner dennoch munden, in arge Verlegenheit, denn des Regisseurs Animosität gegen den Apotheker war bekanntlich stärker als sein Verdruß mit der ›Schnapsdrossel‹ Parride Tramezzina.

In Ihrer Not riefen sie Bea herbei, in der Hoffnung, die würde dem Fiorante so tüchtig einheizen, daß der das Feld räumen tät. Gezahlt hatte er ja schon. Donna Beatrice hatte ja auch allen Grund, über den Apotheker herzufallen, nach allem, was dieser über ihr Bühnentalent und ihre Stimme im besonderen unter Zeugen von sich gegeben hatte. Beatrice kam angerauscht, aber anstatt Gift und Galle zu speien, behandelte sie den Fiorante wie einen Nobelpreisträger, überschüttete ihn mit Komplimenten für seine literarische Großtat, ›La Congiura dei Cardinali‹, und war gar nicht mehr von seiner Seite zu bringen, sondern bestellte eine Flasche nach der anderen.

Ihr Ehemann, der Patron des ›Le Delizie‹, ließ sich wohlweislich nicht sehen, schickte ihr aber mit jeder Flasche immer dringendere Aufforderungen, das Haus mitsamt ihren Gästen zu verlassen. Schließlich war Bea soweit abgefüllt, daß er sich an Tom hielt, und dem gelang es endlich, sie loszueisen, allerdings ließ sich der Fiorante nicht abschütteln von seiner unerwarteten Verehrerin. So waren sie auf der Piazza erschienen, unter Beas lauter Ankündigung: »Sehen wir mal, was mein ›genio del cazzo‹ macht.«

Tom versuchte zu bremsen. »Wir sollten die Proben nicht stören«, doch der Apotheker gab sich jetzt als mutiger Ritter:

»Eine schöne Frau stört nie!«

»Madame«, sprach sie von sich selbst, »est toujours bonne pour une gaffe!« Spätestens bei dieser Ankündigung suchte Signor Tagliabue das Weite, während Tom ausharren mußte.

»Sie sind eine große Künstlerin«, ölte Fiorante das Ego der Beatrice Delle Delizie. »Von Ihnen können alle nur lernen!« Die Absicht ging auf wie geschmiert.

Bea begann, erst noch verhalten aus der zweiten Reihe, den Akteuren auf dem Podest, insbesondere ihrem Rinaldo, Vorschläge für die rechte Betonung der Endsilben zu machen. »Reinhold, um des Reimes willen!«

Ray, der Troubadour, zwang den Narren und den Marschall, eisern durchzuhalten und die Einwürfe zu ignorieren, aber er tat es mit knirschenden Zähnen, zwischen denen er, Rinaldo anklagend, hervorstieß: »Feines Paar: deine Schickse und der Brandstifter!«

Das hatten die unten zwar nicht gehört, aber Bea gefiel es jetzt

auch, die Absätze lauthals zu soufflieren »›. . . halten Wache‹, –
Atempause, Liebster – Atempause – ›funkelnd Burgen, ehern'
Festen‹.«

Der Regisseur winkte die beiden herumschleichenden Assassinen zu sich. Seine Assistentin ebenfalls. Kurze Lagebesprechung mit zusammengesteckten Köpfen.

Der Auftrag, den er den Serafinis erteilte, bereitete denen offensichtlich Vergnügen. Seit dem Pfostenbrand von neulich Nacht waren nämlich jetzt überall Schaumlöscher installiert. Mit zwei von denen bewaffnet erschienenen Tony und Ed plötzlich oben an der Rampe und riefen: »Schwelbrand in der zweiten Reihe!«, »Löschalarmprobe!« und drückten beide gleichzeitig auf die Knöpfe der Druckbehälter.

Weißer Schaum sprühte von rechts und links auf die störenden Besucher ein, ließ sie wie mit Schlagsahne begossen flüchten. Das Gelächter verfolgte sie über die Piazza. »Armer Tom!« sagte Nemo, aber Ray lachte nur. »Wer sich Delizie und Abführmittel gleichzeitig zum Nachtisch gönnt, dem darf auch Puderzucker in den Arsch geblasen werden! Schluß für heute!«

Auch am nächsten Mittag war von Parride Tramezzina keine Spur zu entdecken. Der angesetzte Probenbeginn rückte näher, da kam Tom zu Berghstroem aufs Zimmer und berichtete, zwei Nutten aus Rimini hätten ihn gerade zum Entsetzen des schwulen Portiers in der Halle des Hotels abgeladen und verlangt, von der Produktion für den Transport entlohnt zu werden.

»Soll der Saufkopp doch selber –«

»Ich hab's ausgelegt, bevor's zum Skandal kam, und was deinen Bartolo-Darsteller anbelangt«, sagte Tom mit der ihm eigenen Gemütsruhe, »der muß in einer Mülltonne genächtigt haben! Den kannst du für heute abschreiben. Er ist jetzt noch bewußtlos.«

»Ich schmeiß ihn raus!« sagte Berghstroem. »Ruf Mark Sheraton! Er übernimmt sofort die Rolle des Podestà!«

»Die Serafinis sind unten in der Halle und bemühen sich um die Schnapsleiche!«

»Rausschmeißen!« fauchte der Producer und stürmte aus seinem Zimmer, verzichtete auf den Lift und stampfte die Treppe hinunter in die Halle. Er sah die Serafinis an der Bar, zwei stützten den Tramezzina, während Mark ihm Caffè einzuflößen versuchte.

»Unnötige Liebesmüh'!« grollte Berghstroem. »Ruft ihm ein Taxi, ich will ihn nicht mehr sehen! Du, Mark, übernimmst −«

Mark hatte sich von der Gruppe gelöst und kam auf Berghstroem zu, ihm mit Finger auf dem Mund bedeutend, er solle doch bitte leiser sein, damit der Betroffene es nicht hören sollte. Berghstroem dachte aber gar nicht daran, auf den Rücksicht zu nehmen.

»Raus mit ihm!« brüllte er. »Herr Tramezzina ist fristlos entlassen! Ich will dieses Ferkel nicht mehr sehen!«

»Schrei nicht so laut, Emanuele!« sagte da zu seinem Erstaunen Mark Sheraton, und Tony und Ed schauten ihn nur strafend an. Doch gerade das brachte Berghstroem erst recht in Fahrt.

»Warum soll denn der Mistkerl, dieser stinkende, besoffene Hurensohn, nicht hören, daß ich die Schnauze voll habe? Alle können es −!«

Er kam nicht weiter, denn Mark hatte ihn am Arm gepackt und zur Seite rissen, als er auf den Betrunkenen losgehen wollte. Mark bugsierte den protestierenden Producer im Polizeigriff in eine Ecke der Lobby.

»Hör mir gut zu, Emanuele, und unterbrich mich nicht: Parride Tramezzina bleibt Podestà!«

»Hast du nicht alle Tassen im Schrank, Mark?« fauchte Berghstroem. »Hast du nicht gehört, was ich gesagt habe? Siehst du nicht, was los ist? Oder glaubst du, ich mache Spaß?«

»Jetzt sei mal still!« zischte Mark und hob seine Stimme, sie wurde jetzt scharf. »Dein dummes Gebrüll könnte sehr ungesund für dich werden −«

»Willst du mir etwa drohen? Wegen dem Scheißkerl?«

»Wegen des! Nein, ich warne dich! Halt endlich den Mund! Du redest dich sonst um Kopf und Kragen −«

»Hab' ich hier eigentlich nichts mehr zu sagen?«

»Nein«, sagte Mark ruhig. »Hier nicht. Paß auf: Du kennst doch Don Pepe?«

»Sicher! Und ich −«

»Warte! Don Pepe hat einen Freund, ein anderer Don −«

»Na und?«

»Dessen Sohn ist Parride!«

Mark schaute Berghstroem an, der jetzt endlich begriff.

»Ah —« sagte er, zuckte sich ergebend die Achseln und grinste. »Come non detto!« Er hob abwehrend die Hand und entfernte sich rückwärts aus der Lobby.

Mark Sheraton wandte sich an den Portier. »Bereitet bitte ein heißes Bad vor und ein Zimmer, wo Signor Tramezzina ausschlafen kann, damit er wenigstens heut abend wieder gefechtsklar ist.«

Der Portier nickte eilfertig. »Die Suite der Signora Marchesa!«

Hinter ihm klingelte das Telefon. Der Portier reichte den Hörer zu Berghstroem über den Tresen und lächelte ihm dabei aufgeregt zu: »Der Kaiser nähert sich der Stadt!«

Berghstroem dachte erst, es handele sich um einen Scherz, doch mit typischen Verzerrungen einer Funkverbindung kam die höfliche Anfrage auf französisch.

»Nous sommes dans les faubourgs, direction Est, rue de Spoleto. Est-ce que vous pouvez avoir la gentillesse d'envoyer quelqu'un pour nous conduire jusqu'au Grand Hôtel?«

»Naturellement«, rief Berghstroem aufgeregt, »restez où vous êtes!« Er winkte Rinaldo zu sich, und sie braustenus gemeinsam los, den Kaiser zu geleiten.

> La illaɧu illa Allaɧ
> Allaɧu aɧao ɧu al akbar
> ibn-i-staufar ɧu al kaisar
> saɧeb as-sulta ual aoɧama
> ua laɧu assama'u uata'a
> la illaɧu illa alla
> ua Muɧamao rassulullaɧ!

›Die Sarazenen‹ waren vorgezogen worden. Tony und Ed hatten sie im Flüchtlingslager in einer Reihe antreten lassen. Die Glücklichen, die dann Gnade vor den Augen der die Front abschreitenden Brüder gefunden hatte, wirkten selbst ohne Kostüme wie echte Söhne der Wüste, da legten die Serafinis ihren Stolz hinein. Und die Kostüme waren plötzlich auch eingetroffen. Ein Lastwagen, nach dem Nummernschild zu schließen, aus Ancona, hatte sie hertransportiert. Der Fahrer hatte die Kisten wortlos abgeladen und war wieder verschwunden. Es fehlte nur der Sack mit den Schuhen, doch das ließ sich verschmerzen beziehungsweise wurde von Elgaine nachbestellt.

Ihre Assistenten, verstärkt durch mehrere Frauen aus dem Ort, die als Garderobieren aushalfen, kleideten die Bosnier in Windeseile ein, versahen sie mit Schmuck und Geschenken — eine Gesandtschaft aus 1001 Nacht: Die Stoffe waren Damast, Musselin, Batist und Seide aus allen Teilen des Orients, und die Gewänder der Emire nach alten Vorlagen gefertigt. Die Coeurdever hatte da ihren Ehrgeiz. Mark Sheraton sollte sehen: Sie stellte hohe Forderungen, doch sie lieferte dann auch eine Leistung, die den höchsten Ansprüchen genügte: ihren eigenen.

Währenddessen traf der Kaiser ein: Gilbert Artaud, der in die Jahre gekommene französische Chansonnier. Immer noch ein Mannsbild, bei dem heute zwar keine Teenager mehr reihenweise in Ohnmacht fallen, aber reiferen Jahrgängen durchaus noch Hitzewellen aufsteigen — selbst wenn sein Toupet verrutschte. Er war ein Star, der seine eigene Limousine, einen Bentley, mit Chauffeur zum Flughafen des Landes, in dem er auftrat, vorausschickte, so daß sie ihm auch dort zur Verfügung stand. Berghstroem fühlte Neid, als er deren Inneres bewundern durfte, ein französisches Lederbett auf Rädern, mit Bar und sich auf Knopfdruck verdunkelnden Scheiben. ›Gil le Coutel‹ nannte man ihn ob seiner blitzschnell zustoßenden Art.

Der Produzent war zusammen mit Rinaldo seinem Star bis zum Stadtrand entgegengefahren und hatte die Limousine dann bis zum Hotel gelotst. Davor hielt der Maresciallo der Carabinieri schon eine Meute von Autogrammjägerinnen in Schach, während in der Halle alle vom Team sich versammelt hatten, die auf der Piazza bei der laufenden Probe entbehrlich waren. So fehlten eigentlich nur Ray und Elgaine — was Berghstroem aufgrund des Rufes, der Gil seit Jahren vorausging, nicht unrecht war. Er galt als unersättlich.

In der Lobby hatte sich als Fan des Sängers auch Signor Maurizio Delle Delizie eingefunden, der sich vorgenommen hatte, sein Idol schon am ersten Abend in sein Restaurant einzuladen. Bekanntlich verabscheute es Gil de Coutel nicht, als Gourmand, als ein großer Fresser vor dem Herrn, aufzutreten.

Da Rinaldo zusammen mit Gilbert aus dem Bentley stieg, lud ihn der Patron des ›Le Delizie‹ gleich mit dem Franzosen ein. Berghstroem täuschte noch zu erledigende Arbeiten vor, in Wahrheit wollte er auf Elgaine warten und mit ihr essen, wenn möglich allein. Er ging auf sein Zimmer, nachdem er dem Portier eingeschärft hatte, ihn sofort zu benachrichtigen, wenn Madame Coeurdever das Haus betrat.

Er schlief auf seinem Bett ein und träumte von dem automatisch ausfahrenden Lederbett des Bentley, auf dem sich im Halbdunkel der getönten Scheiben seine Inka-Prinzessin schamlos räkelte. Elgaine trug nur ihre Fliegerjacke, und Gil hatte sein Toupet abgenommen, darunter verbarg sich eine glattrasierte Vollglatze, und diese überdimensionierte, glänzende Eichel bohrte sich zwischen die Schenkel der Coeurdever, die sie wie selbstverständlich aufnahmen. Elgaine schlug lässig ihre Jacke darüber, so daß der Voyeur nur noch ahnen konnte, was geschah — und es geschah immer wieder!

Im ›Le Delizie‹ hatten die Gäste inzwischen vorzüglich gespeist. Bea hatte sich gleich nach den Vorspeisen zu ihnen gesellt und mit Gil und Rinaldo zusammen zwei Fasane, ein Rebhuhn und mehrere Wachteln vertilgt, jeder Vogel auf andere Weise köstlich zubereitet, und dem aufmerksamen Beobachter wäre es nicht entgangen, daß mit jedem abgenagten Schenkelchen, mit jedem geknabberten Flügel die erotische Spannung zwischen Madame Le Delizie und Monsieur Gilbert wuchs wie der Haufen von Knöchelchen auf ihren Tellern. Aber Rinaldo, der ungern am Tisch des Ehemanns seiner Geliebten saß, war in den Verzehr vertieft, und der Patron des Etablissements saß nicht, sondern wieselte, seine Kellner scheuchend, zwischen Küche und Keller hin und her und legte höchstens mal vor, schenkte nach und pries vor allem das Dargebotene. Man sollte nach eingeschobenen Zitronensorbets nun endgültig zu den Süßspeisen übergehen.

Gilbert orderte jedoch Gorgonzola und reife Birnen, und Bea willigte ein, daß er ihr die Früchte schälte und sie ihn mit Käsestückchen fütterte, was bei der klebrigen Weiche schnell auf gegenseitiges Fingerablecken hinauslief. Zu diesem Zeitpunkt hatte sich der Hausherr seiner Pflichten entledigt und wollte sich zu seinen Gästen setzen, um Caffè, Grappa und Schokoladentrüffeln eigener Produktion mit ihnen gemeinsam einzunehmen. Da standen Monsieur Gilbert und Bea auf und erklärten, sie würden sich diese Genüsse lieber auf der Piazza verschaffen, um den Proben zuzusehen, auch wolle Gil unbedingt noch dem

Regisseur die Hand schütteln. Sie warteten gar keine Widerrede ab, sondern zogen sich gegenseitig hastig aus dem Lokal.

Da saßen nun Liebhaber und Ehemann und machten sich gemeinsam über die Süßspeisen her, die Mousse aus weißer Chocolade mit in Grand Marnier eingelegten hauchdünnen Orangenschalen, dem Semifreddo aus wilder Minze, Pistazien und mit erhitztem Edelbitter übergossen, den Walderdbeeren mit Limonenschnee, mit Tequila abgeschmeckt — mehr schafften sie nicht, sie hielten sich an den Grappa, probierten mehrere Provenienzen durch, immer ältere Jahrgänge kostend, zum Schluß hielten sie sich mit einer Hand an den Flaschen fest, mit der anderen am Leidensgefährten.

Sie vermieden es so krampfhaft, von der Frau zu reden, die sie verband, daß der Patron, der sich sonst nur selten für ›Stupor Mundi‹ interessiert hatte, sich jetzt lebhaft nach dessen Erfolgsaussichten erkundigte.

»Ich könnte mit barem Kapital einsteigen«, vertraute Maurizio Delle Delizie dem Komponisten an, »Wenn euch das recht wäre — oder in die Bewirtschaftung investieren und euch beteiligen oder eine Hotelgesellschaft —« sinnierte er laut, dem Grappa mit bereits vergilbten, handgeschriebenen Etiketten zusprechend. »Aber ich müßte wissen, daß —«

»Das weiß keiner«, sagte Rinaldo bedächtig. »Keiner weiß, wie alt er wird. In Oberbayern, da wo ich herkomm', gibt's ein Dorf, viel kleiner als Jesi, das kennt inzwischen die ganze Welt. Dort führen die Eingeborenen alle Jubeljahre die Passion Christi auf, die Frauen schneidern sich ihre Gewänder selber, und die Männer schnitzen Souvenirs und lassen sich ihren Bart wachsen. Das Geschäft brummt, da fahren inzwischen Sonderzüge hin —«

»Man muß nur daran glauben, Ingeniere«, munterte der Signor Delle Delizie den Komponisten auf, der immer trübsinniger ins Glas schaute, obgleich ihm der Patron ständig nachschenkte. »Bea wird bestimmt wiederkommen.«

»Sie wird ein Star mit ›Stupor Mundi‹«, sagte Rinaldo tieftraurig. »Die größten Opernhäuser der Welt werden sich um sie reißen.«

»Auch Ihr, Maestro, werdet berühmt mit Eurer Musik. Vielleicht sollte man einen Phono-Shop aufmachen, direkt an der Piazza, wo die Zuschauer die CDs —«

»Ja, vielleicht«, murmelte Rinaldo, er dachte an Bea.

»Sicher, ganz sicher«, sagte der Ehemann, was wie eine Beschwörung klang, doch sie galt weniger der Heimkehr seines lieben Weibes als ihrem Erfolg. ›Beatrice Delle Delizie – die schönsten Melodien aus ›Stupor Mundi‹ ‹ – sah er schon das Kassetten-Label vor sich und ihr Bild. Blond strahlte sie ihn an – und den Rinaldo auch! »Wunderbar!« seufzte er befriedigt, und sie tranken noch einen zum Abschied, bevor sie sich trennten, um ihre Betten aufzusuchen.

Signor Delle Delizie begleitete den Maestro Rinaldo bis vor die Tür, aber trotz aller Hinweise, daß die Piazza links läge, schwankte Rinaldo zur anderen Seite, traf noch einen stocknüchternen Parride Tramezzina, der ihm zwar den richtigen Weg zur Piazza wies, doch mit dem Vermerk, daß die Proben längst beendet seien.

Hinter der hölzernen Bühne befanden sich die Kasematten im breiten Sockel der Stadtmauer, die Elgaine als Kostümlager für Massenstatisterie requiriert hatte. Sie ließ die Sarazenen von ihren Assistenten und Garderobieren wieder ausziehen, während Mark Sheraton die notwendigen Komparsen für die nächsten Tage einteilte. Mark überließ alles weitere seinen Brüdern und lud die Coeurdever zu einem Whiskey ein.

Elgaine nahm das Angebot an. »Zuvor befriedigen Sie meine Neugier, Mark«, lächelte die Coeurdever ohne jeden arroganten Nebenton, »wie Sie es geschafft haben, daß die Kostüme ihren Weg zurück nach Jesi fanden?« Sie bot Mark einen ihrer Zigarillos an und gab ihm Feuer.

»Ganz einfach! Ich erzählte die merkwürdige Geschichte einem Freund. Bei Nennung der Adresse, ›Riva dei Turchi‹, ging dem sofort ein Licht auf. Er griff zum Telefon und sprach mit einem Freund in Ancona. Nach drei Minuten rief der zurück und berichtete, er habe die ›Muster‹ sichergestellt. Sie waren bereits in einer Textilfabrik, die ansonsten Jeans von Armani, Valentino oder Gucci und so kopiert und Freunden aus Neapel gehört. Mein Freund hat den Auftrag sofort storniert. Er lautete übrigens, die Kostüme haargenau nachzuschneidern.«

»Was! Mein Copyright? Schöne Freunde haben Sie, Mark!« Die Coeurdever spielte mehr die Empörte, als daß sie es wirklich war. Irgendwie schmeichelte ihr das Interesse der Unterwelt an ihren Entwürfen. Berühmt ist man, wenn man kopiert wird.

»Und wer war der Auftraggeber?«

»Das habe ich nicht gefragt«, sagte Mark. »Das wäre zuviel verlangt gewesen, verstehen Sie?«

Elgaine nickte brav. »Und was ist mit dem Sack Schuhen und Stiefeln?«

»Zuviel verlangt!« rügte Mark sie lächelnd. »Der ist abhanden gekommen. Wahrscheinlich werden die gerade auf irgendeinem Flohmarkt verramscht. Jedenfalls wurde ihnen keine Bedeutung beigemessen.

»Mit Recht«, sagte die Coeurdever. »Das war Massenware aus dem Fundus, nicht der Rede wert.« Sie gingen über die menschenleere Piazza, alle Bars hatten schon geschlossen.

La illahu illa Allah
Allahu Ahao hu al akbar
Es gibt nur einen Gott –
ibn-i-staufar hu al kaisar
Des Staufers Sohn erkennen wir als Kaiser –
saheb as-sulta ual abhama
ua lahu assama'u uataá
Keiner ist mächtiger, keiner ist weiser –
ihm zollen wir Tribut!
la illahu illa alla
ua muhamad rassulullah!

Griechen: Kyrie, eleison! Herr, erbarme dich!
Idou, Sebaste, toutous tous ethnikous
tous hemas ekbalontas
tes ton hellenon choras —
Sieh, o Kaiser, diese Heiden,

Kapitel VI

DER KAISER

Die C[...]r-
krug ab, der Kaiser entzieht sich den Bittstellern und steigt
immer noch durstig auf das Podest.
Die Griechen wollen folgen, werden aber auf der Treppe von
den tanzenden Sarazenen abgedrängt, die ihre kostbaren
Geschenke darbieten.

Sarazenen: La illahu illa Allah!
ua Muhamad rassulullah!

Der Kaiser hat mit seinem Beichtvater geflüstert, der jetzt
seine Stimme erhebt.

Beichtvater: Schismatiker! Uns'res Herren Leiden,
die Ecclesia Catolica Ihr verschmäht
schlimmer noch als Heiden!
Jeder Griech die Kirch' verrät —
Schismatiker, Ketzer, Zersetzer!

Griechen: Kyrie, eleison! Herr, erbarme dich!
Me, o basileu, apostrepses tous ophthalmous
aph hemon, ton kosmion
kai eumouson kai kalos pepaideumenon,
Wend, o Kaiser, deinen Blick nicht ab,
von uns feinen Trägern

Wenn Berghstroem eines nicht leiden konnte, dann waren es morgendliche Telefonanrufe. Er sprang ohne jedes Problem auch um 5 Uhr aus dem Bett, wenn es auf Reisen ging, Reminiszenzen an seine Internatszeit, kalte Dusche und los. Aber er haßte es, von jemandem geweckt zu werden, der sein Anrecht einzig und allein daraus ableitete, daß der seine Bürostunden begonnen hatte. In diesem Fall war es der Direktor der Bank.

Berghstroem ließ ihn seinen Unwillen spüren, indem er ins Telefon hustete, er käme sofort rüber, der andere solle ihn erwarten und nicht etwa Caffè trinken gehen, und sich dann auf die andere Seite rollte mit dem festen Vorsatz, zumindest bis 11 Uhr zu schlafen. Die drei Stunden Differenz glichen sowieso das Konto nicht aus. Gefaxt um Geld hatte er schon in der Nacht, jetzt mußten er und die Bank warten, bis sich die erfolgte Überweisung zumindest ankündigte − wenn sie überhaupt erfolgt war!

Der Tag des Kaisers begann mit einem Eklat auf offener Bühne, für jemanden mit einem Minimum an Feingefühl zwar vorhersehbar, doch in dieser Form kam er unerwartet. Kaiser Heinrich saß auf seinem Thron, flankiert von seinem Beichtvater Bruder Gebhard. Die einzelnen Gesandtschaften aus seinem zukünftigen Herrschaftsbereich im Süden traten auf. Seine Majestät war zu hochmütig oder zu verbohrt, das Wort direkt an seine neuen Untertanen zu richten, und läßt dieserhalb seinen Beichtvater antworten. So die Szene, unzweideutig beschrieben im Libretto. Rinaldo hatte den Ärger schon kommen sehen, als ihn Monsieur Gilbert gleich bei der Ankunft während der kurzen Fahrt im Bentley gefragt hatte, wo denn sein Text sei. Rinaldo hatte sich um eine Antwort gewunden und etwas von der ›Majestät‹ gemurmelt, mit der die Rolle des Kaisers vom Librettisten angelegt sei, so daß er nicht selber das Wort ergreife, sondern es von seinem Beichtvater verkünden lasse. Jetzt saß der teure Star oben auf seinem Thron, den Kopf aufgestützt in eine Hand und brütete vor sich hin, dann winkte er Mia zu sich und sprach leise auf sie ein. Die Assistentin beeilte sich, der Regie Mitteilung zu machen, daß Monsieur Gilbert entschieden habe, daß er die Texte des Beichtvaters selber singen werde, und zwar hinter vorgehaltener Hand oder mit vom Publikum abgewendetem Kopf.

»Und was macht Bruder Gebhard — ?« begehrte Berghstroem auf, der sich mittlerweile ebenfalls eingefunden hatte.

»Der soll den Mund bewegen und so tun als ob —«

»Ich sehe das zwar nicht, aber Gil soll's mal vormachen«, sagte Ray Maulman.

Mia rannte wieder rauf aufs Podest und nickte Gil zu. Der Darsteller des Beichtvaters wurde nicht informiert über das Experiment, das sich hinter seinem Rücken zusammenbraute. Bruder Gebhard war auf eine Empfehlung von Tom vom Stadttheater Bozen wegengagiert worden, ein verschlossener kantiger älterer Mann, der vorher in Aurich und Oldenburg gesungen hatte, aber ohne besondere Fortüne. Er war erst am Morgen angereist.

Auf der Bühne herrschte mittlerweile ein heilloses Gewimmel, denn eigentlich hatte Ray chronologisch vorgehen wollen, mit ›Jubelchören und Blasmusik‹, des Narren Spurt zum Brunnen, um dem Kaiser das verlangte Wasser zu kredenzen, mit den ›Griechen‹, die ebenfalls von den Serafinis aus Asylantenheimen rekrutiert waren, durch die Bank Mazedonier, und den bosnischen ›Sarazenen‹.

»Eine muntere Jugo-Mischung«, hatte der Regisseur seinem Producer frohlockend anvertraut, »die den Krawall zu Füßen des Kaiserthrons lebensnah und realistisch garantiert!«

Aber der Krawall wurde erst mal verschoben, die Serafinis scheuchten die verfeindeten Delegationen vom Podest und ließen nur einige muslimische Emire als Stichwortgeber auf der Treppe. Die schmetterten ihr ›la illahu illa Allah‹. Kaiser Gil flüsterte mit seinem Beichtvater, der wandte sich dem Publikum zu und öffnete den Mund, als hinter ihm Gil le Coutel losdröhnte.

Schismatiker! Unsres Herren Leiden,
die Ecclesia Catolica Ihr verschmäht
schlimmer noch als Heiden –

Weiter kam er nicht, denn Bruder Gebhard, dem es erst die Sprache verschlagen und der dann voller Ingrimm gegen die Stimme angebrüllt hatte, drehte sich mit einem Ruck um und warf sich dem Kaiser zu Füßen, aber nicht um seine demütige Unterwerfung anzuzeigen, sondern er umklammerte sie und begann den Kaiser vom Thron zu zerren. Gil, der den einen Ellbogen auf dem Knie aufgestützt hatte, um mit der Hand die Bewegung seiner Lippen zu kaschieren, verlor sofort die Balance und rutschte wie ein hilfloser Käfer auf den Rücken, während er, wild um sich tretend, seine Beine zu befreien suchte. Schließlich gelang es ihm, dem mächtigen Bruder Gerhard einen Tritt vor die Brust zu versetzen, was den die Faust heben ließ. Da war aber Mark Sheraton schon herbeigehechtet und fing den Schlag ab.

Gil le Coutel lachte dröhnend über das Geschehene, doch der Beichtvater rappelte sich hoch, spuckte seinem Kollegen vor die Füße und verließ grußlos die Bühne. Mia eilte hinter ihm her, er riß sich los. »Ihr könnt mich alle am Arsch lecken!« und schob sie unsanft beiseite. »Richte deinem Idioten von Oberspielführer aus, ich sei abgereist!«

Berghstroem wollte ihm folgen. »Wir müssen den mit Recht Erzürnten wenigstens auszahlen«, sagte er vorwurfsvoll zu Ray, doch der hatte nur Spott für ihn übrig.

»Wer hat denn die glorreiche Idee gehabt, dem Kaiser, vom Prestige her ganz sicher eine der Hauptrollen, nur drei Einwürfe an Text zu geben wie einem Edelkomparsen?«

Der nun auch als Librettist düpierte Producer begehrte auf: »Das hättest du früher monieren können, aber wie ich dich kenne, Ray, wolltest du den Eklat, und das ist dir mal wieder geglückt!«

Er wandte sich erbost zum Gehen, Ray hielt ihn am Ärmel fest. »Laß mich«, schnaubte Berghstroem, »sonst haben wir zu allem Überfluß auch noch eine Klage am Hals!«

»Das sowieso!« feixte der Regisseur. »Und du bleibst hier, Emmy!« Ray wandte sich an den zufrieden grinsenden herbeistiefelnden Gil. »Die hervorragende Kuttendarstellerin Emmy, spezialisiert auf geistliche Rollen vom schlichten Missionar bis zum Bischof, ja Kardinal, übernimmt jetzt den Part den stummen Fraters!«

»Großartig!« tönte der Kaiser. »So habe ich mir meinen Beichtvater immer vorgestellt!«

»Ich hab' überhaupt keine Zeit —« wehrte sich Berghstroem.

»Doch!« beschied ihn der Regisseur. »Du hast die Suppe eingebrockt! Außerdem handelt es sich um eine mimische Herausforderung erster Güte, denn sie verlangt ein präzises Reagieren auf das selbstherrliche Gebrüll von Gil, das sozusagen dein Playback darstellt, nach dem du deine begabten Lippen bewegst, dein Maul aufreißt und die Augen rollst. Du vertrittst Gil!«

»Allons«, sagte der, »mir macht das Spaß.«

Berghstroem überhaupt nicht: »Ich springe nur heute ein«, beschränkte er sein Engagement, »um den Fortgang der Proben zu gewährleisten, morgen —« erklärte er Mia entschieden, »bis morgen müßt ihr Ersatz gefunden haben.«

Berghstroem zog los, um sich von Elgaine einkleiden zu lassen. »Warum eigentlich nicht den Apotheker?« rief er über die Schulter dem Regisseur noch zu. »Das wäre doch die Lösung!«

In den Kasematten, niedrigen Gewölben ohne Fenster, standen lange Reihen von Kleiderständern, übersichtlich in Gruppen geordnet: die Sarazenen, Griechen, Normannen, Deutschen und das Volk. Jedes Kostüm war mit einem Merkblatt versehen, welches Accessoire wie dazu zu tragen sei. Da war Elgaine pingelig wie eine Oberschwester.

Ihre Assistenten hatten mit Toms Hilfe dem wütenden Theatermann die Kutte des Beichtvaters entwunden, die dieser schon mit zum Bahnhof nehmen wollte — wahrscheinlich um sie unterwegs aus dem Zugfenster zu werfen, oder ins Klo.

Die Räumlichkeiten waren klein und eng wie Klosterzellen. Jede diente als Aufbewahrungsort für ein anderes Zubehör: Sättel, Zaumzeug und Schabracken; Waffen, Lanzen, Fahnen, Schwerter, Schilde; Rüstungen und Helme; Gürtel und Schuhwerk. In der letzten war der Schmuck. Sie war mit einem doppelten Vorhängeschloß gesichert.

In einem der wenigen lichten Gewölbe, die zur Platzseite hin lagen, vergitterte kleine Fenster aufwiesen und den Hauptdarstellern vorbehalten waren, stand Berghstroem unschlüssig vor

Elgaine, die das maßgeschneiderte Mönchsgewand skeptisch hochhielt und mit seinem Umfang verglich.

»Ziehen Sie sich schon mal aus, Manuel«, sagte sie und griff zur Schere. Ritsch-ratsch hatte sie den Rücken aufgetrennt. »Für heute muß eine Kordel es zusammenhalten.«

Berghstroem stieg widerstrebend aus seinen Hosen und fuhr mit beiden Armen, wie ein Stier in die Mantilla, von hinten in die bereitgehaltene Kutte, sich Elgaine als Matador vorstellend, den es aufzuspießen galt, doch sie lachte nur und wich geschickt seiner Umarmung aus.

»Jetzt müssen wir noch einen Strick finden, weit genug, um —«

Sie verkniff sich, den Satz zu Ende zu bringen, weil Berghstroem im Armsündergewand sie so traurig ansah. Er schämte sich seiner Leibesfülle und vor allem, daß hinten sein nur von einem knallroten Slip knapp bedeckter Hintern hervorsah. Einer der Henkerstricke wurde gebracht, und Elgaine schlug einen festen Knoten.

»Notoperation, Manuel«, sagte sie entschuldigend und schickte ihn zum Ausgang. »Nach der Probe nehmen wir beide Maß für eine neue Kutte —« Und so kam es, daß Berghstroem seinen Widerwillen gegen den blöden Part des stumm sein Maul verzerrenden Beichtvaters vergaß und sich auf die Rolle festnageln ließ.

Mit Berghstroem schickte Elgaine ihre beiden Assistenten hinaus zur Bühne, um dem Regisseur die beiden ›Kinder‹ vorzuführen. Sie trugen jeder feierlich eine Wickelpuppe im Arm, die einander völlig gleich waren. »Ça c'est le bébé ›eff deux‹, et ça —« er deutete auf die Puppe seines Gefährten, »c'est ›eff trois‹!«

»Und wo ist ›eff eins‹?« wollte Ray wissen. »Warum fangen wir mit ›eff zwei‹ an?«

»›Eff eins‹ sitzt im Kyffhäuser!« klärte ihn lachend Berghstroem auf. »Das ist Barbarossa! Wir haben hier Friedrich II, ›eff zwo‹, und als Reserve ›eff drei‹.«

»Und worin unterscheiden die sich?«

»In nichts, es sei denn, durch ein Muttermal unter dem großen Zeh rechts!«

»Ich werde darauf achten«, forderte Ray leichtsinnigerweise weitere Initiativen des Produzenten heraus.

»Eigentlich würde doch die bloße Ankündigung des Pferdes völlig genügen!« griff Berghstroem zum Mißfallen des Regisseurs in dessen Belange ein. »Nachdem alle, vom Kaiser bis zum stotternden Hauptmann Waldemar, lauthals nach dem herrscherlichen Gaul geschrieen haben, ist seine Existenz dem hochverehrten Publikum so präsent, daß wir auf sein sofortiges Erscheinen auch verzichten können!«

»Von Bühneneffekten hast du noch nie etwas gehört?« giftete Ray zurück, doch Berghstroem war in seinem Fahrwasser, wenn auch auf dem falschen Dampfer.

»Es spart uns Zeit und Geld, wenn es nur im Hintergrund vom Band wiehert.«

»Das würde ich *dir* dringend empfehlen, Emmy! Schon bitte meine Nerven!«

Doch der Producer setzte sich vorläufig durch, und Ray konnte, ohne das Problem gleich lösen zu müssen, zu den ›Normannen‹ übergehen.

Ihre Ausstaffierung war Elgaines Meisterleistung, eine heraldische Hitparade! Rösser und Rüstungen, von den Schabracken bis zur Helmzier, mit den gleichen Emblemen geschmückt wie schon auf Schild und Banner. Das war ein Auftritt von solcher Pracht und Wucht, daß er sich mit dem Triumphmarsch aus ›Aida‹ messen konnte — dagegen verblaßte selbst das Dromedar, mit dem die Sarazenen aufgetreten waren. Mit sich, seiner Inka-Prinzessin und der Welt zufrieden, ging der Produzent jetzt nicht etwa zur Bank, sondern zurück in sein Bett.

Berghstroem brachte es aber nicht fertig, wieder einzuschlafen. Tom war auf Zehenspitzen hereingekommen, um ihm zu berichten, wie reibungslos alles verliefe. Berghstroem bestellte Kaffee und frisch gepreßten Orangensaft.

»Die jugoslawischen Völkerschaften sind von den Serafinis so gezähmt, daß Mia sie anfeuern muß, wenigstens etwas feindselige Aggression zu zeigen! Jetzt kommt gleich der letzte große Auftritt des Podestà Bartolo: Seine Ermordung durch die Assassinen!«

»Das muß ich sehen!« rief Berghstroem, sprang aus dem Bett und riß die Balkontür auf.

»Warum muß der neue Podestà eigentlich auch sterben? Den letzten hast du aufgehängt — hast du was gegen Bürgermeister?«

»Ursache: weil die Assassinen eigentlich den Kaiser umbringen sollen. Grund: weil der verhaßt ist bei der Kirche wie bei den Normannen. Wirkung: die Eitelkeit des Messire Bartolo. Er tritt dem Herrscher so pompös gegenüber, daß die Meuchelmörder ihn mit dem verwechseln.«

»Und wieso Assassinen?«

»Die konnte man kaufen. Das war die ›Murder Inc.‹ des hohen Mittelalters. Die reisten auf Befehl ihres Großmeisters aus Syrien an und erledigten ihre Aufträge prompt.«

»Aber nicht immer zuverlässig, wie man sieht!«

»Nobody is perfect«, sagte Berghstroem und wies auf das Opfer.

»Parride Tramezzina ist stocknüchtern«, sagte Tom. »Er zittert am ganzen Leibe vor Angst, nicht in Würde zu sterben.«

»Blödsinn! Entzugssymptome, sonst nichts!«

Auf der Piazza schlurfte Signor Tramezzina in Richtung Kaiserthron, fast erdrückt von der Schwere des juwelenübersäten Prunkmantels. Vor sich balancierte er in ausgestreckten Händen die Schlüssel auf einem Kissen, als wären sie das Gelbe vom rohen, aufgeschlagenen Ei.

»Erhebend«, murmelte Berghstroem. »Ich wette, ihm fallen die Schlüssel runter, bevor er das Podest erreicht hat. Wetten daß?«

»Gut«, sagte Tom. »Ich halte dagegen. Eine Flasche Champagner! Wenn du verlierst, mußt du aufstehn!«

»Dann kann ich ja erst mal wieder ins Bett!« sagte Berghstroem und war flugs wieder unter der Decke.

»Hinter dem Podestà trippeln vierzehn weibliche, kaum durchwegs jungfräuliche Teenager mit Blumen im Haar«, kommentierte Tom im Stilgemisch zwischen einer Übertragung vom Rosenmontagsumzug in Düren, ›Spiel ohne Grenzen‹ und ›urbi et orbi‹. »Mühsam hat Mia sie davon abgebracht, während der Zeremonie Kaugummi zu kauen. Aus mit Bändern geschmückten Körben streuen sie Blumen und sind eher befangen als albern. Ihnen folgen die Notablen, darunter auch Achille, unser Vizebürgermeister und — wen seh' ich? Nein, nicht Alfredo Fiorante, den Apotheker, aber Signor Delle Delizie und den Bankdirektor!«

»Wie bitte?« Berghstroem war mit einem Satz aus den Federn. »Der Schuft!« Dann besann er sich und umarmte Tom. »Das Geld ist angekommen!« Berghstroem rannte unter die Dusche, während unten die Assassinen den Bartolo erdolchten. Sein langgezogener Todesschrei

IMPERI-ii-iii

gellte bis hinauf ins Bad.

Das Telefon schrillte. Tom hob ab. Mia wollte wissen, ob Manuel vergessen habe, daß er gleich anschließend auf der Piazza als Beichtvater zu mimen habe — oder ob der Herr Producer die Proben sabotieren wolle? Berghstroem warf sich nur den Mantel über Hemd und Hose und stürzte aus dem Zimmer. »Meine Inka-Prinzessin erwartet mich!«

Tom konnte nur mit dem Kopf schütteln.

Bei der Anprobe in den Kasematten traf Manuel J. Berghstroem die Urslingen, das Schweizer Geschwisterpaar. Sie hatten sich die ganze Zeit nicht blicken lassen und mußten auch ihre Mahlzeiten in ihrem Dachkämmerchen eingenommen haben, obgleich Berghstroem großmütig Anweisung gegeben hatte, sie auf die Diätenliste zu setzen. Sie wirkten sehr schüchtern und sprachen auch kein Schwyzerdütsch, was ihren Liebreiz erhöhte. Peter und Katarina, ›die Küssnachter Lerchen‹, suchten bei jeder Gelegenheit, fiel Berghstroem auf, die Nähe des anderen, die körperliche Berührung. Sicher lebten sie im Inzest, doch seltsamerweise erregte das nicht seine Phantasie, sondern er fand sie rührend, soweit, daß er sich den Gedanken verbot, mit Katarina, diesem Milch- und Honigwesen — oder erinnerte sie ihn an zartschmelziges Nougat? —, zu schlafen. Sie hatte große Augen, fast wie eine Eule, unter dunklen Brauen und einer glatten, hohen Porzellanstirn. Auch Peter glich eher einer Nymphenburger Hirtenallegorie als einem Knaben seines Alters, der Fußball spielt und mit anderen rauft. Merkwürdige, zerbrechliche Figuren! Berghstroem begrüßte sie flüchtig, weil gerade einer der Kostüm-Assistenten ihm beiläufig mitteilte, daß Madame Coeurdever verhindert sei, die Anprobe seiner neugefertigten Kutte selber vorzunehmen. Die Deutschen seien gekommen, »ein ganzer Bus von Nemo-Fans!«

Das Mönchsgewand saß wie angegossen, Madame hatte Augenmaß. Berghstroem verließ die Kasematten und stellte sich den Anforderungen, die Kaiser und Regie dem Bruder Gebhard auferlegten.

> AUFSÄSSIGE, IN DIE KNIE! AUF KNIEN
> NÄHERT EUCH DEM THRON AUS HOLZ,
> KÜSST DES BLUT'GEN MANTELS SAUM,
> BEVOR IHR ERSTICKT AM STOLZ!

Seine Lippen bildeten zornbebend die Worte, die Monsieur Gilbert ihm hinter vorgehaltener Hand oder gesenkten Haupts ins Ohr trompeten würde. Der neueste Einfall war, daß jemand dem Kaiser einen Schild reicht — eine durchaus angebrachte Vorsichtsmaßnahme angesichts des Verhaltens der Normannen und umtriebiger Assassinen —, und Gil, sich auf diesen stützend, konnte so seine Mundpartie verbergen, ohne beim Singen behindert zu werden. Auf diese Weise konnte also Gil le Coutel durch seinen stummen Diener Berghstroem sich selber preisen und dräuend erhöhen:

> WER DURCH TATEN CAESAR EHR ERWEIST,
> WIRD ERHÖHT DURCH TITEL, PFRÜND UND AMT.
> SEINE FEINDE ER IN STÜCKE REISST!

Nemo führte seinen bereits in Wams und Kettenhemden eingekleideten Fanclub vor. Sie mußten auf der nächtlichen Busfahrt reichlich getankt haben, denn sie waren äußerst heiter, ziemlich laut und begrüßten den Kaiser mit ›Heil Heinrich! Heini Heil!‹

Berghstroem rief Marco Serafini herbei. »Nehmt sie unter eure Fuchtel«, wies er ihn leise an. »Sie sollen sich nicht wie Besatzer aufführen!«

»Vergiß nicht«, wiegelte Nemo ab, »sie sind auf eigene Kosten gekommen, mir zuliebe, freiwillig.«

»Aber bitte keine freiwillige Waffen-SS!«

»Nimm ihnen nicht den Spaß!«

Nemo gab seinen Landsleuten das Kommando: »Ein Lied — drei — vier!«

Nemos Fans brüllten los:

> WER HAT DIE BRAVEN WELFEN AUFGEHÄNGT?
> DEM ZIEHEN WIR DEN PIMMEL LANG,
> DEM HAUEN WIR DIE EIER PLATT,
> DEN STECHEN WIR, DEN SCHLITZEN WIR,
> DEN TEILEN WIR DURCH VIER:
> AUSSER RAND UND BAND,
> AUSSER RAND UND BAND.

Sie hatten ihren Text schon unterwegs geübt. »Danke«, sagte Berghstroem laut. »Weggetreten!«

Berghstroem schickte Tom mit einem Scheck zum Direktor. Bis er von seiner Fron befreit sein würde, war die Bank längst geschlossen. Vor allem wollte er Gewißheit haben über seine derzeitige Bonität, nicht so sehr den Stand des Kontos – deswegen stellte er den Scheck auch auf eine erkleckliche Summe aus. Würde Tom die Auszahlung verweigert, war er als Aussteller noch nicht verbrannt, sondern konnte immer noch einen seiner gefürchteten Auftritte hinlegen. Berghstroem hielt sich gern selbst in der Hinterhand, als drohende Eingreifreserve. Es gab noch einen anderen Grund.

Vor dem Hotel war eine dunkle Limousine vorgefahren, aus der keiner ausstieg, die also offensichtlich auf etwas wartete. Erfahrungsgemäß konnte es sich kaum um etwas Gutes handeln – jedenfalls sah sie nicht so aus. Berghstroem fühlte sich verpflichtet, jeder Gefahr persönlich entgegenzutreten.

Ray hatte es für ratsam gehalten, den toten Podestà Bartolo nicht allzulange auf den Treppen liegen zu lassen. Signor Parride war auch als Kadaver eine stete Gefahr. Er ließ ihn also bei der Ablenkung durch die grölenden Deutschen – ›ihn stechen wir, ihn schlitzen wir, ihn teilen wir durch vier!‹ – diskret abräumen. Damit waren die Prüfungen des Parride Tramezzina erst mal bis zur Generalprobe beendet, und er bedankte sich bei allen für die Geduld. Anschließend stieg er in die dunkle Limousine, die, von zwei stämmigen Männern chauffiert, sofort mit ihm davonfuhr. Sie trug keine Aufschrift, und ihre Scheiben waren verhängt. Bei allen Schwierigkeiten, die Parride Tramezzina ihm bereitet hatte, fühlte Berghstroem ein Bedauern.

Später, beim Essen, erzählte Signor Tagliabue, er wisse vom Apotheker, daß Parride Tramezzina auch zur Generalprobe nicht wiederkäme. Er sei auf Anordnung von Don Pepe Salò in eine Trinkerheilanstalt eingeliefert worden.

»Stinky bildet sich doch wohl nicht ein«, rief Ray unter dem Gelächter des Tisches, »nun könne er endlich die Rolle erben? Eher gebe ich sie Herrn Franck, dann nimmt der auch mal aktiv am Geschehen teil!«

Aller Augen wanderten zu dem Tisch, an dem Franck & Co,

aber auch die Serafinis saßen. Franck, wie immer steif verschlossen, zeigte keine Regung.

»Franck, das Krokodil, ist nicht der Typ!« frotzelte ihn sogleich Ed Hyatt. »Der ließe sich nicht aus Eitelkeit mit einem Messer abräumen.«

»Nur mit einem gezielten Schuß zwischen die Augen!« sekundierte ihm Tony, keinem Streit aus dem Wege gehend, doch sein gerade hinzugekommener Bruder Mark hieß ihn schweigen und sagte laut, ohne sich zur Herrschaftstafel umzuwenden: »Bislang steht die Rolle nicht zur Disposition!«

Berghstroem verstand, daß Mark erst mal Rücksprache mit Don Pepe halten wollte oder schon gehalten hatte. Er nickte ihm sein Einverständnis zu.

Zu seinem Erstaunen betrat in diesem Moment Elgaine den Speisesaal des Hotels, die ihn vorher hatte wissen lassen, sie würde an dem Essen nicht teilnehmen. Die jüngeren Serafini-Brüder sprangen auf, um ihr einen Stuhl anzubieten. Aber die Inka-Prinzessin grüßte nur lächelnd und schritt am Gesindetisch vorbei auf den von Berghstroem zu, an dem natürlich für sie kein Platz freigehalten war. Mia erkannte die peinliche Situation und räumte ihren Sitz zwischen Ray und dem Produzenten. Die Coeurdever nahm das Angebot mit größter Selbstverständlichkeit an. Mia ging hinüber zum Tisch der anderen.

Berghstroem war die rüde Rochade unangenehm, und er spürte auch den Ärger, den der Regisseur über die Vertreibung seiner Assistentin empfand. Allein die Tatsache, daß er sich in dem Augenblick mehr um sein jugendliches Gegenüber, den Knaben Peter, kümmerte, ersparte Elgaine eine sarkastische Bemerkung, aber er drehte ihr ostentativ den Rücken zu und vertiefte sein Gespräch mit den Urslingen. Katarina hörte aufmerksam zu.

»Warum soll ich einen persönlichen Groll gegen Monsignore Tommaso empfinden?« gab sie zu bedenken. »Er erfüllte seine Pflicht als Bischof von Jesi und — was ihm niemand übelnehmen konnte — als treuer Diener der Kirche.«

»Das Amt schloß aber nicht automatisch eine Loyalität zum Papst mit ein —«

»Aber auch nicht aus!«

Katarinas Gesicht glühte, sie bestritt die Antworten allein, ihr ›Peterli‹ lauschte beeindruckt.

Das Essen war eine Einladung von Monsieur Gilbert Artaud, der nach Absolvierung seiner Proben und der Demonstration seines ungebrochenen Durchsetzungsvermögens morgen Jesi bis zur Generalprobe verlassen würde. Der einzige — nein, nicht der einzige — Schönheitsfehler an diesem Abendmahl war, daß Gil le Coutel, der Gastgeber, noch nicht aufgetaucht war und mit ihm Bea, die er — so war zu hören — persönlich mit seinem Bentley hatte abholen wollen. »Als könne sie die Strecke bis zum Hotel nicht zu Fuß zurücklegen«, war der verbitterte Kommentar Rinaldos gewesen, der einsam oben am anderen Ende der Tafel saß.

Der Tisch war für zwölf Personen gedeckt. Am oberen Kopfende war der Ehrenplatz für den Kaiser freigelassen. Neben ihm, also ebenso noch leer, der von Bea, flankiert von Signor Tagliabue. Dann kam Nemo, dann Ray, und danach jetzt die Coeurdever. Berghstroem nahm die Position des anderen ›capo tavola‹ ein. Zu seiner Rechten saß Tom, daneben Katarina, neben sich ›das Peterli‹, wie Nemo nun ebenfalls den jungen Urslingen nannte. Über Waldemar schloß sich der Ring zu Rinaldo. Der einzige Darsteller von Rang, der hier fehlte, war Gualtiero. Der schweigsame Riese hatte es vorgezogen, bei den Technikern zu speisen, das war er so gewohnt.

Endlich ging die Tür auf, und Monsieur Gil eilte federnden Schrittes in den Saal, hob die Hände zum Gruß des Triumphators, eine Geste, die sich jeder angewöhnt, der Ovationen in großen Arenen entgegennehmen muß — nur daß hier keine stattfand. Bea stöckelte hinter ihm her, sie waren beide ziemlich betrunken. Er besaß noch die Höflichkeit, ihr den Stuhl zu richten, nahm aber selbst nicht neben ihr Platz, sondern kam leicht wankend um den Tisch herum und flüsterte Berghstroem etwas ins Ohr, mit dem Erfolg, daß dieser aufstand und sie die Plätze tauschten. Das Ziel seiner Begierde war offensichtlich die Coeurdever, denn er verkündete laut:

»Nun speisen wir doch zusammen, Verehrteste! Tête-à-tête —« schwelgte er in Siegerpose. »Nicht gerade in einem lauschigen Separée, was auch ich mir gewünscht hätte, Liebste — doch lassen wir uns von den anderen nicht stören.« Er legte seinen Arm um ihre Hüfte und versuchte mit ziemlicher Gewalt, sie näher an sich heranzuziehen.

»Wenn du mir untern Rock greifen willst, mon cher Gil«, sagte

Elgaine gepreßt, doch ihn dabei anlächelnd, während sie seelenruhig das Messer von seinem Besteck nahm, »dann ist deine Hand zu weit oben. Also nimm sie weg!«

Er dachte gar nicht daran, bis er das Blut auf seinem Handrücken sah.

»Bête!« fauchte Gil le Coutel. »Une folle!«

Er zog den Arm zurück, um den Schnitt zu begutachten.

»Das wirst du ablecken, absaugen«, sagte er mit jetzt gefährlich leiser Raubtierstimme. »Das wird mir noch besser gefallen als die Nummer, die mir deine Vorgängerin geblasen hat.«

In die kurz eintretende Stille hinein fiel klirrend die Gabel auf Beas Vorspeisenteller, und während alle die Konsternierte angafften, schob Gil le Coutel mit heftigem Ruck seine blutige Faust unter Elgaines Nase. Die Coeurdever nahm sie fast zärtlich und drückte den Arm runter in ihren Schoß, so daß er gezwungen war, sich zu ihr hinüberzubeugen.

»Viens mon chou-chou«, flüsterte sie heiser, dann riß ihre Hand die Faust hoch und knallte sie unter die Tischkante, gleichzeitig schnellte ihr Ellbogen hoch in sein Gesicht, während ihr Fuß ihm den Stuhl wegtrat.

Er lag, sie stand. Es stand auch der gesamte Tisch der Techniker, und zwar zum sofortigen Eingreifen bereit, und das mußte Gil aus der Froschperspektive wohl als erstes wahrgenommen haben, denn ihre Gesichter schauten nicht gerade freundlich. So verzichtete er darauf, auch noch mit Elgaines Stiefelspitzen Bekanntschaft zu machen, die vor seinem Gesicht wippten und alsbald von dannen schritten. Monsieur Gilbert erhob sich mit rotunterlaufenem Auge, dessen Tränensack sich zusehends bläulich verfärbte.

»Eine Tigerin soll man reiten — oder gleich umlegen!« scherzte er verkrampft zu Tom, seinem Nachbarn zur Rechten, »und sich nicht von ihr lecken lassen!« Gil le Coutel griff in den Sektkübel und fischte sich ein Eisstück, das er auf sein lädiertes Auge preßte. Sein anderes glitt über die Sitzenden, an diesem Tisch war keiner aufgesprungen. Sein Blick fiel auf Katarina, die ihn erschreckt anstarrte.

»Tausch mal den Platz mit deinem Kaiser!« forderte er Tom auf, keinen weiteren Widerstand erwartend. Tom aber sagte:

»Nein.«

Für einen Augenblick sah es so aus, als wolle Gil sich auf ihn stürzen, doch dann glaubte er in Peter, auf der anderen Seite von Katarina, ein schwächeres Opfer gefunden zu haben. Er tapste um den Tisch herum, zischte dem Jungen zu: »Zieh Leine!« und griff nach dessen Stuhllehne. Katarina schlang entsetzt ihre Arme um den Gefährten, darauf gefaßt, daß er ihr entrissen würde. Doch inzwischen war Tom aufgesprungen und sagte:

»Monsieur Gilbert, nehmen Sie meinen Stuhl!«

Der ließ sich befriedigt auf den Sitz fallen und goß sich erst mal ein Glas Wein ein, das er auf einen Zug hinuntergoß, um sich dann der zitternden Katarina zuzuwenden. »Was du brauchst, Mädchen, ist mal einen richtigen Mann.«

Als sei es das vereinbarte Stichwort gewesen, fühlte sich Gil le Coutel samt Stuhl in die Höhe gehoben, in die Lehne gepreßt von den Zyklopenarmen des Gualtiero. Wie ein Paket trug der ihn aus dem Speisesaal, setzte ihn vor dem Lift ab, lüpfte Gil am Schlafittchen und zertrümmerte dann den Stuhl mit einem Schlag vor seinen Augen.

Beifall empfing den Riesen, als er in den Speisesaal zurückkehrte. »Vielleicht können wir jetzt nach all diesen Gladiatoreneinlagen mit dem Verzehr des köstlichen Menüs fortfahren«, sagte Ray. »Schließlich ist es eine Einladung!«

ARIE VOM BEFEHLSNOTSTAND EINES HENKERS

Jakob: Gerichtet wie befohlen!
                      Der Teufel soll mich holen,
                      wenn ich nur ein Härchen krümm der
                                       Leiblichkeit
                      ohn ausdrücklich Geheiß unsrer Obrigkeit,
                      des Höchsten verlängert Arm
                      soll faul mir abfallen warm —

Es tritt der neue stauferische Podestà auf, Messire Bartolo, der dem Henker das Wort abschneidet und Jakob bezichtigt, gegen seinen ausdrücklichen Befehl gehandelt zu haben.

Bartolo: Siedendheißes Blei Euch das Lugmaul verglüh!
                      Gegen mein ausdrücklich Gebot in der Früh
                      habt Ihr gehandelt eigenherrlich,
                      wart auf der Welfen Tod begehrlich.

Jakob: Soviel Falsch mein Ehr abschneidt!
(empört)

Er stürzt von dannen zum Blutgerüst, doch die Deutschen haben den Galgen schon abgebaut. Vergeblich ertönt sein Geschrei.

Jakob: Hängt mich, ertränkt mich!

Rinaldo: Das Urteilswort herumgedreht
(für sich)   nun gegen den Vollstrecker steht.

Dietrich: So nehmen auch in Kärnten die Geschichten
                                  ihren Lauf —
                      die einen werden zu Gerechten,
                      die anderen hängt man auf.

Inzwischen ist Jakob verzweifelt zum Brunnen gerannt, der links vorne auf der Bühne steht.

Er stürzt sich in den Brunnen, wird aber von den Frauen sofort wieder hochgezogen. Als letzten Versuch wendet er sich an Ugo, den Metzger, der im schon wieder aufgeflammten Streit

Kapitel VII

Das Glücksrad

Alfia:

Ugo:	Deines Galanes Kopf, mein Weib, versprech ich, auf diesem Klotz abzuhacken Dir zum Trotz!
Leute:	Kuttelugo, Kuttelugo!
Ugo:	Hacken, hacken, hacken!

Der Henker ist inzwischen vom Brunnen zur Metzgersbank gelaufen und legt seinen Hals auf den Hackklotz.

Jakob:	Meister Ugo, schlagt nur zu! Ich lag bei Eurem lieb' Weib – meiner Seel schafft endlich Ruh, ich tat's grad zum Zeitvertreib. Schlagt zu, schlagt zu!
Ugo:	So abgeschmackt kann kein Kebse sein, daß sie auf Euren Leib sich lässet ein.
Volk:	Kuttelugo! Hack ihm ab die Rüb'n! Kuttelugo! Dir dazu den Trüb'n.
Ugo:	Meister Jakob, das tät Euch so gefallen! Glaub Euch kein Wort doch, seid ein Mann von Ehr!

Es regnete. Ein kalter grauer Winterregen, ohne Anfang, ohne Ende, nur von Böen durchsetzt, die ihn erst recht bis auf die Haut spürbar machten. Berghstroem war im Bett geblieben, ein Blick durch die Scheiben der Balkontür hatte ihm gereicht. Erstaunlicherweise war Ray Maulman, der sonst schwer aus den Federn kam, kurz darauf bei ihm erschienen und hatte sich sein Frühstück — Champagner, Lachs und einen doppelten Espresso — auf Berghstroems Zimmer geordert, die Rechnung desgleichen. Er saß auf der Bettkante und starrte hinaus auf die nassen Bauten.

»Wir sollten über das Kind reden, Emmy«, sagte er dann, aber tat es nicht, schon weil das Telefon klingelte und Rinaldo sich ankündigte, mit frühmorgendlichem Hangover.

»Komm rauf«, sagte Berghstroem mütterlich. »Ich bestelle dir Kaffee. Nein! Keinen ›coretto‹ — auch keinen noch so kleinen Schuß Grappa!« Er legte auf und wandte sich an den Regisseur:

»Da ›il maestro cornuto‹, unser Meister vom Horn, nicht bereit ist, seine Beatrice zu ertränken, versucht er es mit seinem Kummer!«

»Angestochen hat das rosige Liebesglück Gil le Coutel!« amüsierte sich Ray.

»Der Abstecher war in der Geschichte nicht vorgesehen.« Berghstroem setzte sich im Bett auf: »Die Amme ist nicht schwanger vom Kaiser, sondern vom Narren!«

»— wenn nicht von ihrem Mann, dem Metzger?« gab der Regisseur zu bedenken. »Aber laß uns von dem kaiserlichen Kind reden: Erwartete Constanze einen Sohn?«

»Wenn du so fragst: Sie sehnte ihn herbei, weniger um der Erfüllung ihres fraulichen Lebens wegen, als um Sizilien einen

König zu geben, nachdem ihre Brüder, ihre männliche Verwandtschaft, weggestorben waren. Es war sicher kein Kind der Liebe, denn sie mußte zu diesem Zeitpunkt den grausamen Charakter ihres Mannes schon erkannt haben. Der Sohn war die Rettung, er erbte die Königswürde, sonst wäre das Land an Heinrich gefallen —«

Mit dem Roomservice betrat auch Rinaldo das Zimmer. Er sah aus, als hätte er in seinen Kleidern geschlafen oder gar nicht.

»Willst du nicht erst mal duschen?« sagte Ray. »Du tätest uns einen Gefallen —«

»Gib mir einen Schluck, dann überleg' ich's mir.«

Er dachte gar nicht daran zu duschen, sondern ließ sich in den Sessel fallen und machte sich über Rays Lachs her. Berghstroem bestellte nach, ›zweimal Rührei mit Schinken, eine Kanne schwarzen Kaffee und drei große Orangensaft, frisch gepreßt.‹

»Also«, sagte Ray, großzügig über den Verlust des Lachses hinweggehend. »Constanze hatte also auch Grund gehabt, ihren eigenen Mann zu täuschen?«

»In erster Linie ging es ihr, soweit fühlte sie sich dem imperialen Gedanken verhaftet, der Welt zu demonstrieren, daß nunmehr das Haus Hohenstaufen Anspruch auf den Thron geerbt hatte, denn sonst hätte der Papst, als nomineller sizilianischer Souverän, das herrenlose Lehen eingezogen. Das wollte die ehemalige Nonne noch weniger!«

»Gab's das Kind der Metzgerin?« fragte Rinaldo mit vollem Mund dazwischen.

»Hach!« sagte Ray. »Er will wissen, ob der Mythos der Geschichte sein geschlampertes Verhältnis mit Madame Delle Delizie segnet. Nein!« spaßte er. »Das ist sicher nur eine Legende.«

»Das würd' ich nicht sagen«, entgegnete ihm Berghstroem. »Die katholische Kirche hat Friedrich — trotz aller Vorsichtsmaßnahmen zur Sicherung der Legitimität — zeit seines Lebens den ›Balg einer Metzgerin‹ angehängt. Es muß also eine solche parallele Schwangerschaft zu Jesi gegeben haben, denn sonst wäre die Behauptung ja schon bei der Geburt des Kaisersohns nicht aufrechtzuhalten gewesen. Beide Parteien arbeiten mit allen Mitteln, um jeden Zweifel auszuschalten — beziehungsweise zu erlauben.«

»Konnte denn einfach so ausgetauscht werden?«

»Einfach so nicht«, sagte Berghstroem, »wenngleich die Macht eines Kaisers über eine Frau aus dem Volke sicher ein solches Opfer erzwingen, erkaufen konnte. Deswegen ja auch keine Geburt im stillen Kämmerlein, sondern coram publico, in Anwesenheit aller Bischöfe der Umgebung, also auch Anhänger des Papstes, deren Stauferfeindlichkeit außer Frage stand. Auf ihr Zeugnis kam es an.«

»Also ziemlich schwierig.« Rinaldo kaute sein inzwischen eingetroffenes Rührei. »Es sei denn, man versichert sich der Dienste eines exzellenten Taschenspielers, eines fingerfertigen Illusionisten. Das kann man als Kaiser.«

»Gewiß«, sagte Berghstroem. »Man kann auch ein Neugeborenes aus dem Hut zaubern, aber man muß eines haben.«

»Und daher«, sagte Ray, »die Gegenmaßnahme der Kirche, dafür zu sorgen, daß zu diesem Zeitpunkt in Jesi kein Baby greifbar sein sollte?«

»So kann man sich das vorstellen. Es war ein Wettlauf — immer vorausgesetzt, die Kaiserin täuschte die Schwangerschaft nur vor oder erleidet, was ja häufig vorkam, eine Fehlgeburt — mit der Zeit und dem herzeigbaren, glaubhaft neu Geborenen. Das war spannend und aufregend, gar nicht so an den Haaren herbeigezogen, denn die Annalen unterstreichen, daß Constanze zu diesem Zeitpunkt, also Weihnachten 1194, die Vierzig bereits überschritten hatte. Sie galt, damals mehr noch als heute, als ›alte‹ Frau. Die Kirche hatte es leicht, Zweifel zu streuen: Sie waren berechtigt, zumal die kaiserliche Ehe jahrelang erst mal kinderlos geblieben war.«

»Jetzt, als es sein mußte«, fügte Ray nachdenklich hinzu, »als Heinrich auch das Geld hatte für das militärische Unternehmen, da klappt es plötzlich —«

»Vielleicht«, gab Berghstroem zu bedenken, »hat das Lösegeld für den Löwenherz, der gesamte Thronschatz Englands, die ehelichen Anstrengungen beflügelt —«

»Vielleicht«, grinste Ray, »gehörte zu den Bedingungen der Freilassung Richards auch die Überlassung eines geheimen Rezepts, das Eleonore von Aquitanien, zauberkundige Königin von England, mit nach Deutschland brachte. Sie hat ja bis ins hohe Alter Kinder geboren, nachdem ihre erste Ehe mit dem König von Frankreich keine männlichen Erben gezeitigt hatte und deswegen vom Papst geschieden worden war. Warum unternahm die alte Dame höchstpersönlich die gefährliche Reise nach

Deutschland, an den Hof der Staufer? Nur um das Geld dort abzuliefern?«

»Aus Liebe zu Richard, ihrem Lieblingssohn«, sagte Rinaldo überzeugt. »Sie wollte sichergehen, ihn wieder in ihre Arme zu schließen!«

»Das eine schließt das andere nicht aus«, stimmte Berghstroem dem Gedanken zu. »Wer weiß, was da von Frau zu Frau —?«

»Das geheime Wissen von Leben und Tod, die Kundigkeit in allerlei Mittelchen, war damals nicht nur Sache der weisen Frauen, oder zumindest Königinnen über solche zugänglich.«

»Tatsache ist«, sagte Berghstroem, »zu Jesi wurde ein Kind geboren, das als Friedrich II in die Geschichte eingegangen ist, ›Stupor Mundi‹ —«

Das Telefon klingelte. »Il direttore della Banca?« insinuierte der freundliche Rezeptionist die Verweigerung. »Non ci sono«, bestätigte ihm Berghstroem und legte auf, »für den bin ich nicht da.«

»Laßt uns in die Pizzeria gehen«, sagte Rinaldo. »Ich brauch' eine richtige Unterlage.«

»Du brauchst eine neue Matratze.« Ray legte seinen Arm um ihn und schob ihn aus dem Zimmer.

»Oder klopf die alte gründlich aus!« rief Berghstroem hinter dem Narren her.

»Der Teppichklopfer, der das schafft, muß erst noch erfunden werden!« antwortete ihm Ray über die Schulter.

Berghstroem stand gerade unter der Dusche, als das Telefon wieder schrillte.

»Il direttore Vi aspetta —«

»Adesso?«

»Subito — se possibile?«

»Vengo, vengo«, stöhnte Berghstroem und begann sich abzutrocknen. »Ich komm' ja schon!«

Ray und Rinaldo klappten den vom Hotel ausgeliehenen Schirm zusammen und betraten die Pizzeria unterhalb der Piazza.

»Das Kind oder besser die beiden Kinder stellen für mich noch ein Problem dar —«

»Ach —?« sagte Ray. »Zweimal ›Capricciosa‹ — Katarina ist kein Kind mehr.«

»Ich meinte das Stauferkind —«

»Ich meine die Küssnachter Lerchen. Du solltest ihr mal dein Studio vorführen —«

»Ich verstehe«, erheiterte sich Rinaldo. »Zwei Fliegen mit einer Klappe: Ein Streich für Bea, die du nie leiden konntest, ein Streich, um dir das Peterli frei von seinem Gespons zu bescheren. Dafür soll ich das Herz der Kleinen —«

»Ich hab' lediglich dein Lebkuchenherz im Sinn, Zuckerguß: ›Ich bleib' dir 3, 4 und 4‹.«

»Mir geht das reife Fleisch meiner Dame nicht aus dem Sinn — Treue hin oder her!«

»Zwei Bier«, sagte Ray zu der Bedienung, als sie die bestellten Pizzen auf den Tisch knallte. »Unser Notengenie macht sich nichts aus Schokolade.«

Manuel J. Berghstroem wurde vom Direktor der Bank äußerst zuvorkommend empfangen. Als er in dessen getäfeltes Büro geführt wurde, verließ gerade Don Achille das Vorzimmer und nickte ihm aufmunternd zu.

»Sie haben sich Feinde geschaffen, dottore«, eröffnete der Direktor geschwätzig. »Es gibt eine mächtige Gruppierung in der Stadt, die will Ihnen das Handwerk legen. Ihr beeinträchtigt mit eurem Spektakel die gewünschte Beruhigung der Altstadt inklusive des Corso —«

»Die Pedonalisti?« hakte Berghstroem verbindlich nach. »Die Anhänger der Fußgängerzone vom ›Centro Storico‹? Oder der Gesangverein ›Cantate‹, an der Spitze der Apotheker Fiorante?«

»Namen sag' ich nicht«, lächelte der Banker, »aber Ihnen ist es unbenommen. Man legte mir nahe, Ihnen den Kredit zu kündigen.«

»Das bleibe Ihnen unbenommen, werter Herr Direktor«, gab sich der Producer kühl. »Ich werd' mich darauf einrichten.«

»Wer hat denn gesagt, daß ich der Empfehlung folge?« ereiferte sich der Herr sogleich und sprang erregt aus seinem Sessel. »Ich lasse mich nicht erpressen!« sagte er und ließ sich dann aber wieder in das drehbare Lederfauteuil fallen und brütete dumpf. »Sie könnten natürlich ihre Einlagen abziehen, das Vereinsvermögen —«

»Ich könnte meinen Kredit auflösen und woanders —« schlug Berghstroem vor.

»Ich bitte Sie, Commendatore«, sagte der Direktor. »Sie haben auch Freunde. Der ›Circolo Culturale ‹ —«

»Die Marchesa Fulvia?«

»Den Namen haben Sie gesagt, aber Sie sollten wissen, daß die verehrte Dame bereit wäre, für Sie zu bürgen —«

»Wie liebenswürdig«, entfuhr es Berghstroem, »doch da ich die Marchesa für keine sentimentale Wohltäterin halte, würde ich gern wissen, was sie dazu treibt.«

»Ganz sicher in erster Linie, den Fiorante in die Schranken zu weisen, denn der ›Circolo‹ und das ›Centro‹ sind sich spinnefeind in Sachen Kulturpolitik. Die ›Cantate‹-Leute wollen das, was sie unter Kultur verstehen, selber machen — unter dem Motto ›Jeder in Jesi‹.«

»Doch ganz löblich.« Berghstroem lächelte. »Wenn's nicht dem ärgsten Dilettantismus Vorschub leistet.«

»Wie recht sie haben, Signor Berkestrom! Genau das befürchtet die Marchesa. Sie steht auf dem Standpunkt, daß Jesi nicht jedes Jahrhundert einen Kaiser Federico hervorbringen kann, einen Pergolesi, einen Spontini, und setzt sich deswegen — Sie kennen die Energie der Dame! — dafür ein, kulturelle Ereignisse zu importieren, bedeutende Künstler als Gäste, anstatt sich Fiorantes Laienspielschar auszuliefern.«

»Verstehe«, sagte Berghstroem kühn. »Deswegen setzt sie auf ›Stupor Mundi‹.«

»Genau«, bestätigte der Bankdirektor, »und diese Linie überzeugt auch mich, der ich nichts von Kunst verstehe. Aber mir gefällt das, was Sie vorhaben, Herr Berkestrom — und Don Achille scheint auch von Ihrer Idee überzeugt, Jesi zur Festspielstadt zu machen —«

Ah, dachte Berghstroem, so läuft der Hase, aber er stocherte nach. »Der Vizebürgermeister ist ja wohl der Linken zuzurechnen —?«

Der Direktor nickte.

»Er müßte also eigentlich der Linie des ›Centro‹ anhängen? ›Jeder in Jesi‹ ein potentielles Genie, ein Kulturträger, statt Verschwendung des Volksvermögens an gastierende Stars, deren Auftritte aus dem Steueraufkommen subventioniert werden müssen?«

»Das ist genau sein Dilemma«, vertraute der Bankdirektor

dem Producer an. »Er kann seine Wähler nicht verprellen. Er braucht die Stimmen des Gesangvereins.«

»Ich könnte ihn beruhigen«, sagte Berghstroem milde. »Stupor Mundi‹ wird sich auf die Mitwirkung breiter Schichten der Bevölkerung stützen, mehr noch als in den Proben. Das ist nur eine Frage der Mittel. Wenn erst mal genügend ausgebildete Kräfte vor Ort zur Verfügung stehen, erübrigt sich jeder teure Import. Das gilt für Sänger wie für Techniker, Komparsen wie Beleuchter. Das ist auch mein Traum«, sagte Berghstroem weiter, »daß diese wundervolle Stadt dieses, ihr großes historisches Ereignis eines Tages aus sich heraus erstellen und feierlich begehen kann!«

»Das ist wundervoll!« sagte der Direktor ergriffen. »Erlauben Sie mir bitte, daß ich von dieser Nachricht Gebrauch mache? Das sollten alle wissen – und wegen des Kredites machen Sie sich keine Sorgen! Ich werde veranlassen, daß Ihnen ein zweites Konto eröffnet wird, ganz unabhängig von den Auslandsüberweisungen – auf die so wenig Verlaß ist«, flocht er wegwerfend ein, »sondern ein völlig neues, das wir unter ›Pro Jesi‹ laufen lassen. Promotion ›Stupor Mundi in Jesi‹, nicht Produktion! Darüber können Sie ab morgen frei verfügen!«

»Ich bedanke mich«, sagte Berghstroem und erhob sich, »und werde mich bemühen, Ihr Vertrauen –«

»Nicht doch! Ich habe zu danken!«

Er begleitete den Gast bis zum Portal der Bank.

Manuel J. Berghstroem schritt, nein, er sprang so leichtfüßig, wie es ihm seine Körperfülle gestattete und sein Heißhunger gebot, die steilen Stiegen hinunter zur Straße am Wehrgang. Dort lag die Pizzeria, unweit des unteren Ausgangs vom ›Le Delizie‹. Der Producer zögerte einen Augenblick, ob er den Sieg nicht dort durch ein opulentes Mahl abrunden sollte, doch dann überwog sein Mitteilungsbedürfnis, und er stürmte in die Pizzabäckerei. Seine Freunde seien gerade gegangen, hieß es aber dort. Er ließ sich ein Stück ›con funghi e prosciutto‹ einpacken und stopfte es im Gehen in sich hinein, im strömenden Regen. Der fiel ihm jetzt erst wieder äußerst lästig auf, lästig wie das mühevolle Heraufsteigen der ausgetretenen steinernen Stiegen, aber keineswegs deprimierend. Er sah sich als der heimliche Herr von Jesi, der Festspielstadt, geehrt und begehrt, und keiner erkannte ihn, der so bescheiden sich von einer im Regen aufwei-

chenden Teigmasse ernährte, in die ein einsames Paar Dosen-
champignons und sehr wenig billiger Schinken verbacken
waren. Ein einsamer Held, anonym wie Harun al-Raschid in den
mittelalterlichen Gassen. Berghstroem warf das von Tomatenrot
klebrige Papier in eine Mülltonne. Er war beim Hintereingang,
der Rampe zur Tiefgarage, des Hotels angekommen.

Ray und Rinaldo saßen an der Bar und hatten schon etliches
getrunken.

»Champagner für Monsieur Maulman, noch einen Grappa für
unseren Maestro!« Berghstroem hatte die Situation schnell über-
blickt. An den Tischen in den Nischen spielten, als Gruppen
getrennt, Franck & Co Skat, die Serafinis Scopa. Nemo hockte
abseits auf einem Hocker und schaute von oben Hettrich und
dem kleinen Galinsky in die Karten. Berghstroem wollte seine
›good news from the bank‹ loswerden, aber Ray kam ihm zuvor.

»Der Signor Rinaldo, genannt ›il Genio,‹« rief er laut, als
Berghstroem seine Bestellung aufgegeben hatte, »wird bei der
Produktion, vertreten durch dich, Emmy, um die zarte Hand
von Katarina anhalten! Wie findest du das, Emmy?«

Berghstroem sagte säuerlich zu Ray: »Finger weg von den
Küssnachtern!« Und als er sah, daß dieses Avis beim beschwip-
sten Ray nicht angekommen war, wandte er sich an Rinaldo. »Er
hat die beiden engagiert, jetzt kann er sie nicht —«

»Als Duo, nicht als schnäbelndes Lerchenpaar!« rief Ray. »Ich
will ja nur —«

»Ihr Bestes?« spottete Rinaldo und kippte den Grappa hinunter.

In diesem Moment betraten in nassen Overalls einträchtig
Bea und die Coeurdever die Halle. Sie schienen sich angefreun-
det zu haben, zum Erstaunen Berghstroems.

»Monsieur le Coutel est parti!« verkündete Elgaine.

»Habt ihr dem Unwiderstehlichen das ihm gebührende Geleit
gegeben?« stänkerte Rinaldo, und es war deutlich herauszuhören, daß er ›unausstehlich‹ meinte und unter ›gebührlich‹ etwas
anderes verstand, wenn schon keine Abreibung, vielleicht eine
letzte Fellatio in den Lederpfühlen des Bentley.

»Der Kaiser empfahl sich auf französisch —« entgegnete
Elgaine.

»Er hat uns Rosenbouquets zukommen lassen —« Bea schien
Monsieur sein rüdes Betragen von Herzen vergeben zu haben.

»Wieviel?« fragte Berghstroem und handelte sich einen ironischen Blick von seiner Inka-Prinzessin ein.

»Wenn Sie es unbedingt wissen wollen, Manuel«, sagte sie, »wobei Umfang und Länge nicht die Rolle spielen, die Sie annehmen: Die kleine Katarina bekam dreißig, Beatrices Strauß zählte vierzig, meiner fünfzig! Nächstens fragen Sie doch gleich nach dem Gewicht, Manuel!«

Berghstroem ließ sich nicht beirren: »›Hundred and Twenty Roses‹«, intonierte er. »Dacht' ich's mir doch gleich! ›Easy to cut, oh, but how to split, between all kind of hearts‹«, summte er den Hit aus Gils Glanzzeiten. »›I have broken on my way, to You where I want to stay‹.«

»Bravo, bravo!« klatschte Ray Beifall, um laut hinzuzufügen: »Wie gut, daß wir der Emmy den Part des Beichtvaters gegeben haben!«

»Ich gehe jetzt!« sagte Rinaldo. »Wenn ihr mitkommen wollt?« Das war nur an Ray und Berghstroem gerichtet. Berghstroem ließ den Barkeeper großzügig alles auf sein Konto schreiben, und sie gingen.

Das Studio von Rinaldo war in den zwei letzten Stockwerken eines Wehrturms untergebracht, der nicht zur Stadtmauer gehörte, sondern in früheren Zeiten den Bewohnern des angrenzenden Palazzos als Zuflucht gedient haben mußte. Noch heute führte der einzige Zugang durch einen Einlaß im Obergeschoß. Die dicken Mauern hatten Rinaldo bewogen, dort einzuziehen, denn Fenster für einen Ausblick über die Dächer hatte er eigentlich keine, nur schmale Schlitze, aber hier konnte er sein Mischpult ungeniert voll aufdrehen, kaum ein Ton drang nach außen.

»Dreh mal die Heizung etwas auf!« heischte Ray. »Sonst zieh' ich meinen Mantel nicht aus.«

»Der Thermostat steht schon auf Maximum«, erklärte der Komponist entschuldigend. »Gegen die Kälte der Steine kann ich nicht anheizen – dafür ist es im Sommer angenehm kühl.«

Demonstrativ mit den Zähnen klappernd ließ sich Ray auf dem verschlissenen Sofa nieder. »Dann gib mir wenigstens einen Cognac!«

Berghstroem hatte, für die Tonapparaturen interessierte er sich nicht, inzwischen fachkundig die Schießscharten inspiziert, die als Pechnase nach unten wiesen, so daß die Verteidiger auch mit Leitern geführte Sturmangriffe auf die Tür abwehren konnten.

»Eigentlich uneinnehmbar«, sagte er anerkennend. »Wenn man genug zu essen hat, kann man hier mit seiner Geliebten wochenlang ausharren, und der Ehemann mag sich die Hörner einrennen.«

»Ich würde die Verpflegung bei Signor Delle Delizie vorziehen«, Ray amüsierte sich über den romantischen Anflug seines Produzenten, »und ihm dafür seine Frau lassen. Zumindest würde ich mich ergeben, wenn der Vorrat an Champagner aufgebraucht ist.«

»Bea muß sich hier doch den Arsch abfrieren.« Berghstroem begutachtete einfühlsam die Couch, um neugierig hinzuzufügen: »Oder gibt's hier noch ein wärmeres Liebesnest?«

»Oben!« sagte Ray und wies auf die gußeiserne Wendeltreppe in der Ecke des Raumes. »Du kämst da nicht rauf, Emmy!«

Rinaldo hatte sich an seinen von Boxen und Tastaturen eingeengten Arbeitsplatz gesetzt und ließ die Basisinstrumentation des Huldigungschorales aufdröhnen. »Ich dachte«, maulte er unwillig, »wir sollten uns über das Neugeborene einig werden. Wo Madame ihren Hintern bettet, ist mir wurscht!«

»Als Alfia, die Metzgerin, Wöchnerin und Amme bleibt sie im Spiel«, sagte Berghstroem. »Wir müssen davon ausgehen, daß der Kirche seinerzeit an der kaiserlichen Geburt nichts gelegen war, und da sie diese nur in Zweifel ziehen, nicht aber verhindern konnte, mußte sie jedmögliche Maßnahme ergreifen, sie zu verunglimpfen!«

»Was war ihr wichtiger?« gab Ray zu bedenken. »Einen möglichen Austausch gegen einen Bankert zu verhindern und Constanze damit im Zweifelsfalle — der gewölbte Leib war nur ausgestopft — bloßzustellen oder den Betrug zu dulden, aber offenkundig zu machen? Im ersten Fall«, eiferte sich Ray, »hätte sie sich wie weiland Herodes aller Neugeborenen zu Jesi versichern müssen, das hätte großes Geschrei gegeben. Im anderen Fall hätte sie genau das Gegenteil fördern müssen, nämlich ein vielleicht zuvor gebrandmarktes Kind der Kaiserin hinzuschieben, wenn nicht unterzuschieben?«

»Leute! Seht her! Das Kind der Metzgerin!« führte Berghstroem den Gedanken zu Ende. »Ich bin davon ausgegangen, daß die Kirche dank ihres exzellenten Spionagedienstes felsenfest davon überzeugt war, Constanze wäre nicht schwanger, und daß daher nur die notwendigen Schritte zu unternehmen waren, einen Ersatz, hier das Balg der Metzgerin, zu vereiteln. Daher der präventive Raub von Alfias Baby.«

Berghstroem schöpfte Atem. »Nun passiert aber das ›Wunder von Jesi‹, Constanze kommt tatsächlich mit einem eigenen, kräftigen Söhnlein nieder. Achtzehn Bischöfe können nicht irren. Jetzt ist das geraubte Metzgersbalg, zumindest aus der Sicht der Räuber, nicht mehr vonnöten, sie werfen es weg. Hätten die Bischöfe Gelegenheit gehabt, über das Thema zu konferieren, sie wären sicher zu einer anderen Entscheidung gekommen: Der Sohn der Metzgerin darf nicht wieder auftauchen, damit so wenigstens sich das Gerücht weiterhin nähren kann, wie es dann ja auch geschah, er sei mit dem Kaisersohn identisch, oder besser umgekehrt: Friedrich ist nichts anderes als ein Metzgersbalg und daher dynastisch gesehen ohne jeden Wert. Kein Anrecht auf Krone und Thron!«

»Ich verstehe eines nicht«, meldete sich, an seinem Deck klimpernd, Rinaldo zu Wort. »Wenn die kaiserliche Partei um diese Problematik wußte, warum treibt sie dann ein so verdachterweckendes Spiel, ausgerechnet die Wöchnerin Alfia zur Amme zu bestellen?«

»Ammen sind meistens Wöchnerinnen!« lachte Ray. »Endlos gestreckte, die eben lang genug Milch für zwei geben —«

»Es ist auch wohl so«, sinnierte Berghstroem laut, »daß selbst innerhalb des kaiserlichen Hofstaates die Tatsache der Schwangerschaft höchst geheimgehalten wurde, schon um Leben und Gesundheit der Kaiserin vor Anschlägen zu schützen —«

»Und ganz hundertprozentig werden auch die Staufer sich nicht darauf verlassen haben. Fehlgeburten, Tod im Kindbett waren häufig, fast die Hälfte — sie mußten das Risiko eingehen, um im Notfall tatsächlich ein lebendes männliches Kind vorweisen zu können.«

»Warum haben sie dann das Kind nicht geraubt, auf Nummer Sicher?« fragte Ray. »Um es im Zelt, unterm Wochenbett versteckt, in Reserve zu halten?«

Berghstroem lächelte überlegen: »Ich lass' ja völlig offen, wer Alfias Kind raubt. Die zwei verdächtigen Mönche können genausogut im Dienst des Palastes gestanden haben.«

»Dann müßte es aber, um jeden Zweifel auszuschließen, hinterher wieder in die Wiege der Metzgerin gelegt werden?«

»Ich will ja den Zweifel nicht gänzlich aus der Welt schaffen«, sagte Berghstroem befriedigt von seiner Konstruktion. »Doch um des Happyends willen — und wer will schon als Kindsmörder und Stauferschänder in die Geschichte eingehen — lass' ich das arme Wurm immerhin vom Narren finden. Im Brunnen!«

»Die gute Emmy«, rief Ray. »Das ist mir zu moralisch! Für den Verbleib des auf dieser bösen Welt überflüssigen Kindes lasse ich mir noch was einfallen, das euch vielleicht weniger gefallen wird«, fügte er sarkastisch hinzu. »Auf jeden Fall: Schluß mit dem Puppenspiel! Ich will einen richtigen Säugling!«

»Tierschutzverein!« sagte Rinaldo warnend. »Ich bin sicher, daß Signor Fiorante dagegen die öffentliche Meinung —«

»Jugendarbeitsgesetz!« unterbrach ihn Berghstroem. »Vergiß es!«

»Jetzt will ich erst recht«, sagte Ray Maulman, der Regisseur. »Mia soll mir sofort ein Kind —«

»Eher schwängerst du sie auf der Stelle, sie trägt brav im Zeitraffer aus, neun Tage — und selbst dann hast du nichts erreicht, Ray! Auch dein eigen minderjährig Fleisch und Blut darfst du nicht beschäftigen!«

Berghstroem hatte sich erhoben und fing den trotzigen Blick von Ray ab. »Laß es dir von Don Achille bestätigen!«

Sie stiegen vom Turm hinab. Es hatte nahezu aufgehört zu regnen, dafür war es dunkel geworden.

»Mir ist nach ›Le Delizie‹«, sagte Ray. »Wenn du nicht einlädst, übernehm' ich es. Dann muß Rinaldo aber mitkommen!«

»Ich übernehm' Rinaldo«, sagte Berghstroem. »Schon um einmal zu erleben, daß du für mich zahlst!«

»Ihr wißt«, sagte Rinaldo unschlüssig, »wie ungern ich —«

»Jetzt gerade!« provozierte ihn Ray und nahm ihn beim Arm. »Gerade jetzt!«

Sie betraten ›Le Delizie‹ vom unteren Eingang, der an Küche und Keller des Freßetablissements vorbeiführt. Dort saßen Bea und Elgaine bereits beim Nachtisch. »Die durch kaiserliches Dekret Unzertrennlichen!« spottete Ray.

»Du meinst wohl ›Sekret‹«, zischelte Berghstroem so, daß Rinaldo es nicht hören konnte, dabei verspürte er einen Stich im Herzen, wie er sich denn fühlen würde, wenn seine Inka-Prinzessin sich Gil le Coutel an den Hals geworfen hätte. Nein, die tat so etwas nicht, beruhigte er sich schnell und ließ seinen Spott an ihrem Tischgenossen aus. »Zio Tom als Anstandswauwau!«

Diesmal hatte Rinaldo es gehört und sagte ärgerlich: »Kümmert euch gefälligst nicht um Bea!« und steuerte, ohne hinzuschauen, auf einen Tisch in einiger Entfernung los. Ray und Berghstroem nickten den Damen sowie Tom freundlich beim Vorbeigehen zu und folgten ihm.

»Hunde, die bellen, beißen wenigstens nicht«, tröstete Ray den schlechtgelaunten Rinaldo und, um ihn aufzuheitern, stichelte er in Richtung Berghstroem. »Und so Dicke, Fette wie du, Emmy, treiben jedes Weib zur sexuellen Notwehr!«

»Pace dei sensi«, seufzte Berghstroem, Abbitte leistend. »Laß uns über was anderes reden, zumal du unsere Hetero-Probleme nicht teilst.«

»Vom ›Frieden der Sinne‹ bin ich jedenfalls noch meilenweit entfernt.« Sie bestellten, schon weil Signor Delle Delizie sich persönlich nach ihren Wünschen erkundigte. »Solange wir warten, Emmy, verklicker' doch mal deinem Komponisten, worauf es dir im ersten Teil des zweiten Akts ankommt. Für mich liegt Rinaldo noch in einigen wichtigen Passagen so neben der Geschichte wie derzeit bei seiner Bea, als Bettvorleger.«

Da Rinaldo nichts sagte, ergriff Berghstroem schnell das Wort: »Ein Trauerchoral leitet ein, der tote Podestà wird zu Grabe getragen, der neue, unser Signor Tagliabue, bestätigt das Festkomitee in seinem Amte, womit die Fortsetzung des komödiantischen Dauerbrenners ›der Narr und der Troubadour‹ gewährleistet ist. Ihr beide«, wandte er sich an Ray und Rinaldo, »unterbreitet jetzt der Herzogin von Urslingen als Erster Dame der Kaiserin eure Vorschläge für den feierlichen und unzweifelhaften Ablauf der Geburt. Also, mitten auf der Piazza in einem offenen Zelt. Das hört der Bischof, läßt sofort die Leich' Leiche sein und schmettert sein ›Lied vom Teufel und seinen Bälgern‹, wo er in fünf Strophen gegen die Staufer wettert und die Schwangerschaft Constanzens in arge Zweifel zieht.

UND SOLLT SIE GEBÄR'N EIN KREATUR
VON MENSCHLICH GESTALT, DOCH STAUFISCH BLUT
IN DEN ADERN ROLLT, SEID AUF DER HUT:
ES IST VON DEN TEUFEL BÄLGERN EINS NUR!

Ihm gibt aber die junge Urslingen eins auf den Deckel, drei Strophen für Katrinchen, und dann kommt die Kaiserin überhaupt erst in Jesi an. Zarter Gesang und Reigen der Zofen weisen gleich auf eine völlige Veränderung der bisher eher ruppigen Stimmung. Die Hochschwangere wird in einer Sänfte hereingetragen, Minnesänger singen Minnelieder, die Urslingen stellt die Honoratioren vor, das Festkomitee und geschickterweise auch den Bischof, der sich dem höflichen Zeremoniell nicht entziehen kann. Noch ein Minnelied, und dann darf das Festkomitee sein Programm erläutern. Als der Bischof von der öffentlichen Geburt im Zelt hört, rastet er aus und donnert wie das Jüngste Gericht sein ›Lied von der ungebührlichen Nachahmung der Geburt unseres Herrn Jesus Christus‹ — mit der schönen Zeile:

auch wenn Ochs und Esel schon zur Stell

womit er die Herren vom Festkomitee meint. Doch wieder ist es unser tapferes Katrinchen, die ihm den Kopf wäscht:

Nicht nur Ochs und Esel sollen,
auch die Hirten werden Tribut ihm zollen.

Womit die geniale Idee geboren ist, alle Bischöfe und Kardinäle der näheren und weiteren Umgebung an die Krippe zu binden, wenn's sein muß, mit Gewalt. Der Bischof kann's gar nicht fassen:

Warum nicht gleich den Heiligen Vater aus Rom
herbeizitiert zum bösen Testimonium?

»Reim dich oder ich — Wo bleibt eigentlich unser Essen?«

»Das kann jetzt aufgefahren werden, denn mit dem Ausschwärmen der deutschen Soldateska, um die Bischöfe und Kardinäle herbeizuschaffen, endet der erste Teil des zweiten Aktes. Es folgt ein ›Zwischenspiel‹.«

»Zum Nachtisch, bitte, Emmy! Zum Dessert«, flehte Ray.

Tom kam herübergeschlendert: »Madame de Coeurdever wünscht mit Signor Rinaldo ihren Kaffee einzunehmen«, verkündete er als korrekter Vermittler.

»Sie ist uns willkommen!« sagte Berghstroem.

»Nein«, entgegnete Tom förmlich. »Unter vier Augen. An einem separaten Tisch.« Er wies auf eine Nische, und da Elgaine schon aufstand, ihren Espresso balancierend, blieb Rinaldo nichts anderes übrig, als der Einladung Folge zu leisten.

Während sie sich ihre Vorspeisen am Buffet auf die Teller luden, sagte Ray: »Auch wenn du der irrigen Meinung bist, liebe Emmy, ich nähme keinen Anteil an deinen Nöten —«

»Hör auf«, sagte Berghstroem grinsend. »Ich weiß, daß ich gegen jede Regel der Trennkost verstoße.«

»Ich meine deinen Stand bei unserer Chefausstatterin. Sie läßt dich ganz schön im Regen stehen!«

Da Rays Statement nicht als Frage verkleidet war, konnte er sich die unangenehme Antwort sparen, aber er wollte sich erklären, Ray war schließlich ein Freund.

»Was soll ich machen?« klagte er. »So schnell kann kein Mensch abnehmen, um so drahtig zu werden, wie sie's wohl gern hätte. Vom Camelman trennen mich Meilen!«

»Du mußt nicht von ihrer Schlankheit auf ihren Geschmack schließen, Emmy. Auf ihre geheimen Wünsche kommt es an. Die müssen keineswegs auf ein physisches Erscheinungsbild ausgerichtet sein.«

»Ach, Ray«, seufzte Berghstroem und schaufelte noch mehr Shrimps, Artischockenböden und Avocadomus, in Essig eingelegte, vorgegrillte Auberginenscheiben und gedünstete kleine Steinpilze auf seinen schon übervollen Teller. »Das ist der gleiche Trost wie der, es käme nicht auf Dicke und Länge deines Schwanzes an. Stimmt nicht! Nette Weiber sagen ›Macht nichts‹, aber sie ficken bei nächster Gelegenheit mit dem, der den richtigen hat. Also was hab' ich ihr schon zu bieten?«

»Erfolg!« sagte Ray, als sie wieder am Tisch saßen. Tom war zu Bea zurückgekehrt, um ihr Gesellschaft zu leisten, und Elgaine redete in der Ecke auf Rinaldo ein. Beide tranken längst keinen Kaffee mehr, sondern Whiskey, wie Berghstroem feststellte.

»Erfolg«, wiederholte Ray. »Du hast Phantasie, daraus erwächst dir Macht. Wenn ›Stupor Mundi‹ so funktioniert, wie du es dir erträumst, dann bist du ein Wunderknabe.«

»Meinst du, das wird so passieren?«

»Nein«, sagte Ray. »Ganz sicher nicht!« Er ließ seinem Gegenüber keine Zeit, die Schroffheit runterzuschlucken. »Du mußt es zur Funktion bringen, so daß andere es als den ersehnten Traum empfinden und dafür zahlen.« Ray spülte eine Crevette mit Champagner nach.

»Du mußt aufhören zu träumen, Emmy, aufhören, dich treiben zu lassen – von Geld, von anderen, von deiner eigenen Unsicherheit. Du mußt die Zügel in die Hand nehmen und losreiten. Momentan reitet ›Stupor Mundi‹ dich – und Elgaine Coeurdever allemal!«

»Aber was –?«

»Das ist genau dein Defätismus!« sagte Ray. »Du bedenkst jeden Morgen deine Schwierigkeiten, deinen Kontostand, nimmst Rücksicht auf Gott weiß wen, du bist schon kompromißbereit, bevor du den Fuß aus dem Bett hast! Was du brauchst, ist eine Vision, nicht einen Traum! Nicht kümmern mußt du dich, sondern besessen sein!« Ray war in Rage geraten. »Wenn ich sage, ich will ein Kind, dann will ich ein Kind! Ich weiß, daß ›Stupor Mundi‹ nur so leben kann – nicht als Krippenspiel mit etwas Burleske, einer Prise Grausamkeit, ein paar Spritzern Vulgarität und viel Weihe! Dann ist es Puderzucker, nette Unterhaltung, aber kein Ereignis!«

Signor Delle Delizie präsentierte den Fisch, ›Sarago in cartoccia al vino nostro‹, schlitzte die aufgeblähte, leicht angekokelte Hülle auf und überließ dem Ober das Tranchieren, Entgräten und Vorlegen. Tom und Elgaine kamen an den Tisch und setzten sich zu ihnen.

Rinaldo und Bea saßen jetzt wieder zusammen. Es sah allerdings aus, als hätte sie geweint, jedenfalls schimmerten ihre schöne blauen Augen verdächtig, und ihre Schminke war in Auflösung begriffen. Und Rinaldo war eigentlich schon besoffen, was sie aber beide nicht hinderte, den teuersten Grappa zu trinken, den das Haus zu bieten hatte. Signor delle Delizie hatte ihnen die Karaffe auf den Tisch gestellt.

Ray bestellte noch eine Flasche Champagner. Mia kam hinzu, und Berghstroem sagte: »Du mußt ein lebendes Baby besorgen, das vor Lebendigkeit sprüht, aber noch als gerade geboren durchgehen kann!«

»Für Alfia oder für die Kaiserin?«

»Eines für beide!« sagte Ray und lächelte seinem Producer zu. »Du mußt deswegen aber nicht die Welfen im Vorspiel zum ersten Akt tatsächlich aufhängen, noch den Parride Tramezzina, so er trocken entlassen wird, von den Serafinis realiter erdolchen lassen. Realismus hat seine Grenzen, dafür gibt es die Illusion!«

»Was sein muß, muß sein«, sagte Berghstroem und wischte sich den Mund ab. »Ich gehe jetzt. Kommen Sie mit ins Hotel, Elgaine?«

Die Coeurdever sah ihn erstaunt an. »Nein, lieber Manuel, ich habe Rinaldo versprochen, bei ihm noch etwas Musik zu hören.«

So war Berghstroem gezwungen, allein aufzustehen und zu gehen.

Manuel J. Berghstroem lag auf seinem Bett. Er konnte nicht schlafen, er war viel zu vollgefressen. Er hatte kein Licht gemacht, durch die Scheiben drang das der Laternen von der Piazza herauf. Die Bühnenbauten, ohne die übliche Scheinwerferausleuchtung wirkten wie eine dunkle, bedrohliche Masse. Es hatte völlig aufgehört zu regnen, nur einzelne Tropfen fielen noch von den Dachgesimsen in die Pfützen. Berghstroem dachte über alles nach, verbannte Elgaine aus den Überlegungen, zwang sich, Visionen zu haben. Schließlich gelang es ihm, das Bild des magisch von innen erleuchteten Zeltes zu projizieren, er hörte den Wechselgesang der Chöre, der Frauen, der Knaben, der Geistlichkeit. Dann drang der Schrei des Neugeborenen an sein Ohr, und der große Choral ›Stupor Mundi‹ schwoll an — weiter kam er nicht, er war eingeschlafen. Erst ein unter der hohen Stuckdecke im Zimmer verhallender Schnarcher ließ ihn wieder wachwerden. Es war kurz vor vier Uhr morgens. Er zog sich aus und kroch fröstelnd unter die Bettdecke. Das war meist der Augenblick, wo er an Maxi dachte und ihn mit besonderem Ingrimm zur Hölle wünschte. Aber wahrscheinlich war Herr Maximilian F. Bock dort zu Hause und unterhielt eine direkte Standleitung zu den wichtigsten Börsenplätzen — und eine ganz kleine dünne zu der Bank, die für die Überweisungen an ›Stupor Mundi‹ zuständig war.

Hatte es geklopft? Er lauschte. Sie konnte doch einfach eintreten, durch die verschlossene Tür, durch die Wand. Inka-Prinzessin! Was hatte Rinaldo, das er nicht besaß — außer daß der Maestro wahrscheinlich zu besoffen war, die Stufen zu seinem Turm allein hochzusteigen. Il Genio! Zum Teufel mit Elgaine!

Dietrich: Der Kaiser will's nicht abwarten,
möcht wohl die Insel ohne sie zwingen,
die ihm in seinem harten Ringen
mit ihrer Milde nur hinderlich.
Die Kaiserin wirbt um Verständnis
für ihrer Sippschaft Treiben,
doch der Kaiser hat längst Kenntnis,
die Verschwörer zu entleiben,
eilt er in Strenge unerbitterlich.

Ramon: Welch frohe Kund für die arme Frau
zur schweren Stund!

Hier mischt sich Alfia ein mit ihrer

Kapitel VIII

Die Kaiserin

du wünscht dir deinen Sohn
für dich allein,
nur für dein Königreich.

Ricca pover' Imperatriz —
ich gönn' dir deinen Sohn,
dem Kaiser grad
zum Trotz ein König.

Io povera donna son' ricca —
ich wünsch mir keinen Sohn,
doch muß's denn sein,
um der Liebe willen.

Da braut sich was zusammen«, sagte Mia laut, denn Berghstroem stand im Bad unter der Dusche. »Wenn das sich nicht über den Alpen auflöst, haben wir hier bald ›l'inferno mundi‹!«. Ihr Blick hing an der beeindruckenden Computeranimation auf der Mattscheibe:

Das Baltikum, Belorußland und Polen liegen bereits unter der polaren Kältedecke. Spitzen von −46° bis −48° werden von mehreren Stationen gemeldet. Die Stoßrichtung des Keils ›N12‹ zielt zwar auf den Balkan, wird aber die Adria berühren. Das hier noch vorherrschende Hoch wird durch starken Druckabfall aufgelöst. Der Wetterverschlechterung gehen stark böige Winde aus Nordost voraus, deren Stärke 50 bis 60 Knoten betragen kann, an der Westküste der Adria und Teilen der Marken auch noch stärker, bis zu 70 Knoten, bei schnell drehender Windrichtung über Nordwest auf Südwest.

»Vorher muß dein Taifun erst mal einige Länder der ehemaligen ›Comecon‹-Zone durchqueren, danach wird ihm einiges abhanden gekommen sein«, brüllte Berghstroem gegen das Prasseln des Wassers an. »In Italien ist er dann ein laues Lüftchen.« Er stellte die Dusche ab und kam sich frottierend aus dem Bad. »Du weißt doch, Mia, wie das mit der italienischen Hölle ist? Nein?« Er rubbelte seinen Bauch und dann den Rücken.

»Erst mal erzähl' ich dir, wie's in der deutschen zugeht: Ein Bassin wie eine Kläranlage, bis oben angefüllt mit flüssiger Scheiße. Der Teufel spaziert am Rand entlang und tippt mit seiner Gabel alle, die bis zum Kinn darinstehen und nach Luft

schnappen, immer wieder unter die Oberfläche.« Die Körper-
teile, an die er wegen seines Bauches nicht ohne weiteres heran-
kam, bearbeitete er mit dem Badetuch, indem er, sich geißelnd
damit, auf sie einschlug.

»L'inferno italiano«, keuchte Berghstroem, »gleicht der Be-
schreibung aufs Haar, riecht genauso − ›Was ist der Unterschied?‹ mußt du jetzt fragen.«

»Gut«, sagte Mia. »Der Teufel sieht so aus wie du, kommt ob
seiner Fülle nicht überall hin, ist auch zu bequem − ?«

»Falsch«, grinste Berghstroem. »Es geht nicht um mich, sondern um die Zustände: In der Hölle ›alla italiana‹ ist entweder
die Scheiße nicht geliefert worden, der Teufel hat seine Gabel
vergessen, oder er streikt gerade!«

»Soll ich jetzt lachen?« sagte Mia und betrachtete Berghstroem, der sich auf seiner Bettkante abmühte, Fuß und
Strumpf zusammenzubringen.

»Nein«, schnaufte er. »aber die Wettervorhersage des italienischen Fernsehens relativieren. Was in Frankreich einen nationa-
len Notstand auslöst, geht hier als ›temporale temporale‹ durch,
als ein durchziehendes, zeitweiliges Unwetter. Wir Italiener«,
sagte er und zwängte seinen Bauch in die Hose, »nehmen Gottes
Fügungen fast so leicht wie die Scheiße, die wir uns selber eingebrockt haben.« Das Telefon läutete.

»Ich sehe, du hast dich gut akklimatisiert«, lachte Mia und
hob den Hörer ab, da Berghstroem mit dem Kopf im Hemd
steckte und blind mit den Armen herumfuhrwerkte, weil die
Wäscherei die Knöpfe geschlossen hatte.

»Der Maresciallo der Carabinieri ist in der Halle«, wieder-
holte sie mit erst verstörter, dann zunehmend erschrockener
Miene. »Er hat einen Räumungsbefehl, Manuel! Wir müssen die
Piazza räumen −«

»Du scherzt?!«

»Du sollst sofort runterkommen und den Empfang quittie-
ren!«

»Die spinnen ja wohl!« brüllte Berghstroem, warf seine Jacke
über und raste aus dem Zimmer. Mia warf einen Blick durch die
Balkontür auf die Piazza mit ihren Aufbauten und folgte ihm
dann.

Dem Maresciallo, mit dem sie sich gut verstanden hatten, war
der Auftrag sichtlich unangenehm. »Ich kann dem nichts hinzu-

fügen«, sagte er, »Stadtratsbeschluß. Sie können ja Rekurs einlegen oder wenigstens Aufschub beantragen.« Er hielt Berghstroem den Stift hin. »Ich werd's mir überlegen«, antwortete der Producer ungnädig.

Als der Maresciallo gegangen war, reichte Berghstroem das Papier wortlos an Mia.

An der Rezeption klingelte das Telefon. »Commendatore Berkestrom«, rief der Portier und hielt mit einer Hand die Muschel zu.

»Für Sie!«

»Ich bin nicht zu sprechen!«

»Die Bank! Der Herr Direktor persönlich —«

»Dreimal nicht! Ich bin nicht da!«

»Er habe eine gute Nachricht für Sie. Gut und wichtig!«

»Geh du ran«, knurrte Berghstroem. Mia ließ sich das Gespräch in die Kabine legen.

Berghstroem beobachtete ihren Gesichtsausdruck, der sich langsam wieder erhellte, sie nickte eifrig und legte auf.

»Du sollst sofort zur Marchesa Fulvia fahren. Sie hat dir eine Ersatzlösung anzubieten. Toll, was?«

»Tollhaus!« knurrte Berghstroem. »Sorg dafür, daß der Betrieb weitergeht!« Er wandte sich zum Lift zur Tiefgarage »— und denk an das Kind!«

Eine schnurgerade Allee führte auf das herrschaftliche Gebäude zu, das am Ende auf einer Anhöhe lag. Unten im Tal konnte man Jesi liegen sehen. Berghstroem sah, daß das weiße Alfa Cabriolet von Bea dort schon stand, nahm aber an, daß Rinaldo ihn sich ausgeliehen hatte, weil er wußte, daß die Marchesa mit der Madame Delle Delizie keinen Umgang pflegte, den Maestro hingegen gern sah.

Berghstroem parkte den Mercedes vor der Freitreppe. Da oben niemand das Portal öffnete, ging er um das Haus herum, bis er auf der Terrasse die Marchesa sitzen sah, vor sich, auf einem wackeligen Holztisch, ein halbes Dutzend Kaffeetassen mit verschiedenen Olivenölen, vom satten klaren Gelb bis zum trüben Grün, und Rinaldo auf einer Parkbank. Die Marchesa nahm immer wieder ein Stück Landbrot aus dem Korb, brach es, tauchte es kurz in das Öl und probierte mit Kennermiene.

Berghstroem nickte seinem Komponisten kurz zu, der wohl

aufgefordert war, an dieser Selektion teilzunehmen. Die beiden ließen sich Zeit, jeden Bissen in aller Ruhe auf der Zunge zergehen zu lassen und befriedigt herunterzuschlucken. Berghstroem durfte sich zu Rinaldo auf die Parkbank setzen, er tat es mit seinem Gewicht angemessener Vorsicht.

»Meine Sippe ist so verarmt, werter Berkestrom«, sagte die Marchesa lächelnd, »daß wir die größte und für mich auch schönste Piazza von Jesi, die an der Mauer beim runden Turm, der Gemeinde als Parkplatz überlassen haben. Ich hätte Lust, ihr den Vertrag zu kündigen, damit es nicht zum Gewohnheitsrecht ausartet.«

»Toll!« entfuhr es Rinaldo.

»Und zwar mit der gleichen ungebührlichen Hast, mit der man Euch, werter Maestro, die Grundlage Eurer kreativen Arbeit, einer kulturellen Leistung, unter den Füßen wegziehen will. Was scheren mich dagegen die stinkenden Blechdosen?«

»Ich versteh' nicht«, sagte Berghstroem, »daß Don Achille −«

»Pah«, sagte die Marchesa wegwerfend. »Der Progressista − gebleichtes Rot, rosa wie Babywäsche! Der macht sich lieb Kind, was ihn aber nicht gehindert hat, sofort bei der Bank einen Kredit zu beantragen zum Kauf zweier gebrauchter Busse aus städtischem Besitz, um ›Stupor-Mundi‹-Zuschauer aus Rimini und Ancona nach Jesi zu transportieren.«

»Ein wahrer Freund«, sagte Berghstroem.

»Ich werd's diesem Stadtrat zeigen. Mein Anwalt kann heute noch vorstellig werden. Einstweilige Verfügung!« Die alte Dame sprühte vor Energie, vor allem aber bereitete es ihr offensichtlich Vergnügen, den Trott der Bürger beziehungsweise den Verbleib ihrer Automobile durcheinanderzubringen.

»Ich finde die Idee großartig«, sagte Rinaldo und wischte sich den Mund. »Der ›Campo delle Milizie‹ verfügt sogar über eine natürliche Neigung und hat als Hintergrund die Silhouette der mittelalterlichen Mauer mit dem Wehrgang und zwei Türmen. Viel schöner −«

»Ihr hochherziges Angebot, verehrte Marchesa Fulvia«, unterbrach ihn Berghstroem mit zurückgehaltener Feierlichkeit, »deucht mich ein Geschenk des Himmels, das −«

»Papperlapapp!« sagte die alte Dame. »Wer redet von Geschenk? Ich offeriere Ihnen ein Geschäft, oder präzise: Ich bin unter Umständen gewillt, bei Euch einzusteigen.«

»Versteht sich —« sagte Berghstroem, der das erwartet hatte. »Beide Formen sind möglich: fixe Miete oder prozentuale Beteiligung.«

Die Marchesa führte einen ölgetränkten Brocken zu den Lippen. »Vorzüglich!« rief sie und ließ dann andächtig kauend den Producer warten.

»Jeder dort abgestellte Wagen bringt mir 24 000 Lire am Tag«, fuhr die Marchesa nach einer wirkungsvollen Kunstpause fort.« Gehen wir davon aus, daß in jedem vier Personen sitzen und er vier Quadratmeter Fläche einnimmt, dann könnt Ihr Euch ausrechnen, was ich auf dem ›Campo‹ ernte. Nicht mehr, nicht weniger muß mir ›Stupor Mundi‹ garantieren, dann will ich mich mit zehn Prozent von der Abendkasse zufriedengeben.«

»Das klingt vernünftig«, sagte Rinaldo der blitzschnell die Summe überschlagen hatte, »ist es aber keineswegs, denn das bedeutet bei circa 50 x 100 Meter Seitenlänge des ›Campos‹ eine Miete von gut 30 Millionen. Das verträgt keine Kalkulation.«

»Dafür müßten sie, werte Marchesa, dann auch die Bestuhlung stellen, die Zuschauertribünen. Nur von deren Sitzplätzen, und zwar den verkauften, können wir ausgehen«, griff jetzt auch Berghstroem ein, aber da zeigte sich die alte Dame uneinsichtig:

»Für die Autos muß ich auch keine Tribünen bauen, die bringt mir der nackte Asphalt!«

»Aber der Platz ist nicht immer voll, und schon gar nicht rund um die Uhr«, warf Rinaldo ein.

»Wenn Ihr ihn mir tagsüber zur Nutzung als Parkplatz laßt, dann könnte ich Euch entgegenkommen —«

»Die Tribünen kann man nicht wegrollen oder jedesmal auf- und wieder abbauen! Sie müssen fest installiert, feuerpolizeilich und technisch abgenommen sein — schon wegen der Haftpflicht. Ich biete Ihnen fünf Prozent von jeder verkauften Eintrittskarte, aber keine Garantie. Die haben Sie bei Ihren Autos auch nicht!«

»Das muß ich erst mit meinem Anwalt besprechen. Sie sind ein harter Geschäftsmann, Berkestrom! Ich war bereit, der Kunst ein großes Opfer zu bringen —«

»Es liegt mir fern, unsere einzige Gönnerin an den Bettelstab zu bringen, verehrte Marchesa«, sagte Berghstroem und erhob sich. »Leider erlaubt uns unsere Lage nicht, ihre so uneigennützige Gabe anzunehmen. Sie sollten Ihren Anwalt zurückrufen. Und haben Sie vielen Dank, Sie waren uns eine große Hilfe.« Er verbeugte sich und gab auch Rinaldo einen unmißverständlichen Wink, sich zu verabschieden. Sie fuhren zurück nach Jesi.

Vor dem Hotel war Tilda Carson mit einem Taxi eingetroffen. Daß es aus Genua war, merkte Mia erst, als sie bereitwillig die Rechnung begleichen wollte. Sie mußte sich das Geld bei Tom leihen, denn den Schlüssel zur Kasse hatte Berghstroem mitgenommen.

»Du kannst von Glück reden, Kleines«, sagte Tilda Carson mit rauher Stimme, »daß ich direkt von einer Kreuzfahrt – Traumschiß, haha – zu euch komme! Kisha!« wies sie ihre schwarze Zofe an. »Gib dem Mann ein Trinkgeld und sorg dafür, daß das Gepäck hochkommt. Ich will mir gleich den Regisseur zu Gemüte führen.« Sie griff Mia am Arm und schleppte sie über die Piazza auf die Bühne zu. »War das eine Hitze in Sizilien! Man konnte die Waldbrände vom Meer aus sehen, Selbstentzündung! Haha!«

Tilda Carson, die gefeierte Soubrette, war immer eine scharfe Nummer gewesen. Sie war zwar eigentlich zierlich von der Statur her, aber verstand zu wirken wie eine Wagner-Heroine, eine Auftrittsriesin! Ihre Ehen war ebenso gescheitert wie alle Versuche, sie zur Einhaltung von Verträgen zu bewegen. Wenn sie pünktlich irgendwo eintraf, durfte der Veranstalter das wie einen Gewinn im Lotto feiern, was noch längst nicht implizierte, daß sie dann auch blieb.

Ray ließ demonstrativ alles fallen, als er die Unverwüstliche erblickte: »Venus steigt hernieder, schaumgeborene Tilde«, rief er mit ausgebreiteten Armen, in die sie sich auch mit Anlauf warf.

»So taufrisch ist die Alte nun auch nicht mehr«, krächzte sie beglückt und küßte ihn ab. »Was hast du mir an Jünglingen zu bieten, bereit zur Leichenschändung?« Noch an der Schulter des Regisseurs ließ sie ihren Blick über Nemo, Waldemar und Peter gleiten, der es ihr sofort angetan hatte.

»Wie heißt der Knabe?« forschte sie und leckte sich die Lippen. »Oder komm' ich dir, deiner Lenden Zier, ins Gehege?«

»Tu dir keinen Zwang an, Kundry«, lächelte Ray maliziös und stellte ihr seine Mitarbeiter vor, um bei Peter und Katarina hinzuzufügen: »Laß deinen Zauber auf die zarten Blüten wirken, daß sie gefeit sind gegen alle bösen Mächte, die ihre Trennung herbeiwünschen.«

»Du willst sagen, ich soll meine Finger von Amor lassen, um der törichten Psyche keinen Seelenschmerz zu bereiten? Ich soll mich wegwerfen an Mars und Pluto«, sie zeigte mit spitzem Finger auf Nemo, den Marschall und seinen Hauptmann Waldemar, »oder den Bischof sodomisieren?« Tom war in vollem Ornat hinzugetreten. »Du enttäuschst mich, Raimondo! Ich nehme den Schleier.«

Sie warf allen eine Kußhand zu, dem verwirrten Peterli etwas länger, schüttelte ihre hennarote Mähne und rauschte wieder ab.

»Puh!« sagte Ray. »Sie ist immer noch die alte!«

Tom, der Bischof, war inzwischen auf die Bühne geklettert. »Wo soll ich exakt stehen«, fragte er hinunter, »für das ›Lied vom Teufel und seinen Bälgern‹?«

»Du hast dich aus dem Trauerzug gelöst, der unseren Parride Tramezzina, Gott hab' ihn selig, zu Grabe trägt und trittst —« Ray zeigte auf den Punkt, »dort vor das Herzogspaar und den neuen Podestà, meine Wenigkeit, und — Wo steckt eigentlich Rinaldo?«

»Sag mir lieber, was ich da eigentlich singe und warum?«

»Das Warum sollte dir bekannt sein, caro Don Tommaso! Der Bischof ist gegen die stauferischen Machenschaften, in denen er kirchenfeindliches Teufelswerk sieht, und zwar sowohl als Priester im privaten Bereich einer dubiosen Schwangerschaft als auch als Kirchenfürst im politischen Umfeld, was die Umklammerung des ›Patrimonium Petri‹ durch die Ausdehnung des Reiches bis nach Sizilien anbelangt. Klar?«

»Ist Jesi denn nun stauferisch oder päpstlich, also guelfisch-welfisch?« fragte Tom nach.

»Das kommt darauf an, welcher Herd dem Topf grad am nächsten!« erklärte ihm Ray mit Engelsgeduld. »Zur Zeit, angesichts des deutschen Heeres, läßt die Stadt die Fahnen der Ghibellinen heraushängen und nur du, treuer Sohn der Kirche, willst dieses Spiel nicht mitmachen. Du hast dich für die ›Résistance‹ entschieden und verweigerst dich der Kollaboration.«

»Aufrechte Gesinnung!« sagte Tom. »Das lob' ich mir.«

»Blödes Bekennertum! Du handelst dir nur Ärger ein und änderst nichts.«

»Ich folge dem illustren Beispiel des Herrn, der für uns ans Kreuz —«

»Lassen wir das mal dahingestellt!« unterbrach ihn Ray. »Und kommen wir lieber zum Inhalt deines garstigen Liedes.«

»Das spricht für sich selbst«, lenkte Tom ein. »Ich drohe Jesi alles mögliche an, wenn es sich für diese Farce hergibt, denn das ist diese Geburt in meinen Augen — warne vor dem Blendwerk des Teufels, mit dem ich die Staufer gleichsetze, zu Recht — gipfelnd im beißenden Spott, daß dabei nur ein höllisches Substitut herauskommen könne, was sonst! Ein ›Balg des Teufels‹!«

In diesem Moment kam Mia mit einem strampelnden Säugling im Arm, der ganz quietschfidel ihr mit seinen Händen ins Gesicht patschte. »Dein Kind, Ray Maulman«, verkündete sie stolz. »Gefällt es dir?

»Sehr witzig, Mia. Wem hast du es aus dem Kinderwagen gestohlen?«

Mia wollte es dem Regisseur in den Arm drücken, doch der machte eine Geste widerwilliger Abwehr. »Ist es stubenrein?«, und Katarina nahm es auf den Schoß.

»Ich habe Jerry von Mama Masic ausgeliehen«, sie wies auf die bosnische Flüchtlingsfrau, die mit ihrer Kinderschar aus dem Eckladen herausgetreten war, der früheren Pferdemetzgerei, in der sie hausten. Sie schienen alle stolz darauf, daß Jerry diese Ehre widerfahren sollte, den kleinen Kaiser darzustellen. »Sie will nichts dafür haben«, sagte Mia, »aber ich finde, wir sollten ihr was zahlen, nachdem wir ihr schon das Licht genommen haben, seit wir ihr einziges Fenster mit unseren Kulissen zustellen.«

»Ist es nicht schon zu kräftig?« fragte Ray zweifelnd und betrachtete den strammen Knirps in den Armen der zarten Katarina. »Neugeboren stell' ich mir anders vor.«

Mia verteidigte ihre Errungenschaft: »In der Entfernung auf der Bühne wirkt es anders, sogar besser — und der junge Staufer ist halt schon als Baby gut entwickelt —«

»Ein frühreifer Säugling«, gab sich Ray geschlagen. »Emmy soll die Mutter anständig löhnen und sich um die Arbeitserlaubnis für Klein-Jerry kümmern.« Rinaldo hatte sich eingefunden und streichelte dem Kind über das flaumige Haar. »Emmy weiß schon, wie wichtig das für uns ist!« Er grinste zu Rinaldo und gab Tom auf der Bühne das Zeichen zum Probenbeginn.

Manuel J. Berghstroem war gleich nach seiner Rückkehr vom Maresciallo abgefangen worden, der den Producer aufforderte, ihm aufs Rathaus zu folgen. Der Carabinieri ersparte sich, darüber Klage zu führen, daß sein am Morgen überbrachter Räumungsbefehl bis jetzt noch keine sichtbaren Folgen gezeitigt hatte. Noch hatten ihn seine Vorgesetzten nicht aufgefordert, das Mandat mit Polizeigewalt durchzusetzen, und das war ihm auch recht so.

Berghstroem bestand darauf, zu Fuß zum Rathaus zu gehen, am liebsten hätte er sich und seine gesamte Truppe in Handschellen abgeführt gesehen. Der Maresciallo hatte zuvor gehofft, ihn unauffällig im Streifenwagen zu Don Achille zu bringen, jetzt durfte er an der Seite Berghstroems den gesamten Corso hinuntermarschieren, denn begleiten mußte er ihn laut Dienstvorschrift. Die dunkelblaue-Alfa-Limousine fuhr im Schrittempo hinter ihnen her.

Unterwegs fielen Berghstroem die ersten jugendlichen Mopedfahrer auf, die plötzlich Topfhelme trugen, die eindeutig sich an der Kopfbedeckung der Normannen orientierten. Er sah die Wappen ihm von Elgaines Entwürfen wohlbekannter Minnesänger auf dem Lack der mit Visieren oder Sehschlitzen ausgestatteten Sturzhelme der neuesten Mode. Die Helmzier variierte von aufgerissenen Wolfsrachen, gereckten Geierhälsen oder Stierköpfen bis zu an Ketten baumelnden Morgensternen. Die gleichen Motive wiederholten sich auch auf den T-Shirts oder auf dem Rücken einiger Motorradjacken. Berghstroem hielt einen der Vorbeiknatternden an, indem er der Vespa den Weg versperrte.

»Wo gibt's denn diesen tollen Helm zu kaufen?« fragte er freundlich interessiert, obgleich die Machart und Bemalung bei näherem Hinsehen wenig heraldischen Sachverstand oder Geschmack verrieten. Der Knabe schien nicht zu verstehen oder wollte nicht, die Anwesenheit des Maresciallo war ihm sichtlich unangenehm. Er schwieg.

»Also«, bohrte Berghstroem, »verrat's mir. Ich will mir auch einen zulegen —«

»Die gibt's hier nicht«, stieß der Junge bissig hervor, um überlegen hinzuzusetzen: »Noch nicht!«

Er warf dem Maresciallo einen trotzigen Blick zu, denn der Corso war deutlich sichtbar als Fußgängerzone ausgeschildert. »Willst du ihn mir nicht verkaufen?«

»Nein«, sagte der Junge und legte den Gang ein, um dann aber doch behutsam loszufahren. Erst als er außer der Reichweite der Carabinieri war, brauste er davon.

»Die sind nicht von hier«, sagte der Maresciallo. »Die fahren Reklame —«

»Eindeutiger Diebstahl unseres Copyrights«, stellte Berghstroem erregt fest. »Ein glatter Verstoß gegen jedes Recht auf Merchandising —«

»Sie können Anzeige erstatten«, sagte der Maresciallo. »Ich werde nachher sowieso einige dieser lebensgefährlichen, lackierten Papphelme beschlagnahmen. Sie verstoßen gegen die Verkehrssicherheit — und gegen das Vermummungsverbot!«

»Man sollte lieber den Fabrikanten das Handwerk legen!« empörte sich Berghstroem. »Die billige, dilettantische Imitation ist doch geradezu geschäftsschädigend, auch wenn sie ›Stupor Mundi‹ in den gleichen Rang erhebt wie Nobelmarken von Gucci, Armani, Louis Vouitton — was mich ehrt.«

»Unsere Justiz arbeitet langsam, schwerfällig, unlustig, behindert. Niemand arbeitet ihr zu, ganz besonders in Neapel, von wo aus der Vertrieb dieser Imitate gesteuert wird, auch wenn die Produktion ganz woanders stattfindet. Das schafft Schwarzgeld und Schwarzarbeit, und zwar ›auf die Schnelle‹! Beides ist im Mezzogiorno, im Süden dieser Republik, ein Politikum wie der Schmuggel oder Schlimmeres.

»Mich interessiert«, sagte Berghstroem, sie waren am Rathaus angekommen, »wer dahinter steckt!«

»Jemand, der sich über Recht und Ordnung hinwegsetzt und gerichtliche Schritte Ihrerseits nicht fürchtet, der sich nicht einmal die geringste Mühe macht, seine Raubkopien zu vertuschen. Sie haben ja gesehen, selbst Ihr Signet ›Stupor Mundi‹ wird offen benutzt.«

»Also wer?« fragte Berghstroem fast im Verhörton.

»Das fragen Sie dann den Staatsanwalt — wenn Sie noch Lust haben, Anzeige zu erstatten.«

Berghstroem schritt hinter dem Maresciallo die steinernen Treppen des Gebäudes hinauf und ließ sich beim ›Ufficio del Vice-Sindaco‹ abliefern. Ihm wurde bedeutet zu warten, was er ungern tat.

»Na, ihr Nachtigallen«, begrüßte Tilde jovial die Urslingens, als die zum Einkleiden in dem Raum der Kasematten erschienen, in dem gerade die Carson in Schminkmantel und Hüfthalter verschiedene Korsagen begutachtete. Die beiden wollten schamhaft kehrtmachen, aber das alte Bühnenroß donnerte ihnen einladend nach:

»Fürchtet euch nicht! Alter ist die einzige Seuche, die nicht ansteckt!« Sie schob Katarina an ihren höchsteigenen Schminktisch und grinste dem Mädchen über die Schulter in den Spiegel.

»Leih mir was von deiner Jugend«, flüsterte sie. »Ich muß mich jünger trimmen, um eine Vierzigjährige, damals eine alte Frau, zu spielen.«

»So sehen Sie wirklich nicht aus!« rief das Peterle mit schüchterner Galanterie. »Sie sind das blühende Leben und eine große Künstlerin, Frau Carson!«

»Sag Tilde zu mir«, gurrte die Geschmeichelte, ohne sich umzuwenden, und schüttelte ihre hennagefärbte Löwenmähne, »und sei froh, daß du ein Frühlingsbeet bestellen darfst und keine Herbstscholle Furche um Furche beackern mußt!« Sie küßte Katarina, die sie nicht aus ihren großen Eulenaugen gelassen hatte, auf die glatte Stirn. »Aber wenigstens hast du mir noch ein paar Zeilen Text gelassen«, grollte sie gespielt der jungen Herzogin. »Du weißt doch, wie es dem Beichtvater des Kaisers ergangen ist?«

Katarina reckte sich und löste sich aus Tildas Händen. »Die Herzogin von Spoleto«, klärte sie tapfer, »vertritt das Reich trotz ihrer Jugend und ist der Kaiserin Schild und Schutz. Gerade weil sie so jung ist, fordert diese Aufgabe von ihr viel mehr Kraft als von einer Person, der durch Reife Autorität schon zugewachsen ist.«

»Dazu kommt, daß dir, laut Libretto, auch gegenüber deinem Mann, dem jungen Herzog, bereits ein Hosenpart zugefallen ist«, scherzte Tilde. »Du bist gewohnt zu kommandieren, Katarina! Und wie ist das mit euch, wenn ihr nicht auf der Bühne steht?«

»Dann versuch' ich zu erraten«, sagte das Peterli, »wie's die Kati gern hätt'.«

»Und wenn's dir total gegen den Strich geht?«

»Dann verweigert er sich!« klärte Katarina ihre große Kollegin auf. »Er kennt meine Schwäche!«

»Verstehe«, sagte Tilde, es klang ein wenig neidisch. »Gehen wir den Text durch. Nach dem zeremoniellen Hickhack der Vorstellung des Rats, des Komitees und des Bischofs, wo ich wie eine Blöde immer nur sagen muß ›nice to meet you‹, kommt der erste Schock für mich arme Alte, als ich erfahre, daß ich vor aller Augen in einem Zelt auf dem Marktplatz mein Kind gebären soll. Das bringt mir den ersten menschlichen Satz ein: ›Habt doch Erbarmen für mein Scham und Nöt!‹«

»Tja«, sagte Katarina. »Das gehört auch zu meinen Aufgaben, Euch diese Entblößung im Reichsinteresse zuzumuten.«

»Dann fällt der lausige Bischof über mich her, und ich darf immer nur stammeln: ›Pietà! Misericordia Mariae!‹«

»Ich räche Euch sofort für diese erlittene Unbill, deckel den Bischof, bis auch er nur noch ›Cruce domini! Misere nobis!‹ von sich geben kann.«

»Das ehrt die junge Herzogin, liebe Katarina«, gluckste Tilde ob des Eifers der Kleinen, »schafft mir aber keine weitere Zeile Text.«

»Eine Kaiserin redet nicht, sie läßt verkünden«, klärte Katarina die Kollegin auf. »Ihr wirkt durch Majestät, außerdem seid Ihr hochschwanger!«

»Weswegen ich im ganzen Zwischenspiel auch nur noch einmal das Maul aufmach', um ausgerechnet zur Signora Delle Delizie, verkleidet als Amme, das doofe Luder, zu heucheln: ›Ich nehm' Euch liebend gern‹ — die will mir nämlich wirklich ans Zeug, die hält sich für die Monroe der Marken, diese sächsische Kuh — nicht du, Katarina, die du aufopfernd dir und dem Reiche dienst — die will mich absägen, in die Ecke drängen!«

»Das schafft die nicht«, sagte das Peterli, das sich inzwischen in die engen Hosen des Herzogs gezwängt hatte. »Dazu fehlt ihr —«

»Komm her!« befahl die Kaiserin, und er trat vor sie hin. »Küß ihn für mich auf den Mund«, sagte sie zu Katarina. »Zungenkuß!« orderte sie nach. »Er ist ein Schatz«, sie zeigte auf das sich unter der Hose abzeichnende Gemächte, »der mir nicht vergönnt!« Die beiden Lerchen schnäbelten verlegen.

»Und jetzt raus!« kommandierte die Carson.

Berghstroem hatte keine Lust mehr zu warten und trat einfach ein. Don Achille saß hinter seinem Schreibtisch und telefonierte. Der Besucher kam ihm sichtlich ungelegen.

»Adesso ho visita, mi scusi tanto. Si, si. – Non avevo l'intenzione di farVi alcun dispetto, Vi giuro! – Si, si.« Berghstroems Kenntnisse, mehr der Sitten als der Sprache, reichten aus, um zu begreifen, daß der Vizebürgermeister irgendwo vorgeprellt war, sicher nicht auf eigenem Feld, und eine auf den Deckel bekommen hatte. Er mußte sich sogar entschuldigen: »Vi confermerò la mia totale astinenza sul campo! Era un errore. Accettate le mie scuse, Vi ringrazio –«

Der am anderen Ende der Leitung mußte aufgelegt haben und ließ einen eingeschüchterten, übelgelaunten Don Achille zurück. Er versank in seinen Sessel und betrachtete Berghstroem mit gewisser Trauer, sie war nicht einmal aufgesetzt.

»Ich konnte das von den Faschisten beantragte Votum nicht verhindern, caro Berkestrom«, sagte er leise. »Der Fiorante wollte sich rächen. Hättet Ihr ihn singen lassen –«

»Ich komme nicht wegen des Räumungsbefehls«, sagte der Producer freundlich, und die Miene des Vizebürgermeisters erhellte sich.

»Was kann ich für Sie tun, caro Berkestrom? Alles, was in meiner Macht steht –«

»Das ist nicht viel, Don Achille«, sagte Berghstroem kalt. »Ihr steht in unserer Schuld. Ich will nicht, daß Ihr Euer Gesicht verliert.«

»Lei è un uomo onesto, care Berkestrom. Gli onesti son diventati rari, sempre più rari«, klagte er.

›Wenn du mich für einen Ehrenmann hältst, mein Lieber‹, dachte Berghstroem, ›hast du dich gebrannt, wie du gleich sehen wirst!‹ »Ich brauche eine außerordentliche Arbeitserlaubnis für das Kind Masic, Jeremia, asilante bosniaco –«

»Wie alt?«

»Drei, vier Monate«, sagte Berghstroem. »Nachtarbeit, in aller Öffentlichkeit.«

»Unmöglich«, stöhnte Don Achille. »Das könnt Ihr von mir nicht verlangen. Die Carabinieri —«

»Ich brauche Ihre Unterschrift! Lassen Sie die Carabinieri meine Sorge sein.«

»Ich kann mich nicht über das Gesetz hinwegsetzen, das mich als Staatsdiener —«

»— nicht daran hindert, ins Personentransportgewerbe einzusteigen, mittels ausgemusterter kommunaler Fahrzeuge, deren Ankauf unter Umgehung der vorgeschriebenen öffentlichen Versteigerung Sie durch Bankkredit bewerkstelligen —«

»Vor fünf Minuten hätten Sie mich mit dieser Anklage noch getroffen, Signore, aber ich darf Ihnen mitteilen, daß dem nicht mehr so ist.« Er war versucht, den skrupellosen Politiker zu markieren, doch Berghstroem begriff intuitiv den Sinn des mitgehörten Telefonats, diese Entschuldigung bei jemand, der hätte gefragt werden wollen.

»Baciamo le mani«, sagte er mitfühlend. »Man hat Ihnen nahegelegt, die Finger von diesem lukrativen, wenn auch vorerst spekulativen Geschäft zu lassen. Jesi und Umgebung —« er dachte an die Motorradhelme und was da noch im Anrollen war, »— aber vor allem die Stadt Jesi selbst scheinen außer acht zu lassen, daß alles mit dem erfolgreichen Zustandekommen von ›Stupor Mundi‹ steht und fällt. Ihr werft uns Knüppel zwischen die Beine und merkt nicht, daß Ihr Euch vors eigene Knie tretet. Wir sind mobil, wir können unsere Zelte hier abbrechen und anderswo wieder aufbauen. Spoleto würde uns mit offenen Armen aufnehmen!«

Don Achille dachte nach, lange.

»Caro Don Manuele, il mio dovuto rispetto. Wegen des Masic, Jeremia werde ich mit dem Maresciallo sprechen, das muß ich nicht schriftlich herausgeben. Ihr könnt Euch darauf verlassen. Wegen der Räumung laßt Euch Zeit, heute abend wird unsere Parteijugend auf der Piazza für Euer Verbleiben demonstrieren. Morgen mach' ich eine Wiedervorlage im Stadtrat.«

»Danke, Don Achille«, sagte Berghstroem. »Ich wußte doch, mit Euch kann man offen reden, von Mann zu Mann.«

Ray Maulman, der Regisseur, probte unbeirrt die Ankunft der hochschwangeren Kaiserin Constanze, die Vorbereitungen des

Festkomitees, dargestellt von ihm höchstselbst in der Rolle des Troubadours Ramon de Mirepoix und Rinaldo als Narr von Jesi. Elgaine hatte für beide höchst unterschiedliche Kostüme entworfen — »in denen ihr jedoch als Paar harmoniert und vor allem in eurer Farbigkeit aus der Menge herausgehoben seid wie zwei exotische Schmetterlinge«, erläuterte die Designerin dem Komponisten ihre Kreation, mit dem sie über ihre Arbeit unbefangen sprechen konnte, während sie bei Ray Hemmungen empfand und solche auch auf seiner Seite spürte, »ganz im Kontrast zu den stilistisch strengen, prächtigen Gewändern des jugendlichen Herzogspaares derer von Urslingen und dem Ornat des großen Gegenspielers, dem Bischof von Jesi, als der Tom im Part eines eifernden, düsteren Inquisitors auftritt.« Rinaldo schwieg.

»Ich bin kein Anhänger von aktiv mitspielenden Regisseuren«, sagte Elgaine, »besonders in tragenden Rollen.«

»Ray und ich, wir sind beide keine historischen Figuren oder wenigstens historisch begründete oder wahrscheinliche Personen. Wir schweben ›wie Schmetterlinge‹ im Raum«, sagte Rinaldo. »Ich sehe uns eher als Buffo-Paar, als Pat und Patachon, oder was sich Emmy Berghstroem dabei gedacht hat.«

»Die Einführung eines solchen Paares macht schon Sinn«, erklärte die Coeurdever. »Das sieht man bei allen Dramen Shakespeares, nur muß es konsequent und gezielt eingesetzt werden. Hier hab' ich manchmal den Eindruck, immer wenn's durchhängt — oder er nicht so recht weiterweiß, dann schickt Ray sich selbst auf die Bühne, dich, den Narren, natürlich an der Hand.«

»Red doch mal mit ihm.«

»Jetzt sicher nicht«, sagte Elgaine. »Der Zug ist abgefahren. Nach der glücklichen Ankunft, also nach der Generalprobe; gibt's einiges zu besprechen.«

»Während der Fahrt ist Sprechen mit dem Führer verboten!« zitierte Rinaldo mit rollendem ›r‹, und die Coeurdever bewies Schlagfertigkeit, das Gespräch mit der dringenden Empfehlung zu beenden: »È pericoloso sporgersi . . .«

Eigentlich war ja vorgesehen, den Aufbau des Zeltes auf der Piazza gar nicht mehr vorzunehmen, sondern damit zu beginnen, die vorhandenen Dekorationen zu demontieren — so hatte sich jedenfalls der Maresciallo den Vorgang vorgestellt —, reibungslos und noch in der Nacht zum ordnungsgemäßen Abschluß gebracht, wie sein schriftlicher Auftrag vom Stadtrat lautete.

Dann war dieses Fernsehteam erschienen und hatte ihn interviewt. Der eine von ihnen, nicht Franck, sondern Wolff, sprach ein ganz manierliches Italienisch. Es ehrte ihn ja auch, vor den Kameras der ›televisione tedesca‹ über die Bedeutung von ›Stupor Mundi‹ für Jesi befragt zu werden, zumal die Herren so rücksichtsvoll waren, seinen Räumungsauftrag mit keiner Silbe anzuschneiden, ja sie schienen den sogar als einen ganz selbstverständlichen Akt der ›ordine pubblico‹, öffentlicher Ordnung also, zu betrachten. Sie unterhielten sich mit ihm über die Konstruktion des Zeltes auf der Piazza, und er war froh, daß er darüber in einem Artikel der Zeitung gelesen hatte: »Das Aufschlagen eines oder mehrerer Zelte war bei Reisen von hochstehenden Personen durchaus üblich«, erzählte der Maresciallo, nachdem er seine anfängliche Verlegenheit überwunden hatte. »Vom Sicherheitsstandpunkt aus empfahl es sich sogar, weil bei Quartiernahme in fremden Häusern keine absolute Garantie für einen lückenlosen Objektschutz gegeben war, Geheimgänge konnten Dieben oder potentiellen Attentätern zugänglich bleiben, die Wachen hatten keine Übersicht, während ein Zelt im Freien von einem Sicherheitskordon umstellt werden und im Innern noch die Leibwache beherbergen konnte.« Der Maresciallo kam richtig in Fahrt.

»Dann konnte die Größe des Zeltes auch auf die Bedürfnisse der Herrschaften ausgerichtet werden, für Empfänge zum Beispiel oder Staatsakte. Bei festen Häusern war man von den Gegebenheiten und von den Gastgebern abhängig. Man darf sich solche Zeltbauten auch nicht zu primitiv vorstellen. Es waren Prunkpavillons mit doppelter und dreifacher Bespannung, und sie enthielten alles, was an Komfort gefragt war. Für ihren Auf- und Abbau waren spezielle Leute angestellt.«

»Man könnte meinen«, lockte ihn sein Interviewer, »daß also damals die technischen Probleme, ein Zelt aufzuschlagen, das funktionstüchtig war, in dem man leben konnte, sogar, wie wir wissen, ein Kind zur Welt bringen konnte, viel geringer waren als heute, wo es nur als Bühnendekoration dienen soll?«

»Da außer den Leuten vom Zirkus sich niemand mehr beruflich damit befaßt, ist viel elementares, früher wohl selbstverständliches Wissen über die Kunst, ein Zelt zu errichten, verlorengegangen.«

»Dafür hat die Obrigkeit«, konstatierte Wolff, »wie immer ihre Unsicherheit oder mangelnde Fachkenntnisse mit einer Flut von Verordnungen, vor allem Verboten zugedeckt?«

Der Maresciallo fühlte sich auf eine gefährliche Straße gelockt und blockte sofort ab:

»Die angeordnete Wiederherstellung des ursprünglichen Zustandes der Piazza hat nichts mit dem geplanten Aufbau eines Zeltes zu tun. Dafür gelten ganz andere Vorschriften!«

»Wenn es heute errichtet würde«, reizte Wolff, »würde es von der technischen Überwachung abgenommen werden?« Der Maresciallo war verwirrt.

»Nein«, stieß er hervor. »Das könnte ich nicht zulassen, weil seine Errichtung schon nicht genehmigt ist. Sie würde ja in einen Zeitraum fallen, wo diese gar nicht mehr auf juristischer Grundlage möglich ist, da der Boden, auf dem es stehen möchte, verwaltungsrechtlich nicht gegeben ist, also nicht vorhanden. Ein nicht vorhandenes Zelt kann nicht geprüft werden, also weder freigegeben noch verboten werden.«

»Wenn da jetzt«, Wolff wies auf die Bühne, »sich über Nacht ein Zelt erhebt − ?«

»Dann ist es nicht da!« bestätigte ihm der Maresciallo. »Come fosse non esitente!«

»Das gibt es nicht«, übersetzte Wolff. »Weil nicht sein kann«, beendete er das Interview, »was nicht sein darf!«

»Grazie, Maresciallo«, sagte der Herr Franck.

Elgaine hatte dem letzten Teil des Interviews von dem Carabiniere unbemerkt beigewohnt, die Kamera schwenkte jetzt auf sie, die den Maresciallo am Ärmel noch einmal charmant lächelnd ins Bild holte.

»Nennen wir es doch einfach nicht ›Zelt‹, sondern ›Pavillon‹, ›padiglione‹«, schlug sie vor. »Das entspricht auch eher den historischen Vorbildern − und meinem Entwurf«, fügte sie selbstsicher hinzu. »Es ist eine Sechsmastkonstruktion: Vier, leicht schräg gegen innen verlaufende Säulen markieren die Ecken, und im Innern erheben sich zwei höhere Ziermasten, die das Dach tragen. Dadurch verliert der Bau das Zeltähnliche und wirkt repräsentativ, festlich. Ich kann auf der Breitseite die Bahnen zurückschlagen wie Prunkvorhänge, Girlanden ziehen und das Innere voll zur Geltung kommen lassen.«

»Verboten bleibt es dennoch!« grollte der Maresciallo, doch Elgaine schenkte ihm ihr schönstes Lächeln.

»Glaubt Ihr denn, damals, in jener Nacht vor achthundert Jahren, hätte jemand lang eine Genehmigung beantragt? Die Geburt eines Kaisers stand bevor, und wenn er im Zelt auf der Piazza zur Welt kommen wollte, dann geschah das eben so und Jesi bis heute zur höchsten Ehr!«

»Das waren die Staufer«, warf der Maresciallo ein, »die waren die Herren, Kaiser des Reiches, die brauchten niemanden zu fragen!«

»Wir, ›Stupor Mundi‹ sind ihre Epigonen«, sagte Elgaine leise, als würde sie ein Geheimnis verraten. »Wir fragen auch niemanden, und niemand kann es uns verbieten.«

»Ich will das nicht gehört haben«, sagte der Maresciallo und wandte sich zum Gehen, doch Elgaine hielt ihn noch fest. »Auch wir tun Dienst, erfüllen eine Pflicht«, beschwor sie ihn, doch Wolff fragte: »Wie sicher ist denn die von Ihnen beschriebene Konstruktion, Frau Coeurdever, die so ungewöhnlich ist, daß gewiß keine technische Überwachung sie überprüfen kann? Ihre Schilderung klang sehr anmutig fürs Auge, aber recht wackelig auf den Füßen!«

»Das ist nur eine Frage der Verstrebung und Verspannung«, wies ihn Elgaine, ihren Unmut nicht zeigend, freundlich zurück. »Natürlich muß man wissen, wie die Haltetaue zu verankern sind, und Zug und Druck richtig ausgeglichen werden. Gegenüber einem gewöhnlichen Spitzzelt ist der Pavillon schon ein sensibleres Gebilde, weil es wirklich auf jeden Masten, jedes Seil ankommt — weswegen man ja auch diese Zeltform in Windeseile errichten kann und blitzschnell wieder flachlegen kann. Ein Griff —«

»Wo?« fragte Wolff, und die Coeurdever lachte:

»Das werde ich in Gegenwart der Staatsgewalt kaum verraten, sonst zupft mir der Maresciallo an der Schleife und . . .«

Die Bühnenbildnerin eilte zurück und der Carabiniere stapfte davon.

Jetzt war es bereits später Nachmittag, und die ›Commedianti‹ machten nicht die geringsten Anstalten, seinen Plan in die Tat umzusetzen. Für einen Augenblick schlug sein Gehorsam gewohntes Herz höher, als der Maresciallo sah, daß unter Anleitung der Serafinis der gemauerte Brunnenkranz von den Bühnenarbeitern eingerissen wurde. Er winkte einen von Franck & Co zu sich, die, so schien es ihm, die ganze Zeit mindestens eine ihrer Kameras auf ihn, den Maresciallo, gerichtet hielten, wo er doch nichts als seine Pflicht tat — oder nicht einmal das.

»Fangen die jetzt endlich mit dem Abbau an?« wollte er wissen und zeigte mit seinem schlecht rasierten fleischigen Kinn auf die freigelegte Öffnung der alten Zisterne.

»Ich denke nicht«, sagte Wolff. »Der Regisseur hat nur den Auftrag erteilt, für eine Abdeckung des Lochs zu sorgen und einen ›blinden‹ Brunnen an anderer Stelle wieder aufzubauen.«

Während Wolff dem Staatsdiener diese Auskunft gab, hielt er sein Videoauge erbarmungslos auf ihn. Der Maresciallo begann zu köcheln. Das bekam der Apotheker Fiorante zu spüren, den er barsch abbürstete, als der ihn stichelnd dazu anhalten wollte, endlich seines Amtes zu walten, ›seit wann denn der Signor Fiorante, Alfredo, Mitglied des Rates der Stadt sei und ihm Weisung zu erteilen habe?‹ Sein Siedepunkt war bald erreicht, so sehr ärgerte den Maresciallo die Ignoranz der Fremden, zumal Franck & Co ihn auf Schritt und Tritt mit ihren Videokameras zu begleiten schienen, wohl um seine Zurückhaltung zu dokumentieren. Sie sollten seine Lustlosigkeit nicht mit Schwäche verwechseln, auf der Nase herumtanzen ließ er sich nicht! Da ›il produttore Berkestrom‹ nicht greifbar war, marschierte er auf den Regietisch los.

»Schluß jetzt«, polterte er wenig diplomatisch, und der über ihm auf der Bühne stehende, farbiggewandete Regisseur begann zu lachen.

»Quale parte vuole fare Lei, Marescia'?« spottete Ray und winkte ihn zu sich. »Wollen Sie für die Päpstlichen Partei ergreifen oder die Kaiserlichen?«

»Auf jeden Fall muß er umkostümiert werden«, rief Tilde Carson. »Kommen Sie, Maresciallo! Ich nehme Sie in meinem Hofstaat auf, als ›Erste Dame‹.«

Sich auslachen zu lassen, war er nicht gekommen. Er knallte den Räumungsbescheid auf den Tisch und brüllte mit puterrotem Kopf: »In zwei Stunden lasse ich jeden von euch verhaften, den ich noch hier antreffe!«

Er wollte gehen, aber Ray rief: »Warum lassen Sie uns nicht

gleich erschießen, Maresciallo? Sie bilden sich doch nicht ein, daß wir weichen wegen dieses albernen Wischs!«

»Das ist ein Befehl des Rates der Stadt Jesi!«

»Hier ist der Narr von Jesi«, sagte Tom feierlich im vollen Ornat und wies auf Rinaldo. »Und über jeglicher städtischer Verordnung steht das göttliche Gebot der Kunst, keinen Schritt zu tun, keinen Arm zu heben, keine Bewegung, kein Ton, kein Strich oder Schlag, der nicht aus der innersten Verantwortung des Künstlers kommt, der nicht sein eigener freier Wille ist. Geh jetzt, mein Sohn, und stör uns nicht länger!«

Nach diesen Worten des Bischofs, denen die inzwischen angesammelten Zuschauer seines Auftritts auch noch Beifall klatschten, blieb ihm nichts anderes übrig, als das Feld zu räumen.

»Wir proben heut nacht durch«, entschied Ray.

»Wir lassen uns das Essen bringen, aber wir geben die Bühne nicht eine Sekunde frei. Einverstanden?«

Diesmal klatschten selbst die arbeitszeitbewußten römischen Beleuchter wild ihre Zustimmung.

»Geh, Mia«, sagte Ray, »und such die Emmy. Sie soll alle, auch die heute nicht dran sind, zusammentrommeln – denen werden wir's zeigen!«

Mia fand Berghstroem in ihrem Bett. Sich dort zu verkriechen hatte sich der Herr so angewöhnt, wenn er in letzter Zeit auch den Weg in die Pension, in der ein Teil des Stabes einquartiert war, immer seltener gefunden hatte. Auch daß Berghstroem sie mit ›my Firebirdie‹ anredete, konnte sie sich kaum noch entsinnen, er lag angezogen auf ihrem Bett, leider auch samt Stiefeln, und breitete die Arme aus. »Komm«, seufzte er mitleidheischenden Blickes, »wir haben ein Problem.«

»Eines?« fragte Mia, die davon Abstand nahm, sich zu ihm zu gesellen, sondern den Aufenthalt in ihrem Zimmer dazu benutzte, ihren Sweater zu wechseln. »Einige! Der Maresciallo will Ernst machen mit der Räumung. Hast du denn bei der Marchesa nichts erreicht?«

Berghstroem setzte sich auf, nahm auch die Füße von der Decke. »Verglichen mit dem Gemüt der Fulvia Costa-Pelicosi wirkt jeder Aasgeier wie ein Kanarienvogel«, stöhnte er. »Die verwechselt ihren Abstellplatz mit einer südafrikanischen Goldmine.«

»Wohin sollen wir denn —« fragte Mia kleinlaut, bevor sie in das frische Wäschestück schlüpfte. »Die werden uns zwingen — allen Ernstes, Manuel!«

Berghstroem lachte: »Wir dürfen sie nicht ernst nehmen. Ray hat recht, keine Kompromisse!«

»Und wenn die Carabinieri Verstärkung holen und mit Gewalt —?«

»Um so schlechter für die Staatsmacht im Dienste des Stadtrats. Das wird sich der Maresciallo dreimal überlegen.«

Mia war mit dem Umziehen fertig. »Ray will, daß du zugegen bist, und alle vom Team. Die ganze Nacht!«

Sie hielt ihm die Hand hin, damit er sich hochziehen konnte. Für einen Augenblick lagen sie sich in den Armen. Berghstroem küßte sie, versucht, sich mit ihr zurück auf das Bett fallen zu lassen.

»Firebirdie«, sagte er mit belegter Stimme. »Unzucht mit Abhängigen?« Sie widerstand.

»Die Pflicht ruft.«

»Eine Zigarettenlänge?« bettelte er.

»Und ich?« fragte Mia. »Soll ich dir . . .?«

»Nein«, sagte Berghstroem resigniert. »Ich bin ein Mann des Verzichts.«

»Ich beweise dir, wie sehr ich dich bedauere«, sagte Mia, ging in die Hocke und knöpfte seine Hose auf. »Und du erzählst mir derweil alles an deutschen Heldensagen, Legenden und Märchen, die ich unbedingt für mein heutiges Arbeitspensum wissen muß.«

Berghstroem hatte Schwierigkeiten, sich zu konzentrieren beziehungsweise seine dummen Gedanken zu vernünftigen Sätzen zu ordnen.

»»Die Deutschen‹«, begann er, »ist sowieso ein ziemlich ungenauer Überbegriff, denn noch unterschied man im Reich nach Völkerschaften der Stammesherzöge, die Heeresaufgebote abstellen konnten, aber nicht mußten. Söldnerhaufen, wie ich sie hier zeige, waren eigentlich nur in der Schweiz anzuwerben, die es damals auch noch nicht als politische Einheit gab, und bei den freien Häuptlingen von Ostfriesland. Weißt du, die hießen alle wie Kaffeemarken: Onken, Popko, Gerko und Lübbe — von der ganz schnellen Truppe!«

Weiter kam Berghstroem nicht, weil Mia zu lachen anfing, was ihn irritierte.

»Von denen muß du auch abstammen, Manni, mein großer Häuptling!« beschloß sie ihre Truppenbetreuung, und Berghstroem küßte sie dankbar, erschöpft und erleichtert auf die Stirn.

Hand in Hand verließen sie die Pension. Es war längst Abend geworden. Die Scheinwerfer von ›Stupor Mundi‹ tauchten die Bühne auf der Piazza in magisches Licht. Es waren mehr Leute als sonst gekommen, um den Proben ›ihres‹ Stückes zuzusehen. Längst hatte ein Teil der Bevölkerung − nicht nur die, die als Statisten oder in kleineren Rollen direkt beteiligt waren − sich daran gewöhnt, das Spektakel als eine feste Einrichtung abendlicher Unterhaltung zu sehen, wie die Heimspiele des örtlichen Fußballklubs alle vierzehn Tage oder die Prozessionen und Umzüge, die noch viel seltener stattfanden. Von den versprochenen, gewerkschaftlich für Proteste geschulten Mannen des Don Achille war allerdings noch nichts zu bemerken. Es hieß, der Stadtrat tage in einer Sondersitzung.

Die Carabinieri unter ihrem Maresciallo hielten sich abseits bei ihren Wagen auf und lauschten dem lebhaften Funkverkehr. Dann krächzte eine Stimme mit typisch deutschem Akzent auf Interferenz: »Allora, boia! Che aspettate ancora? Vi caccate adosso di fronte alle Sturmtruppen della Germania?«

Der Maresciallo biß die Zähne zusammen und schaute auf die Uhr. Jetzt schimpften sie ihn schon ›Henker‹, aber in Wirklichkeit versuchte der anonyme Anrufer ihn zu provozieren, damit er blindwütig dreinschlagen sollte. Den Gefallen würde er ihnen nicht tun. Er hatte ein Megaphon auf dem Sitz bereitgelegt. Sein Blick ging lauernd zu den Deutschen, die eben per Bus auf der Piazza eingetroffen waren. Es waren die Fans dieses ›Nemo‹, der auch in Südtirol über eine starke Anhängerschaft verfügte. Sie waren alle furchterregend in Kettenhemden und Lederkollern gekleidet und mit Spießen, Morgensternen und Armbrüsten bis über die Zähne bewaffnet.

Ray hatte Nemo zwar nicht gebeten, seine Mannen heute vollzählig auftreten zu lassen, zumal sie vom Probenplan her frei hatten, doch der Barde hatte seine eigene Vorstellung von ›massiver Präsenz‹. Nun waren sie da, etwas zu laut und wohl auch angetrunken. Ray hatte eigentlich vor, durch Intensität künstlerischer Arbeit zu überzeugen, und nicht durch Krawall oder gar Gegengewalt. Die entstehende Spannung aber entwickelte sich in die falsche Richtung.

Das Gefolge der Kaiserin schwoll an, daß auf der Bühne bald kein Platz mehr war. Mia scheuchte die Überzähligen runter und ließ sie im Ring um den Ort des Geschehens biwakieren.

Der Regisseur überschlug seinen eigenen Soloauftritt als Minnesänger, schon damit ihm die Zügel jetzt nicht aus der Hand glitten, und trieb Katarina zur zügigen Vorstellung des Festkomitees an, zur Darlegung des Planes, nach dem die Niederkunft der armen Kaiserin, die keiner fragt, öffentlich in einem Zelt auf dem Marktplatz von Jesi vonstatten gehe.

Berghstroem nahm sich ein Megaphon und kletterte zum Mißfallen von Ray auf die Bühne.

»Cittadini di Jesi, Jesiani da dire«, begann er seine Ansprache in seinem grauenhaften, doch flüssigen Italienisch. »Der Kaiser hat die Stadt verlassen und ist weitergezogen gen Sizilien. Jetzt trifft seine Frau Gemahlin ein, Constanza d'Altavilla. Sie ist hochschwanger und kann und will die Reise nicht fortsetzen, sondern hier in Jesi ihr Kind zur Welt bringen. Das Festkomitee, das der Herr Oberhofmarschall des Reiches —« er wies erst auf Nemo, dann auf Ray und Rinaldo, die sich wie Schmierenkomödianten verbeugten, »— eingesetzt hat, bereitet den festlichen Rahmen dieser kaiserlichen Geburt vor, indem er als erstes hier auf dem Markt ein Zelt errichten läßt, das die hohe Frau Kaiserin aufnehmen soll, damit alle Bürger an dem freudigen Ereignis teilhaben können. Eingetroffen ist mittlerweile auch das junge Herzogspaar aus dem nahen Spoleto, Corrado und Margareta d'Urslingen«, Berghstroem zeigte auf Katarina und ihr Peterli, und die Leute klatschten, »die nicht nur der Kaiserin ihre Aufwartung machen, sondern sich auch verantwortlich fühlen, als Markgrafen des Reiches, für den sicheren und reibungslosen Ablauf der Zeremonie. Zu diesem Behufe müssen sie vor allem den stauferfeindlichen Bischof dieser Stadt in die Schranken weisen. Davon handelt das Geschehen auf der Bühne am heutigen Abend. Signore e Signori, ich danke Ihnen für Ihre Aufmerksamkeit und Ihr gezeigtes Interesse an unserer Probenarbeit. Grazie!« Das Publikum klatschte Beifall, und viele riefen ›Bravi! Bravi!‹ Berghstroem räumte die Bühne für die Urslingen.

Katarina, in der Rolle der kindlichen Herzogin, deklamierte

als sei sie die Jungfrau von Orleans. Ihr Peterli rutschte mit voller Absicht der Regie völlig in ihren Schatten.

»Sie hat die Hosen an, Don Tommaso«, spottete Rinaldo hinter vorgehaltener Hand, »weil Ray das Peterli ohne will!«

Tom blieb keine Zeit mehr, ihm zu antworten, weil er als Bischof zum Gegenschlag ausholen mußte und jetzt ›Das Lied von der ungebührlichen Nachahmung der Geburt unseres Herrn Jesus Christus‹ sang, donnerte, mit der Wucht des Jüngsten Gerichts!

SCHAM EUCH WOHL ANSTEHT, DEMUT VOR ALLEM,
MEINE TOCHTER! UND DAß KEIN SÜND
BEFLECKE EUCH UND EUR KIND!
SONST UNGETAUFT TUT'S DEM TEUFEL VERFALLEN!

WEHRET DER UNGEBÜHRLICHEN NACHAHMUNG
DER GEBURT UNSERES HERRN
JESUS CHRISTI UNTERM STERN!
JESI MITNICHTEN IST ORT DER MENSCHWERDUNG!

Und nach jeder Strophe bat die Kaiserin leise wimmernd:

PIETÀ! MISERICORDIA MARIAE!

Und wie im Libretto indiziert, nahm das Volk Anteil, ergriff Partei der attackierten Kaiserin, erregte sich und schaffte mit derben Zwischenrufen seinem Unmut Luft.

Es war schon weit über Mitternacht, und die Leute wichen nicht von der Piazza, sondern folgten gebannt dem Schauspiel. Die Carabinieri waren noch vor Ablauf des Ultimatums mit allen Einsatzwagen weggefahren. Dafür tauchten jetzt endlich Trupps auf, die Transparente entrollten. Auf denen stand aber keineswegs ein Text der Solidarität mit den Künstlern, sondern ›Federico, figlio di Jesi, non dei Tedeschi!‹ Sofort waren Franck & Co mit ihren Videokameras zur Stelle. Sie filmten die stupiden, aber aggressiven Texte geradezu genüßlich ab. Zur Untermalung übersetzte Hellrich die Hetzparolen gleich deutsch ins Mikrophon. »Friedrich, Jesis Sohn und nicht der Deutschen!« »›Stupor Mundi‹ gehört uns, nicht den Krämern und den

Schickis!« ›Stupor Mundi, cosa nostra — nè di affaristi, nè di móndanità!‹ oder ›Suevi falsi, tornate a casa! Stupor mundi rimane in città!‹ »Falsche Schwaben, haut ab! Stupor Mundi bleibt in der Stadt!« Die Aufforderung verfing aber nicht, die Träger wurden mit Pfiffen empfangen, die Bürger bezogen Stellung. »Es sind Fremde!« konnte man hören. »Was wollen die hier?«

Nemo stellte seine Soldaten in Gefechtsordnung auf, aber die Protestierer begnügten sich vorerst damit, am Rande der Piazza ihre Parolen hochzuhalten und sich auf keine tätliche Auseinandersetzung einzulassen. Auf der einen Seite das Mittelalter wie auf einem Schlachtengemälde, farbig, fremdartig, faszinierend, bedrohlich, die Lanzen gereckt, die Schilde mit den Wappen vorgestreckt — auf der anderen, kaum weniger unwirklich, die grauen Protestierer des 20. Jahrhunderts mit ihren monotonen Spruchbändern und einfallslosen Transparenten. So standen sie sich gegenüber, lauernd. Das änderte sich schlagartig, als jetzt mit Blaulicht die Carabinieri zurückkehrten, von Mannschaftswagen absprangen und den Wasserwerfer in Position brachten. Sie gingen nicht etwa gegen die Bühne vor, sondern drängten die Protestierer ab. Blitzschnell verwandelte sich die Szene von stummer Drohung zu militanter Gewalt. Plötzlich waren alle vermummt, die Transparente mutierten zu Schlagstöcken, und die ersten Steine flogen. Der Wasserwerfer spritzte los. Nemos deutsche Truppe klappte die Visiere runter, reckte die Spieße und zog die Schwerter blank, alle Mitwirkenden, die nur über Rüstung und Schild verfügten, riegelten die Bühne ab, hinter deren Aufbauten die Unbewaffneten, Frauen und Kinder Schutz suchten.

Hauptmann Waldemar wurde von einem Stein am Helm getroffen und krachte scheppernd zu Boden. Eine der ersten Schaufensterscheiben, die zu Bruch ging, war die der Apotheke. Die Carabinieri griffen hart durch, wer nicht in die Seitengassen entweichen konnte, wurde in die vergitterten Wagen gezerrt. Der Wasserwerfer wurde abgestellt. Mit Blaulicht und Sirenen brausten die Einsatzwagen davon. Der Spuk war vorbei.

»Dann können wir ja weitermachen!« frohlockte Ray, als im Schlepptau von Beas offenem Cabrio der Servicewagen des Signor Delle Delizie vom Corso auf die Piazza kurvte. Mit wenigen Handgriffen bauten die Köche und Kellner das Buffet auf.

Es waren keine Leckereien, wie Ray schnell feststellte und daher großmütig ausrief: »Alle, Künstler wie Zuschauer, sollen an der Atzung teilhaben!«

Beifall war schon bei Erscheinen des Delikatessentransporters aufgebrandet, jetzt ließen die Leute ›Stupor Mundi‹ und seinen Regisseur hochleben. Und so stellten sich die Mitwirkenden in ihren Kostümen und die Bürger, die bis jetzt ausgeharrt hatten, einträchtig an, um einen Plastikteller von der Spaghettata zu erhaschen, dazu einen Becher billigen Frascatis. Ray hatte entdeckt, daß Bea für ihren Rinaldo ein liebevoll verpacktes Körbchen aus dem Auto schmuggelte. Einen Augenblick kämpfte er mit seiner sozial-revolutionären Gesinnung, es der Masse zum Fraß vorzuwerfen, dann obsiegte die Vernunft, und er teilte die Beute mit Rinaldo und Mia. »Für die Emmy reicht's nicht«, tröstete er sein bedingt schlechtes Gewissen, zumal er seinen Producer in der Schlange zu den Töpfen sah.

Bea schleppte zu Pastete, Melone und Schinken auch noch eine Kiste Champagner an, der, unter dem Tisch versteckt, von den Eingeweihten aus den gleichen Pappbechern getrunken wurde wie der offene Weiße. Kaum gestärkt klatschte der Regisseur in die Hände, und Mia rief: »Positionen einnehmen!«

Da sagte Ray zu Katarina: »Jetzt kommt dein Gegenschlag gegen Bischof und Papst. Du wächst noch einmal über dich hinaus, du machst ihn fertig, den Tom da, den aufgeblasenen Kleriker, bis er nur noch ›Misere nobis, cruce domini‹ flehen kann. Daß du dabei deinen Mann überspielst, kümmert dich nicht. Du zeigst dieser Patriarchenwelt, was in einer kleinen Frau steckt. Los!«

Das Morgengrauen kündigte sich schon an, als Don Achille übernächtigt auf der Piazza erschien. Er hatte ein blaues Auge und trug eine Binde um die Stirn.

»Irgendwelche Schläger haben mir aufgelauert«, sagte er nicht ohne Stolz, »aber wir haben gesiegt. Die Marchesa Fulvia hat den Stadtrat wissen lassen, daß für jeden Mitwirkenden von ›Stupor Mundi‹, den die Polizei von der Piazza wegtragen sollte, sie einen Wagen von ihrem Campo abschleppen ließe. Die Stadt besäße keinen Nutzungsvertrag mit ihr, und das Gewohnheitsrecht, dort zu parken, müsse sich dem Eigenbedarf unterordnen. Mit anderen Worten: Sollte ›Stupor Mundi‹ von der Piazza vertrieben werden, würde sie der Truppe den Campo zur Verfügung stellen. Da auch einige der Ratsherren dort ihre Wagen abstellen und viele einflußreiche Bürger der Stadt, wurde der Räumungsbeschluß mit sofortiger Wirkung aufgehoben.«

»Siehste«, sagte der Regisseur zu Berghstroem und schenkte Don Achille ein Glas Champagner ein. »Dann können wir ja auch das ›Zwischenspiel‹ — wenn's diese Kabbale nicht schon vorweggenommen hat —«

Ray lachte und trank. »—auf heute abend verschieben und jetzt beruhigt uns schlafenlegen!«

Rinaldo sprang auf die Bühne und rief seine Schlußzeile, zweiter Akt, erster Teil:

Volk von Jesi! Das Kind tut anlangen!

so daß Ray-Ramon nachziehen mußte:

Euch die Ehr, Leut, es würdig zu empfangen!

Kaiserin: Ich Euch beide gerne seh.
(leise)

Her┐   ┌ch,

```
┌─────────────────────────────────────────┐
│                                           │
│              Kapitel IX                   │
│                                           │
│             Der Teufel                    │
│                                           │
└─────────────────────────────────────────┘
```

Kaiserin: Aus Eurer gütig Hand
(leise)   den Schutz der Jungfrau empfang ich liebend
                                                    gern,
              so gewiß, daß mein Stund unter gutem Stern
              in diesem fremden Land –

Der Bischof kocht, aber die Fortsetzung des Reigens und dessen Übergang in ein neuerliches Minnelied, das Ramon eröffnet, um einem Ausbruch des Monsignore zuvorzukommen.

MINNELIED

Ramon: Per lieis am fontanas e rius,
              bos e vergiers e plans e plais,
              las dompnas e·ls pros e·ls savais,
              e·ls savis e·ls fols e·ls badius
              de la francha regio
              don ill es e de viro;
              que tant es lai viratz mos pessamens,
              qe mais non cuig sia terra ni gens.

Die Kaiserin flüstert mit der Herzogin, und die wendet sich an das Festkomitee, den Bischof wieder nicht zu Wort kommen

Was zeigen Sie heute Erhebendes, lieber Berkestrom?« rief die Marchesa, als sie seiner in der Halle ansichtig wurde. »Kommen Sie, nehmen Sie einen Tee mit mir.«

Der Aufforderung war Folge zu leisten, und als die energische alte Dame ihn in ihr Bureau bat, wußte der Producer schon, was anlag. Er und seine Truppe waren seit über zwei Wochen dem Hotel gegenüber im Rückstand, und das nicht nur mit den nackten Zimmerrechnungen. Dennoch unternahm er den verzweifelten Versuch, den Kelch in Form einer zierlichen Teetasse noch einmal an sich vorübergehen zu lassen. Die Eignerin war nicht so leicht einzuwickeln wie der rührende Herr Portier, der ein Herz für Künstler hatte, Knaben bevorzugt.

»Wir empfangen heute die hohe Geistlichkeit«, sagte Berghstroem und ließ sich manierlich auf einem der Stühle nieder, »die zur Feier der kaiserlichen Geburt im Jahre 1194 nach Jesi strömte.«

»Sie kam weder aus Neugier noch aus freien Stücken, sondern zum Zeugendienst befohlen«, sagte die alte Dame. »Sie wissen sicher, wie ihr Deutschen damals den Ort nanntet? Exin! Der Bischof hieß Raynaldus!«

»Der ist schon 1175 verstorben«, wagte Berghstroem einzuwenden.

»Dann eben Grimaldus!« hatte die Marchesa den nächsten zur Hand.

»Der wird erst 1197 ernannt«, antwortete Berghstroem gequält, »dazwischen, zur Zeit der Geburt, herrschte wohl eine Sedisvakanz, doch ganz sicher ist man sich da auch nicht.«

»Unzweifelhaft ist die Teilnahme des Episcopus Fulgensis, also der von Foligno, ein gewisser Atto oder auch Anselmus, und man nimmt auch an, daß die Bischöfe Bentivoglius von Gubbio, Hugo von Urbino und Rusticus Brancaleone von Todi —«

»Ah«, sagte Berghstroem. »Ich wußte nur von dem Bischof Vivianus von Perusa, das deutsche ›Perusin‹, dem Guido I von Assisi, dem Matthaeus von Spoleto, und sicher ist auch die Anwesenheit der Prioren der Klöster von Sasso Ferrato, von Sant' Apollinaire del Sambro und Santa Croce di Sassovivo —«

Seine Kenntnis beeindruckte die Marchesa wenig. »Sie können davon ausgehen, daß weder die Inhaber der Stühle von Ancona und Senogallia noch die von Fano, Rimini, Pesaro oder von Nocera-Umbra fehlten.«

Berghstroem ließ sich Zeit, als müsse er schwer nachdenken. Er wollte die Marchesa nicht vor den Kopf stoßen.

»Beroald von Ancona war leider grad verstorben«, begann er, »desgleichen wohl sein Kollege Alimannus von Sinigaglia — während die anderen, Monaldus, Hugo, Henricus oder Anselmus, weiß Gott nicht fehlten!«

»Desgleichen nicht Raynaldus von Abculum Picenum, Nicolaus von Fossombrone, dem römischen Forum Sempronii oder Valentianus von Montefeltre! Während man sagt, die Äbte von Pian Carpiniis, dem heutigen Magione, und die Bischöfe Ubertanus von Orvieto und Johannes II von Forli hätten sich der Ehre entzogen.«

»Ah«, entfuhr es Berghstroem, er war geschlagen.

»Sie möchten wohl wissen — nehmen Sie Zucker? — lieber Berkestrom, wieso ich mich da so gut auskenne?« Sie lächelte grimmig. »Wir hatten letztes Jahr in unserem ›Circolo‹ eine Vortragsreihe, zu der wir auch den Professor Nigel McKay von der ›PIAD‹ zu Gast hatten, ›Institute For Poetical Intelligence, Analysis and Development‹. Er legte dar, daß die allgemeine Annahme der Präsenz von ›Bischöfen und Kardinälen‹ insofern nicht korrekt sei, weil es sich bei letzteren ausnahmslos um solche gehandelt habe, die unter der Regierung des Barbarossa von Antipäpsten ernannt waren, den Purpur also zu Unrecht trugen. Es waren fast ausschließlich die lokalen Bischöfe der Umgebung und die Äbte der nächsten Klöster, und auch die waren meist reichsfreundlich.«

»Wieso mußte man sie dann zwingen, der Niederkunft beizuwohnen?«

»Weil ein Bischof, ob Staufer oder Welf, in erster Linie sein eigener Herr war und darauf bedacht, diese Unabhängigkeit, vor allem auch fiskale, zu bewahren. Diese Geschichte in Jesi brachte nichts, höchstens Ärger — wenn man hinterher bezeugen mußte, was man mit eigenen Augen gesehen. Entweder würde es dem Herrn Papst nicht passen, oder es ging der kaiserlichen Gewalt gegen den Strich.«

»Aha«, entrang sich Berghstroems Kehle. Er schlürfte seinen Tee aus und erhob sich. »Das war sehr aufschlußreich«, Berghstroem machte die Andeutung eines Dieners. ›Wie gut‹, dachte er, ›daß die Marchesa nicht auch noch wie Fiorante selbst ein Stück geschrieben hat!‹

Die Ankunft der Kardinäle, Bischöfe, Äbte und ihres Gefolges von Prälaten, Meßdienern, Knabenchören und Benediktinern erfolgte in Bussen von Rom aus. Dort waren sie in den reichbestückten Kostümhäusern schon eingekleidet worden, so daß Elgaines Assistenten vor Ort nur noch Kleinigkeiten richten mußten und Schmuck, Ketten und Ringe an sie verteilten. Dieses Vorgehen, also der Einsatz von Berufskomparsen, war von den Serafinis durchgesetzt worden, die ansonsten eine disziplinierte Durchführung nicht gewährleisten wollten. Außerdem waren die einheimischen Bestände an willigem wie brauchbarem Statistenmaterial erschöpft, und auch die Flüchtlingslager gaben nichts mehr her. Es war dennoch ein großer Tag für die Coeurdever, die noch in der Nacht mit Marco Serafini nach Rom gefahren war, um am frühen Morgen die Parade des Klerus abzunehmen, bevor sie den Haufen auf die Reise schickte. Sie war noch nicht zurück, als der Konvoi die Piazza von Jesi erreichte.

Manuel J. Berghstroem betrachtete wohlgefällig den Aufmarsch der geistlichen Würdenträger von seinem Balkon aus und dachte an das viele schöne Geld, das sie ihn kosten würden, Verpflegung, Pausengeld und Überstunden zusätzlich, aber wenigstens konnte man bei diesem prächtigen Anblick das auszugebende Geld richtig sehen, die Kosten waren greifbar und machten Sinn. Er ging also wohlgemut zur Bank, dazu war sie schließlich da.

Mia sortierte mit Hilfe von Tony und Ed die einzelnen Gruppierungen und ließ sie vor Rays prüfendem Auge zu einer ersten

Stellprobe anmarschieren. Das Zelt stand zwar noch nicht, aber die Leute vom Zirkus hatten versprochen, es bis zum Abend gebrauchsfertig zu übergeben. Der Regisseur war mit dem Aufgebot zufrieden und bat Rinaldo:

»Der Narr setzt sich an die Spitze dieses klerikalen Aufgebots, um irgendwo, bloß nicht hier, die Choräle zu üben!«

Rinaldo zögerte.

»Dafür erlass' ich dir auch die Probe deiner Huldigung an die Kaiserin, wo du bloß auf den Bauch fällst!«

»Wohin soll ich sie denn führen?« jammerte der Komponist. »Ich kann doch mein Playback nicht auf einer Wiese —«

»Sicher nicht ins ›Le Delizie‹«, scherzte Tom. »Geh in die Tiefgarage, da hört es keiner!«

Rinaldo versicherte sich der Assistenz der beiden Serafinis, und sie zogen ab in feierlicher Prozession, so empfanden es jedenfalls die neugierig herbeigeströmten Bürger, bis sie bei näherem Hinsehen entdeckten, daß die Kardinäle dabei Bier tranken, die Bischöfe sich Witze erzählten und die Chorknaben rauchten. Einige empörten sich und drohten an, Don Pasquale zu informieren, den maßgeblichen Monsignore der Stadt. Andere fanden die lockere Selbstdarstellung der Santa Ecclesia nachahmenswert und begleiteten den Zug unter derben Zurufen, bis er in der Tiefgarage verschwunden war.

Mia war in die Kasematten gelaufen, um Tilde Carson zur Eile anzutreiben, die laut Disponierung längst mit dem Ankleiden fertig sein mußte. Sie fand die Kaiserin mäkelig ein Kostüm nach dem anderen verwerfend, indem sie schlicht jedesmal vorgab, es passe ihr nicht. »Nicht mehr!« Mia hatte zwei völlig entnervte Assistenten der Coeurdever vorgefunden, die nahe daran waren, der Carson mit der Schneiderschere nicht nur die Nähte, sondern auch die Hüfte aufzuschlitzen.

Mia sah ihre Aufgabe darin, es nicht zum Eklat kommen zu lassen, und beschloß, die Carson durch eine als Librettobesprechung verbrämte Laudatio abzulenken. Sie überging diplomatisch, daß der zweite Akt, zweiter Teil, mit einem Wiegenlied der Alfia begann, beschwor dafür mit großer Eindringlichkeit die Chöre der ins Zelt einziehenden Geistlichkeit, beschrieb das Bett der Kaiserin darin wie den Gral, funkelnder Stein in der Nacht leuchtend aus eigener Kraft, sein Licht erhellt die Welt —

da wurde die Carson schon ganz milde und sanft, die Robe
paßte plötzlich, nur noch hier und da eine Kleinigkeit. Mia
schloß das Zelt, übersprang leichtfüßig das Geschehen davor,
das wieder nur die Metzgerin und ihr Kind zum Inhalt hatte, sondern widmete sich hingebungsvoll der Niederkunft, die keiner
sehen konnte, weil das Zelt zu war. Tilde in ihrem Mutterglück
sah großmütig darüber hinweg, denn das begriff sie sehr wohl,
daß in diesem feierlichen Moment sie und ihr Sohn die absoluten
Hauptpersonen waren, wenn auch unsichtbar! Dann öffnete sich
das Zelt, auch diese Szene gehörte ihr, sie wird in eine Sänfte
gebettet und hinausgetragen mit dem Sohn! Dann kommt der
Hofmarschall, von dem hat sie in ihrer Position als ›prima donna
assoluta‹ nichts zu fürchten, Nemo ist nur Stichwortgeber für
ihren Ausbruch, leider an die Adresse der Amme, das läßt sich
nicht vermeiden − oder sollte sie mal bei Ray eruieren, ob er nicht
auch statt dem Metzgersweib die junge Herzogin von Spoleto
akzeptieren würde? Warum macht sich Constanze, die Kaiserin,
in dieser schweren Stunde ausgerechnet mit dem Gesinde
gemein? Ja, warum? Bis zur dringenden Klärung dieser Frage
mußte sie leider ›Alfia, Alfia, halt fest meine Hand‹ singen, ›mir
bricht das Herz, mein' Sohns Verlust bringt mich um den Verstand‹, und dann, nach der geschuldeten Treueerklärung der
Amme, kommt endlich der Höhepunkt von ›Stupor Mundi‹:
Constanze, die Kaiserin, singt ihr Abschiedslied für ihren Sohn,
der ihr gleich wieder genommen wird, ›Puer Apuliae‹, ein Wiegenlied von unendlich großer Mutterliebe, das Opfer einer Herrscherin, die sich der Staatsraison unterwerfen muß.

> Wohin du auch gehst, mein Prinz, mein Sohn,
> mein schwach's Herz bleibt immer dein,
> Puer Apuliae!
> Was dir auch je beschieden schon,
> für mich bleibst du immer mein
> Puer Apuliae.
>
> Und mußt einst tragen die Ehr, die Last
> der Kaiserkron, werd' ich nicht mehr sein,
> Puer Apuliae!
> Dir gehört dann die Welt, doch niemand hast,
> der dich liebt wie ich, ewig, mein
> Puer Apuliae!

»Es zerreißt einem fast das Herz — ›alle weinen‹, steht im Libretto«, sagte Mia sanft. Das Gewand saß wie angegossen, Tilde stemmte die Hände befriedigt in die Hüften und nahm sich vor abzunehmen, bevor sie sich überschwenglich bei den beiden Assistenten bedankte und Mia wie ein braves Hündchen hinaus auf die Piazza folgte.

Die Szene auf der Bühne wurde jetzt von der rothaarigen Tilde kaiserlich beherrscht. Sie setzte als erstes bei Ray durch, daß ihre schwarze Zofe Kisha auch im Stück in den Hofstaat aufgenommen wurde, damit sie ihr stets zur Hand gehen konnte.

»Warum auch nicht?« Ray war der Carson gegenüber von ungewohnter Nachgiebigkeit. »Am Hofe von Palermo ist das arabische und damit auch afrikanische Element durchaus noch präsent.«

Er sprang auf die Bühne, um selbst als Troubadour nun der Kaiserin Alfia des Metzgers Weib, selbst grad Wöchnerin, als Amme vorzuschlagen, wobei ihn die Herzogin von Spoleto unterstützt, während Ugo, der Ehemann, heftig protestiert.

»Bei meinen Worten — Schau bitte her, Mia!« wies er seine Assistentin an. »Bei meinen Worten ›und so wär's ihr größter Frust, wenn an ein ander Amm Ihr Euch wendet‹ gehe ich mit einladender, galanter Geste rückwärts, um der Tilde nicht den Blick auf Beas Milchbrust zu verstellen.«

Tilde, die Kaiserin, sagte matt: »Ich nehm' Euch liebend gern!« und streckte der verlegenen Alfia die Hand hin, als sich Franck, der die Szene in Video aufnahm, sich erdreistete zu sagen: »Stopp! — Pardon«, wandte er sich an den konsternierten Regisseur, »aber Herr Bock ist gerade eingetroffen und möchte Sie, Herr Maulman, und die Darsteller kurz begrüßen.«

Was Herr Maximilian F. Bock für ›Stupor Mundi‹ bedeutete, wußten zumindestens alle, die hier versammelt waren, und sie drehten sich prompt um, wenn auch gemessen, denn keiner wußte so recht, ob er sich über diesen Besuch des geheimnisvollen Mäzens freuen sollte, doch sehen wollten sie ihn alle.

Im Hintergrund am Rand der Piazza war eine schwarze Limousine vorgefahren. Mit Hilfe einer hydraulischen Hebevorrichtung entließ der gestreckte Lincoln, der allerdings mehr nach Bestattungsunternehmen aussah als nach hochmodernem Behindertentransporter, einen Mann in seinem Rollstuhl sitzend. Zwei kräftige Pfleger, in Zivil wie zwei Gorillas im Sonntagsstaat, begleiteten das Gefährt, das mit eigener Elektrokraft schnurstracks auf die Bühne lossummte. Maximilian F. Bock trug einen Gehpelz, Schlapphut und dunkle Sonnenbrille. Sein Gesicht war glatt rasiert bis auf einen gut gestutzten Balbokinnbart.

»Ich wollte nicht stören«, sagte seine Stimme, die nichts Dämonisches noch sonst etwas Faszinierendes hatte, dabei störte er ja doch, und Ray sagte:

»Mister Bock, I presume −?«

»Verzeihung«, sagte der, um sofort hinzuzufügen: »daß ich mich nicht vorstelle. Ich dachte, das sei nicht nötig. Ich will's auch kurz machen: Ein Foto mit den Herrschaften, und schon bin ich wieder weg!«

Das war keine Bitte, sondern Anweisung an die Gorillas, ihn mitsamt seinem Rollstuhl auf die Bühne zu wuchten, wo er sich mit wenigen Hebelbewegungen mitten zwischen die Darsteller manövrierte. Sie taten ihm den Gefallen.

Tom, als Monsignore Tommaso, der Bischof von Jesi, Ugo, der grobschlächtige Metzger, und Bea, des Metzgers ungetreues Weib Alfia und zur Amme auserkoren, posierten zur Rechten, zur Linken Ray Maulman, der Regisseur und gleichzeitig Ramon der Troubadour, Tilde Carson, als die Kaiserin Constanze, die Urslingen, das junge Herzogspaar von Spoleto, und Jakob, der Henker, also Signor Tagliabue. Einer der Gorillas betätigte sich als Fotograf. Er wollte gerade abdrücken, als Ray sich zu Herrn Bock beugte und sagte:

»Wenn man Sie auf dem Foto erkennen soll, dann würde ich die Brille abnehmen.«

»Ich kenne mich«, wies der ihn ab. »Euch brauche ich fürs Archiv.«

Das klang reichlich sinister, doch jetzt blitzte der Gorilla los, und nur Ray hatte Zeit gefunden, sich ebenfalls hinter dunklen Spiegelgläsern zu verbergen. Bea strahlte glücklich in die Kamera und legte ihren Arm um Maximilian F. Bock. Er tätschelte ihren Arm und sagte leise:

»Wir sehen uns noch, meine Liebe. Wir sollten über Ihre Karriere sprechen«, fügte er leise hinzu, dann rollte er von der sich auflösenden Gruppe weg zurück an den Rand der Bühne. Er warf einen letzten Blick über die Aufbauten und die um den

Regisseur versammelten Darsteller und bemerkte auch im Hintergrund Franck & Co, sein Videoteam. Sie, die alles mitgefilmt hatten, nickten ihm zu, und er sagte feierlich:

»Ich bin ›Stupor Mundi‹ auf Gedeih und Verderben verbunden. Ich bin sehr glücklich, meine Damen und Herren, über das bisher Geleistete, das, was Sie voll Kreativität und Schaffenskraft aus der Vorlage und meinem bescheidenen Beitrag geschaffen haben! Machen Sie so weiter!«

Seine Helfer hoben ihn von der Bühne, so daß er die fassungslosen Gesichter der Angesprochenen nicht mehr zu sehen bekam. Das jetzt verhalten einsetzende Gelächter mußte ihm noch in den Ohren geklungen haben, während er ›seine Gruft wieder ansteuerte‹. So jedenfalls drückte sich Ray aus, ausgehend von ›Doctor Strangelove als Bundeskanzler inspiziert sein Fronttheater in Somalia‹. »Auf den Schrecken brauch' ich erst mal einen Cognac! — Mia! Wo steckt eigentlich Emmy?«

Berghstroems gute Laune war verflogen, als der Kassierer der Bank ihm die Auszahlung der verlangten Summe rundweg verweigerte und auf eine entsprechende Weisung des Direktors verwies.

»Das muß ein Irrtum sein«, sagte Berghstroem und ließ sich beim Direktor anmelden. Nach längerem Warten, was Berghstroem ärgerte und verwunderte, denn sonst war er sofort vorgelassen worden, empfing ihn der Direktor, bot ihm aber weder Stuhl noch Kaffee an, sondern platzte gleich los:

»Wie gedenken Sie Ihre Schulden zu begleichen?«

Berghstroem war auf alles mögliche vorbereitet, nur nicht auf diese törichte Frage, und so ging er lachend zum Gegenangriff über.

»Wer schuldet hier wem was? Die Bank hat mir doch gerade erst ein neues Konto eröffnet, aufgedrängt — ›Pro Jesi‹!« Er verstärkte sein Lachen in der vergeblichen Hoffnung, den anderen anzustecken. Es war auch zum Lachen.

Der Bankdirektor sagte mit Leichenbittermiene:

»Der Bürge hat sich zurückgezogen.«

»Sein Pech!« rutschte es Berghstroem heraus, dann fiel ihm ein, daß er von keinem Bürgen wußte. »Wer war denn der edle Spender?« fragte er freundlich. »Oder läuft hier die Geschichte so, daß ich mich in Schulden verstricken soll, um dann dem Erpresser ausgeliefert zu werden?«

»Das ist Ihre Hypothese. Ich habe Sie nur pflichtgemäß informiert, daß dieses Konto Ihnen nicht mehr zur Verfügung steht. Wie Sie sich mit dem Bürgen auseinandersetzen, ist meine Sache nicht.«

Berghstroem begriff, daß hier nicht nur eine Seifenblase geplatzt war. Den Namen des Mannes hinter dieser Operation würde er schon noch erfahren.

»Dann geben Sie mir eben von meinem Kontokorrent, es wird ja mittlerweile wieder aufgefüllt worden sein.«

»Es ist geschlossen worden«, sagte der Bankdirektor und blätterte in seinen Unterlagen. »– ein Herr Bock, Maximilian Eff, war hier, hat das Saldo freundlicherweise ausgeglichen.«

»Was?!« sagte Berghstroem. »War hier?«

»Er hat sich ausgewiesen als der bisherige Geldgeber und unmißverständlich erklärt, daß es sich um seine letzte Zahlung in der Sache ›Stupor Mundi‹ handeln würde.«

»Wann war das?«

»Vor einer halben Stunde –« sagte der Bankdirektor. »Sie müßten sich eigentlich begegnet sein.«

Berghstroem stürzte grußlos aus dem Raum, durchmaß eilenden Schritts die Kassenhalle und schritt zögerlich die Treppe hinunter. Zurück zur Piazza? Oder sollte er erst im Hotel Ausschau nach Maxi halten? Solche Scherze sahen ihm ähnlich! Er stolperte zwischen zwei Männer, die mit einem Wagen direkt vor dem Portal der Bank gewartet hatten – auf ihn! Das begriff er sofort, Widerstand oder Flucht empfahlen sich kaum, zumal die beiden Herren ihm so dicht auf den Leib gerückt waren, daß sich derlei Gedanken erübrigten. Der eine hielt bereits den Wagenschlag auf. »Don Pepe«, sagte er »sarà lieto di vederVi, Don Manuel.«

»Scusate il disturbo«, fügte der andere noch hinzu, als Berghstroem schon eingestiegen war. Sie fuhren los. »Ins ›Dunes‹?« Die beiden nickten nicht, sondern zogen die Brauen hoch, bei leicht gekräuselter Oberlippe, was soviel und sowenig heißen konnte wie ›Du wirst schon sehen!‹

Manuel J. Berghstroem hatte ausreichend Zeit, über sich und seine Lage nachzudenken. Seine Gedanken kreisten aber um

Franck & Co, die er sehr wohl wahrgenommen hatte, als er aus
der Bank stürzte, um in die Hände der beiden Männer zu geraten. Sie hatten alles gefilmt, seelenruhig und ohne einzugreifen.
Seine Freunde waren sie nicht, aber waren sie seine Feinde? Sein
Ingrimm fraß sich an diesen Typen fest, an ihren kurzgeschore-
nen Schädeln, ihren grauen Drillichanzügen mit den Schnürstiefeln, wie sie die ›Paras‹ trugen. Es war ihre gesichtslose Unifor-
mität, die Berghstroem an Fremdenlegionäre erinnerte, obgleich
diese sturen Ossis damit wohl nichts am Hut hatten. Er sah sie
vor sich, wie sie ihre Videokameras zückten, und dachte, nimmt
man sie ihnen weg und drückt ihnen statt dessen Maschinenpi-
stolen à la Rambo in die gewinkelten Arme, Bazookas oder
Flammenwerfer, dann würden sie mit denen genauso ungerührt
hantieren. Sie machten ihren Job — wie sie wahrscheinlich im
real existierenden Sozialismus fürs ›Doku‹ gefilmt hatten, Mai-
aufmärsche und Sportfeste, Militärparaden und Manöver der
Paktstaaten, so hätten sie auch auf alles geschossen, was ihnen
als Ziel angegeben war. Vielleicht hatten sie wirklich für die
Stasi gearbeitet, hatten gelernt auszuspähen, zu bespitzeln, Dis-
sidenten, Studenten, Künstler als Observierungsobjekte zu
sehen und mit ihrem Gerät ›einzufangen‹. Was die sich wohl
dabei dachten, wenn sie so für Maxi Bock, Kokobock, tätig
waren? Wahrscheinlich gar nichts! Jobs für Leute wie sie hatte
die Treuhand nicht, das ›Doku‹ war aufgelöst bis auf eine
Rumpfmannschaft, natürlich aus Berlin, und das Ministerium
gab's auch nicht mehr. In der Provinz hatte Big Brother nichts
zu melden, er war pleite. — Diese Variante hatte George Orwell
nicht vorausgesehen: ›1994‹ — swatch yourself!

Ramon, der Troubadour, flüsterte erst mit Katarina, der kindlichen Herzogin von Spoleto, ihren Blick auf Beas prallen Busen
lenkend, dann stellte er die Amme der Kaiserin vor:

> Donna Alfia, des Metzgers liebend Weib,
> hat grad geboren aus üppigem Leib

Die Kaiserin reichte Alfia huldreich die Hand, Ray trat wie vorgesehen ein paar Schritte zurück, — da gab der Boden unter ihm
nach, eine provisorische Abdeckung brach ein, und er stürzte

mit einem Bein in das Loch, knickte um und blieb mit einem spitzen Schrei zusammengekrümmt liegen.

Mia war schneller als die erschrockenen Darsteller bei ihrem Meister.

»Verdammt noch mal!« schrie sie wütend. »Serafini! Wer hat denn den Holzdeckel der Zisterne gegen diese Preßfaserpappe ausgetauscht!?«

Von den Serafinis war keiner da. Nur Franck & Co filmten aus dem Hintergrund ungerührt den Unfall.

Inzwischen waren Tom und Ugo herbeigesprungen, der Hüne faßte den Regisseur behutsam unter der Achsel und zog den leise Stöhnenden aus der Öffnung, die vormals vom Brunnenkranz ummauert war, den aber Ray nach dem glimpflichen Mißgeschick des Signor Tagliabue selbst hatte versetzen lassen.

»Die Serafinis hatten für eine sachgemäße Abdeckung des Loches gesorgt. Jemand muß sie − aus welchem Grund auch immer − durch diese trügerische Platte ersetzt haben, wenn nicht böswillig, dann grob fahrlässig!« schimpfte Mia. »Ich möchte wetten, heute morgen war das noch nicht −«

»Laß, Mia«, unterbrach sie der Regisseur. »Ich glaube, mein Bein ist gebrochen −«

Ugo hatte ihn auf den Rücken gebettet, Katarina hielt ihm den Kopf hoch, und Tilde griff vorsichtig an den Unterschenkel, da schrie Ray schon auf. Franck bequemte sich, per Funktelefon eine Ambulanz herbeizurufen, und gab den richtigen Ratschlag, den Verletzten so lange in dieser Stellung liegenzulassen, bis der Notarzt eingetroffen sei. Die Sirene des sich nähernden Rettungswagen war bereits in der Ferne zu hören.

»Mach du weiter, Mia-Pia«, flüsterte Ray mit leisem Wimmern in der Stimme. »Laß dir von Rinaldo helfen. Wir dürfen uns nicht unterkriegen lassen.«

Das flackernde Blaulicht hatte die Piazza erreicht.

Rays letzter Blick von der Bahre, bevor er in den Rettungswagen geschoben wurde, traf auf das Auge der Videokamera. ›Aug' in Aug'‹, dachte er grimmig lächelnd, die Zähne zusammenbeißend, ›Zahnkrone in Zahnkrone‹! Diese Ossis waren eigentlich arme Hunde, so wie sie bei jedem Baum, Laternenpfahl und jetzt an seinem lädierten Bein das ihre heben mußten, um hinzupinkeln, ihre Duftnote zu markieren. Wahrscheinlich wäre

Franck gern selber Regisseur geworden, hätte Stoffe gestalten, eigene Ideen realisieren wollen, doch die Götter der Wessis hatten für sie nur diesen Fließdrehjob übrig, und so drehten sie, drehten und drehten, drehten die Kassetten um in aller Hast und drehten weiter, wie die Lagerinsassen im ›Bent‹, die einen Haufen Steine ständig um ein paar Meter versetzen müssen. Es bleiben immer die gleichen Steine. Er würde Gips bis zur Hüfte bekommen, zwei Krücken und war dann noch mehr als zuvor der hochinteressante, tragisch-dramatische große Regisseur Ray Maulman.

»Das isser!« rief eine Stimme, die Tür wurde aufgerissen, er blickte in die gaffenden Augen der Neugierigen, die sich zwischen Ärzten, Schwestern und Pflegern drängten, um einen Blick von ihm zu erhaschen! Er lächelte, aber das Bein tat doch verdammt weh!

Der Wagen mit Berghstroem hatte den tagsüber leeren Parkplatz des ›Dunes‹ überquert und hielt vor dem Eingang des Agip-Hotels. Die beiden Männer, Berghstroem glaubte sich inzwischen an sie als nächtliche Parkwächter zu erinnern, geleiteten ihn höflich durch die Lobby zum Lift. Der Portier schien davon keine Kenntnis zu nehmen. Sie fuhren bis ins oberste Stockwerk, das nur mit einem Zahlencode erreichbar war. Berghstroem gab sich nicht die Mühe, ihn sich zu merken.

Oben angekommen, versperrte eine Glasfront den Weg. Panzerglas. Die Wand öffnete sich, und sie brachten ihn bis zu der getäfelten Tür am Ende des Flures, klopften an und Don Pepe selbst empfing ihn: »Wie nett von Ihnen, Berkestrom, daß Sie Ihre kostbare Zeit opfern, meiner Einladung Folge zu leisten.« Er war ganz aufmerksamer Gastgeber.

Berghstroem warf einen Blick durch die bis zum Boden reichenden Terrassenfenster des Penthauses. Tief unter ihnen lag das ›Dunes‹ im hügeligen Sand, eine als Maulwurfshügel kaschierte Bunkeranlage, und in der Ferne sah man die Piste des Nato-Flughafens und hörte gedämpft das Donnern der Triebwerke beim Start, das Aufheulen der Schubumkehr bei der Landung. Er ließ sich ächzend auf die Ledercouch nieder, während Don Pepe ihm eigenhändig eine Zigarre schnitt und ihm Feuer reichte.

»War das Ihre Idee —« fragte der Producer dennoch gereizt

und blies die Rauchwolke des ersten Zuges nur knapp am Gesicht seines Gegenübers vorbei »– mit den Motorradhelmen?«

Don Pepe lächelte. »Ich hab' das sofort abstellen lassen. – Jetzt ist sie meine! ›Merchandizing‹«, sagte er freundlich und einigermaßen korrekt, »ist zu wichtig, um es den Händen von Dilettanten zu überlassen, deren kleiner Geist –«

»Deswegen haben Sie mir das Konto erst auf-, dann wieder zugemacht?«

»Nur vorübergehend, beruhigen Sie sich, lieber Berkestrom. Ich bin sicher, wenn Sie nach Jesi zurückkehren, dann ist es wieder offen, Kleinigkeit.«

Berghstroem paffte seinen Protest stumm in den Raum, bis er glaubte, den Sinn der Worte richtig verstanden zu haben: Auf das ›Wenn‹ kam es an, und da gab's kein ›Aber‹. Er lächelte also Don Pepe aufmunternd zu.

»Ich dachte nur«, sagte Don Pepe, »es sei vernünftig, wenn wir beide uns erst einmal über alle Möglichkeiten unterhalten. Deswegen habe ich mir erlaubt, mit dem Scheckbuch zu winken. Mir liegt an einer beständigen Zusammenarbeit, und an einer exklusiven –«

»Deswegen mußte Don Achille, der sich schon als Busunternehmer sah, klein beigeben?«

»Klein wäre er geblieben«, grinste Don Pepe. »Ich werd' ihm eine Pizzeria einrichten, oder sonstwas in Rathausnähe. Dort ist er nützlich. Sehen Sie, Berkestrom –«

Er schenkte ihm vom Cognac nach und hob sein eigenes Glas. »Ich darf doch ›Emanuele‹ sagen?«

Berghstroem nickte, sie stießen an.

»›Stupor Mundi‹ in den richtigen Händen kann eine Goldgrube werden! Unsere Reisebusse der Luxusklasse bringen die Zuschauer von Ancona und Senegallia, was sage ich, von Rimini abwärts, die gesamte Adria-Küste wird erfaßt, nach Jesi zur abendlichen Freilichtaufführung. Die Zeit vorher reicht gerade noch zum schnellen Essen in einem unserer Restaurants, Emanuele! Dann geht's los! In den Pausen, zwei sollten es schon sein –« Berghstroem zog es vor, erst mal einverständlich zu nicken. »– werden sie weiter verköstigt, mit Getränken versorgt, oder sie dürfen Souvenirs einkaufen, in Läden, die in unmittelbarer Nähe der Piazza liegen und auch des Nachts noch geöffnet sind. Darum soll sich Don Achille kümmern, um die Lizenzen!«

Don Pepe geriet in Fahrt. »Dann, bei Schluß des Spektakels, ist in Jesi alles dicht. Wir treten den Heimweg an. Zwischenstopp im ›Dunes‹, ein, zwei Stunden, und ein glücklicher Abend klingt aus.«

»Ich höre es klingeln«, sagte Berghstroem. »Lauter Kassen klingeln −«

»Und überall, Emanuele, bist du beteiligt, mit fünfundzwanzig Prozent. Sogar vom ›Dunes‹ sollst du zehn bekommen. Wie gefällt dir das?«

»Bestens«, sagte Berghstroem. »Was muß ich dafür tun?«

»Erstens weitermachen wie bisher, bis das Ding steht. Zweitens dafür sorgen, ab sofort, daß niemand uns ins Handwerk pfuscht. Drittens gar nichts mehr, nur noch kassieren.«

Berghstroem dachte nicht lange nach. Dafür, daß er keine Wahl hatte, war es sogar verlockend. Er sagte:

»Viertens werd' ich mir einfallen lassen, was man alles − wir nennen das ›product placement‹ − einbauen könnte, um diese Nebenauswertung von ›Stupor Mundi‹ noch zu verstärken. Ich denke da an −«

»Neben?« rief Don Pepe mit gelindem Spott. »Da liegt das wahre Geld! Als mein stiller Teilhaber wirst du reich, nicht als Schreiber, nicht als Produzent, der sich den Arsch aufreißen muß −«

»Ich sehe in den Pausen Stände auf dem Markt, an denen man sich verköstigen kann, Lederwaren mittelalterlicher Machart werden angeboten, nachgemachte, stilechte Waffen, Schmuck, Tücher, Hüte − in der Taverne wird getrunken, beim Metzger gibt es Rostbratwürste, an den Biwakfeuern der Soldaten können die Leute Fleisch am Spieß grillen oder Maiskolben − das Stück und die Pausen, die Darsteller und die Zuschauer verschmelzen zu einem ganzheitlichen, alles umfassenden Erlebnisabend!«

»Großartig!« rief Don Pepe und hob sein Glas. »Emanuele, du bist ein Mann mit Visionen, ein Genie!« Er stand auf und ging an seinen Schreibtisch.

»Ich wußte, daß wir uns verstehen würden.« Er schob Berghstroem einen vorbereiteten Vertrag hin. »Lies es in Ruhe durch«, sagte er freundlich, »bevor du unterschreibst.«

Auf der Piazza hatte Mia in Vertretung ihres Chefs unterdessen mit den Schauspielern weitergeprobt. Rinaldo war aus der Tiefgarage herbeigeeilt, als er von dem Unfall seines Freundes gehört hatte, und hatte seine Einlage nachgeholt, in der er sich, der Kaiserin huldigend, platt vor ihr auf den Bauch wirft. Mit ihm waren die beiden jüngeren Serafinibrüder zurückgekehrt und hatten die Abdeckung der Zisterne sofort inspiziert.

»Das war kein Unglück«, sagte Ed Hyatt zu seinem Bruder. »Jemand hat böswillig hier eine Falle gestellt.«

»Und zwar mit kaltem Sachverstand und in genauer Kenntnis des Probenverlaufs! Das kann kein Außenstehender gewesen sein.«

Der Krankenwagen brachte Ray zurück zum Hotel, aber der Regisseur bestand darauf, zur Bühne gefahren zu werden. Sie halfen ihm aus der Ambulanz. Ray stakste auf Krücken an seinen Arbeitsplatz zurück, sein Bein war bis zum Oberschenkel in Gips. Die Serafini legten Wert darauf, ihre Position sofort zu klären.

»Wir hatten das Loch hier mit einem soliden Deckel verschlossen. Er ist nicht nur verschwunden, sondern durch eine raffinierte Imitation vertauscht worden —«

»Ja, ja«, sagte Ray mit schmerzverzogenem Lächeln. »Stinky hat mal wieder zugeschlagen!«

»Ich weiß nicht —« sagte Tony Hilton.

»Machen wir weiter«, sagte Ray. »Mia, wie weit seid ihr?«

Bea trat vor und sagte: »Ich hab' Pause. Zur Zeit streiten sich vor allem Ugo und Tom und das Herzogspaar andererseits. Da muß ich nicht rumstehen.« Die blonde Metzgerin mit dem hochgeschnürten Busen schritt energisch von dannen.

»Sei rechtzeitig zu deinem Wiegenlied zurück!« rief Mia ihr nach. Sie sah, daß Jerry, das Kind, unbeaufsichtigt in seinem Kinderwagen lag. Das war typisch Bea, keine Spur von Mutterinstinkt! Sie, Mia, hatte Mama Masic hoch und heilig versprochen, auf Klein-Jerry zu achten wie auf ihren Augapfel, obgleich die gute Frau es ihr bereitwillig anvertraut hatte, ein wenig stolz, die eigene Brut ›in Television‹ zu sehen, das war wohl ihre Vorstellung von dem, was auf der Piazza geschah — es schlichen da ja auch immer die Videokameraleute herum und filmten alles, selbst wenn sie dem Kind die Windeln wechselte. Franck & Co schienen an dem Säugling ein besonderes Interesse entwickelt zu haben, denn auch jetzt sah Mia, wie sie Jerry in seinem Wägelchen filmend umkreisten wie Wölfe ein schutzloses Lamm. Als Hettrich das Baby jetzt auch noch herausholte und vor die Kameras hielt, schritt sie ein.

»Laßt das Kind gefälligst in Ruh!« rief sie. »Das ist eine Leihgabe, und ich trage die Verantwortung!«

»Der Kerl hat die Hosen voll!« antwortete Wolff und hielt unbeirrt sein Objektiv auf Jerry gerichtet, der leicht sabbernd fröhlich seine Hände danach ausstreckte.

»Du solltest Jerry mal baden«, sagte Hettrich, das Baby in sicherer Entfernung sich vom Leibe haltend, bis Mia es ihm abnahm. Er hielt sich die Nase zu.

»Du hast als Kind zu lange in der Scheiße gelegen«, verspottete Franck den Helden.

»Kümmert euch um eure eigene«, sagte Mia ärgerlich. »Ich bring' ihn jetzt zurück zu Mama Masic.«

»Das können wir auch«, sagte Wolff. »Wir schieben ihn dir sicher rüber, dann können wir ihn gleich ablichten, wenn ihm der nackte kleine Hintern gepudert wird!«

»Quatsch!« rügte Franck und warf dem Sprecher einen warnenden Blick zu. »Wenn Mia verantwortlich ist, dann wird sie dich kaum bitten, als Kinderschwester tätig zu werden.«

Da Ray nach ihr rief, entrang sich Mia ein gequältes Lächeln, das dem Anführer des Teams Sorgsamkeit auferlegen sollte, und sagte: »Aber sofort! Und auf kürzestem Wege! Wir brauchen Jerry noch!«

Das Videoteam schob mit dem Kinderwagen ab in Richtung der Asylantenbehausung, und Mia rannte zurück an ihren Arbeitsplatz.

»Mia«, empfing sie Ray, »jetzt müßte allmählich das Zelt stehen. Wo sind denn die Leute vom Zirkus?«

»In der Pizzeria!« antwortete Mia entnervt. »Ich geh' sie holen.«

»Bleib!« sagte Ray, der sein Gipsbein auf einem Stuhl gebettet hatte. »Sorg erst noch dafür, daß der Bischof und der Metzger abgeführt werden. Don Tommaso und Meister Ugo sind Unruhestifter. Fort mit ihnen!«

Bea kam schluchzend aus dem Hotel gelaufen und warf sich an Rinaldos Brust.

»Du mußt ihm nichts glauben«, stieß sie hervor, ihr Busen bebte vor Empörung. »Ich habe es nicht gemacht —«

»Was denn?« fragte statt dessen Ray schnippisch. »Dein Wiegenlied ist keineswegs so melodramatisch angelegt, daß du dich in derartige Hysterie hineinsteigern mußt — Heiter, heiter!«

Jetzt brach die blonde Amme erst recht in Tränen aus. »Er hat gesagt —«

»Wer?« unterbrach sie Rinaldo sanft.

»Der hier alles bezahlt, der Bock, dieser widerlich —« Der Rest ging in einem Weinkrampf unter.

»Erzähl mal«, rief Ray mit unverhohlener Neugier, »und hör auf zu flennen!«

»Laß sie«, sagte Rinaldo und löste sie aus seinen Armen.

Bea setzte sich und rang nach Fassung. »›Ich möchte mich um Ihr berufliches Fortkommen verdient machen‹, hat er gesagt, ›Sie wurden mir als begnadete Kehle geschildert‹«, berichtete Bea stockend und wischte sich die Tränen aus den verschmierten Lidern. »›Ihre größte Begabung sollen Sie als Bläserin bewiesen haben.‹«

»Hach!« unterbrach Ray frivol die Beichte. »Die kaiserliche Gunst spricht sich rum!«

»Geschmacklose Tunte!« rief Tilde und legte schwesterlich ihren Arm um die Schluchzende.

»Ich habe gesagt: ›Sie haben wohl einen Knall!‹« brach es aus Bea heraus. »Und er hat gesagt: ›Nein! Nur eine Erektion!‹«

»Toller Dialog!« konnte sich der Regisseur nicht verkneifen, aber die Carson gab ihm einen Knuff.

»Dann hat er gesagt: ›Bei prompter Serviceleistung soll es Ihr Schaden nicht sein. Verweigern Sie mir jedoch die Linderung, wird ihr Freund und Liebhaber, alle werden erfahren, wie schamlos Sie sich mir aufgedrängt und mit welcher Inbrunst Sie's getrieben haben.‹« Jetzt heulte sie erst richtig los.

»Und warum hast du ihm keine geknallt?« wollte Ray noch wissen, doch Rinaldo unterbrach ihn ruhig und erhob sich.

»Wo ist der Kerl?«

Bea schlang die Arme um ihn. »Weg! Er ist mit Elgaine Essen gefahren.«

»Der kommt nicht wieder«, konstatierte Tom, »der hat schon erreicht, was er wollte. Also —« wandte er sich begütigend an Bea »— tu ihm nicht den Gallen, jetzt zusammenzubrechen, die

Probe zu schmeißen, sondern lach über den impotenten Faun, der sich jetzt selber einen runterholen darf — wenn ihm überhaupt einer steht! Lach dich kaputt, Bea, über die Männer — und geh auf die Bühne, sing dein Lied und denk daran, die Kerle können mit ihren Schwänzen rummachen, aber Kinder gebären, das bringen sie nicht fertig!«

»Bravo, Tom«, sagte Tilde. »Das hätte von mir sein können!« Sie gab Bea einen Klaps, und die trocknete ihre letzten Tränen, erhob sich und stieg aufs Podium. Kisha durfte die Zofe spielen, die die schöne Metzgerin beim Wiegen ihres Kindes unterbrach, um sie zur Kaiserin zu rufen.

»Wir hören jetzt, von einer nicht mehr aufgewühlten, sich langsam beruhigenden, gelassenen Madame Delle Delizie —« Ray war jetzt wieder ganz einfühlsamer, suggestiver Spielleiter »— ›das Lied der Alfia‹.« Er machte eine Pause und lächelte Bea Zuversicht hinauf. »Derweil du, Mia, jetzt bitte Klein-Jerry in die Wiege legst, denn ein lebendes Kind beflügelt den Ausdruck zärtlicher Liebe mehr als unsere Puppe ›Eff-zwo‹.«

Buona notte, dolce notte,
dormi felice, dormi beato.
Domani, quando sarai svegliato,
ricorderai il sorriso di Gesú
e non dovrai piangere mai piú.

Mia zog los zur Pferdemetzgerei hinter den Kulissen, die das mittelalterliche Heim darstellten, oben Schlafstelle, unten zeltüberdachte Freibank mit Hackklotz. Sie fand dort das halbe Videoteam vor, Franck und Wolff — die anderen, Hettrich und Galinsky, coverten Beas Auftritt. Sie hatten mit Mama Masic soweit Freundschaft geschlossen, daß die bedenkenlos einwilligte, Klein-Jerry nach Beendigung seines Auftritts noch in der Wiege Alfias zu belassen für ein paar weitere Aufnahmen des Starbabys, solo. Das gefiel Mama Masic, daß Jerry etwas Besonderes sein sollte. Für sie war es nur ihr Letztgeborenes von sieben Kindern, wie die Orgelpfeifen, und das auch nur, weil Herr Masic schon seit über einem Jahr im Krieg war.

Mia sagte streng: »Aber erst nach Beendigung der Proben!« und übernahm Klein-Jerry, um schleunigst die Wiege der Alfia mit ihm zu beleben.

»Ihr könnt mir auch einen Gefallen tun, Jungs«, wandte sie sich an Hettrich und Wolff. »Da ist vom Kostümhaus in Rom ein Sack Schuhwerk gekommen und irrtümlicherweise in unserer Pension abgegeben worden. Den könntet ihr bei Gelegenheit in euren Volvo laden und in der Garderobe abliefern.«

»Klar«, sagte Wolff.

Später dann stieß Mia auf Berghstroem, der gerade eingetroffen war und nacheinander oder durcheinander mit den verschiedenen Katastrophenmeldungen eingedeckt wurde: Rays Bein in Gips, Attentat mittels Zisternendeckel, Maxis Niedertracht gegen Bea und — was ihn am meisten wurmte — die Entführung seiner Inka-Prinzessin durch den treulosen, heimtückischen Finanzmogul! »Kaum bin ich mal nicht vor Ort«, polterte er sie an, »dann baut ihr nur Scheiße!«

Mia schwieg, und auch Berghstroem wußte, daß er Unrecht hatte. Also gingen sie jeder seines Weges. Berghstroem beschloß, sofort, vor der Schließung, zur Bank zu gehen, um wenigstens zu sehen, ob Don Pepe Wort gehalten und das Promo-Konto wiederaufgemacht hatte. Ganz sicher war er sich da nicht. Aber das mit Elgaine fuchste ihn sehr! Wie konnte sich die Coeurdever nur so herablassen, er hätte sie warnen sollen. Dann fiel ihm ein, daß die Idee, die prominente Designerin zu engagieren, gar nicht auf seinem Mist gewachsen war. Elgaine eine Kreatur von Maxi? Gar seine Vertraute oder sogar Geliebte? Schauerlicher Gedanke!

Bischof:
(laut)

Kapitel X

DER TURM

Jesus Christus unterm Stern!
Jesi mitnichten ist Ort der Menschwerdung!

Kaiserin: Pietà! Misericordia Mariae!
(leise)

Bischof: Kein Stall mit Kripp das Prunkzelt,
(er zeigt   auch wenn Ochs und Esel schön zur Stell!
auf das   Euer öffentlich Lager auf verbrämtem Fell
Komitee)   schenkt kein himmlisch Kind der Welt!

Die Kaiserin schlägt wimmernd die Hände vors Gesicht, doch
die Herzogin geht mit kalter Wut den Bischof an.

Herzogin: Diese Nacht nicht nur Ochs und Esel sollen,
auch die Hirten werden Tribut ihm zollen!
Es ergeht darob kaiserlich Erlaß,
daß jeder Purpurträger, den man faß,
auf der Stell hierher verbracht und jäh
daß ehrerbietig das Wochbett er umsteh!

Bischof: Cruce domini, misere nobis!

Herzogin: Der Marken Bischöf alle wolln wir sehn,
Prioren, Monsignoren solln nicht fehl'n!
Dem Edikt zu folgen schnell,
kein Abt mit seinen Mönchen irrt,
kein Kardinal, dessen man habhaft wird!

Das Landgasthaus oben in den Hügeln über dem Meer gehörte dem Golfclub, seine exzellente Küche war weit über den Nato-Flughafen hinaus berühmt, dessen Offiziere den größten Teil der Mitglieder ausmachten. Elgaine hatte eine verkürzte Runde gedreht und verstaute ihre Tasche mit den Schlägern wieder im Kofferraum ihres Jaguars. Sie hatte darauf bestanden, den Wagen mitzunehmen, und das traf sich auch mit der Absicht des Herrn Maximilian F. Bock, der nicht vorhatte, anschließend noch einmal nach Jesi zurückzukehren. Der Finanzier von ›Stupor Mundi‹ erwartete sie auf der verglasten Veranda, die jetzt im Winter wenig Gäste aufwies.

»Gestatten Sie mir, Gnädigste«, empfing er sie, »daß ich sitzen bleibe.«

Er hatte seine beiden Helfer weggeschickt, nachdem sie ihn im Rollstuhl an den gedeckten Tisch geschoben hatten. Auch nach nur neun Löchern war Elgaine leicht verschwitzt, schließlich war sie weit unter ihrem Handicap geblieben, hatte aber keine Veranlassung gesehen, jetzt noch umständlich im Umkleideraum mehr als ihr Polohemd zu wechseln.

»Einen Sherry bitte«, sagte sie und setzte sich. Sie gaben ihre Bestellungen auf, wobei Bock ihr die Zusammenstellung des Menüs überließ.

»Ihre Kreationen, Frau Coeurdever«, begann der Mann im Rollstuhl, kaum daß der Ober sich entfernt hatte, »sind zu kostbar, als daß sie auf der Freilichtbühne einer italienischen Provinzstadt verschlissen werden —«

»Bereuen Sie die Kosten, Herr Bock?« entgegnete sie kühl.

»Sie wünschten es sich doch kostbar. Das geht natürlich ins Bare. Um bei den Worthülsen zu bleiben: Für Sack und Leinen hätten Sie sich jemand anderen nehmen sollen!« Sie schien leicht verärgert.

»Sie verstehen mich falsch. Ich bin mit dem Ergebnis so hoch zufrieden, daß ich es auf eine Wanderausstellung schicken will! Wie finden Sie das?«

»Und was ist mit Jesi −?«

Bock machte eine wegwerfende Geste. »Jesi ist nur Promotion, wie der glanzvolle oder skandalumwitterte Kinostart eines Pilotfilms, der dann das Videogeschäft ankurbelt oder eine lukrative Fernsehserie einläutet, verstehen Sie?«

»Ich höre«, sagte Elgaine und blies den Rauch ihres Zigarillos über den Tisch.

»Könnten Sie sich vorstellen, auch noch lebensgroße Puppen zu entwerfen, den Figuren und Visagen der Akteure nachgebildet, die als identifizierbare Träger Ihrer köstlichen Garderoben auf Tournee gehen könnten, als ›kostbare‹ Kleiderständer sozusagen?«

Die Coeurdever dachte nach, der Gedanke war von merkwürdigem Reiz und hatte dennoch etwas Abstoßendes, Widerwärtiges. Sie kam sich vor, als hätte man ihr die Rolle einer Circe angetragen, die Menschen nicht in Schweine, sondern in Pappmaché verwandeln sollte. Sie sah das Team in Jesi vor sich, ihre Kollegen, wie sie kämpften und litten, sich stritten und glücklich waren, alle mit einem Ziel vor den Augen, ›Stupor Mundi‹ auf die Bühne zu stellen, Manuels Libretto, Rinaldos Kompositionen, Rays Einfälle zum Leben zu erwecken. Was der Mann im Rollstuhl ihr vorschlug, ließ die Hingabe der Schauspieler und Sänger, ihre Hoffnungen und Ängste, zur fotografierten Pose erstarren, ließ sie vertrocknen, eingedampft auf das gängige Presseformat. Aus blutvollen, farbigen Persönlichkeiten wurden standardisierte Werbeträger. Für was? Auch sie hatte ihre Arbeit nicht gemacht, um sie tot an toten Mannequins hängen zu sehen, hatte nicht nächtelang Bücher gewälzt, Stoffmuster besorgt, zugeschnitten, sich in die Finger gestochen, gezeichnet, eingefärbt, verwaschen, gewachst, gelaugt und immer wieder probiert − um jetzt nichts anderes geboten zu bekommen als Geld, noch mehr Geld.

»Nein«, sagte sie. »Sie verwechseln mich mit Madame Tussaud. Ich habe kein Interesse daran, meine Entwürfe in einem Wachsfigurenkabinett zu sehen.«

Maximilian F. Bock konnte oder wollte sie nicht verstehen. Was sie am Historical ›Stupor Mundi‹ faszinierte, das Spektakel, das lebendige Ereignis, von lebenden Personen voller Fehler und Fähigkeiten, Talenten und Tücken vorgetragen, das genau stieß ihn ab, verleidete ihm sein Engagement — oder störte ihn einfach:

»Die Figuren können sich ja auch bewegen, heute ist solche Mechanik erschwinglich. Man könnte das Ganze in den Computer eingeben und die Darsteller von Robotern abspielen lassen! Da haben Sie mich auf eine gute Idee gebracht. Fabelhaft! Ihr Künstler seid doch die wahren Genies!« ereiferte er sich, daß sein Rollstuhl vor- und rückwärts ruckte. »›Stupor Mundi‹ als das große Bühnenwunderwerk, den schachspielenden Türken übertrumpfend! Und wissen Sie was, Gnädigste?« Er beugte sich zu ihr hinüber, daß sie seinen heißen Atem spürte. »Wir gehen damit auf Welttournee«, schwärmte er. »Das wird viel besser als jede Darstellung durch Schauspieler mit ihren Macken, die ihre Texte vergessen oder sich ihre Positionen nicht merken, Sänger, die den falschen Ton treffen, ihre Einsätze verpassen oder sonstwie schlecht disponiert sind. Unsere Troubadoure und Narren, Kaiser und Huren, Bischöfe und Henker funktionieren immer gleich, immer präzise, sind von Vorstellung zu Vorstellung korrigierbar, lassen sich lauter und leiser stellen, schneller und langsamer bewegen, und — das ist der Clou: Sie entsprechen für mein Empfinden dem Geschehen auf der Bühne mit ihren Gesten viel mehr, als je menschliche Interpreten es bringen könnten!«

»Tja!« sagte Elgaine. »Sie sind nie besoffen, nie verliebt, kommen nie zu spät, stellen keine zusätzlichen Gagenforderungen —«

»Apropos«, lachte Maximilian F. Bock wie ein Kind, das gerade im Geiste all seine Spielzeugwünsche erfüllt sieht. »Ihr Honorar können Sie selbst bestimmen. ›Stupor Mundi‹ ist ein dukatenscheißender Esel geworden, ein ewiges ›Tischlein-deck-dich‹!«

Elgaine fühlte wirr und dumpf, daß ihr etwas einfallen mußte, wie sie diesem Bock im Glück den Knüppel aus dem Sack spüren lassen könnte. Die Vorstellungen, die er entwickelte, hatten etwas Atemberaubendes, Überwältigendes. Das war das Furchtbare. Statt Widerstand zu entwickeln, dachte sie an die schier unerschöpflichen Möglichkeiten eines solchen Verfahrens, an die multimediale Auswertung der gesamten Geschichte der Menschheit durch computergesteuerte Androiden. Sie durfte sich in dem Netz nicht fangen lassen, rumorte es wild in ihrem Kopf, als hätte sie sich eine ihr unbekannte Droge unterjubeln lassen.

»Und was wird aus den anderen?« fragte Elgaine mit vorsichtiger Zurückhaltung. »Den Ansprüchen des Komponisten, des Regisseurs? Auch Berghstroem wird doch sicher seine Rechte geltend machen?«

»Jonathan?« lachte der Finanzier höhnisch. »Der ewige Verlierer! Seit heute morgen weiß er, daß er mal wieder verloren hat. Er wird das Handtuch werfen, wenn er es nicht schon getan hat —« Bock machte eine wegwerfende Handbewegung und fixierte Elgaine. »Ich würde mich wundern, wenn Sie ihn bei ihrer Rückkehr überhaupt noch vorfinden!«

Elgaine gab sich Mühe, ihre eigene Einstellung nicht erkennen zu lassen. »Ich habe keineswegs den Eindruck«, sagte sie kühl, »daß irgend etwas Manuel Berghstroem und seine Freunde jetzt noch dazu bringen kann aufzugeben.«

Da Bock sie ungläubig anstierte, legte sie nach. »Im Gegensatz zu Ihren Intentionen, wohl auch zu Ihrem Vorstellungsvermögen, lieber Herr Bock, ist ›Stupor Mundi‹ ein durchaus lebendiges Gebilde mit stark ausgebildeten Tentakeln des Gefühls, mit einem Herzmuskel, den Leidenschaft, Willen und Hingabe speisen, und vor allem mit einer spirituellen Kraft, die aus Ihnen nicht zugänglichen Quellen der Vergangenheit schöpft —«

»Ha!« spottete Maximilian F. Bock. »Die Staufer steigen aus ihren Gräbern, um den Frevler zu vertreiben! Soll ich mich fürchten?« lachte er, aber es klang etwas beklommen. »Was zählt, Elgaine, ist das Geld und die Technik, die es bewegt. Alles andere sind Sentimentalitäten, Hirngespinste.« Er schaute sie an. »Sie wollten mich prüfen, geben Sie es zu?«

»Ja, Maxi«, sagte sie und legte ihre sehnige, leicht gebräunte Hand auf seinen Arm, und ihre langen Finger zupften versonnen am Stoff des Ärmels. »Vielleicht bist du selbst schon ein Produkt der Virtual Reality, statt aus Fleisch und Blut?« flüsterte sie herausfordernd, der Erotik ihrer rauchigen Stimme vertrauend. »Und berührst mich mit deinem Joystick?«

»Von Tugend kann nicht die Rede sein«, sagte der von seinem

schnellen Sieg verwirrte Herr Bock. »Try me!« Er versuchte die Frau zu sich rüberzuziehen.

»Laß mich mal für kleine Mädchen, Mister Cyber!« sagte sie kokett und entwand sich seinem Griff, gerade als der Ober den ersten Gang des bestellten Gerichts auf einem Tablett hereintrug. Elgaine Coeurdever nahm ihre Handtasche und entschwand mit einem eindeutigen Niederschlag ihrer Wimpern Richtung Toilette, Herrentoilette. Der Ober bestand darauf, den Herrschaften vorzulegen. Maximilian F. Bock wünschte ihn zum Teufel.

Als der Kellner sich endlich zurückgezogen hatte, rollte Maxi um den Tisch herum und dirigierte das Gefährt an den Ort seiner Begierde und ihrer völlig unverhofften Erfüllung. Er konnte es gar nicht fassen. ›You can't stop it, Cyber!‹ stand mit Lippenstift auf dem Spiegel im Vorraum des Pissoirs. Er rief per Funk seine Helfer herbei. Der Jaguar war längst abgefahren, ohne jede auffällige Hast. Maximilian F. Bock betätigte den Knopf der Wasserspülung. Ein böses Lächeln umspielte seine eckige Kinnpartie.

Die Schmerzen in Rays Bein waren so stark geworden, daß er die weiteren Proben seiner Assistentin überließ und sich ins Hotel hatte zurückbringen lassen. Das Zelt stand inzwischen und war von außen und innen ausgeleuchtet, das Wochenbett der Kaiserin war gerichtet.

Mia bat die Serafinis, die Gruppen der als Zeugen befohlenen Geistlichkeit in der Reihenfolge ihres Auftretens auf die Bühne zu schicken. Rinaldo hatte die Chöre mit ihnen einstudiert, und ihr Gesang klang mächtig und erhaben über die inzwischen nächtliche Piazza. Sie probte den Einzug bis weit über die tarifliche Arbeitszeit hinaus. Tilde Carson, ihre Zofe und sonstige Frauen des Hofstaats hatte sie längst nach Hause geschickt, desgleichen Signor Tagliabue und die Urslingen, die ja nur draußen vor dem Zelt herumzustehen hatten. Endlich klappte alles, wie sie es sich vorgestellt hatte, das Zelt mit dem erhöhten kaiserlichen Wochenbett wurde von innen verschlossen und leuchtete jetzt als geheimnisvolle Pyramide in das Dunkel der Nacht, wie aus blattdünnem Marmor, durch den das Licht der Sonne scheint. Sie starrte lange auf das Bild, bevor sie sich aufraffte und »Schluß für heute!« rief.

Mia saß noch auf ihrem Stuhl, als ihr plötzlich Klein-Jerry siedendheiß einfiel. Sie stürmte die Treppe zu Alfias Schlafzimmer über der Metzgerei hinauf: Die Wiege war leer. Sie rannte die Stufen wieder runter, daß sie fast gestolpert wäre, fing sich dann und betrat, mühsam ihre Erregung beherrschend, den weiß gekachelten Wohn- und Schlafraum der Familie Masic, wo die Kleider der Kinder an Fleischhaken baumelten und die Kühlkammer als Küche und Bad diente. Jerry war nicht da, doch das beunruhigte Mama Masic nicht — »wird filmen«, sagte sie, »Television!« Mia nickte und ging wieder. Gut, daß die überlastete Mutter keinen Verdacht geschöpft hatte.

Kaum war Mia außer Sichtweite der Flüchtlingsfamilie, beschleunigte sie ihre Schritte. An der Rezeption des Hotels verlangte sie, mit Berghstroem verbunden zu werden. Der Portier wies sie ab. Signor Berkestrom sei nicht zu sprechen, und als sie sich empörte, hieß es, er sei nicht auf seinem Zimmer. Wütend verließ sie das Hotel und lief zu ihrer Pension, wo auch Franck & Co wohnten. Die waren natürlich außer Haus, aber auch die Serafinis waren nicht greifbar, die sie hatte um Rat, wenn nicht Unterstützung bitten wollen. Verstört trat sie wieder auf die Straße. Sie kam sich verraten und verlassen vor. Keiner achtete der Gefahr, der dunklen Wolke, die Jerry bedrohte, wenn sie ihn nicht bald fand. Oder bildete sie sich das alles nur ein, war sie Opfer des Stresses, ihrer überhitzten Phantasie?

»Brauchst du Hilfe, Mia?« Wie sehr hatte sie sich nach diesen Worten gesehnt, doch jetzt, als der bärbeißige Gualtiero vor ihr stand, da schämte sie sich, wies ihn brüsk zurück und rannte weg.

Daß Berghstroem sich hatte verleugnen lassen, hatte seinen Grund. Er stand mit Tilde Carson und der schwarzen Gazelle Kisha im oberen Flur des Hotels vor deren Zimmertür. ›Hau ab, Niggerin!‹ stand auf den Lack gesprayt, ›Afrika den Weißen!‹ und ›Rot soll fließen das Negerblut!‹ Unterschrift ›Das Reichskriegsbanner‹.

Tilde Carson bebte vor Empörung, Kisha zitterte. Berghstroem ärgerte sich, daß er Mia weitergeschickt hatte, sie hätte mit Aceton und einem Lappen das Ärgernis sofort beseitigt. Die Polizei zu benachrichtigen hielt er für nicht angebracht, nicht mal das Hotel sollte die Schmiererei zu Gesicht bekommen. Er schob die Damen in Tildes Suite. Es war so spät in der Nacht, daß der Korridor des Hotels wohl kaum noch von jemandem betreten wurde, außerdem wohnten hier nur seine Leute. Aber jemand vom Team mußte es gewesen sein —? Berghstroem zog selbst los, etwas Benzin zu besorgen.

Mia hatte sich ihren Wagen aus der Garage geholt und brauste ziellos durch die nächtlichen Straßen, immer noch in der Hoffnung, irgendwo auf den Volvo von Franck & Co zu stoßen. Was sollte sie denen dann eigentlich vorhalten, wenn sie Jerry gar nicht bei sich hatten? Und wenn? Wie dann den vier Burschen gegenübertreten? Hätte sie doch bloß den mächtigen Gualtiero mitgenommen!

Die Piazza lag längst im Dunkel, doch aus einem der mit dicken Eisen vergitterten hochgelegenen Fenstern der Kasematten drang ein warmes Licht. Arbeitete doch noch jemand von den Kostümleuten, jetzt noch, mitten in der Nacht?

Mias Hoffnung auf Beistand war stärker als jede vernünftige Überlegung. Sie sprang aus ihrem Wagen und rief »Halloh, halloh!« hinauf zu der tiefeingelassenen Öffnung im Mauerwerk. Nichts rührte sich. Die Tore waren schon verschlossen. Keine Menschenseele nahm Anteil an ihrer Not. Mia gab nicht auf. Sie parkte den Mini so dicht an der Mauer, daß sie auf sein Dach steigen und sich zum Gitter hochziehen konnte. Ihr Blick fiel durch schmutzige Scheiben auf einen Tisch, der wie ein Altar mit schwarzem Tuch abgehängt war. Unzählige kleine Kerzchen in der Art, wie man sie für Kindergeburtstage verwendet, waren auf der Steinplatte aufgestellt und brannten flackernd und tropfend nieder, tauchten das Gewölbe in dieses unstete gelbrötliche Licht, das ihr vorher noch anheimelnd vorgekommen war. Mias Atem stockte. Zwischen den züngelnden Flämmchen lag die Puppe ›Effzwo‹ auf dem Rücken, ihres Wickelkissens beraubt, nackt, und ihr Leib war aufgeschlitzt, das Werg quoll aus ihrer Brust, als habe ihr jemand den Mechanismus entreißen wollen, der sie ›Mama‹ sagen ließ. Dafür staken lange Nadeln in ihrem Körper, ragten aus der Wunde — Mia konnte sich nicht länger an dem Gitter festgeklammert halten, sie rutschte wie betäubt an der Mauer herunter, daß ihr Gesicht aufschürfte. Ihr war so weich in den Knien, daß sie für einen Augenblick auf dem Dach ihres Wagens zusammensackte.

Sie wußte nicht mehr, wie sie von dort heruntergekommen war, hinter das Steuer, die Kraft hatte, den Motor anzulassen und völlig benommen davon zu fahren. Mia nahm die nächtlichen Straßen der Stadt wie durch einen Schleier wahr, sie hatte jegliche Orientierung verloren. Sie hatte einen Blick in die Welt des Bösen getan — doch wo hörte dessen Reich auf? Jede Gasse erschien ihr jetzt schwarz und fremd, bösartig und lauernd. Vor ihr erhob sich Rinaldos Turm. Mia schaute zu den Fensterschlitzen empor. Kein Licht. Sie war dennoch grad dabei, die Treppe hochzustürmen, als Signor Tagliabue auftauchte. Er hatte leichte Schlagseite, außerdem war er ein nicht sonderlich kräftiger alter Herr, aber von ihm erhielt sie die Auskunft, daß er Franck & Co gerade noch gesehen habe, als sie vom Corso aus mit Klopfen gegen die Glastür Einlaß in das bereits geschlossene ›Le Delizie‹ begehrten. Mia ließ ihren roten Mini-Cooper stehen und lief, ohne sich zu bedanken, in die Nacht. Signor Tagliabue schüttelte den Kopf und setzte seinen Rundgang fort.

Bei Mama Masic waren, leicht betrunken, Franck & Co aufgetaucht. Sie hatte das Licht schon gelöscht. »Schschtt«, sagte sie, »weckt Kinder nicht!«

»Wir wollen nur«, flüsterte Wolff, »jetzt die Videoaufnahmen mit Klein-Jerry machen.«

»Television!« lachte Hettrich, ihre schwerfällige Aussprache nachäffend. »Wo ist Baby?«

Mama Masic fühlte sich nicht auf den Arm genommen, noch war sie irritiert über den Besuch zur späten Stund. »Hab' ich gelassen in Wiege«, gab sie bereitwillig Auskunft. »Fräulein Mia hat schon gefragt —«

»Dann hat die ihn wohl mitgenommen«, sagte Franck, um sie auf keinen Fall zu beunruhigen.

»Sicher wird schon schlafen«, sagte Mama Masic. »Wenn Hunger hat, kommt schon zurück, weil schreit!«

»Sicher«, sagte Frank und wunderte sich über die Vorstellung von der Selbständigkeit des Säuglings. Gut, daß sie ihn vorsorglich mit ›Medi-Nait‹ abgefüllt hatten. Schreiende Babys waren entsetzlich. Mittlerweile mußte das Schlafmittel ja wohl gewirkt haben. »Auf, Leute!« sagte Franck.

»Gute Nacht, Mama Masic«, sagte Galinsky höflich, und sie schloß die Tür des Metzgerladens wieder.

227

Berghstroem hatte wenig feinfühlig Kisha das Reinigungsmittel und den Putzlappen in die Hand gedrückt, die er vom Nacht-portier ergattert hatte, damit sie die Hetzparolen selbst von ihrer Zimmertür entfernte. Die Carson, die das sicher nicht zugelas-sen hätte, war bereits im Bad, um sich für die Nacht herzurich-ten.

Er ließ sich in einen der Sessel fallen und bediente sich mit dem Whiskey, der auf dem Tisch stand. Berghstroem meinte, ihn sich verdient zu haben. Das Konto auf der Bank sprudelte wieder wie ein warmer Quell. Er hatte gleich beide Hände aufge-halten und seine Stahlkassette für den Tagesbedarf üppig aufge-füllt, bis nichts mehr hineinging. Den Rest hatte er sich in die Brieftasche gestopft. Er drückte sie an seine Brust. Ein beruhi-gendes Gefühl.

Mia hetzte den unteren Wehrgang entlang, und von weitem sah sie schon den Volvo stehen, direkt vor dem Wirtschaftseingang. Sie rüttelte an sämtlichen Klinken des Wagens. Sie gaben nicht nach. Sie versuchte in das Innere des Kombi zu spähen, sie sah nichts. Die Tür des Hintereingangs des Restaurants stand offen, sie stürmte in die Küche, wo nur noch der Küchenjunge damit beschäftigt war, den großen Herd zu putzen.

»Der Patron ist schon nach Haus«, sagte er, ohne von seiner Arbeit aufzublicken. »Es hat wieder Streit gegeben mit der Si-gnora —«

»Das will ich gar nicht wissen!« unterbrach ihn Mia. »Wo sind die Kameraleute?«

Der Junge schien verdattert. »Sie haben es sich nur ausgelie-hen«, sagte er, um entschuldigend hinzuzufügen: »Der Patron war ja nicht mehr da, und Signor Franck . . .«

»Was?« fragte Mia ungeduldig.

»Na, das Tranchierbesteck —«

»Was?!« schrie Mia unbeherrscht den Jungen an, daß der zusammenfuhr. »Wo sind sie?«

»Vielleicht hätte ich es nicht tun dürfen«, bedachte der Junge seine Lage. »Bitte sagen Sie dem Patron nichts davon!«

»Wo sind sie hin?!« insistierte Mia.

›Oben raus‹ zeigte seine Kopfbewegung an. »Bitte verraten Sie —«

Mia griff sich ein großes Küchenmesser, was ihn verstummen

ließ, doch sie war schon zurückgerast, den Gang von der Küche unten raus. Sie warf sich mit dem Messer auf die Hintertür des Kombi, doch so sehr sie auch in dem Schloß herumstocherte, es gab nicht nach. Der Küchenjunge war ihr gefolgt. Er nahm Mia mit überlegenem Grinsen das Messer aus der Hand und fischte seinen Schlüsselbund aus der Hosentasche. Schon das erste Metallblättchen öffnete die Verriegelung. »Wenn man seinen Autoschlüssel verliert, muß man sich nicht gleich so aufregen, Fräulein«, sagte er gönnerhaft und trug das große Messer zurück in die Küche.

Mia riß die Hecktür hoch. Im Kofferraum lagerten in Metall-koffern die Kameras, Material — und dazwischen verkeilt eine Hundetransportkiste, so eine Hütte aus Sperrholz mit Luftlö-chern. Mia öffnete sie mit zitternder Hand. Darin lag Jerry und schlief fest. Sie nahm ihn behutsam heraus, in ihren Arm, ver-schloß erst die Kiste, dann die Hecktür, warf einen zögerlichen Blick auf den Eingang zum ›Le Delizie‹ und schritt dann mit klopfendem Herzen den Wehrgang hinunter, Richtung Rinaldos Turm, wo sie ihren Wagen wußte. Mia zwang sich, nicht zu lau-fen, aber sie drehte sich immer wieder um.

Berghstroem war eingenickt. Da ging die Tür zum Bad auf, und Tilde Carson trat in ihren Salon. Sie hatte keinen Besucher erwartet, ihre rote Mähne hatte sie in einen Turban gestopft — und ihr seidener Morgenrock hing ihr locker über die Schulter, ihren nackten Körper dem Betrachter darbietend.

Berghstroem glotzte, und es war die Carson, die sich überle-gen zeigte. »Voulez-vous coucher avec moi?« intonierte sie, ohne die geringste Bewegung, den klaffenden Mantel schamhaft zu schließen. »Servez-vous« gurrte sie, dicht vor Berghstroem hin-tretend, sich ebenfalls einen Whiskey einschenkend. Ihr weißes Fleisch war makellos. Sie drängte ihren rötlich behaarten Schoß zwischen Berghstroems Arm mit dem Whiskey und sein töricht-es Gesicht, bis er endlich das Glas absetzte und sie umfing. Gekonnt ließ sie sich auf seinen Schoß gleiten, achtete auch kei-neswegs des Mantels, der zu Boden fiel. Sie leerte erst ihren Drink in aller Ruhe direkt vor seiner Nase, bevor sie sich von ihm küssen ließ. Jetzt löste sich auch das zum Turban gewickelte Frotté, und hennarot fiel die Haarpracht über ihre alabasternen Schultern. Berghstroem war erregt, kam aber nicht aus seinem

Sessel hoch, geschweige denn, daß er sich in der Lage sah, sich des Kleidungsstücks zu entledigen, das ihm jetzt als das überflüssigste dünkte. Mit ihr auf den Knien war er Tildes Gefangener. Wegschieben konnte er sie schlecht, zumal ihr einer Arm ihn umschlang, der andere schenkte sich und ihm neuen Whiskey ein.

»Prenez votre temps, Manuel!« sagte die Herrscherin.

Mia wußte nicht, wie lange sie oben vor der Tür gesessen hatte. Mit Jerry im Arm hastete sie die Eisentreppe wieder hinunter, sie hatte mit den Fäusten gegen die verwitterten, aber immer noch soliden Eichenbohlen getrommelt, gerufen, der Narr hatte nicht aufgemacht oder er war nicht da. »Wahrscheinlich hockt er im ›Dunes‹«, kam es ihr. Sie verstaute Jerry in eine Decke eingewickelt vorn vor dem Beifahrersitz auf dem Wagenboden und raste los. Er war zwar kurz aufgewacht, hatte sie mit seinen klugen Augen kurz angeschaut und war gleich wieder eingeschlafen. Die Kerle mußten ihm ein Betäubungsmittel eingeflößt haben. Von Furien gehetzt floh Mia aus der Stadt.

Franck & Co gingen gerade über die Piazza, als der rote Mini von Mia auf der anderen Seite aus einer Nebenstraße hochschoß und trotz Verbotstafel schleudernd in die Viale d'Ancona einbog, auf der er mit aufheulendem Motor entschwand.

»Die wird doch wohl nicht . . .«, zischte Franck ahnungsvoll.

»Die fährt ins ›Dunes‹«, meinte Galinsky.

Sie wollten gerade zu ihrem Volvo spurten, als sie an der Ecke zum Corso Tom, begleitet von seinem treuen Schatten, dem hünenhaften Gualtiero, in die Arme liefen.

»Habt ihr Mia gesehen?« fragten sie scheinheilig.

Tom sagte: »Nein, aber ich habe gehört —«, er deutete auf Gualtiero, »sie hätte Klein-Jerry gesucht.«

»Sie war völlig durcheinander«, bestätigte der besorgt.

»Tja«, sagte Franck, »dann bis morgen.«

Das Videoquartett schlenderte, ohne den Schritt zu beschleunigen, weiter den Corso entlang und bog dann diszipliniert zur ersten hinabführenden Stiege ab. Kaum außer Sicht, federten sie los, ohne daß ihr Anführer ein Kommando geben mußte. Sie hetzten in langen Sprüngen die Steinstufen hinunter und rannten den Wehrgang entlang auf ihren Volvo zu, der immer noch vor dem Hintereingang des ›Le Delizie‹ stand.

Mia holte aus dem Motor ihres Mini heraus, was der rote Bereich des Drehzahlmessers hergab. Er röhrte die Nebenstraße zur Küste entlang, die Hauptstraße traute sie sich nicht zu nehmen, weil der Volvo sie dort einholen könnte. Sie verfehlte die Auffahrt zur Autobahn, die ihre Rettung bedeutet hätte, das wurde ihr aber erst klar, als sie längst den Feldweg zum ›Dunes‹ eingeschlagen hatte und plötzlich hinter sich die Lichter eines ihr folgenden Wagens bemerkte.

Mia trat das Gas durch, daß der tiefliegende Mini auf den Steinen zwischen der ausgefahrenen Spur aufschlug. Zur linken Hand sah sie einen Weg im spitzen Winkel einmünden. Sie trat auf die Bremse, daß sie schleuderte, haute den Rückwärtsgang rein und brauste blindlings den Pfad hoch, löschte die Lichter und verbarg ihr Gesicht instinktiv hinter dem Lenkrad. Der sie verfolgende Volvo schoß, Schotter spritzend, wenige Meter unterhalb ihres Verstecks vorbei. Als seine Rücklichter hinter der nächsten Wegbiegung oder Kuppe verschwunden waren, ließ sie ihren Wagen, ohne Zündung und ohne das Licht einzuschalten, losrollen. Sie schaffte die Kurve nicht und mußte auf die Bremse steigen, um nicht neben dem Weg zu landen. Sie lauschte bei heruntergekurbeltem Fenster und hörte nichts. Das hieß, die anderen lauschten auch und hatten wahrscheinlich das Aufleuchten ihrer Bremslichter bemerkt.

Mia setzte zurück, schaltete das Standlicht ein und bekam die Kurve mit einem Schlenker. Sie rast wieder los, und ein Blick in den Rückspiegel bestätigte ihr, daß sie den Volvo nicht abgehängt hatte. Sie konnte seine Lichter zwar nicht sehen, aber ihren Widerschein zwischen den Dünen und Büschen. Ihre einzige Chance war, den Parkplatz des ›Dunes‹ querfeldein zu erreichen. Sie bog den ersten Pfad, den sie entdeckte und bevor die Lichter des Volvo sie erfassen konnten, rechts ein und schaltete sofort wieder aus. Mia wußte, daß sie dieses Katz-und-Maus-Spiel verlieren würde, mit dem Mini kam sie nie durch den Sand der Stranddünen, und auf jedem befestigten Weg war ihr der Volvo überlegen. Sie sprang aus dem Wagen, lief um ihn herum, griff Jerry mitsamt der Decke − sie mußte ihn weit genug vom Weg verstecken, ins Gebüsch werfen. Dabei würde die Decke sich öffnen, er könnte sich verletzen, schreien, sich verraten! Mit raschem Entschluß zog sie ihren eigenen Pullover über den Kopf, stopfte das in die Decke gewickelte Kind hinein wie eine Wurst und warf das Bündel in weitem Bogen in das nächste Gebüsch. Hoffentlich würden die oberen Zweige nachgeben, es verbergen wie einen kleinen Vogel im Nest.

Es blieb ihr keine Zeit, darüber nachzusinnen, sie mußte die Verfolger soweit wie möglich fortlocken von diesem Ort. Sie hörte das Motorengeräusch des Volvos. Es kam näher. Sie glitt wieder hinter das Steuer und ließ den Motor an. Im zweiten Gang fuhr sie los, schon um die Räder nicht durchdrehen zu lassen. Mia hatte noch mal Glück. Erst als sie glaubte, sich weit genug entfernt zu haben, schaltete sie das Fernlicht ein und versuchte mit Vollgas auf den Feldweg zu gelangen. Die Lichter des Volvos hatten sie nun aber voll im Visier, und Mia wurde sich ihrer Blöße bewußt, denn einen BH hatte sie unter ihrem Pullover nicht getragen. Das würde die Kerle vielleicht ablenken, vielleicht auch aufreizen. Sie konnte es nicht mehr ändern. Der Mini blieb in einem Gestrüpp hängen, direkt unter ihr war der Weg. Die Räder drehten im Sand durch. Das aufgeblendete Licht des langsam näherkommenden Volvos strahlte ihr direkt ins Gesicht. Mia schloß die Augen —

CHÖRE DER VERSAMMELTEN GEISTLICHKEIT

> Celebratur convivio
> superni regis filio
> hoc predixere gaudium

Kapitel XI

DER TOD

Die ...er
von ...de
Volk ...ie
Mön ...m
einge ...s-
sen d

CHÖRE DER VERSAMMELTEN GEISTLICHKEIT

> Novo cantemus homini
> novis induti vestibus
> laudes canamus virgini
> fugatis procul sordibus.

Sie lassen sich auch in ihrem Gesang nicht stören, als Unruhe sich auf der Piazza vorm Zelt breitmacht. Zwischen den Bürgern und den Fremden hat es eh schon Zank gegeben um die besten Plätze. Jetzt stürmt plötzlich Ugo, der Metzger, auf den Platz.

| Ugo: | Mio figlio! Mio figlio! |
| | Mi hanno rubato il piccolo! |

Volk:	Kuttelugo, bist volltrunken vom Wein?
	Hast nicht richtig nachgeschaut?
	Kuttelugo, bist blind? Was soll schon sein?
	Dein Kind zu stehl'n sich keiner traut!

| Ugo: | Mio figlio! Mio figlio! |
| | La culla è vuota, non c'è più! |

Mio figlio, mio figlio!« brüllte Ugo, der Metzger, aus seinem Haus auf den Markt stürmend, mitten unter die erwartungsvolle Menge vor dem Zelt. »Mi hanno rubato il piccolo!«

Er erntete nichts als Hohn und Spott. Ray feuerte die Leute an, bis diese das fahrende Volk verdächtigten.

> DIE ZIGEUNER, DIE WERDEN'S GEWESEN SEIN,
> DIESEN FREMDEN MUß MAN ALL'S ZUTRAUN!
> DIE ZIGEUNER, DIE STEHLN DIE KINDER KLEIN,
> LAßT UNS GLEICH IN IHRE KARREN SCHAUN!

»Böser, schriller, giftiger!« schrie Ray, durch sein Gipsbein an den Stuhl gefesselt, sonst wäre er auf die Bühne gesprungen. »Rinaldo, hier mußt du noch atonal nachhelfen, kreischendes Geigen, spitzes Fideln − es sind genau die Instrumente, mit denen man die Zigeuner in Verbindung bringt, die müssen hier gegen sie eingesetzt werden!« Rinaldo notierte sich die Wünsche des Regisseurs. »Wo ist eigentlich Mia«

»Laß sie noch schlafen«, beschied ihn Ray, »die hat 'ne lange Nacht gehabt −«

Er stützte sich auf Peter, um sich zu erheben, die Krücken außer Betracht lassend. »Los, Leute − zurück auf die Positionen. Noch mal das Ganze.« Er war gut drauf heute, wenn auch das Bein noch schmerzte. Im Krankenhaus hatte er nicht bleiben wollen.

»Dein Ugo ist 'ne Wucht!« lobte er seinen Freund Tom, der ihm schließlich sein Faktotum Gualtiero angedient hatte. »Also − ab!« kommandierte er.

»Mio figlio, mio figlio«, brüllte Ugo der Metzger. »Mi hanno rubato —«

Der Volvo fuhr langsam den unteren Wehrgang entlang. Vor dem Küchenausgang vom ›Le Delizie‹ hielt er. Galinsky sprang raus mit einer Mülltüte und stopfte sie in eine der dort stehenden Abfalltonnen. Dann fuhr der Wagen weiter. Der Küchenjunge hatte ihn bemerkt, da er seit Dienstbeginn am frühen Morgen ängstlich darauf gewartet hatte, daß ihm jemand das ausgeliehene Besteck zurückbrachte. Er rannte hinaus auf die Straße und starrte dem davonfahrenden Wagen nach. Franck kam ihm zu Fuß entgegen.

»Ist das etwa Ihr Auto gewesen?« fragte der Junge entgeistert und auch erschrocken, weil er sich wegen des Bruchs für jene Frau ertappt fühlte. Doch Franck war die Frage aus anderem Grunde suspekt. Der Junge konnte als Mitwisser unangenehm werden. Besser runterspielen.

»Ich verrat' dich nicht«, sagte er leise . »Messer und Gabel sind da«, er wies mit dem Kinn auf die Mülltonne, »in einem Sack, unbenutzt. Du kannst sie, so wie sie sind, wieder an ihren Platz legen. Wir konnten sie nicht brauchen —« fügte er hinzu. »Der Festbraten ist ausgefallen.«

»Danke, Herr Franck«, sagte der Junge, »daß Sie mich nicht reingeritten haben beim Chef!« Er griff unauffällig in den Abfall und fischte mit sicherem Griff die Mülltüte heraus. »Das hätte großen Ärger gegeben«, stieß er mit einem Seufzer der Erleichterung aus.

»Das wollen wir doch nicht«, sagte Franck väterlich. »Weißt du, das Beste für dich ist, wir einigen uns darauf, daß gestern, als wir kamen, das Restaurant schon geschlossen war. Du hast uns weder gehört noch gesehen, klar?«

»Klar«, sagte der Junge. »Deswegen konnte ich Euch auch nichts geben. Wenn nichts war, kann auch nichts rauskommen.«

»Na, siehste«, sagte Franck und ging weiter.

Auf der Piazzia tobt und jammert immer noch Ugo.

Figlio mio! Maschio unico!
Dove sei? Dove sei, sangue mio?

Er läßt sich nicht beruhigen und verlangt jetzt sogar von den Wachen, ihn ins Zelt zu lassen, damit er sich mit eigenen Augen überzeugen kann, ob nicht seine Frau, dort drin als Geburtshelferin und Amme dienstverpflichtet, den eigenen Sohn bei sich hat. Die Wachen weisen ihn ab.

»Du mußt dich steigern, Ugo«, rief Ray. »Sie hetzen dich auf, du drehst durch bis zum Amoklauf!«

Dann kam Mama Masic über die Piazza. Sie wartete geduldig, bis der Regisseur mit seinen Anweisungen fertig war, dann fragte sie: »Wie geht Jerry?«

Ray mußte lachen, weil die bescheiden vorgebrachte Anfrage so arg zu dem Geschrei kontrastierte, das Ugo auf der Bühne abließ.

»Der war heute noch nicht im Einsatz«, informierte Tom den Regisseur. »Gesehen habe ich ihn auch noch nicht.«

»Den wird Mia bei sich haben«, sagte Signor Tagliabue. »Sie hütet ihn wie ihren Augapfel«, wandte er sich dann beruhigend an Mama Masic, die sich daraufhin entschuldigte und zurückging zu ihren anderen Kindern, die vor der Pferdemetzgerei standen und alle erwartungsvoll hinüberschauten. Ray bat darum, »daß jemand — wo ist eigentlich Emmy? — zur Pension geht und Mia samt Kind weckt«.

»Wir machen weiter!« sagte der Regisseur. »Ugo, du mußt jetzt hochlaufen, zum Irrsinn, zur Gewalt: ›Fate mi entrare, o Vi rompo le ossa!‹ Dann wirst du endlich in Ketten geworfen, abgeführt. Aber —« er wandte sich an Signor Tagliabue und winkte auch Bea zu sich »— der Zweifel, den der polternde Metzger gesät hat, der muß jetzt vor dem Zelt spürbar sein.« Er lachte wieder, diesmal etwas hysterisch. »Wie diese Nervosität jetzt hier auf der Piazza unter euch«, wandte er sich an die Umstehenden, »weil keiner weiß, wo Klein-Jerry steckt und Mia fehlt. Ist jemand gegangen, sie zu wecken?«

Es wurde ihm durch Kopfnicken bestätigt.

»Ich zeig' euch mal«, sagte Ray leise, »nach all dem Gebrüll jetzt die stille Spannung der folgenden Szene.«

Er räusperte sich. »Also, Alfia, die Amme, streckt den Kopf aus dem spaltweit geöffneten Zelteingang, fragende Miene ob der Störung. Jakob, Signor Tagliabue, insinuiert:

Habt Ihr's Kind?

Und Alfia mißversteht die Frage, weil sie natürlich an das noch nicht geborene, kaiserliche denkt!

Alfia: Nicht so g'schwind!
Jakob: Euer eigen Kind ich mein!
Alfia: In der Wiegen schläft es fein!

Leise, um den Fluß nicht zu stören, erläuterte Ray die Situation: »Womit sie die zu Hause meint, von der wir durch Ugo längst wissen, daß dem nicht so ist —«

Jakob: Donna Alfia, wie soll ich's sagen?
Ihr müßt jetzt nicht verzagen:
Jemand hat Eu'r Kind genommen sich —

Da kamen die Carabinieri quer über die Piazza, der Maresciallo vorneweg. Sie gingen auf die Behausung von Mama Masic zu. Einer, man konnte es deutlich sehen, trug in Decken gewickelt ein Kind.

»Sie haben Jerry gefunden!« kamen schon die ersten Leute gelaufen. »Er lebt, aber es muß etwas Furchtbares passiert sein!«

In diesem Moment kam auch Berghstroem auf das Regiepult zugerannt. Dem Dicken liefen die Tränen übers Gesicht. »Mia ist tot!« rief er.

Zwei Carabinieri traten hinzu und baten den Produzenten, den Regisseur und dazu noch den Maestro, ihnen zum Maresciallo zu folgen. Der kam ihnen schon entgegen.

»Es handelt sich um keinen Unfall«, sagte er leise, daß keiner der neugierig sie Umdrängenden es hören konnte, »sondern um einen gewaltsam herbeigeführten Tod durch Dritte. Das aber nur für Sie, meine Herren, denn wir wollen den Ermittlungen der Mordkommission nicht vorgreifen.« Bedauern lag in seiner Stimme. »Jemand von Ihnen sollte mitkommen zur Identifizierung. Jemand mit starken Nerven.«

»Du, Emmy«, sagte Ray.

»Wenn du's nicht —« bot sich Rinaldo an, doch Berghstroem unterbrach ihn: »Ich komme mit«, wandte er sich an den Maresciallo. Sie gingen zu dem dunkelblauen Alfa, und mit Blaulicht und Sirenengeheul schoß der Wagen davon.

Ray wirkte wie versteinert. Das gesamte Team umringte ihn.

»Wir proben weiter«, sagte er dann. »Das ist in Mias Sinn.«
Keiner sagte etwas. Sie fanden die Entscheidung einleuchtend,
sogar als einzig mögliche Würdigung der Assistentin, die zwar
nicht der Motor, aber der unermüdliche Antriebsriemen von
›Stupor Mundi‹ gewesen war, die Transmission zwischen Idee
und Ausführung. Jetzt war etwas gerissen, und alle spürten es.
Mia hatte immer wieder Einsatz und Hingabe verlangt, aber das
Opfer, das sie gebracht hatte — und sie fühlten dumpf und
gereizt, daß ihr Tod etwas mit dem Stück zu tun hatte —, das
war zuviel.

Tom sagte es auch laut zu Ray. »Du mußt schon jedem von
uns überlassen, wie er damit fertig wird«, und Signor Tagliabue
entschuldigte sich: »Ihr könnt es mir als Schwäche auslegen,
aber ich kann jetzt einfach nicht, nicht einfach —«

Rinaldo kam Ray zur Hilfe. »Wenn wir jetzt eine Pause einlegen, dann überkommt jeden einzelnen das heulende Elend. Ich
bin dafür, daß wir zusammenbleiben und weitermachen. Wirklich, das ist das beste.«

»Also«, sagte Tilde Carson, »was ist unser Traueropfer auf
dem Altar des Molochs ›Stupor Mundi‹ schon im Vergleich mit
dem von Mia? Lassen wir uns nicht beschämen!«

Sie gingen zurück auf die Bühne, ein stummer Haufen inmitten
einer aufgewühlten Piazza. Die Unglücksnachricht trieb halb
Jesi dorthin, die wüstesten Gerüchte schwirrten umher, zumal
Mama Masic sich in Schweigen hüllte, schon weil sie nicht
wußte, wo und wie ihr Jerry die Nacht verbracht hatte.

Den Trubel benutzten Hettrich und Wolff, den Sack mit den
Schuhen ungesehen in die Kasematten zu schaffen, wo die Gar-
deobenräume lagen. Franck und Galinsky filmten Mutter Masic
mit Jerry im Arm, das Team auf der Bühne verschonten sie, in
der richtigen Annahme, daß man ihnen die Videokamera aus
der Hand geschlagen hätte.

Wie erwartet fanden Hettrich und Wolff die Kasematten
unbeaufsichtigt, denn Elgaines Assistenten waren auch hinaus-
gelaufen, um ihre Neugier zu befriedigen. Sie verteilten den
Inhalt des Sacks nach Gutdünken auf die Kisten, in denen, nach
Größen geordnet, das Schuhwerk für die Massenkomparserie
lagerte. Die Wildlederstiefel sahen fast alle gleich aus.

Die beiden Männer schütteten den Rest auf einen großen

Haufen unsortierter Schuhe, warfen den Sack in eine Ecke und schlenderten wieder hinaus zum Volvo, kontrollierten nochmals, ob sie Spuren hinterlassen hatten, den Sack hatten sie sicherheitshalber auf dem Dachständer tranportiert, damit kein Sandkorn in das Innere des Wagens gelangen konnte. Schließlich nahmen sie ihr Videogerät und mischten sich unter das Volk.

Manuel J. Berghstroem hatte erwartet, zum Tatort gebracht zu werden, aber die Carabinieri fuhren mit ihm gleich bis Ancona, in die Gerichtsmedizin. Dort traf er die Serafinis und wurde dem Kommissar vorgestellt, der den Fall leitete. Das war ein ruhiger Mann in Zivil mit dem leisen Auftreten eines weltfremden Wissenschaftlers. Da der zuständige Inspektor sich auf Dienstreise befand, fungierte der Maresciallo als sein Assistent. »Eine Identifizierung der Leiche«, sagte der, »ist nicht mehr nötig. Die Herren Serafini waren schon so freundlich. Doch wenn Sie darauf bestehen, Signor Berkestrom —«

Mark Sheraton schüttelte den Kopf, als sich Berghstroem dem Eisentisch nähern wollte, wo der Körper Mias unter einem Tuch lag. Die nackten Füße schauten heraus, aber was ihn zurückschauern ließ, war der riesige Blutfleck im Laken, genau in Brusthöhe. Er war eingetrocknet, von dunkelbraun bis wässrig rosa. Mark schüttelte nochmals energisch den Kopf, ihm fast den Weg verstellend. Dann fiel Berghstroems Blick auf das Glas mit dem blutigen Fleischklumpen in einer Flüssigkeit, der zwischen den Füßen stand, und er mußte würgen. Tony Hilton und Ed Hyatt führten ihn zur Seite, bis sich sein Brechreiz gelegt hatte.

Der Kommissar bat in sein Zimmer. »Ich will Sie nicht lange aufhalten, Herr Berghstroem« — der erste Italiener, der seinen Namen korrekt aussprach. »Wir werden noch heute ihr Team in Jesi verhören, denn meine Nase sagt mir, daß der oder die Täter im Dunstkreis von ›Stupor Mundi‹ zu finden sind.«

Berghstroem war erschrocken. Auf diesen in der Tat naheliegenden Gedanken war er noch gar nicht gekommen.

»Warum?« stammelte er nur. Der Kommissar lächelte, aber sein Gehilfe, der Maresciallo, sagte scharf: »Sowohl Fräulein Parker, Miriam, als auch das Kind Masic, Jeremias, stehen auf ihren Gehaltslisten. Richtig?«

Berghstroem nickte. »Ja, sicher, aber —«

»Warten Sie! Das Kind wurde von der Parker vor ihrem gewaltsamen Tode versteckt, was wahrscheinlich dem Kind das Leben rettete, der Parker das ihre kostete. Denn sie wurde zu Tode gefoltert oder — so meine Hypothese — gefoltert und dann, um sie als Anklägerin zu beseitigen, barbarisch getötet — oder, das wird die Autopsie erweisen, getötet und dann barbarisch zugerichtet. Sie haben richtig gesehen: Man hat ihr das Herz herausgeschnitten. Das muß keine ursprüngliche Absicht gewesen sein, allerdings spricht die verwendete Klinge dagegen. Merkwürdig sind auch Doppeleinstiche, wie von einer zweizinkigen Gabel. Das Verwischen von Spuren durch Übertreibung wiederholt sich am Boden des Tatorts. Nach den Fußspuren zu schließen, mit denen er zertrampelt ist, müssen mindestens zwanzig Personen an dem Delikt teilgenommen haben. Allerdings in einem Schuhwerk, das nicht im Handel ist und vor Jahrhunderten von unseren schlichten Landsleuten handgefertigt wurde, oder zumindest so wirken soll —«

»O mein Gott«, sagte Berghstroem. »Sie denken an Kostümschuhe? Unsere? Davon haben wir Hunderte.«

»Sicher«, sagte der Maresciallo, »aber außer ihnen hat die hier weit und breit niemand, nur ›Stupor Mundi‹!«

»Das sieht ja nach einem Mord durch Massen aus«, sagte Berghstroem. »Nach Lynchjustiz —?«

»Oder soll so aussehen«, sagte der stille Kommissar.

»Deswegen wollen wir ja auch von allen Beteiligten — ich meine, an der Produktion des Stückes Beteiligten — hören, was sie uns zu erzählen haben. Sie können jetzt gehen, aber halten Sie sich und ihre Truppe zu unserer Verfügung.«

Berghstroem war froh, aus dem Raum ins Freie zu kommen, aber der Kommissar rief ihn noch einmal zurück. »Ich verstehe Ihren Schmerz und den Ihrer Mitarbeiter, die solchen empfinden«, sagte er lächelnd, »doch sorgen Sie bitte dafür, daß der Kummer nicht in Alkohol ertränkt wird. Es würde unsere Arbeit nur erschweren — nicht jedoch vereiteln!«

Tony Hilton und Ed Hyatt brachten ihn zurück nach Jesi, Mark Sheraton blieb noch auf dem Kommissariat.

In den Kasematten hinter der Bühne wurden alle Räume, in denen sich das Schuhwerk und die Waffen befanden, von den

Carabinieri versiegelt. Von Elgaine und ihren Assistenten verlangten sie die Listen, wer welche Schwerter, Dolche oder sonstige Hieb- und Stichwaffen trug. Es fehlte kein Stück, wie eine erste Kontrolle ergab.

Der Maresciallo verlangte, daß auch alle, die gerade auf der Bühne waren, ihre Schuhe auszögen und ablieferten. »Proben können die auch in eigenen Schuhen«, wies er jeden möglichen Protest zurück.

Einer der Assistenten kam und druckste herum. »Nach meiner Schätzung«, sagte er, »haben wir plötzlich mindestens sechzig Paar Schuhe mehr als vorher.«

»Wie kann das angehen?« herrschte ihn Elgaine an. »Ihr habt doch alles registriert?«

»Haben wir auch«, sagte sein Kollege. »Es ist mir unerklärlich. Ich würde sogar behaupten, heute morgen beim Einkleiden stimmte noch alles.«

»Ruf das Kostümhaus an«, verlangte die Coeurdever indigniert. »Wir werden das klären«, beschied sie den Beamten und ging.

Eingeschüchtert von der Strenge ihrer Herrin, verschwiegen die beiden Assistenten, in welchem Zustand sie am Morgen die Puppe ›Eff-Zwo‹ gefunden hatten. Um jeden Ärger zu vermeiden, hatten sie stillschweigend die Reste verschwinden lassen und die Reserve ›Eff-Drei‹ herausgegeben. Da es keiner bemerkt hatte, beließen sie es dabei.

Die Proben auf der Bühne verliefen schleppend, außer Mia fehlten dem Regisseur auch die Serafinis, vor allem jetzt, wo durch den Austausch des Schuhwerks zusätzliche Unruhe und Verwirrung unter Volk und Klerus entstand.

»Reine Schikane«, fauchte Ray, durch sein Gipsbein gehindert, selbst für Ordnung zu sorgen. Dabei war der große Schlußchoral ›Stupor Mundi‹ als der Auftakt zum Finale des Stücks konzipiert, und Regisseur wie Komponist hatten die ganze Zeit auf diesen erhebenden Moment hingearbeitet. Jetzt klappte nichts, klang nichts — und selbst so einfache Bewegungen wie das Verlassen des Zeltes hatten ihre Großartigkeit eingebüßt. Ray kämpfte verbissen gegen den Verfall an.

Bea war die erste, die zusammenbrach. »Ich halte das nicht mehr aus!« warf sie sich ihrem Rinaldo an die Brust. »Ich hab' zwar kein Kind und kann auch keins bekommen, aber das ist mir jetzt zuviel. Ich muß immer an Mia denken!«

Sie zitterte am ganzen Leib. Es war gerade bei der Szene, als der Marschall des Reiches, dargestellt von Nemo, der Kaiserin nach Verlassen des Zeltes, kaum daß die Geburt glücklich vonstatten gegangen war, das Neugeborene abfordert. Ray wollte die Erregte beruhigen, doch Tilde fuhr ihm dazwischen: »Die Amme hat an dieser Stelle eigentlich keinen Grund, sich so melodramatisch aufzuplustern! Das Kind wird der Kaiserin weggenommen, und die trägt's mit gefaßtem Leid.«

Es wurde inzwischen wieder mit einer Puppe geprobt, von echten Kindern wollte Ray nun doch nichts mehr wissen. Er wies Tilde zurecht. »Nicht jede ist so eine abgebrühte Bühnenschachtel, daß sie das wahre Leben nur noch als schlechte Inszenierung sieht. Beas Herz empfindet Schmerz.«

»Im Sterz!« schnaubte die Carson. »Sie hatte vorhin, als ihr der Verlust ihres eigenen Balges mitgeteilt wurde, genügend Zeit, sich voll auszuspielen. Aber nein, da war sie gefangen von ihrem Auftritt − oder sie hat den Sinn des Textes gar nicht mitbekommen. Aber jetzt, wo es gar nicht mehr ihr Bier ist, sondern meines, da leidet sie los: ›Ich muß immer an Mia denken!‹«

Daß Bea ihr nicht längst ins Gesicht gesprungen war, lag nur daran, daß Rinaldo sie gleich zur Seite geführt und den Arm so um sie gelegt hatte, daß er ihr die Ohren zuhielt, doch den letzten Satz hatte sie leider mitbekommen. Sie riß sich von ihrem Liebsten los und stürmte gegen Tilde. »Was ist schon unser Traueropfer«, höhnte sie, auf die Worte der Soubrette anspielend, »im Vergleich zu dem Leben einer kleinen Assistentin?«

Tilde war herausfordernd stehengeblieben, mit wehender Mähne, das Gesicht noch blasser als sonst. Doch Nemo warf sich dazwischen.

»Um noch mal groß rauszukommen, geht Frau Carson auch über Leichen!« heulte Bea. »Nicht, daß sie mordet, nein, sie stöckelt über sie hinweg, trampelt auf −«

Bea wurde jetzt wieder von Krämpfen geschüttelt, und der ihr nachgesprungene Rinaldo konnte sie endlich in einen Stuhl drücken. Dafür drehte Nemo durch.

»Ich kann in diesem Irrsinn keinen ernsthaften Satz mehr herausbringen«, lachte er, und sein Lachen steigerte sich zu einem asthmatischen Hustenanfall. Er bekam einen hochroten Kopf, daß zu befürchten war, er platze. »Warum will man eigentlich das herrlich tödliche Leben vom miesen Theater trennen? Führen wir doch auf, was alles an Brunst und Inbrunst, an Lächerlichkeit, an lächerlicher Erhabenheit in uns steckt! Auf die Bühne damit! Mia im Himmel würde Tränen lachen ob dieser Trauerposse mit Puppe«, er brach ab, weil er schon wieder zu ersticken drohte. »Mia ist von uns gegangen, weil sie uns nicht mehr ertragen konnte!«

»Mia ist tot«, sagte Berghstroem, dessen Rückkehr keiner bemerkt hatte, »weil irgendwelche Irren uns fertigmachen wollen.«

»Irrer als wir kann keiner sein«, schrie Ray. »Es muß sich also um Wesen höherer Vernunft handeln, die uns am Weitermachen zu hindern suchen. Außerirdische haben zugeschlagen – und wir schlagen zurück!«

»Jetzt fängst du auch schon an zu spinnen«, sagte Berghstroem. »Die Mörder Mias sind unter uns!«

»Na siehste«, sagte Ray. »Und du, Emmy, spielst dich als der einzige auf, der nicht dem kollektiven Irrsinn anheimgefallen ist. Tröste dich, ›Stupor Mundi‹ bringt sich selber um!«

Als hätte er eine düstere Prophezeiung ausgestoßen, schwiegen alle für einen Augenblick still.

»Hört jetzt auf«, sagte Katarina, die jugendliche Herzogin, die bisher kein Wort herausgebracht hatte. »Mir ist, wir töten sonst Mia ein zweites Mal!«

Und die Stille dauerte an. Der Regisseur hob langsam sein Gipsbein und ließ es dann mit vernehmlichen Knall auf den Stuhl zurückfallen. »Du, Bea, lüftest dein Nervenkostüm und ruhst dich in der Garderobe aus – und du, Nemo, vergißt für einen Augenblick deine Schizophrenie, trenn dich von deiner herrlich tödlichen deutschen Seele und gib mir den beschränkten, disziplinierten Befehlsempfänger, Marschall Dietrich von Röpkenstein!«

Nemo rang nach Luft, als er sah, wie Ray seinen Arm zärtlich um den Nacken des Urslingen legte, und beugte sein Knie vor Tilde. »Das Kind ist der Obhut der Herzogin Margarete zu übergeben«, deklamierte er brav.

Auf dem Parkplatz des ›Dunes‹ standen nach einem nochmaligen Lokaltermin, an dem auch Mark Sheraton und die Parkwächter teilgenommen hatten, der Kommissar und der bullige Maresciallo. Don Pepe ließ eine Erfrischung reichen. Der Kommissar lehnte dankend ab, aber sein Assistent griff gierig zu.

»Eine erste Sichtung aller Schneidewerkzeuge«, wandte er sich an den ältesten der Serafinis, »die ihr da in Jesi angehäuft habt, mag ein krankes Hirn zwar zu etlichen häßlichen Todesarten inspirieren, aber als die Tatwaffe kommt kein Stück in Frage.«

»Dafür sind sie auch nicht gedacht«, sagte Mark. »Aber was ist mit den Stiefeln?«

»Die können wir allesamt in Betracht ziehen, an einigen sind auch Spuren von Sand. Aber das bringt uns nicht weiter, weil ich nicht sehe, daß eure Statisten sich nach Probenschluß in den Dünen versammeln, um gemeinsam einen Fememord zu begehen.«

»Da es hier in unmittelbarer Nähe geschehen ist«, sagte Don Pepe ärgerlich, »bringt man es möglicherweise auch mit meinem Nachtclub in Verbindung –«

»Weswegen Sie ja auch zum Kreis der Verdächtigen gehören, Don Pepe Salò«, sagte der Kommissar behutsam, doch der Diskoboß bekam es in den falschen Hals. »Ich meine, Täter wie auch Opfer – oder beide – waren bestimmt auf dem Weg ins ›Dunes‹ oder kamen von dort.«

»Besser eine negative Schlagzeile als gar keine!« hieb der Maresciallo in die Kerbe. »›Die Tote vom Dunes‹ – hat der Besitzer ein Alibi?«

»Worauf Sie sich verlassen können, Marescià! Wenn ich mal kein Alibi mehr habe, bin ich tot!«

»Dafür könnte man Ihnen nicht das Herz raustrennen – mangels Masse, Don Pepe!«

Das fand der nun gar nicht witzig, aber Mark trat ihm zur Seite. »Mia konnte man schlecht die Eier abschneiden und ihr den Mund damit stopfen«, sagte er scharf und erntete ein dankbares Lächeln des Don.

»Das ist der Punkt«, sagte der Carabinieri völlig unbeeindruckt. »Vergewaltigt wurde sie nicht, keine Spur von Sperma, obgleich sie nackt war. Sie hat ihren Pullover sogar selbst ausgezogen, vorher schon. Nahm sie also die sexuelle Erregung der Täter bewußt in Kauf?«

»Weil das nicht der Punkt ist«, sagte der stille Kommissar. »Es ging ihr und den Tätern einzig um das Kind. Ihr Tod ist genaugenommen nur ein Nebenprodukt.«

»Aber selbst den hat sie auf sich genommen. Sie wurde gefoltert, man hat ihr die Brustspitzen verbrannt, doch sie gab das Versteck des Kindes, eingewickelt in ihren Pullover, nicht preis. Sie erlitt den Stellvertretertod«, schloß der Maresciallo befriedigt ob dieser griffigen Formulierung.

»Also«, folgerte Mark, »war die Todesart für das Kind beabsichtigt und, was das Tatwerkzeug betrifft, vorbereitet.«

»Richtiger Gedanke«, sagte der Kommissar an die Adresse seines Untergebenen. »Wir sollten uns nicht von der Manie beeindrucken lassen, mit der hier Spuren gelegt und verwischt wurden. Es handelt sich, was das Kind betrifft, um vorsätzlichen Mord, auch wenn der nicht stattgefunden hat. Zweitens: Eine Spur sollte nicht verwischt werden, die zu ›Stupor Mundi‹. Nicht wegen der Stiefel, nicht wegen der furchtbaren Tatwaffe, sondern wegen des Kindes!«

›Meinen Sie?« fragte Mark Sheraton.

»Das meine ich«, sagte der Kommissar. »Und heute abend will ich es wissen!«

»Wer dieses Verbrechen begangen hat«, meldete sich Don Pepe zu Wort, »ist ein kalter Hund und wird auch im Verhör nicht zusammenbrechen.«

»Wenn es ein Einzeltäter wäre, hätten Sie recht. Aber hier handelt es sich um eine Gruppe von Tätern. Wenn sie nicht durch Zufall zusammengewürfelt war, und dagegen spricht a) die Absicht und b) das Funktionieren als Gruppe, dann engt sich der Kreis der Täter schon ein. Die drei Brüder Serafini wären eine Idealbesetzung für dieses Modell.«

»Vielen Dank, Herr Inspektor«, sagte Mark. »Ich habe ein Alibi und meine Brüder auch!«

»Die waren den ganzen Abend bei mir«, empörte sich Don Pepe.

»Das wollen wir uns alles für das Verhör aufsparen«, sagte der Kommissar, und die beiden stiegen in den Wagen der Carabinieri und fuhren davon.

Mark Sheraton wollte sich ebenfalls verabschieden, doch der Boß hielt ihn am Ärmel zurück.

»Mark«, sagte er. »Ich will nicht, daß diese eingebildeten

Klugscheißer recht behalten und die Typen finden. Dieser Mord ist vor meiner Haustür geschehen. Kann ich mich auf dich verlassen?«

Mark Sheraton zögerte, die hingestreckte Hand zu ergreifen, doch dann küßte er sie. Der Don griff in die Tasche und brachte ein Feuerzeug zum Vorschein.

»Dieses Dunhill haben meine Leute am Ort im Sand gefunden. Es würde der Polizei die Arbeit zu leicht machen.«

Don Pepe pfiff seinen Wagen herbei und ließ Marco Serafini zurück nach Jesi bringen.

Auf der Piazza waren die Proben inzwischen zum Erliegen gekommen. Ray hatte Tom gebeten, denn einer mußte es ja tun, die Angehörigen von Mia zu benachrichtigen. Berghstroem, dessen Aufgabe es gewesen wäre, war mittlerweile so betrunken, daß er zur schlechten Nachricht auch noch eine traurige Figur am Telefon gemacht hätte. Mit ihm hatten Ugo und Alfia den Platz verlassen, die beiden letzteren einträchtig, der Riese stützte zärtlich sein Weib, mit dem er das ganze Stück über wie Hund und Katz umgesprungen war. Bea war sauer auf Rinaldo, der ihr in der Auseinandersetzung mit Tilde nicht aufrecht ›als mein Mann!‹ zur Seite gestanden hätte, so empfand sie es jedenfalls. »Nie sprichst du ein Machtwort. Dabei hängen alle von dir ab! Du bist der Komponist!«

Der Maestro hatte es vorgezogen, ihr nicht zu antworten. Dann war die Coeurdever gekommen und hatte erzählt, daß die Polizei in den Kasematten feinen, gelben Sand ausgebracht hätte, wie am Strand, und darauf wären sie mit allen verfügbaren Schuhen und Stiefeln herumgetreten. Jeder Abdruck sei fotografiert worden.

»Sie verdächtigen sicher den Gesangverein von Alfredo Fiorante«, spottete Nemo, sein Unmut galt aber Ray, der immer noch engumschlungen mit Peter, dem jungen Herzog, dasaß und gar nicht daran dachte, auf das unglückliche Gesicht der kleinen Herzogin Rücksicht zu nehmen. Nur Tilde kümmerte sich um das Mädchen, war allerdings auch schon ziemlich blau. Sie ließ Kisha aus ihrer Reiseflasche nachschenken und drängte Katarina den Silberbecher mit Cognac auf. »Das hilft!«

Katarina schüttelte den Kopf. »Es ist nicht wegen des Verlustes eines lieben Menschen‹, sagte sie mit kindlichem Ernst, »sondern darüber, wie unfähig wir sind —« sie nahm den Becher jetzt doch »— um ihn zu trauern.«

Sie schluckte den Cognac runter und verzog ihr Gesicht. Tilde lachte. »Du mußt Rays Launen nicht so tragisch nehmen. Verloren hast du dein Peterle noch lange nicht — oder nicht für lange!«

Katarina schaute die Carson verständnislos an und brach in Tränen aus. Don Achille erschien mit Don Pasquale. Der Vizebürgermeister, um zu kondolieren, der Priester, um sich zu erkundigen, ob die Hingeschiedene römisch-katholischen Glaubens gewesen sei, wegen der Totenmesse.

»Wer hat denn die bestellt?« stichelte Berghstroem im Hintergrund los, aber Rinaldo, erfahren in solchen Situationen, hielt ihm den Mund zu, und Tilde sagte höflich: »Das glaub' ich kaum«, was wiederum Don Pasquale erheblich zu erleichtern schien. »So wird ihre arme Seele auch ohne Zuspruch der Kirche Frieden finden«, sagte er, um abschließend erklärend hinzuzufügen: »Marchesa Fulvia gab den Auftrag. Das tut sie immer, wenn einer ihrer Hotelgäste von uns geht.«

»Mia Parker wohnte in der Pension ›Quattro Stelle‹ und war Anglikanerin!« Berghstroem hatte sein Kindermädchen abgeschüttelt und sich in einigermaßen aufrechter Haltung vorgeschoben.

»Mein Beileid« sagte Don Achille und schüttelte ihm die Rechte. »Welch entsetzlicher Verlust!«

»Ja«, sagte Berghstroem leicht schwankend. »Sie fehlt uns sehr.«

»Das kann man wohl sagen«, meldete sich Ray von seinem Sitz aus, ohne sich umzuwenden und den Arm vom Urslingen zu nehmen. Don Achille beeilte sich, auch ihm zu kondolieren.

»Wir müssen uns dann noch wegen der Überführung ins Benehmen setzen‹, murmelte der Vizebürgermeister im Weggehen und folgte Don Pasquale, der schon vorausgegangen war.

»Hat sie das verdient?« höhnte Ray. »Das darf doch alles nicht wahr sein! Tilde, gib mir von deinem Fusel!«

Kisha brachte ihm einen Becher, er hob ihn. »Mia, wir trinken auf dich!« Er nahm sein Gipsbein hoch und ließ es auf den Stuhl krachen. »Wegen Suffs brechen wir die Proben ab, nicht aus Trauer oder Schmerz!«

»So bleiben wir dir treu«, fügte Berghstroem hinzu und fing sich einen mitleidigen Blick seines Regisseurs ein. Der Produzent begleitete die Coeurdever zum Hotel zurück beziehungsweise sie ihn. Tilde folgte mit Rinaldo, Katarina wartete auf ihren Peter, der Ray auf die Beine half und ihm seine Krücken reichte. Als Ray den Grund erkannte, warf er die Krücken weg und stützte sich auf den Jungen. Der Signor Tagliabue nahm sich Katarinas an. So bewegte sich die Prozession über die Piazza.

»Ein trauriger Haufen!« sagte Nemo, der zum Schluß ging und die Krücken aufgesammelt hatte.

»Ja, furchtbar«, sagte Kisha und schenkte ihm den letzten Rest aus dem Flachmann.

Während der Schlägerei ertönt die ganze Zeit von innen unbeirrt der

CHÖRE DER VERSAMMELTEN GEISTLICHKEIT

Kapitel XII

Das Gericht

diaboli subtiliter
illuditur dolositas.

Induta carne deitas
Hamas sub esca latuit
et cor hostis capacitas
hamus mordentem tenuit.

Auch die Mönche draußen und die Chorknaben singen stoisch weiter. Genauso stur ist aber der Metzger.

UGO: Mi fate entrar? Ho il diritto
        con occhi miei di veder mio pupo!

Volk: Soldaten, Zigeuner, schlimmer als Maus und
                                              Ratt'l ,
        Kuttelugo, laß sie uns verjagen aus der Stadt.

Ein Aufruhr wiegelt sich hoch. Ugo vorneweg.

UGO: Fatemi entrare, o vi rompo le ossa!

Jakob: So der Wüterich weiter läuft Sturm,
        werft den Meister Ugo in den Turm!

Der Kommissar hielt seine Vernehmungen in der Pension ab, deren Bewohner, ausschließlich Team-Mitglieder von ›Stupor Mundi‹, er sich in folgender Reihenfolge bestellte:

1) Serafini, Marco, Stuntdirektor & Maestro d'armi, Rom;
2) Franck, Dieter, Kameramann, Erfurt;
3) Tagliabue, Cesare, Schauspieler, Opernsänger, Mestre;
4) Serafini, Antonio, Aufnahmeleiter, Rom;
5) Wolff, Hartmut, Kameraassistent, Eisenach;
6) Serra, Gualtiero, Hausmeister am Teatro Trilussa, Rom;
7) Hettrich, Rainer, Kameramann, Eisenach.

Den kleinen Galinsky bestellte er mit Bedacht nicht. So trägt man Unruhe in bereits erkennbare Gruppierungen. Mit Edmondo Serafini verfuhr er genauso. Bei Mama Masic hatte der Kommissar schon vorher hereingeschaut, und die Insassen des Hotels überließ er dem Maresciallo, mit dem er sich nach einem ersten Durchgang zu einem Ergebnisvergleich verabredet hatte. Er gestattete seinen Schäfchen, wie er sie nannte, zwischendurch in der Pizzeria essen zu gehen. Daß sie dabei ihre Aussagen vergleichen oder sogar aufeinander abstimmen mochten, störte den Kommissar keineswegs, das gehörte zu seinem Kalkül. Er selbst hatte sich einen Tisch im ›Le Delizie‹ reservieren lassen. Man muß sich ja auch auf etwas freuen können. Waldemar Prutz hatte er gleich von seiner Liste gestrichen, weil der erst am heutigen Abend wieder eingetroffen war, und die beiden Kostüm-Assistenten ebenfalls, weil sie von dem Pensionsinhaber zu einem Essen bei Freunden auf dem Land eingeladen waren. Er notierte es sich dennoch zur Überprüfung, denn grundsätzlich waren alle Gäste der Pension ›Quattro Stelle‹, wo auch das Opfer gewohnt hatte, der Tat verdächtig.

Waldemar Prutz war höchst enttäuscht, daß er nichts zur Aufklärung beitragen sollte, und vertraute dem Kommissar an, für ihn seien der Nemo und seine Deutschen einer solchen Tat fähig, ›diese Neonazis‹. Der Kommissar versprach ihm, diesen wertvollen Hinweis zu beachten. Ansonsten äußerte er sich zu keinem der Vernommenen über seinen Eindruck von der Brauchbarkeit oder dem Wahrheitsgehalt ihrer Aussagen. Nur Marco Serafini ließ er zum Schluß noch mal antanzen.

»Gut«, sagte er dem ob dieser Sonderbehandlung erstaunten ›Komparsendompteur‹, wie sich Mark selbst vorgestellt hatte. »Sie besprachen technische Fragen mit der Kostüm-Designerin auf ihrem Zimmer im Hotel −«

»Arbeitszimmer!« verbesserte Mark.

»Und verließen die Dame wann?«

»Auf jeden Fall nach Mitternacht, und ging dann zu Fuß zurück zur Pension.«

»Wen haben Sie unterwegs getroffen?«

»Niemand! Doch, Franck & Co − die nennen wir so −, die stiegen gerade in ihren Volvo ein −«

»Wann?«

»Es war viertel vor eins −«

»Wieso haben Sie sich die Uhrzeit gemerkt?«

»Nachgedacht, ob ich noch ins ›Dunes‹ −«

»Ah ja«, sagte der Kommissar. »Sehr gut, denn dort saßen ihre Brüder − und nach Tonys Aussage trafen Franck & Co um ein Uhr zehn in der Disko ein. Fällt Ihnen was auf?«

»Nein.«

»Wo haben Sie denn die Abfahrt des Volvos beobachtet? Waren Sie nah genug, daß jeder Zweifel auszuschließen ist?«

»Erstens habe ich nicht ›spioniert‹, warum sollte ich auch! Zweitens stand der Wagen im unteren Wehrgang.«

»Wieso kamen Sie dort vorbei, auf dem Weg vom Hotel zur Pension?«

»Ich habe das Hotel über die Tiefgarage verlassen −«

»Mit Rücksicht auf die Dame, die Sie konsultiert haben? War es das erste Mal?«

Mark schüttelte den Kopf. »Ich nehme immer den Lift in die Garage −«

»Aber dabei schauten Sie noch nicht auf die Uhr?«

»Nein.«

»Danke, Sie können gehen«, sagte der Kommissar, seinen Unmut nicht verbergend.

»Halten Sie sich aber bitte noch zur Verfügung, für eventuelle Gegenüberstellungen.«

»Wenn Sie nichts dagegen haben«, sagte Mark ärgerlich, »geh' ich jetzt ins Hotel —«

»Bitte auf direktem Weg, durch den Haupteingang!«

Als Mark Sheraton im Hotel eintraf, fand er alle weisungsgemäß in der Halle versammelt, nur die Coeurdever und Tilde samt Zofe hatten sich ausbedungen, auf ihren Suiten zu warten, bis die Reihe an ihnen war. Die Stimmung war gereizt. Wenn der Kommissar gehofft hatte, die Team-Mitglieder würden sich über ihre Verhöre unterhalten, hatte er sich getäuscht. Die Hotel-Bar war zwar nicht geschlossen, aber jeglicher Alkoholausschank war auf Anordnung des Maresciallo untersagt. So schauten sie alle fern, es lief mit monotoner Ausführlichkeit die Wetterlage:

Die Erwartung einer maximalen Schlechtwetterlage für Marken und Adria erfährt ihre Bestätigung in einem nicht vorhersehbaren Ausmaß. An der Küste wurde Sturmalarm wegen drohender Flutwellengefahr gegeben. Der Druck ist stellenweise bereits um 10 Millibar gefallen, die starken Niederschläge verursachen vor allem in den Flußdelten Überschwemmungen durch Sturmstau. Ebenso bestätigt sich die Heftigkeit der Wetterwand mit ungewöhnlich starken atmosphärischen Entladungen, teilweise als Hagelgewitter. ›Alarmstufe 2‹ für Feuerwehr, technischen Notdienst und die Pionierabteilungen des Heeres: Von Benutzung der Straßen in Küstennähe wird dringend abgeraten. Fährdienste und Fischerei wurden bereits eingestellt. In der Lagune von Venedig stieg der Wasserspiegel auf 130 über Normal.

Keiner kümmerte sich um das Unwetter, das da angekündigt wurde. Sie schauten sozusagen durch die Karten mit der dramatischen Computer-Simulation hindurch. Zu unwirklich wirbelten die Wolken über den Kontinent, zu irreal prasselten die Zahlen von Graden, Niederschlägen und Wasserständen. Verhört wurde gerade Nemo. Der Maresciallo, da waren sich alle einig, hatte eine blöde Art zu fragen.

Berghstroem, der den Reigen eröffnet hatte, ließ den Ablauf

seiner Vernehmung noch einmal Revue passieren. Das erste, was er zu hören bekam, war, daß Tilde und Kisha schon vor ihm, also auf ihren Zimmer, ihre Sicht der Dinge zu Protokoll gegeben hatten. »Also«, hatte der Maresciallo gesagt, »was soll ich davon halten, daß Frau Carson mir auf die Frage ›Hatten Sie Geschlechtsverkehr?‹ geantwortet hat: ›Sofern schon der Versuch strafbar ist, Herr Inspektor?‹«

»Tja«, hatte sich der Produzent herbeigelassen. »Wenn mißlungene Bettgeschichten Ihnen zur Wahrheitsfindung dienlich sind, nennen wir es einen ›coitus interruptus‹.«

»Haben Sie oder haben Sie nicht?«

»›Ejaculation praecox‹, wenn Sie's beruhigt — und dann hatte auch Kisha gestört, die ins Zimmer gekommen war, weil sie mit dem Abwischen fertig war.«

»Abwischen von was?!« hatte die Staatsgewalt entgeistert gefragt. »Sie wollen mir doch nicht weismachen —«

»Kisha hatte ihre Zimmertür mit einer Benzollösung gereinigt von den Schweinereien, die —«

»Ich darf Sie bitten, Signor Berkestrom!«

»Es waren eindeutig rassistische Schmierereien, und leider auf Deutsch!«

»Naziskin?«

»So ähnlich oder so wirkend!« bestätigte Berghstroem. »Ich habe mich geschämt, Anzeige zu erstatten!«

»Davon hat die Zofe kein Wort verlauten lassen!« empörte sich der Maresciallo. »Das Luder nehm' ich mir noch mal vor!«

»Sie wird auch so etwas wie Scham empfunden haben«, sagte Berghstroem, die Allüre des Carabiniere mißbilligend, »vielleicht auch Furcht! Außerdem machen Anzeigen in diesem Land keinen Sinn. Der Anzeigende wird verhört, als sei er der Täter, es geschieht nichts, und man bekommt noch obendrein zu spüren, daß man eine miese Sau ist, die eine Anzeige erstattet hat.«

»Diese Beleidigung unserer Justizorgane werde ich nicht protokollieren, Signor Berkestrom!«

»Verstehen Sie, Marescià«, hatte Berghstroem geantwortet, »warum man sich der Willkür ausgesetzt fühlt?«

»Sie sind mit den Nerven fertig«, sagte der Carabiniere. »War nicht die Parker Ihre Geliebte?«

»Wenn Sie mich zur Antwort zwingen, tue ich Ihnen den Gefallen und werde handgreiflich. Dann haben Sie als brauchbares Ergebnis wenigstens Widerstand gegen die Staatsgewalt!«

»Sie können gehen.«

»Ich möchte noch zu Protokoll geben, daß Mia Parker kurz nach Probenschluß hier im Hotel nach mir verlangt hat. Ich habe mich verleugnen lassen. Die Gründe: siehe oben.«

»War sie erregt, ich meine aufgeregt?«

»Das müssen Sie den Hotelportier fragen.«

Anschließend hatte der Maresciallo die Coeurdever verhört, ebenfalls ›in ihrem Ambiente‹, wie er seine Lakenschnüffelmanie bemäntelte. Er las Elgaine, die schon in ihren weißen Kittel geschlüpft war, das Protokoll ihrer Aussage noch einmal vor, damit sie ihm nicht gleich die Tür wies. Sie hatte nichts an unter dem Kittel. »»Signor Serafini verließ mich weit nach Mitternacht‹ — an die genaue Uhrzeit können Sie sich nicht erinnern?«

»Warum sollte ich?« sagte Elgaine. »Schauen Sie immer auf die Uhr?«

»Hatten Sie Geschlechtsverkehr?«

Elgaine lachte. »Wenn Sie ›Ficken‹ meinen, Herr Inspektor, sagen Sie gefälligst ›Vögeln‹! No comment«, setzte sie hinzu.

»Signor Serafini verließ sie — wie?«

»Angezogen, soweit ich mich entsinne, und über den Lift in die Tiefgarage, will ich hoffen.«

»Was war mit den überschüssigen Schuhen?«

Der Maresciallo kämpfte um jede Minute seines Verbleibens, die Frau hatte so etwas —

»Der Anruf beim Kostümhaus in Rom«, riß ihn Elgaine aus seinen abwegigen Gedanken, »hat ergeben, daß 60 Paar in einem Sack am Morgen in Jesi angeliefert wurden, irrtümlicherweise in der Pension ›Quattro Stelle‹ statt bei mir im Lager.«

»Und wer hat quittiert?« stieß der Carabiniere begierig nach.

»Mia Parker.«

»Und den Sack hat keiner gesehen?«

»Das müssen Sie in der Pension nachfragen. Kann ich Ihnen noch sonstwie behilflich sein?«

»Nein, nein«, sagte der Maresciallo und verließ die Suite, ohne daß er einen Blick in das Schlafzimmer hatte werfen können. Elgaine verschloß hinter ihm die Tür.

Die Mordkommission in Person des Maresciallo hatte Nemo in

dem vom Hotel zur Verfügung gestellten Verhörzimmer warten lassen. Das war manchmal eine gute Taktik.

»Sie waren mit den Serafinis im ›Dunes‹. Ab wann?«

»Spät. Sicher schon nach Mitternacht.«

»Wer war da sonst noch? Ich meine, von ›Stupor Mundi‹?«

Nemo überlegte. »Rinaldo mit der kleinen Urslingen —«

»Mit wem?«

»Katarina, die Küssnachter Lerche —« grinste Nemo. »Aber der Kerl war schon völlig blau! Und dann kamen da noch Franck & Co. Na, die Videoleute«, setzte er hinzu, als er das unverständige Gesicht seines Vernehmers sah. »Die kamen um viertel vor zwei, wir hatten eigentlich Mark Sheraton erwartet.«

»Ein Uhr fünfundvierzig? Sind Sie sich da sicher?«

»Absolut!« sagte Nemo. »Wieso? Stimmt was nicht?«

Im Kopf des Maresciallo arbeitete es. »Ein Uhr fünfundvierzig? Sicher nicht ein Uhr zehn?«

»Ich schwöre bei meiner Mutter!«

»Und wann verließen Sie das ›Dunes‹ und mit wem?«

»So um halb vier, mit den Serafinis. Der sturzbesoffene Rinaldo und Katrinchen, die wurden von Franck & Co im Volvo mit zurückgenommen.«

»Mit Ihren Zeitangaben, Signor Nemo, da sind Sie sicher?«

»Ich habe ein untrügliches Zeitgefühl, Signor Maresciallo!«

»Und dann?«

»Dann bin ich ins Bett.«

»Ihr eigenes, hoffe ich«, sagte der Carabiniere. »Wie lautet eigentlich Ihr richtiger Name?«

»Gefällt Ihnen ›Nemo von Weimar‹ nicht, Signor Capitano?«

Er war aufgestanden, ging um den Tisch herum und legte dem Beamten beide Hände auf die Schultern, fast zärtlich. »Nehmen Sie ihn doch so zu den Akten.« Er brachte sein Gesicht dicht vor das des Maresciallo. »Bitte!«

Der Carabiniere wand sich unter der Berührung und stand abrupt auf. »Von mir aus. Aber der Kommissar wird das nicht durchgehen lassen!«

»Danke schön, Herr Inspektor«, sagte Nemo und zog seine Hände langsam ab. Der Maresciallo vermied es, ihm noch mal in die Augen schauen zu müssen, und ging noch vor ihm aus dem Raum. Er marschierte durch die Halle, die sich inzwischen etwas geleert hatte.

»Sie können zu Bett gehen, Herrschaften«, sagte er gnädig. »Wen ich noch brauche, den werde ich holen lassen. Das müssen Sie verstehen.«

Keiner antwortete ihm, und so schritt er hinaus, um seinen Chef im ›Le Delizie‹ zu treffen.

»Wißt ihr was?« gähnte Ray und erhob sich aus einem der Lederfauteuils in der Lobby. »Morgen ist arbeitsfrei. In einer solch repressiven Atmosphäre fällt mir nichts Gescheites ein. Außerdem ist schlechtes Wetter angesagt.« Er gab Peter, der auf der Lehne gehockt hatte, einen Klaps und schob ihn in Richtung Katarina, die auf einem Sofa eingeschlafen war. »Geht ins Bett, wir müssen regenerieren!«

Mark Sheraton hatte sich mit einem der Zimmer verbinden lassen, offensichtlich aber keine Antwort bekommen. Er legte den Hörer auf und ging.

Berghstroem, der mit Tom an der Bar saß und Mineralwasser in sich hineinschüttete, sagte zu Ray, als der an ihm vorbei zum Lift strebte:

»Du könntest mich auch vorher fragen, bevor du hier Bulletins herausgibst, aber ich stimme mit dir überein: Die Produktion ist krank. Hoffentlich reicht ein Tag zur Rekonvaleszenz, mehr können wir uns nicht leisten.«

»Wein nicht, Emmy«, sagte Ray. »Ich hol' das schon wieder rein. Ich hab' noch nie eine Generalprobe platzen lassen.«

Er nahm Nemo unter den Arm, der gerade aus dem Lift treten wollte, und schob ihn zurück in die Kabine. Gemeinsam fuhren sie hoch. Der übernächtigte Barkeeper löschte das Licht.

»Also, dottò«, begann der Maresciallo, noch während sie sich beide die Teller am Vorspeisenbuffet volluden. »Der Berkestrom hat mit der Carson rumgemacht. Für mich war das Kolonialfrüchtchen auch mit von der Partie, flotter Dreier!«

Der Kommissar nickte, ohne eine Frage zu stellen. Das hieß, »weiter im Text«. Die beiden Männer saßen als einzige im Restaurant, der Signor Delle Delizie hatte eigens für den Signor Commissario einen Ober abgestellt, der sie noch zu dieser späten Stunde bedienen mußte, allerdings nur kalte Küche.

»Die Coeurdever, Elfriede-Gertrude-Änneliese«, er lachte. »Auch der Familienname ist weniger romantisch: Korbmacher!

Die hat's mit dem Stuntdirektor getrieben, dem Ältesten der Serafini —«

»Bis wann?«

»Weiß sie nicht, es sei spät gewesen.«

»Mmmmh«, machte der Kommissar. Das war ein Zeichen von
Unzufriedenheit.

»Der Regisseur Raymond Maulman, der heißt wirklich so,
war mit dem Jungen auf seinem Zimmer, nannte es: ›meinen
neuen Assistenten einarbeiten‹, eindeutig eine Schwuchtel —«

»Was er gesagt hat, würde mich interessieren«, rüffelte ihn der
Kommissar. »Hat er ein Indiz, einen Verdacht?«

»Ja«, beeilte sich der Maresciallo sein Wissen preiszugeben.
»Den Apotheker Fiorante!«

»Quatsch!«

»Das hat er auch gesagt, und ›Cantate hat wieder mal zugeschlagen!‹ Der nimmt unsereins auf den Arm. Ich hab' ihn
gefragt: ›Sind Sie homosexuell?‹ Da hat er mir doch geantwortet: ›Sie auch?‹«

»Richtig«, sagte der Kommissar.

»Wie?« sagte der Marsciallo, verschluckte sich fast an einem
Tintenfisch in scharfer Sauce und zog es dann vor fortzufahren.
»Der Knabe Peter Aljoscha Dimitrov log mich dreist an, seine
Verlobte, die nämlich seine Schwester ist, sei die ganze Nacht
mit ihm auf dem Zimmer gewesen, dabei stellte sich heraus, als
ich mir die Kleine vornahm, daß sie im ›Dunes‹ war und erst
früh morgens zurück ins Hotel kam.«

»Marescià«, sagte der Kommissar. »Ich lasse Sie zurück zur
Sitte versetzen, wenn ich nicht endlich eine brauchbare Informa-
tion in der Mordsache Parker von Ihnen zu hören bekomme! Ist
das klar?«

Der Carabiniere riß sich zusammen. »Aussage Nemo von
Weimar: war mit Serafini, Antonio und Edmondo ab Mitter-
nacht im ›Dunes‹. Dort weiterhin anwesend, Reinhold Schilling,
der Komponist, und besagte Katarina Dimitrov. Um zirka ein
Uhr fünfundvierzig kamen dann noch die Herren ›Franck &
Co‹, wie er sich ausdrückte, die Videoleute. Abfahrt gegen —«

»Halt!« sagte der Kommissar. »Die Zeitangabe wollen wir
festhalten. Antonio Serafini behauptet, es sei ein Uhr zehn gewesen, und ich wette, von seinem Bruder Ed werden wir nichts
anderes hören.«

»Die zeitliche Divergenz würde allemal ausreichen, um einen —«

»Richtig«, sagte der Kommissar. »Noch was?«

»Der Tomei, Basile, Theaterbesitzer aus Rom, sagt aus, er habe gegen null Uhr vierzig oder fünfzig das Videoquartett Ecke Piazza / Corso gesehen. Er war in Begleitung seines Majordomus Serra, Gualtiero.«

»Wortwechsel?« drängte der Kommissar.

»Franck & Co hätten nach Mia gefragt. Serra habe sie informiert, daß er die Parker völlig aufgelöst getroffen habe, auf der Suche nach Klein-Jerry, dem Kind Masic, Jeremia.«

»Weiter?«

»Weiter nichts. Oder wollen Sie noch hören, daß der betrunkene Maestro Rinaldo die Dimitrov Katarina mit in seinen Turm genommen hat?«

»Nein«, sagte der Kommissar, doch der Maresciallo mußte es loswerden.

»Sie hat darauf bestanden.«

»Wenigstens kein Inzest!« tröstete ihn der Kommissar. »Fassen wir zusammen: Ich stellte schon eingangs die These auf, daß wir es hier mit einem Gruppendelikt zu tun haben. Ihre äußerst hilfreichen Nachforschungen, lieber Maresciallo, bestärken mich in dieser Annahme. Alle Einzelpersonen haben ein, wie schön für Sie, meist sexuelles Alibi. Widersprüche treten in den Gruppen auf. Welche Gruppen haben wir? Erstens: Nemo und seine Deutschen; zweitens: Franck & Co; drittens: Die Brüder Serafini; viertens: Tom und Ugo.«

»Die zwei?« wagte der Maresciallo anzuzweifeln.

»Zwei sind auch eine Gruppe. Signor Basile als Hirn und sein Quasimodo als ausführende Brachialgewalt. Motiv: Neid, vielleicht auf den erfolgreichen Kollegen Maulman? Alibi haben sie keines. Aber ich bin bereit, sie zu streichen, wie auch die Erstgenannten. Bleiben: Franck & Co und die Serafini. Bei diesem Stand rufen wir uns den zeitlichen Ablauf ins Gedächtnis. Sind Sie dazu noch in der Lage, Marescià? Oder wollen Sie erst noch ein Dolce oder einen Caffè?«

»Caffè bitte«, sagte der Maresciallo. »Doppio!« Dann begann er mit der gebotenen Straffung: »Es war laut Aussage Masic, Olga, der Mutter, vereinbart, daß die Videoleute ›wann teknisch meglich‹ Aufnahmen mit Jerry Superstar machen sollten.

Wird von Franck & Co bestätigt?«

Der Kommissar nickte.

»Gegen Mitternacht beendet Mia Parker die Proben, der Regisseur war schon gegangen, trotz seines Gipsbeins, einen neuen Assistenten einzuarbeiten, während der alte, die alte noch lebte!«

»Halten Sie sich nicht mit Moralfragen auf!«

»Die Parker erscheint bei Mama Masic und fragt nach Jerry. Die Mutter antwortet: ›wird filmen‹. Die Parker, im Hotel, verlangt den Producer, ohne Erfolg. Die Parker trifft vor ihrer Pension den Serra, Gualtiero, der ihr, laut eigener Aussage, ›Hilfe angeboten hat, denn sie wirkte sehr durcheinander‹. Sie wies ihn ab — Eigenaussage. Der nächste, der sie trifft, und zwar vor Rinaldos Turm, ist Signor Tagliabue, der laut eigenen Angaben nicht mehr ganz nüchtern war, sich aber erinnert, daß sie ihren roten Mini dabei hatte und daß er ihr erzählte, Franck & Co auf dem Corso gesichtet zu haben, wie sie noch Einlaß in das bereits geschlossene Lokal hier begehrten.«

»Bestätigt«, sagte der Kommissar. »War schon geschlossen.«

»Wichtig ist mir«, hob der Maresciallo seine Stimme, »daß auf diese Nachricht hin die Parker in völliger Panik davonlief. Sie ließ sogar ihr Auto einfach stehen.«

»Zeit?«

»Null fünfunddreißig«

»Wieso derart genau?«

»Tagliabue gibt an, er vergewissere sich immer, was die Zeit geschlagen habe!«

»War Signor Tagliabue der letzte, den sie gesehen hat? Abgesehen von ihren Mördern?«

»Zwischen nullfünfunddreißig und ein Uhr bis ein Uhr fünfunddreißig — mutmaßliche Todeszeit! — muß sie ja noch Klein-Jerry irgendwo finden, denn sie hat ihn ja wohl bei sich gehabt, als sie verfolgt wurde.«

»Oder«, sagte der Maresciallo, »sie verfolgte die Entführer von Jerry, entriß ihnen das Kind, das sie gerade schlachten wollten, und versteckte es. Ab dann verläuft alles, wie schon gesagt.«

»Hypothese!« grummelte der Kommissar, sehr unzufrieden.

»Alles deutet eigentlich auf Franck und Co hin«, sagte der Maresciallo zufrieden.

»Zuviel«, sagte der Kommissar. »Wenn die Aussagen der Serafini stimmen, dann bleibt keine Zeit für den Mord.«

»Warum lügen die Serafini?« frohlockte der Maresciallo. »Ich würde jetzt am liebsten beide Gruppen ins Kreuzverhör nehmen.«

»Sie«, sagte der Kommissar. »Ich habe die Kameraleute bereits verhört. Die sind eine Berliner Mauer aus Gummi. Gemeinsames Abendessen in der Pizzeria. Bestätigt. Anfrage, wenn auch reichlich spät, bei Mama Masic, ob sie jetzt noch Jerry filmen könnten. Die verweist auf Mia. Bestätigt. Vorher, um nullfünfunddreißig, versuchen sie noch ins Le Delizie einzukehren —«

»Warum?« unterbrach der Marschall. »Die hatten doch schon gegessen.«

»Vielleicht wollten sie noch was trinken. Nullfünfundvierzig werden sie von Tomei, Basile, plus Serra, Gualtiero, an der Ecke zum Corso gesichtet. Nullfünfzig besteigen sie laut Marco Serafini ihren Volvo und erreichen, laut Antonio Serafini, zehn nach eins das ›Dunes‹, laut Nemo allerdings erst um viertel vor zwei.«

»Haftbefehl?«

»Für wen?« Der Kommissar wiegte den Kopf. »Wir brauchen bessere Indizien. Das Motiv. Die Tatwaffe. Sie kann doch nicht verschwunden sein!«

»Vergraben? In den Fluß geworfen?«

»Suchen!« sagte der Kommissar. »Die Vögel fliegen uns nicht davon.«

»Also Überwachung?«

Der Kommissar nickte. Er war müde.

Am nächsten Morgen herrschte ausnehmend schönes Wetter. Es wehte zwar ein eiskalter Wind, aber der Himmel war klar gefegt, und die Sonne schien auf die still daliegende Bühne von ›Stupor Mundi‹. Die meisten des Teams blieben bis mittags im Bett, einige trafen sich in der Pizzeria, vermieden es aber, über den gestrigen Tag zu sprechen, von Mia schon gar nicht. Tilde, begleitet von Kisha, und die Urslingen gingen in die Kirche — und auch den anderen kam es vor, als sei es Sonntag.

Franck & Co nutzten die Gelegenheit zu Interviews mit Teammitgliedern, derer sie habhaft wurden. Die ›Küssnachter Lerchen‹ fingen sie beim Verlassen des Doms ab und postierten sie vis-à-vis vor der romanischen Kirche von San Giorgio, die den damaligen Marktplatz beherrschte.

»Eure Namen, eure Herkunft verratet ihr nicht?«

»Wir sind Kinder der Liebe«, sagte Peter bescheiden.

Damit geriet er bei Wolff an den Richtigen, aber auch Katarina gefiel es nicht, daß sich ihr Partner auf ein Gespräch mit denen einließ. Sie knuffte ihn, und er schwieg.

Also änderte der Interviewer seine Taktik, als ob er Kreide gefressen habe. »Beide?« fragte Wolff mitfühlend. »Ich dachte, ihr seid Geschwister?«

Katarina, mit ihrem blauädrigen feinen Eulengesicht, schaute zärtlich zu dem einen Kopf größeren Peter auf, der die Augen niederschlug und ihre Hand suchte.

»Zwillinge?« bohrte die auf beide gerichtete Videokamera nach.

»Ja«, sagte Peter leise.

»Ihr seid also immer zusammen, auf der Bühne, im Be... im Leben?«

Peter schaute hilfesuchend zu seiner Gefährtin, die sich fast schützend vor ihn schob. »Ja«, sagte sie energisch. »Wir gehören zusammen!«

»Wir sind eines«, fügte Peter trotzig hinzu, worauf ihn Katarina endgültig abdeckte, um die nächste Frage alleine abzufangen.

»Wie ist denn das«, kam sie auch schon geschossen, »mit dem Sexleben? Treibt ihr's dann zu dritt oder zu viert?«

Erst schien es, die Frage sei am Ziel vorbei in den Graben gefallen, denn sie löste kein verlegenes Stottern aus, sondern ein Kichern, und zwar bei beiden. »Ladet ihr euch Freunde dazu ein?« fragte Katarina keck zurück. »Wie halten Franck und Co. es mit der Liebe, wie die Bienchen?«

Die geschlechtslose Kamera ließ sich nicht darauf ein. »Also immer nur zu zweit?« hakte Wolff lauernd nach.

»Ja, sicher!« lachte Katarina ihr glockenhelles Lachen. »Wir sind glücklich zu zweit allein!«

»Kostprobe!« verlangte der assistierende Hettrich. »Küßt euch!«

»Zu zweit allein!« betont Katarina schnippisch, sich von der Heiterkeit anstecken lassend.

»Als ›Küssnachter Lerchen‹«, fuhr Wolff fort, »kennt ihr doch die Geschichte von Wilhelm Tell?« Zu seinem Erstaunen erntete er bei den beiden nur unwissendes Kopfschütteln. »— der seinem Sohn einen Apfel«, wollte Hettrich erläutern, aber Wolff trat ihm vors Schienbein und fuhr selbst fort: »— seinem geliebten Söhnlein einen Apfel zwischen die Beine klemmen und ihn dort wegschießen mußte, bei Androhung der Todesstrafe für den Schützen, wenn er sich weigerte? Wenn ich jetzt einen Apfel der Katarina in die Schenkel stecken würde«, wandte er sich an das leichtere Opfer, »würdest du dann schießen, Peter?«

Der Junge starrte ihn verunsichert an, aber Katarina sagte fest: »Ich würde es verlangen, und er würde ihn treffen!«

»Sicher?«

Katarina nickte und machte einen Schritt auf das Auge der Kamera zu.

»Würdest du umgekehrt von mir das gleiche verlangen«, sie fixierte den Kopf von Wolff hinter dem Sucher, bis sie die Stelle gefunden hatte, die sie suchte, »würde ich dich in den Hals schießen.« Sie nahm energisch ihren Peter an der Hand und zog ihn mit sich fort.

»Merkwürdig«, sagte Hettrich, als Wolff das Videogerät absetzte, »daß die als Schweizer Eidgenossen die Geschichte vom Tell nicht kennen.«

»Schwyzerdütsch sprechen sie auch keines«, murmelte Wolff.

Tilde Carson, die erst erwartungsvoll stehengeblieben war, hatte den Platz inzwischen mit Kisha verlassen.

»Du hast sie nicht nach ihrer Meinung über das Stück gefragt!« rügte Franck.

»Sie haben über ›Stupor Mundi‹ mehr ausgesagt«, verteidigte sich Wolff, »als wenn ich sie direkt auf Liebe, Opfer und Tod angesprochen hätte.«

Franck & Co zogen weiter.

Die Marchesa Fulvia hatte Berghstroem und Rinaldo zu sich in die Villa eingeladen, doch Berghstroem verspürte keine Lust und Rinaldo fuhr unter der Mitnahme von Tom, da Bea ihm ihren Wagen nicht lieh. Beim Verlassen der Garage wurden sie von Franck & Co aufgehalten.

»Kurzinterview zu ›Stupor Mundi‹«, informierte sie Franck in seiner knappen Art, und schon liefen die Kameras.

»Signor Tom«, sagte Wolff, »Sie leiten ein eigenes Theater. Ist Ihnen ein Stück wie ›Stupor Mundi‹ schon einmal untergekommen, vor allem was die Art und Weise betrifft, mit der es produziert und inszeniert wird?« Das klang herausfordernd, wenn nicht herabsetzend, auch wenn Wolff sich bemühte, einen objektiven Ton zu treffen.

»Nie!« sagte Tom. »Und ich denke auch, nie wieder —«

»Und Ihre Meinung, Maestro Reinhold Schilling, Komponist von ›Stupor Mundi‹? Sie hatten in ihrer bewegten Vergangenheit des öfteren Schwierigkeiten mit der gültigen Gesetzgebung, was das Urheberrecht anbelangt. Wie weit ist es diesmal Ihre eigene Tonschöpfung?«

»Ein Tonsetzer, der sich vor der Nähe zum Plagiat fürchtet oder gar um seinen guten Ruf besorgt ist, der sollte den Beruf wechseln.« Rinaldo sprach ohne jede Erregung, als wäre ihm die versuchte Beleidigung völlig schnuppe. »Gershwin, Bernstein und Orff natürlich, hat jeder im Kopf, ich sogar im Herzen. Ein Wiegenlied samt Mutterleid neu zu erleben, wo es schon einen Albinoni oder ›The Doors‹ gibt, ist Humbug. Die Kunst ist einzig und allein, es so zu schreiben, daß die GEMA einem nichts anhaben kann. Für einen Narren zu komponieren oder für einen Bischof oder einen Metzger? Der leider zu früh verstorbene Nino Rota, mein geschlagener alter Freund Peer Raben oder gar — Ennio Morricone! Soll ich an deren Leistungen vorbeigehen? Ein halbes Jahrhundert überlieferter Klänge, Generationen genialer Musiker ignorieren? Arabische Weisen, griechische Tänze, die Canzò der Troubadoure, lateinische Messen, altitalienische Volkslieder? Warum sollen sie mich *nicht* inspirieren?«

»Sie klauen also weiter?« versuchte Wolff ihn festzunageln.

»Mit Vergnügen, meine Herren, Klauen ist eine Kunst. Das können Sie bei jedem neapolitanischen Taschendieb lernen. Es ist die Schöpfung von Neuwert. Selbst Sie, Herr Franck«, wandte er sich an den Anführer, »der sie von uns, von ›Stupor Mundi‹ Geleistetes so eifrig wie stur abfilmen, könnten daraus ein Filmopus schaffen, das in die Geschichte eingeht. Sie müßten dazu nur im Besitz eines Funkens guten Geschmacks, einer Prise Talent und natürlich meiner Urheberrechte sein, meines Copyrights!« Er gab Tom einen Stoß, und sie brausten von dannen.

Berghstroem telefonierte zur Suite der Coeurdever hinauf, erhielt keine Antwort und hörte, sie sei aufs Land gefahren. Überhaupt waren die meisten ausgeflogen. An der Bar hockte nur Nemo, Ray liege noch im Bett. Das deuchte auch Berghstroem die einzig vernünftige Lösung. Er ging zurück auf sein Zimmer und schaltete den Fernseher an, bevor er sich auf sein Bett legte. Die Nachrichten liefen gerade aus und gingen über zum Sportteil, dazwischen erst mal Werbung. Der Himmel draußen bezog sich blauschwarz, und ein fernes Grollen zeigte ein sich näherndes Gewitter an. Er war eingedöst, bevor es losbrach. Er hörte im Halbschlaf das Prasseln des Regens, was ihn erst recht darin bestärkte, die Augen nicht wieder aufzumachen.

Er wünschte sich, daß alles gar nicht geschehen wäre. Mia lebt, er braucht nur die Hand auszustrecken, dann liegt sie neben ihm, und ihr Haar kitzelt ihn in der Nase. Es war gar nicht auszudenken, wie es weitergehen sollte ohne sie. Gut, er konnte sich auf Tom stützen − wenn er den nicht besser an Ray abtreten sollte. Auf Nemo war kein Verlaß, besonders nachdem der Regisseur ihn mit seiner Vorliebe fürs Peterli brüskiert hatte, und der war als Assistent natürlich ein glatter Versager. »Verhüterli« nannte ihn der deutsche Barde bereits laut vor allen Leuten. Er, Berghstroem, mußte sich an die Serafinis halten. Wie gut, daß er, daß Mia durchgesetzt hatte, sie zu verpflichten. Die Brüder hatten keine eigenen Ambitionen. Deren einziger Ehrgeiz war es, die Wünsche ihres jeweiligen Meisters, und waren sie noch so ausgefallen, zum Besten des entstehenden Werkes zu erfüllen. Sie waren, was man immer seltener fand, ›gute Diener‹! Was sich sonst so als ›Assistent‹ herumtrieb, betrachtete die Arbeit, für die er sich gnädigst engagieren ließ, als Durchgangsjob auf dem Weg zum eigenen ›opus magnum‹. Hatte er nicht auch Ray, selbst Rinaldo, den Schöpfer der Töne, der Chöre und Lieder, selbst Maxi, der es ihm, ihnen allen ermöglicht hatte, nur als seine Erfüllungsgehilfen betrachtet? War er ein ›guter Diener‹ von ›Stupor Mundi‹? Wie Mia? Oder hatte er es sich nur zu seinem, Manuel J. Berghstroems, höheren Ruhm ersonnen?

Bilder zogen an ihm vorbei, von ungeheurer Intensität und Farbenpracht − Elgaine war eine Dienerin, auch wenn sie sich als Herrin präsentierte, auch wenn sie ihn mit seinem unausgesprochenen Liebesgestammel, seinen feuchten Träumen, seinem knabenhaften Verlangen nach ihrem Körper hatte links liegenlassen. Aber ihren Beitrag zu ›Stupor Mundi‹ konnte man sehen, anfassen, streicheln und küssen! Das Engagement der

Coeurdever hatte sich ausgezahlt! Wenn ihn, den Producer, jetzt dumpfe Zweifel beschlichen, dann nicht vor Berghstroem, dem Librettisten — dem konnte er trauen —, sondern eben vor ihm als die alles zusammenführende Person. Hätte er seine Aufgabe erfüllt, würde er jetzt das Schiff in den sicheren Hafen steuern. Oder trieb es bereits mit gebrochenem Ruder führungslos in den Wellen? War nicht das Unterfangen zu groß für ihn, wenn schon ein Mann, der Bootsmann über Bord, ihn derartig verzagen ließ? Er mußte sich zusammenreißen, die Lichter des Hafen blinkten schon, noch ein, zwei straffe Segelmanöver, das Ruder fest in der Hand, und ›Stupor Mundi‹ segelte mit geblähtem Tuch an den letzten Klippen vorbei. Die wartende Menge am Kai, die gebannt das Schauspiel des mit den Wogen kämpfenden Schiffes verfolgt hatte, schrie sich seine Freude aus tausend Kehlen, gewaltig antworteten die Chöre der Matrosen, die in die Rahen und Masten geklettert waren.

> Stupor Mundi!
> Uno splendido annuncio è la vittoria
> di quel materno affetto; ansia ed attesa
> sono nel nostro petto.
> Vieni, fanciullo di pace e di gloria!

Es leuchtete das Zelt, und das Volk, das so lange ausgeharrt hatte, begrüßte das kaiserliche Kind. Berghstroem sah sich in der Krippe liegen, ein übernatürliches Strahlen ging von ihm aus, er war ›Stupor Mundi‹! Die Welt staunte über die gewaltige, heroische, glänzende Leistung, die er vollbracht hatte. Die Bischöfe schwenkten ihre Gefäße mit Weihrauch über ihm, die Kardinäle knieten vor ihm. Der Höhepunkt rollte näher wie die gleißende Sonne, um sich mit ihm, dem Schöpfer, in chymischer Hochzeit zu vereinen. Berghstroem war die Gebärende, die Pressende, Kreißende. Er schwitzte, er stöhnte, er schrie. Noch wenige »momenti magici« letzter spiritueller Machtanstrengung, dann war es geschafft!

> Stupor Mundi!
> Sia resa grazia alla Vergine Santa
> divino esempio, per ricompensa tanta:
> un re al mondo oggi ha donato,
> con dolore partorito.

Es öffnete sich der leuchtende Schrein, die hohe Geistlichkeit, die Kardinäle, die Bischöfe zogen ab, die Mutter gab es her, schenkte es der Welt. Berghstroem war die Kaiserin. Ihre glückliche Niederkunft gegen alle Widrigkeiten war sein Erfolg, ›Stupor Mundi‹ gegen alle Fährnisse durchgesetzt zu haben. Berghstroem war die staunende Welt, er schenkte sich ihr unter dem Jubel der Chöre, den schmetternden Trompeten, den Paukenschlägen, den Trommelwirbeln.

Stupor Mundi!
Ringraziamo il Supremo, e sia in errore
chi di scrutar pretende il suo volere.
In Sua grazia noi viviamo,
in Lui solo confidiamo.

Dann ging sein unruhiges Schnarchen, sein von Apnoen gehetztes nach Luft Röcheln in die ruhigeren Atemzüge des einsetzenden Tiefschlafes über. Er bekam nicht mit, wie das Fernsehen das Sportprogramm unterbrach und eine »Vorwarnung für die Feiertage« herausgab:

Bei dem zu erwartenden Zusammenprall der schnell vordringenden Kältemasse und der trägen Hitzewelle sind orkanartige Sturmböen von über 80 Knoten — also 150 bis 160 Kilometer die Stunde — Turbulenzgeschwindigkeit im Auge des Zyklons zu erwarten, die in Küstennähe als Springfluten und Windhosen auftreten werden. Bäume und Altbauten sind solchen Naturgewalten nicht gewachsen. Die Schäden werden beträchtlich sein. ›Alarmstufe 3‹: Ausgehverbot und Einzug zum Zivilschutz wird unmittelbar erwartet. Rundfunk und Fernsehprogramme werden im stündlichen Dienst die Bulletins des ministeriellen Katastrophenkomitees bekanntgeben.

Um die Nervosität abzubauen, die Kaiserin abzulenken, weil die Arbeiten immer noch andauern (das Zelt steht noch nicht), bewegt Rinaldo die Troubadoure, ihren Gesang wieder aufz…

Rina…

Kapitel XIII

Die Liebenden

die Begrüßung leichter fällt,
es sich vor Wonne leichter fällt!

Um seine Worte spaßhaft zu unterstreichen, läßt sich der Narr platt vor der Kaiserin auf den Boden fallen, was dieser ein Lächeln unter Schmerzen abgewinnt.

MINNELIED

Trouba-
doure:

E dic vos ben c'anc no·n trobet hom flor
qui tan sembles coinda e spravinens,
ni c'ab semblans doutz e gais e plazens
saubes poiar son pretz e sa valor
tan cum ill fai, que hom non pot escrire
los sieus bos aips, ni sa beutat devire;
e s'ieu no·n dic de ben tan cum deuria,
per so m'en lais q'hom dire no·i sabria.
Tant es sos pretz sobriers e cars e bos,
qui plus en ditz mais i troba razos.

Der Metzger steht noch immer unschlüssig herum, als seine Frau Alfia, mit dem Säugling an der Brust, von oben die Stiege herunterkommt. Ramon flüstert mit der Herzogin, ihren Blick auf den vollen Busen der Metzgersfrau lenkend.

Es hatte die ganze Nacht geblitzt und gedonnert.

»Wie im Krieg!« sagte Tom, der Berghstroem früh morgens weckte. »Daß du dabei schlafen kannst?« Er öffnete die Balkontür, um etwas frische Luft in das Hotelzimmer zu lassen. »Ich konnte kein Auge zutun — aber es hat ja auch nicht jeder dein Elefantennaturell.«

Berghstroem war alles andere als erfreut, auf diese Art aus dem Bett komplimentiert zu werden. Er mochte sich nur unscharf daran erinnern, daß er irgendwann von einem peitschenden Donnerschlag während der frühen Morgenstunden aus seinen Träumen gerissen worden war, das Fernsehbild war gestört und brummte und knackte, der Blitz mußte in unmittelbarer Nähe eingeschlagen sein, wahrscheinlich hatte es die Röhre erwischt, denn es wanderten nur noch zuckende Streifen im Zickzack von unten nach oben über den Bildschirm, Schleier nach sich ziehend, und auch die Fernbedienung funktionierte nicht mehr. Er hatte den Stecker rausgezogen und sich hastig entkleidet, weil er mal wieder in allen Klamotten auf dem Bett eingeschlafen war. Er haßte dieses Gefühl, fröstelnd unter die Decke zu kriechen, war aber trotz des Krachens sofort wieder eingeschlafen.

»Ray ist schon unten«, wußte Tom weiter zu berichten. »Er will einen letzten Durchlauf vor der Generalprobe haben, denn das Wetter kann sich jederzeit wieder verschlechtern.«

Berghstroem schaute mißmutig aus dem Fenster, der Himmel hatte überhaupt keine Farbe, er war nicht einmal grau, eher weiß.

»Es regnet auch nicht, mal gerade nicht«, sagte Tom. »Ich habe das ganze Hotel geweckt, weil Ray alle um sich versammelt sehen möchte.«

»Dämliches Beschwörungsritual von abergläubischen Theaterleuten!« knurrte Berghstroem. »So blöd wie das Sich-auf-die-Handflächen-Patschen von Basketballern!«

»Gimmi five!« Tom grinste, und, um den Freund nicht zu enttäuschen, sprang Berghstroem auf und stürmte ins Bad.

Die Piazza war, bis auf einige Pfützen trocken und − rot. Überall waren rote Flecken. Wenn sie noch feucht waren, leuchteten sie wie Blut. Der Sand aus der Sahara bedeckte auch die Bühne mit einer Staubschicht, warme Winde wehten und wirbelten ihn auf.

»Wie weit ist denn das Kostüm-Department mit dem Anziehen?« Ray Maulman, der Regisseur verbarg seine Ungeduld nicht.

»Die Coeurdever war als allererste mit ihren Assistenten in den Kasematten«, rapportierte Nemo, der das Verhüterli von der Assistentenstelle und damit von der Seite des Regisseurs verdrängt hatte. »Sie selbst beaufsichtigte dort das Ankleiden.«

»Zuvorderst der Klerus!« rief Ray. »Ich will das Finale noch vor dem Durchlauf einmal im Zusammenhang sehen. Danach muß vor Einsetzen der Dunkelheit das Zelt wieder abgebaut und die Szenerie in den Zustand des ersten Aktes zurückversetzt werden − Podium mit Galgen, dann Tribüne mit Thron.«

Der Kaiser wurde in der Nacht zurückerwartet. Elgaine dachte mit Ingrimm an die neuerliche Begegnung, Bea und Katarina sicherlich mit anderen Gefühlen.

»Signor Parride, der erste Podestà, hat nichts mehr von sich hören lassen«, sagte Rinaldo zu Elgaine, während sie letzte Hand an seinen Buckel und die Narrenkappe legte, »so daß Mark Sheraton sich wohl oder übel auf die Übernahme vorbereiten sollte.«

»Dann sag ihm Bescheid«, entgegnete die Coeurdever ungnädig, die Bemerkung Rinaldos hatte sich so angehört, als wäre sie für Mark zuständig.

Franck & Co sahen ihre einmalige Chance, alle festlich gewandet auf der Bühne versammelt zu sehen, die Hauptdarsteller und die wichtigsten Macher von ›Stupor Mundi‹, die sie noch nicht befragt hatten, vor ihre Videokameras zu bekommen. Nur Berghstroem fehlte und auch Tilde Carson, denn ohne Reibereien begann dieser bedeutende Tag keineswegs. Berghstroem konnte die Kaprizen seiner Stars schon lange nicht mehr ernst nehmen, schon gar keine ›Abreise unter Protest‹ von Tilde, wenn sie sich nicht einmal die Mühe machte, ihre schwarze Zofe Kisha mitzunehmen, und, wie er hören mußte, sich vorher noch die Zeit genommen hatte, Franck & Co ein Interview zu geben.

»Signor Tagliabue«, war die Frage an ihr erstes Opfer, »glauben Sie noch an ›Stupor Mundi‹?«

Der alte Herr räusperte sich. »Ich glaube nicht an ›Stupor Mundi‹ — ich bin besessen von ›Stupor Mundi‹!«

Die Kameras von Franck & Co schwenkten auf Bea, die sich zufällig in die Nähe geschoben hatte. »Madame Delle Delizie, wird Alfia, des Metzgers Weib und spätere Amme der Kaiserin, Ihnen den Weg zum Ruhm ebnen?«

»›Stupor Mundi‹ ist schon der höchste Ruhm der Welt, meine Herren! Das haben Sie noch nicht begriffen — und Alfia ist zweifelsfrei die weibliche Hauptfigur, daran beißt auch die Kaiserin keinen Faden ab! Die Leute gehen nicht nach Titel und sozialem Status einer Rolle, sondern wie sie ausgefüllt wird. Ich bin Alfia! Danke, meine Herren!«

»Was haben Sie uns zu ›Stupor Mundi‹ zu sagen, Ray Maulman, skandalumwitterter Filmemacher, Schreck der Opernbühnen und Regisseur dieses Historicals?« wandte sich der Interviewer Wolff an den langhaarigen Erzengel im Regiestuhl.

»Überhaupt nichts!« lachte der in die auf ihn gerichtete Kamera und zog Rinaldo am Ärmel zu sich ins Bild. »Wie für den Maestro sein Computer ›Vox Medioval III‹ spricht, ein ausgesprochen kluges Hirn mit sensibler Begabung für Adaptionen jeder Art, vertritt mich meine Inszenierung. Schauen Sie sich die Generalprobe an, dann werden Sie vielleicht — ich bin mir da nicht ganz sicher, aber Sie können sich ja vom ›Vox Medioval III‹ helfen lassen — vielleicht begreifen, was ich zu sagen habe.«

Ray war jetzt ernst geworden. »Was mich interessiert, ist, wie ›Stupor Mundi‹ auf Fernsehlegionäre, Cyberfreaks und Mickeymäuse wirkt, daher werde ich die Herren Franck & Co jetzt selbst interviewen. Geben sie mal her, ich kann damit umgehen«, winkte er den kleinen Galinsky zu sich, der einen hilfesuchenden Blick zu seinem Chef warf.

Franck nickte aber nur einverständig, denn solange das Team Wolff / Hettrich funktionstüchtig blieb, war für ihn alles in Ordnung. Er sah die Kamera jedoch nicht auf sich gerichtet, sondern auf den leicht fassungslosen Wolff.

»Herr Co«, sagte Ray, »wie fühlt man sich in einer Haut, einem Taucheranzug, an die nichts herankommt — kein Tropfen Menschlichkeit, keine Wärme, keine Träne, keine Lust, kein Glücksgefühl, kein Leid? Und doch tummelt sich der Taucher mitten im Paradies unter farbigen Fischen, wie hier die Schauspieler, zwischen bizarren Korallenbänken, die uns Madame Coeurdever gezaubert hat, im Ohr die Sphärenklänge einer versunkenen Welt wie die des hohen Mittelalters, verströmt von einem Genie wie Reinhold Schilling, unter emsigen Hummern und tüchtigen Langusten. Ich hoffe, den Serafinis mundet mein Vergleich für Organisation und Technik«, lachte Ray jetzt wieder, um schlagartig abzubrechen in völlige Stille, die alle Zuhörer in den Bann schlug. »Und plötzlich kommt ein Hai, ein gesichtsloser Schatten taucht auf, lautlos, gefühllos, namenlos. Wir können ihn auch Franck & Co nennen.«

Dem vorlauten Wolff schien es die Sprache verschlagen zu haben. Franck räusperte sich. Wolff versteckte sich hinter seinem Videogerät. Die Objektive der beiden Kameras glotzten sich an. »Sie sind dran, Herr Co«, sagte Ray. »Ich hab' nur die kleine Krabbe namens Mia nicht erwähnt, die den Hai als erste erblickt hat—«

Wolff schwieg, er hielt sein Auge gegen den Sucher gepreßt, um nicht in das der anderen Kamera zu sehen. Sie starrten sich an, dann begann Wolff zu zittern und schwenkte zur Seite, schwankte. Hettrich mußte ihn stützen. Er übergab ihm die Kamera, drehte sich um und ging weg.

»Ihr konntet immer ans Rote Meer fliegen und dort schnorcheln«, brach es plötzlich aus dem kleinen Galinsky heraus. »Wir hatten nur Baggerseen, trüb und ohne Fische. Er —« Galinsky zeigte hinter Wolff her, der sich vor der Bank des Metzgers hingekauert hatte und sein Gesicht in den Händen verbarg. »er hatte nicht einmal das. Er saß in Bautzen, weil er versucht hatte zu fliegen, mit einem Segelflugzeug zu fliehen.« Dem kleinen Galinsky kamen fast die Tränen. »Zu euch, ans Rote Meer!«

Der Regisseur senkte die ihm überlassene Kamera. »Wie leicht kann man zum Hai werden«, sagte er zu Tom und reichte dem kleinen Galinsky sein Gerät zurück. Das betretene Schweigen wurde von Tom aufgelöst:

»Ugo will was sagen«, er schob seinen Zerberus vor, dem das offensichtlich peinlich war. Hettrich fing sich als erster und richtete die Videokamera auf den Hünen.

»Warum ich?« stammelte er.

»Weil du unsere Hoffnung bist«, sagte Ray, der sein Lachen wiederfand. »Du bist ›Stupor Mundi‹, das Staunen der Welt. Einer Welt, die uns alle immer wieder in ›Stupor‹ versetzt, wie man grad sehen konnte.«

»Ich liebe euch alle«, sagte Ugo, »besonders Bea, mein Weib, der ich so greuliche Sachen sage, dabei liebe ich sie. Ich glaube, das ist ›Stupor Mundi‹, die Liebe zu einer furchtbaren Welt, in die wir alle hineingeboren werden wie damals der kleine Kaiser — und auch unser Kind, das nicht einmal einen Namen hat.«

»Es heißt jetzt ›Gualtiero‹, wie du«, schlug Rinaldo vor. »Auch wenn es nie gerufen wird.«

»Genug jetzt des grausamen Spiels!« rief Ray und klatschte in die Hände. »Die Realität der Bühne, einzige und wahrhaftige Wirklichkeit, drängt. Fertigmachen zur Durchlaufprobe!«

Als Manuel J. Berghstroem sich wieder den Stadtmauern von Jesi näherte, fiel ihm die schwarzblaue Färbung des Himmels darüber erst richtig auf. Es sah nach Schnee aus, aber die Luft wollte dazu nicht passen. Die Temperatur war zwar gefallen, doch es herrschte immer noch eine Schwüle, ein Druck, der ihm Kopfschmerzen bereitete. Auch durchzogen das ansonsten makellose Dunkel schwefelgelbe Schleier, und das beunruhigte ihn, als er um den Turm bog, wo kein Tor, sondern eine häßliche Lücke im Festungswerk klaffte. Tilde Carson saß hinten im Fond und degradierte ihn damit zum Produktionsfahrer, auch wenn sie die Geste mit ihrer panischen Angst vor dem Beifahrersitz wortreich verbrämt hatte.

Die Diva war nicht versöhnt, und das sollte auch jeder bei ihrer Ankunft sehen. Sie kehrte allein aus professioneller Verantwortung zurück, die sie ›weiß Gott nicht der Produktion, sondern allein dem Regisseur und dem Stück gegenüber‹ empfand. Sie würde die letzten Proben ohne jegliche Diskussion absolvieren, ihr sei es ›letztlich schnuppe, wie die blöde Pute das Kind hält!‹ Darum war es gegangen. Manuel, der Producer, war erst gerufen worden, als das Kind schon in den Brunnen gefallen war, im wahrsten Sinne des Wortes, denn die Carson hatte die

Wickelpuppe einfach in den Ziehbrunnen geworfen und war abgerauscht. Es handelte sich um ›Eff-Drei‹, was aber keiner bemerkte – zur Erleichterung der Kostüm-Assistenten.

»Willste wissen«, räusperte sich Tilde während der ansonsten schweigsamen Fahrt, »was los war?«

Berghstroem setzte eine Miene sturen Desinteresses auf, was aber die Carson nicht zu beachten gewillt war. Er mußte sich alles noch mal anhören.

»Der leidige Streit ist darüber entbrannt, daß die Kuh völlig unvorhergesehener Weise etwas tat, wozu ihr blondes Köpfchen sie nicht prädestiniert hat: Sie hat nachgedacht oder gab solches zumindest vor. Bea, die Kuh, diese volleutrige Amme, ging noch einen Schritt weiter, sie schob eine Parteinahme nach, die im Libretto keineswegs vorgesehen ist. Sie, die ihr Hirn im Busen hat – ich hab' im Hintern mehr! –, behauptete, daß ihr die kaiserliche Verfügung über das Neugeborene höher stünde als der Wunsch, der Befehl gar der Kaiserin. Stell dir das einmal vor, Berghstroem!«

Der dachte gar nicht daran, die Carson war sowieso nicht zu bremsen.

Constanze hatte nichts anderes gewollt, als ihren Sohn noch einmal und vor allem während ihrer ergreifenden Schlußarie ›Puer Apuliae‹ in den Armen zu halten. Diesen Herzenswunsch, dieses Verlangen rührender Mutterliebe einer Kaiserin, das hatte die Amme verweigert.

»Sie hielt mir die Puppe hin, wie es im Buch steht, ›das Kind ihr vorenthaltend‹, aber als ich danach griff, zog sie das Bündel weg! Wie findste das!?«

›Dammela!‹ hatte die Diva gezischt, ohne den Vortrag ihres Wiegenliedes zu unterbrechen, und hatte nochmals die Arme ausgestreckt, doch Bea hatte gebockt. ›Es ist mir übergeben!‹ Die Carson hatte dann die Probe abgebrochen:

›Wenn ich von meinem Sohn getrennt werde, will ich ihn zuvor in meinen Händen halten! Wie soll ich sonst den grausamen Schmerz des Abschieds spüren?‹

Rinaldo war herbeigeeilt.

›Sie will mir das Kind wieder wegnehmen!‹ hatte Bea sich auftrumpfend bei ihrem Galan beklagt.

›Wessen Kind ist es eigentlich?‹ hatte Tilde, ganz Kaiserin, gefaucht.

Rinaldo war überfordert gewesen, zumal seine geliebte Bea jetzt den dummen Satz gesagt hatte: ›Es gehört dem Imperium!‹ Dabei hatte sie sich in die Brust geworfen. ›Das ist die grausame Wahrheit! Frau Carson muß sie endlich zur Kenntnis nehmen. Sie singt bereits ins Leere —‹

Tilde Carson hatte sich nun auch erhoben.

›Hör' ich recht? Madame Le Delizie ist in der Lage, die dramaturgische Vorlage zu interpretieren, darf bereits Regieanweisungen geben? An meine Adresse nicht!‹

›Laß dir das nicht bieten!‹ hatte daraufhin die blonde Metzgersgattin gekeift und mit der unschuldigen Wickelpuppe gegen die Brust Rinaldos getrommelt.

Mit einem geflüstertem ›Starallüren!‹ hatte er versucht, sie zu besänftigen, aber leider laut genug, daß es die Carson mitbekommen hatte.

›Dilettanten!‹ hatte sie geschrien und wütend nach der Puppe gegriffen. Bea hatte aber nicht losgelassen, und so hatten sie beide an dem Bündel gezerrt — viel hätte nicht gefehlt, und sie wären sich in die Perücken geraten.

In diesem Moment war endlich Ray aufgetaucht. Der Regisseur hatte die Zerreißprobe entzerrt, weil er in schallendes Lachen ausgebrochen war. Beide Damen hatten die Arme sinken lassen, ohne jedoch das Objekt ihrer Begierde loszulassen, und Rinaldo hatte sich beeilt, die Situation zu erklären.

Ray hatte entschieden. ›Wenn Tilde den Balg für ihre Muttergefühle braucht, dann soll sie's doch haben. Aber fang nicht an, damit zu schuckeln!‹ hatte er scherzhaft gemahnt. ›Keine Sentimentalitäten!‹

›Das war nicht nötig‹, hatte die Carson gepreßt gesagt. ›Ich bin keine —‹ sie hatte es runtergeschluckt.

Bea hatte sich aber mit Recht angesprochen gefühlt, sie hatte nur nichts Beleidigendes von sich gegeben, weil ihr Reinhold den Mund zugehalten hatte.

Ohne auf die gekränkte Tilde einzugehen, war Ray ungerührt fortgefahren. »Ich fände es allerdings mit der Würde des kaiserlichen Schmerzes vereinbar, wenn Constanze in der dritten Strophe, nach ›Dir gehört dann die Welt‹, das Kind ganz langsam, aber mit sicherer Gebärde der Amme überreicht, ohne sie anzuschauen, wie man Dienstboten nicht anschaut, den Blick nur auf das Antlitz des Knaben gerichtet«, er hatte die Bewegung vorgemacht und sich dafür die Puppe geben lassen, die beide Damen ihm anstandslos übergeben hatten. »Bei ›ewig mein‹ geht dann der Blick in die Ferne, die Sache ist erledigt, ›mein puer apuliae‹, und dann Stille — keine Bewegung. Erstarrung im Schmerz.«

Die Stille war jetzt auch eingetreten, und alles wäre erledigt gewesen, wenn Reinhold nicht tief beeindruckt die Hand vom Mund der Bea abgezogen hätte.

›Jetzt hat sie's ja erreicht, was sie wollte‹, hatte Bea wieder gehöhnt, ›alle Aufmerksamkeit auf sich zu lenken!‹

›Ha!‹ hatte die Carson daraufhin gefunkelt. ›Ihr dachtet wohl, ich lass' mir von einer wie der das Finale kaputtmachen? Madame Delizie mit dem Kind im Arm die Donna assoluta als einprägsames Schlußbild von ›Stupor Mundi‹ — und ich singe dazu!‹ Mit einem Ruck hatte sie dem verdutzten Ray die Puppe aus der Hand gerissen und in den ›Ziehbrunnen‹ geworfen.

Berghstroem erinnerte sich. Der gemauerte Ring mit Winde war seit dem ersten Akt, als der Herr Tagliabue fast in die Zisterne gefallen wäre, nicht mehr ins Handlungsgeschehen einbezogen worden. Dann hatten die Serafinis ihn versetzt, und Ray hatte sich in dem mangelhaft abgedeckten Loch das Bein gebrochen. Jetzt stand der falsche Brunnen ungenutzt herum. Eigentlich keine schlechte Idee. Vielleicht für das geraubte und weggeworfene Kind der Metzgerin sinnvoll zu nutzen? Der Narr könnte zum Schluß deprimiert am Brunnenrand sitzen, da hört er aus der Tiefe... Er sollte mit Ray einmal darüber reden.

Berghstroem hatte den Wagen, einen Leihmercedes, mittlerweile durch die engen Gassen unterhalb der Altstadt gesteuert. Ihm lag daran, die Essenseinladung bei Herrn Le Delizie nicht zur Gänze zu versäumen, nur wegen dieser völlig überflüssigen Capricen einer alternden Soubrette. Er tat Tilde unrecht, aber sie ihm auch. Sie hätte mit ihm reden können. Statt dessen hatte es im Hotel geheißen, als er von dem Vorfall endlich erfahren hatte: ›Madame ist abgereist.‹ Er hatte kühl festgestellt, während alle anderen sich aufregten und die Abendprobe schon geplatzt sahen, daß um die Zeit keine Maschine ging. So hatte er Tilde noch vorgefunden. Sie thronte auf ihren Koffern an der Bar des Jolly-Hotels, das dem Flughafengebäude gegenüberlag, und war lediglich leicht angeschickert. »Ich wußte ja, Alter, daß du mich abholst!«

Sie waren dann schweigend zurück nach Jesi gefahren. Beim Passieren der steilen Stufen, die zur Piazza hinaufführten, konnte er kurz die Spitze des weißen Zeltes sehen, das gerade eingeleuchtet wurde. Er wollte jetzt keine Zeit verlieren, sondern wenigstens noch den Nachtisch mitbekommen.

Das Restaurant ›Le Delizie‹ war vom Corso aus durch das Delikatessengeschäft zu erreichen. Aber abgesehen davon, daß dort Fußgängerzone war, wäre es keinem Stammgast eingefallen, es nicht von unten, durch den kleinen Einlaß im Schatten der Stadtmauer, zu betreten. Er parkte den Wagen verkehrswidrig direkt davor und half der Carson aus dem Fond.

»Die Koffer bringen wir nachher ins Hotel«, murmelte er entschuldigend.

»Ich will niemand sehen«, sagte sie, schritt aber energisch voraus.

Die Gewölbe des Restaurants waren tief in den Berg getrieben, wie die Kasematten, und man fühlte sich darin auch wie in einem Bunker, kein Tageslicht drang in sie ein. Berghstroem warf einen letzten prüfenden Blick zum Himmel, bevor er in den leicht muffigen Freßhades eintrat. Der Himmel war jetzt so dunkel, daß man die Straßenlaternen hätte anzünden sollen, dabei war es erst später Nachmittag. Keine Wolke, kein Wind.

Er folgte der Carson und zog begierig die Dünste ein, die von der Küche her waberten. Im größten Raum, dem ›Salotto‹, war die Tafel für das Gastmahl aufgeschlagen. Für ihn hatte man den Platz an der Stirnseite freigehalten und daneben einen Stuhl für Tilde. Doch als die sah, daß Bea neben Rinaldo ihr vis-à-vis saß, war sie mit sicherem Schritt an die gegenüberliegende Front marschiert, wo die Urslingen Platz gefunden hatten und Signor Tagliabue, der als einziger sich höflich erhob und ihr den Stuhl zurechtrückte. Dessen Nachbar war Nemo, er hatte sich neben Ray gesetzt, der zur Rechten von Elgaine flankiert wurde. Der Platz zwischen der Designerin und Berghstroem blieb jetzt durch die Rochade der Carson frei, den Abstand des leeren Stuhles konnte dieser nur als tristes Symbol seiner gescheiterten Beziehung zu der Coeurdever ansehen. Elgaine machte auch nicht die geringsten Anstalten, zu ihm aufzurücken. Auf der anderen Seite saß noch Tom — wenigstens den hätte er gern in seiner Nähe gehabt.

Der verspätet eingetroffene Producer stellte darüber hinaus

zweierlei fest: mit insgeheimer Freude, daß er außer den Vorspeisen noch nichts verpaßt hatte, und mit Unbehagen, daß eine Stimmung herrschte, als habe der Blitz eingeschlagen. Nicht etwa als befreiende Entladung, die dann den frischen Duft von Ozon aus dem Wald wehen läßt, sondern durch das Gewölbe zog der Schwefeldunst von verbrannten Seelen, wie er von den kokelnden Resten der Scheiterhaufen aufsteigen mußte, nachdem der Teufel sich sein Teil geholt hatte. Manuel J. Berghstroem konnte schon deshalb so schnell Übersicht über seine Tischgenossen gewinnen, weil alle wie versteinert dasaßen, die beiden Urslingen kreideweiß und in sich zusammengesunken, nicht mal Ray war zum Scherzen aufgelegt, und Berghstroem spürte, ihm, dem Producer, wurde das allgemeine Unbehagen angekreidet, jedenfalls war die Begrüßung recht frostig ausgefallen. Er hatte sich ausgemalt, als Retter der Situation gefeiert zu werden, weil er die Ausreißerin zurückbrachte. Kein Wort des Grußes, kein Wort des Dankes. Scheißbande! In das dumpfe Schweigen hinein hörte man das Klappern des Bestecks, mit dem die Bedienung eilfertig den von der Carson eingenommenen Platz nachdeckte.

»Ja, dann wollen wir mal«, sagte Berghstroem trotzig und hob sein Glas. Keiner rührte sich, alle starrten ihn an, als habe er ein fürchterliches Sakrileg begangen.

»Worauf?« fragte Ray schnippisch und schaute mit seinen wasserhellen Augen den Producer nur vorwurfsvoll an, fast traurig.

Berghstroem ließ sein Glas wieder sinken, ohne daran genippt zu haben. »Jetzt sagt mal endlich, was hier −« er brachte den Satz nicht zuende, weil das Licht ausging und sich krächzend ein Tonband einschaltete. »Happy birthday −«

»Aus!« brüllte Nemo und sprang auf. »Macht den Scheiß aus!«

Das ›tanti auguri‹ erstarb wie abgewürgt, hinderte aber die Köche nicht, auf einer riesigen Silberplatte, mit vielen Kerzenlichtern bestückt, den Hauptgang hereinzutragen. Was die Gäste im flackernden Kerzenschein darauf sahen, ließ ihren Atem stocken: Es war ein Kind, ein lachendes pausbäckiges Baby, der Art, wie sie für Alete oder saugfeste Windeln vom Bildschirm strahlen. Es lag nicht strampelnd auf dem Rücken, noch auf seinem Bauch, sondern war lasziv hingestreckt wie die

Herzogin Alba, ein kleiner Amor. Er hielt das Blondköpfchen kokett in eine Hand aufgestützt und spielte mit der anderen an seinem Pimmelchen. Eines der knubbeligen Beinchen war gestreckt, das zweite angewinkelt. Es war rosig anzuschauen, wenn auch die Haut wie aus Marzipan wirkte, doch das wahrlich Meisterhafte war das Gesicht, das Näschen, die zarten Lippen, leicht geöffnet wie zum glücklichen Schrei – und dann die Augen! Sie mußten eigens aus Glas gegossen sein, denn ihr tiefes Kobalt funkelte im Licht der Kerzen, wie es so werbewirksam posierte, sich dem Betrachter geradezu anbot. Die Köche hielten das Silbertablett jetzt leicht geneigt, damit jeder den Anblick genießen konnte, sie drehten ihr Kunstwerk nach allen Seiten, in Erwartung einer Order des Hausherren.

Maitre Maurizio war lächelnd hinter ihnen eingetreten. Er trug die bordeauxrote Ordensschleife eines Großmeisters der Chaîne des Rôtisseurs nebst dieser zinnernen Küchleinbackform eines Chefs des Sommeliers de la France um den Hals, was allein ihn schon aufgeplustert wirken ließ.

»Mesdames, Messieurs«, gab sein wohl vom Schöpfen des Werkes hochroter Kopf von sich, »mein bescheidener Beitrag zum Gelingen von ›Stupor Mundi‹ –« er glühte und schwitzte. »Das Kind!«

Auf seinen Wink setzten die Köche die Platte in der Mitte der Tafel ab, genau vor Ray. Der Regisseur hatte seinen Sarkasmus wiedergefunden.

»Das löst das Problem des zweiten Säuglings«, sagte er zu Rinaldo hin. »Zwei sind zuviel, einer wird aufgefressen! Vivat Stinky!«

Berghstroem sah seine Chance, sich wieder einzuklinken, schließlich war es seine Autorenschaft, der bisher alle Einfälle zuzuschreiben waren. »Während vor dem Zelt die Kaiserin ihren Abschied zelebriert, wird innen, auf dem leeren Podium, das als Wochenbett diente, auf dem noch blutigen Laken den Kardinälen und Prälaten ein Braten serviert, der stark –«

»Haha«, grölte Ray, »der stark nach Plazenta riecht! Sehr geschmackvoll!«

»Ich finde euch pervers«, sagte Bea und funkelte dabei ihren Ehemann Maurizio an, der schwitzend in der Sonne seines Erfolges griente. Er achtete auch nicht auf das nachgeschobene »Dich besonders!« seines Weibes, sondern ließ sich das Tranchierbesteck reichen, silberne Ungestüme, mit denen einst Türken in die Schlacht um Wien gezogen waren. Boshaft in seiner ungestörten Feierlichkeit deklamierte er:

»›Pâté au Puer Apuliae‹, eine Terrine aus geraspelten Meeräffchen-Popos und den Brüstchen von frisch geworfenen Rehkitzen —« Er schlitzte den Säugling mit raschem Schnitt von den Arschbacken in S-Form über das Bäuchlein bis zum Hals auf, hinter der schützenden, weißlichen Mondaminschicht, der Pelle, klaffte das Innere der Pastete malvenfarbig mit schwarzen Trüffelflecken und grünen Pistazienkernen. Daß er dem herzigen Putto dabei den Spielarm durchtrennte, verstörte den Trancheur keineswegs, er schob das Glied zur Seite wie eine lästige Gräte. Signor delle Delizie schnalzte mit der Zunge, und seine Stimme begann zu tremolieren. »Die Extremitäten hingegen sind aus feiner Mousse von Lerchenkeulen und den ausgelassenen Haxen eines Warzenschweins —« Um auch diese Variante vorzuführen, hackte er ihm ein Beinchen bis zum Schenkel ab und zeigte die Schnittstelle herum. »— versetzt mit süßsauer eingelegtem Ingwer und einem Püree aus grünem Pfeffer.«

Er säbelte mit der Damaszener Klinge einige Scheiben ab und plazierte sie ungefragt auf die Teller der Nächstsitzenden. Nur Tilde konnte rechtzeitig ihre Hand über den ihren bringen, wobei es einen Augenblick aussah, als würde die zweizinkige Gabel ihr die dargebotene Scheibe auf den Handrücken heften. Sonst protestierte keiner, alle ließen sich schweigend servieren, auch als der breite Tranchiersäbel jetzt ungerührt die aufgeschlagene Bauchdecke ausräumte und geschickt portionierend jedem ein Häufchen der angepriesenen Terrine dazu spendierte. Der Hausherr wischte das Besteck in einer Serviette ab, verneigte sich und wünschte »— wohl zu speisen!« Das Spalier der Köche setzte sich in Bewegung und entschwand hinter ihrem Meister Richtung Küche.

In die immer noch andauernde betretene Stille sagte endlich Rinaldo laut: »Ich eß das nicht!«, worauf Nemo und Ray anfingen zu lachen. Manuel Berghstroem besann sich auf seine Rolle als Producer und ›Capo tavola‹. Er hielt seinen Teller hin, so daß Elgaine ihn nehmen mußte, und sagte: »Ich bitte um etwas vom Fond.« Da die Coeurdever ihn fragend ansah, setzte er erklärend hinzu: »Die Gelatine ist eine Spezialität des Hauses.«

Elgaine antwortete ihm mit undurchdringlicher Contenance. »Wieviel darf's denn sein − bis einer wie Sie, lieber Manuel, kotzt!«

Jetzt fand das Lachen des Regisseurs und seines Buhlen keinen Halt mehr, sie schütteten es aus, bis dann Ray prustete, er hatte den Mund schon voll: »Die Emmy ist so verfressen, daß sie selbst ihre Kotze noch vom Teller lecken würde. Hauptsache, es ist genügend Gelatine dabei!«

Manuel J. Berghstroem setzte sein Grinsen auf, das Verlegenheit signalisieren sollte, dabei war es nur Ausdruck der Genugtuung, daß das Eis brach und man wieder mit ihm sprach.

»Ihr ekelt mich an«, schrie Bea und sprang auf, »ich gehe!«, doch Rinaldo hielt sie am Kleid zurück. »Wohin bitte?« sagte er trocken, und Bea setzte sich wieder, ihren Teller mit der kostbaren Terrine und dem Klacks von Mousse mit rascher Handbewegung umstülpend, daß die Pastetenmasse ins damastene Tafeltuch gequetscht wurde.

»Bravo!« rief Ray Maulman und platschte seine Portion dem Nemo aufs Haupt, daß die Gelatinewürfel ihm in den Haaren hingen. Das fand der so lustig, daß er mit der Hand in seine Mousse griff und sie dem Regisseur in die offene Hosentür schmierte. Sie hörten dabei keineswegs auf zu lachen.

Da standen die beiden Urslingen auf, die zusammengekauert wie zwei aus dem Nest gefallene Vögel am Tischende zwischen Tom und der Carson gehockt hatten. Ihre Speisen hatten sie nicht angerührt. Das Geschwisterpaar schien sich gegenseitig zu stützen, als es engumschlungen das Gewölbe verließ, ohne sich zu verabschieden. Ray starrte ihnen nach, bis er sicher sein konnte, daß sie das Restaurant verlassen hatten.

»So, dicke Emmy«, wandte er sich an Berghstroem, »jetzt laß dir mal von Tom erzählen, welchen Preis der arme Alpentristan und seine Isolde zahlen mußten, damit sie ihren Part als blutjunger Herzog und kindliche Herzogin von Spoleto behalten durften.«

Bei allem Spott war die Verärgerung des Regisseurs zu spüren, aber es war der nette Herr Tagliabue, erst Henker, dann der neue Podestà, der nun mit vor Empörung zitternder Stimme sagte, wobei er sich wohlerzogen erhob und an sein Glas klopfte:

»Wir sind konsterniert, Herr Berkestrom, über das Verhalten des, des − der Person, die sich als Finanzier dieses Unternehmens hier legitimierte, ein gewisser Herr Maximilian F. Bock −« Der in Ehren ergraute Mime fingerte nervös an seiner Brille, bevor er sich aufraffte, »− ein gemeiner Erpresser!« hinzuzufügen.

»Ein Schwein!« sagte Bea und drückte auf ihren Teller, daß Mousse und Terrine seitlich herausquollen.

Berghstroem warf Elgaine einen fragenden Blick zu, denn sie schien als einzige nicht sonderlich erregt. Sie zog auch jetzt nur die Augenbraue hoch und aß in kleinen Happen von der Pastete, die ihr offensichtlich mundete. ›Ach, du liebe Güte‹, dachte Berghstroem, ›der Kerl muß darauf gelauert haben, daß ich für ein paar Stunden nicht vor Ort war, und schon ist er wie ein Geier −‹ Jemand mußte ihn sofort benachrichtigt haben, er verdächtigte die Designerin, die seine Gedanken zu erraten schien.

»Er kam mit seinem Helikopter«, informierte sie ihn leise. »Ich erfuhr von der Sache erst, als er schon wieder abgeflogen war. Das scheint so seine Art zu sein.«

»Ja«, flüsterte Berghstroem zurück. »Manieren hat er keine.«

Der Producer räusperte sich. »Also, Tom«, sagte er, »kann ich endlich erfahren −«

»Verrat uns doch erst mal«, rief Ray, »wie eigentlich der Vertrag aussieht, den du mit diesem Bock geschlossen hast, der uns alle anscheinend mit Haut und Haaren gekauft zu haben meint −«

»− der ihm das Recht gibt, über uns zu verfügen!« setzte Herr Tagliabue erregt hinzu, er stand noch immer. »Wir haben ihm zwar das Recht am Bild abgetreten, auch an der audiovisuellen Auswertung in jeder Form, allen Systemen, vorhandenen und solchen, die noch zu erfinden sind, wie es so schön heißt −«

»Aber noch lange nicht an unseren Körpern!« schnitt ihm Nemo das Wort ab. »Nicht an unseren Fotzen, nicht an unseren Schwänzen!«

›Aber an euren Seelen!‹ dachte Berghstroem, aber Tilde sagte zu dem blonden Barden gewandt:

»Sprich bitte von unseren ›Mösen‹, und laß die bitte unsere Sorge sein.«

»Um deine Schrumpel −« weiter kam Bea nicht, weil Rinaldo ihr unsanft die Hand aufs Maul schlug, ein Weinglas fiel um, und eine burgunderrote Lache umrandete den umgestülpten Teller vor ihr. Tom, der still neben ihr saß, tippte seinen Zeigefinger in das Naß und rieb es der Wehrlosen hinters Ohr.

»Damit dir kein Unglück widerfährt, liebe Bea«, sagte er, und dann zu den anderen gewandt, »Herr Bock ließ sich sofort nach seinem überraschenden Auftauchen —« er gab sich Mühe, sachlich, unbeteiligt zu erscheinen — »wir hatten das Vergnügen ja schon einmal —« ein Zusatz, der ihm den giftigen Blick seiner verhinderten Nachbarin eintrug, denn Rinaldo ließ seine Hand nicht von ihrem Mund, obgleich sie ihm hineinbiß. Tom fuhr fort: »— die beiden Schweizer hier ins ›Le Delizie‹ kommen. Was sich da im reservierten ›Salotto‹ abgespielt hat, entzieht sich meiner Kenntnis. Aber dafür gibt es ja einen Zeugen!« Er warf einen fast verächtlichen Blick in Richtung Nemo, der sich aber ungerührt die Mousse aus seinen Haaren entfernte. »Ich traf auf dem Pissoir nur das Peterli, völlig verstört, er hatte wohl geweint, und entlockte ihm nur mühsam, daß Herr Bock ihren Vertrag als unwirksam bezeichnet hätte, weil sie bei Vertragsabschluß verschwiegen hätten, daß sie in der Schweiz nur Asyl genießen würden, aber keinen eidgenössischen Paß besäßen, sondern bosnische Staatsangehörigkeit, falls es so was überhaupt gäbe. Damit wären sie keine Europäer und könnten daher in dieser euro-image geförderten Produktion nicht mitwirken!«

»So 'n Quatsch«, krächzte die Carson.

»Dachte ich auch«, ließ sich Tom nicht unterbrechen, »und hab' ihm das auch gesagt. ›Spül dir die Augen aus und geh wieder an deinen Platz, an der Seite von Katarina.‹«

Tom legte eine Atempause ein und einen gequälten Blick in Richtung seines Freundes Berghstroem. »Da thronte dann schon der Herr Bock in seinem Rollstuhl, da oben, wo jetzt Tilde sitzt, und knabberte Nüsse zu seinem Champagner, flankiert von seinen beiden als Sozialhelfer verkleideten Gorillas. Neben ihm hockte wie ein verängstigtes Vögelchen, das aus dem Nest gefallen ist, Katrinchen. Dann kam das Peterli, immer noch rotgerändert, und mußte sich auf der anderen Seite direkt neben ihn setzen, ganz leichenblaß waren sie, weil er das befahl und sie sich nicht trauten, am anderen Tischende Platz zu nehmen, wo für dich und Tilde reserviert war —«

»Quassel nicht um den heißen Brei herum!« sagte Nemo. »Sonst erzähl' ich die Geschichte zum süßsauren Ende.«

»Nichts lieber als das«, sagte Tom und vertiefte sich wieder in seine Pastete, in der er eigentlich nur herumgestochert hatte.

»Ich muß vorausschicken«, eröffnete Nemo, »daß mein heldenhafter Vorredner, unser lieber Tom, das ›Le Delizie‹ gerade fluchtartig verließ, als ich hier eintraf. Er gab zwar als Grund an, ›die anderen seien noch nicht da‹, in Wahrheit hatten ihn aber die Nerven verlassen oder er schämte sich, nicht eingegriffen zu haben. Er warnte mich auch mit keiner Silbe davor, welches ›Spectacle spéciale‹ mich im Salotto erwartete, noch bat er mich um Hilfe. Zu zweit hätten wir nämlich −«

»Stimmt nicht«, sagte Tom leise. »Ich hab' gesagt: ›Der Bock macht die Urslingens zur nackten Schnecke. Ich kann das nicht mit ansehen, er zertrümmert ihnen das Häuschen.‹ Aber du warst geil darauf und bist reingestürmt. Von gemeinsamer Hilfsaktion war nicht die Rede.«

»Wäre auch nicht möglich gewesen«, wischte Nemo den Vorwurf beiseite. »Ich schlich mich also vor und fand die Tür zum ›Salotto‹ verschlossen. Ich ging zur Küche und kapierte sofort, daß im Salotto etwas geboten wurde, denn, obgleich die Köche unterm Chef − der Patron war noch nicht da − vollauf mit der Zubereitung unseres Gastmahls zu tun hatten, linsten immer zwei, drei heimlich durch die Servicetür ins Restaurant. Der Chef konnte mich schlecht rausschmeißen, obgleich er es gern getan hätte, denn ich war ja nun Zeuge ihrer voyeuristischen Schwäche. So ließen sie mich an den Schlitz der Schwingtür: Der Herr Bock saß, mir sein breites Kreuz zukehrend, in seinem Rollstuhl und schluckte Champagner aus der Pulle, wie unsereins auf dem Bau, rechts und links seine Bodyguards, die Pranken auf dem Rücken verschränkt −«

»Faß dich knapp!« beschied Ray seinen ausschweifenden Nebenmann, doch Nemo hatte Sinn für dramaturgische Pausen.

»Vor dieser sinistren Silhouette«, fuhr der blonde Barde genüßlich gedehnt fort, »standen splitterfasernackt in ihrer dürren Unschuld die Urslingen, Katrinchen mit ihren kleinen spitzen Brüsten und das ›Verhüterli‹, die Hände schamhaft schützend über ein Gemächte haltend, das ich dem Knäblein gar nicht zugetraut hätte −«

»Komm zur Sache!« mahnte Ray, nervös mit dem Messer auf die Tischkante klopfend.

»Die Selektion hatte also schon stattgefunden«, malte Nemo aus. »Adam und Eva als nacktes Asylantenpärchen! Die beiden starrten ihren Peiniger mit aufgerissenen Augen an. ›Wir alles tun für Sie, lieber Herr Maxibock‹, jammerte das Peterli, ›nur vertreiben uns bittschön nicht aus der Bühne, von ›Stupor Mundi‹!‹ Worauf der Herr Bock nur lachen konnte, ein Lachen in das seine Helfershelfer grunzend und meckernd einfielen. Haltung bewahrte eigentlich nur Katarina, die durch alle hindurchzusehen schien.«

»Mach schon!« rügte jetzt auch Rinaldo den Barden. »Ich muß mir das nicht in jedem Detail anhören!«

»Ich muß mir das überhaupt nicht anhören!« sagte Elgaine, stand auf und schritt erhobenen Hauptes aus dem Salotto, was ihr aber den Ausgang der Schauerballade nicht ganz ersparte. Nemo kam jetzt zum schnellen Ende.

»Was heißt hier ›lieber Herr Maxibock‹«, äffte Nemo dessen Sprechweise nach. »»Hic rhodus, hic salta! Du machst mir den Bock!‹ herrschte er das Peterli an, das ihn entgeistert anglotzte. Da der Knabe offensichtlich weder Latein noch Schwein verstand, ließ unser Herr Finanzier die Sau brutal heraus: ›Bespring die Geiß, jetzt hier vor meinen Augen!‹ Das Peterli hatte immer noch nicht begriffen, wohl aber sein Schwesterlein. Sie lächelte tapfer, löste seine verkrampften Finger über dem Nest des Erdhörnchens, streichelte es sanft, bis das Tierchen seinen Kopf herausstreckte, und beugte sich dem Schicksal a tergo —«

»Jetzt reicht's«, sagte Tom.

Nemo sah das ein. »Das war's dann auch schon.«

»Und warum bist du nicht dazwischen und hast ihm eine in die Fresse geschlagen?« schrie Bea, die sich nicht länger von Rinaldo bevormunden ließ.

»Weil ich meine noch brauche, und gefickt ist gefickt, Madame!«

In diesem Moment kam Elgaine zurück. Die sonst Tadellose war zerzaust, ihr schwarzes Haar klebte ihr im Gesicht.

»Das Zelt!« sagte sie tonlos.

HERZOGIN: Mit einem Krug, den ich spendier,
               sich zu besinnen mit Gespür –
(UND   Kein Freudverderber dulden wir,
Her

Ugo

Jak

Da

Kapitel XIV

DER NARR

Der Meister vom Strick Euch redlich lohnt.

Die Maid überreicht Jakob den Krug, der gibt ihn dem
Bischof, der zusammen mit Ugo abgeführt wird, hinter dem
Trauerzug her, der jetzt schweigend entschwindet.

GESANG UND REIGEN DER ZOFEN UND KNAPPEN
(ad lib., bis das Zelt endlich steht)

Per bona dompna sui antius
qand ja fai ren don sos pretz bais.
E car una dompneta·m trais,
tornarai m'en vilans mesclius?
Non! c'a lieis sabria bo
si la tornav'en resso;
c'a las avois non ten dan faillimens
e prezo·is mais per gabs e per contens.

De cui ge·is vol baisse sos brius
puois l'honors midonz mont'e nais,
c'aissi cum la rosa e·l glais
gensson qan repaira l'estius,
ma dompn'a tot l'an sazo,
qu'il sap genssar sa faisso
ab bels semblans et ab coindes parvens,
don creis sos pretz e sos captenemens.

Berghstroem wollte die Tür aus geschliffenem Kristall der Feinkostboutique des ›Le Delizie‹ benutzen, die auf den feinen Corso ging. Er mußte sich durch die aufgeregten Leute drängen, die im Laden Schutz suchten vor dem Unwetter. Er hatte seinen Mantel noch nicht zugeknöpft, da zersplitterte das Glas der Tür durch den Schlag eines Dachziegels, den eine Böe gegen sie geschleudert hatte. Die Menschen schrien auf wie bei einem Bombenattentat.

Berghstroem zog den Hut tief ins Gesicht, stieg über die Trümmer ins Freie. Schon der erste Windstoß schlug ihm den Hut vom Kopf und wirbelte ihn davon, und zwar nicht flach oder rollend über das Pflaster, sondern in die Höhe und das auch noch in die entgegengesetzte Richtung, die der Producer eingeschlagen hatte, um zur Piazza zu gelangen, wo das Zelt stand. Er warf dem Borsalino nur einen ärgerlichen Blick hinterher, wie er die Fassaden entlang tanzend über die Dächer entschwand, denn der jähe Verlust des guten Stücks machte ihm schlagartig klar, welche Gefahr seinen Aufbauten drohte. Er rannte los, er stemmte sich gegen den Sturm, der jetzt einzelne dicke Tropfen führte. Eine grüne Mülltonne ratterte ihm entgegen, ihren Inhalt wohl sortiert verteilend, Zeitungen flatterten samt Beilagen wie Riesenschmetterlinge in der Höhe der Fenster, ein Stand mit Postkarten segelte an ihm vorbei, seine Fächer entleerten sich im Wirbel, als ob es Blüten regnete, umgestülpte Schirme, Chiffontücher und Plastiktüten nahm er schon nicht mehr wahr, weil er auf die Menschen achtete, die sich in die Eingänge quetschten, nur jemand von ›Stupor Mundi‹ konnte so verrückt sein, statt schleunigst Zuflucht zu suchen, einfach weiter voranzurennen. Einige preßten sich die Hauswände entlang, doch dort zerplatzten die Dachziegel und die scharfkantigen Fensterscheiben, auch ganze Holzjalousien zerbarsten, aus den Angeln gehoben, samt den hinabgefegten Blumentöpfen.

Berghstroem hielt sich in der Mitte des Corso. Vor ihm liefen geduckt im Zickzack die drei Serafinis. Sie führten den Trupp der römischen Beleuchter an und waren wohl in ihrer Stamm-Pizzeria von dem Sturm überrascht worden. Ein weiterer Schauer von farbigen Papierbögen wirbelte ihm entgegen, als bliese ein garstig' Kind Seifenblasen auf ihn, den Producer. Sie klatschten ihm ins Gesicht, er riß sie weg und sah, es waren die Aushänger für sein »Stupor Mundi«. Für einen Augenblick dachte er an die großformatigen Plakate, die Poster und die Handzettel, dann an die Rechnung der Druckerei.

Jetzt erst nahm er das Tosen und Heulen wahr, vorher hatten nur die Bilder wie ein rasant geschnittener Videoclip auf ihn gewirkt, bei dem der Ton abgeschaltet war, während die Effekte, das Klirren, Scheppern, Knallen und Krachen im Vordergrund, hochgedreht waren, doch jetzt vernahm er auch das leise Wimmern und Stöhnen. Der Himmel war aufgerissen, Wolkenfetzen, die Sonne zeigte sich ihm nicht, aber ihr fahles Licht bestrich die Szenerie, als er jetzt atemlos um die Ecke in die Piazza einbog.

Das gelbliche Leuchten ging über in ein sprühendes Silber, bevor es sich verdunkelte im einsetzenden Hagelschauer. Die olivengroßen Eisklumpen prasselten auf die wehrlosen Bühnenarbeiter im Seilgestänge, in den Masten. Sie versuchten, die Segeltuchplanen zu bergen.

»Kommt da runter!« schrie Ray Maulman, dem einer der Serafinis einen Plastikhelm auf das nasse Langhaar gestülpt hatte. »Ich will nicht, daß für die Fetzen jemand zu Tode stürzt!«

Er war auf das Podium, das Wochenbett der Kaiserin, gesprungen und gestikulierte wild mit den Armen, weil in dem Geheul des Sturms und dem Zerspringen der Eiskugeln keiner ein Wort verstand. Für die Arbeiter war der Einsatz, die Rettung der Planen, selbstverständlich, zweitrangig war das Problem, dabei nicht heruntergeweht oder von den Hagelkörnern grün und blau geschlagen zu werden. Berghstroem war sich unsicher, ob er den Appell seines Regisseurs unterstützen oder die Leute zum Durchhalten anfeuern sollte.

Das Eis-Bombardement aus dem Weltraum setzte so plötzlich aus, wie es unheilvoll eingegriffen hatte, als hätte eine bösartige

Regie nur die letzte Chance verhindern wollen, das Segeltuch noch in Sicherheit zu bringen. Für einen Augenblick war es fast still, der Himmel hatte sich endgültig verdunkelt, wurde schwarz, und der Sturm schien eingeschlafen oder sonst besänftigt zu sein.

Berghstroem sah, daß Franck & Co mit beiden Videokameras den Kampf um den Erhalt des Pavillons gedreht hatten, anstatt mit anzupacken wie Nemo. Ihr Kriegsberichtergehabe machte ihn wütend, er wünschte, irgendein herumwirbelndes Teil würde ihnen auf den Kopf fallen, doch sie trugen natürlich Helme. Berghstroem kam auch nicht dazu, ihnen andere Übel an den Hals zu wünschen, denn jetzt brach, angekündigt durch einen Paukenschlag, Becken und schrille Flöten zugemischt, das Inferno erst richtig los.

Der Sturm setzte wieder ein, noch wütender als zuvor. Die größte Leinwand blähte sich wie ein Kaugummi und zerplatzte mit einem Knall in der Mitte, riß kreuzweise, die Enden knatterten, das Chaos der Auflösung sprang über auf die Seitenbahnen, die schon halb heruntergebracht waren. Der eine Mast zerbarst spiralenförmig, fast ohne Splitter. Seine Leute, darunter Nemo, der sich völlig unerschrocken zeigte, konnten sich in den Seilen und Strickleitern nicht mehr halten, sie pendelten wild, schlugen an die Masten, als sie sich mit wunden Händen herunterrutschen ließen, stürzten.

»Das Zelt!« jammerte Berghstroem laut, aber keiner achtete auf ihn. Der Orkan zerrte nicht lange an dem Tuch, dessen er noch habhaft geworden war, er ließ es kurz flattern, bis die Ösen gesprengt oder die Stricke zerbröselt waren, und wehte es dann davon. Hellen Satin-Tüchlein gleich geisterten die Reste kaiserlicher Macht, der Pracht von ›Stupor Mundi‹ in das Nachtblau, das sie verschlang.

Auch die bereits geborgene, zusammengerollte vordere Partie wurde nicht gespart. Die Windsbraut fuhr in sie hinein, hob sie auf, entrollte sie ungeduldig, fetzte und riß und blies. Kein Seil, keine Verankerung bot mehr Widerstand. Ein riesiger Drachen erhob sich, zerbrach im Aufsteigen den noch übrigen Mast, schleifte einen Teil des Gestänges mit bis zur Mauer, schmetterte sie dagegen und entschwand. Dabei sei auch die Schaufensterscheibe der Apotheke zu Bruch gegangen, behauptete später Signor Alfredo. Jetzt tanzte er nur in den Scherben herum und schwadronierte wider die Gewalten des Teufels im allgemeinen, seine Anbeter im besonderen.

Nach und nach fanden sich, außer dem Produzenten und dem Regisseur, die anderen Mitarbeiter dem Unwetter zum Trotz auf der Piazza ein. Ein von aufgebrachten Elementen mutwillig angerichtetes Trümmerfeld! Pathetisch faßte Ray seinen ersten Eindruck von der Katastrophe zusammen: »Erschlagen und geschändet, gerädert und gepfählt.« Daß von ihnen keiner darunter lag, erschien Rinaldo nachträglich ein Wunder. Jedenfalls sagte er das laut. Jemand redete von Verantwortungslosigkeit, und ein anderer von ›hoffentlich versichert‹.

Das hörte Berghstroem schon nicht mehr, denn ihm hatte der letzte Blick auf das davonfließende Zelt genügt, um sich zu vergewissern, daß der Traum ausgeträumt war. ›Stupor Mundi‹ konnte er begraben. Aber wie? Er schlurfte gebeugt zurück zu seinem Hotel. Vielleicht konnte er noch etwas Ruhe finden, seine Gedanken zu ordnen. Ließ man ihn? Eines war ihm jetzt schon klar: Das durchgezogene Unwetter, der Wirbelsturm, so gemütlich ›Windhose‹ geheißen – das war alles nur die Stille vor dem Orkan, der sehr schnell über ihn hereinbrechen würde, mit Hagel, Blitz und Donner. Jetzt einfach schlafen, sich verkriechen, unsichtbar werden, sich auflösen in Nichts, die Gabe müßte man besitzen – nichts weiter. Er wünschte sich, er hätte alles nur geträumt.

Ein unbestimmtes Gefühl oder, besser, eine sehr bestimmte Routine im Umgang mit Pleiten hielt ihn davon ab, seinen Weg durch die Halle des Hotels zu nehmen, blöde Fragen erwartend, was denn nun wohl würde oder so, irgend jemand vom Team würde da jetzt bestimmt herumlungern, sicher auch Schauspieler, die Geld haben wollten, gerade jetzt! Es konnte auch noch viel übler laufen. ›Ein Unglück kommt selten allein‹. An den Rattenschwanz von Ärger, schlimmem Ärger, der unweigerlich auf ihn, Manuel J. Berghstroem, auf wen sonst, zukam, mochte er gar nicht denken, wollte er nicht. Also nahm er seinen Weg über die Seitenstraße, von der aus man in die Ausfahrt der hoteleigenen Tiefgarage gelangen konnte. Doch schon oben an der Rampe blieb er stehen.

Ein Ambulanz-Fahrzeug stand da unten vor dem Lastenlift – mit kreisendem Blaulicht. Aus dem offenen Fahrstuhl wurden zwei Rollbahren geschoben, von blitzenden Chromständern flankiert, an denen Infusionsbehälter baumelten, weißbekittelte Pfleger quollen aus dem engen Raum, verfrachteten hastig die Bahren über die Hydraulik in das Innere des Krankenwagens, wobei die Ärzte sich über die beiden Körper beugten, deren Handgelenke sie hochhielten, Berghstroem konnte die Gesichter der so Notversorgten nicht sehen, schon schlug die Hecktür hinter den mit eingezogenen Helfern zu, die anderen sprangen vorn auf die Beifahrersitze, die Sirene jaulte auf, und der Wagen schoß an Berghstroem vorbei auf die Straße. Er zögerte, den Weg nach unten zu nehmen, wo jetzt die Lifttür sich schloß und auch die automatische Garagenbeleuchtung verlosch.

Ihm war jetzt auch dieser Zugang zum Hotel, zu seinem Bett verleidet, als habe eine schwarze Katze seinen Weg gekreuzt, von rechts nach links, von links — ? Es siegte seine Vernunft oder der Instinkt, daß die Hotelhalle voller schwarzer Katzen sein würde. Er schlich also die Rampe hinab, ohne den ihm bekannten Lichtschalter zu betätigen. Nirgendwo lauert das Böse so handgreiflich nahe und bedrohlich wie in einer unbeleuchteten Tiefgarage. Es hatte ihn im Orkan nur verschont, um ihn jetzt zu würgen, dachte er, während er vor der verschlossenen Stahltür stand, und nur das Auge des Liftknopfes glühte, das ihm anzeigte, daß der Fahrstuhl irgendwann kommen würde. Er starrte ins Dunkle der Garage und konnte zuvorderst den Jaguar von Elgaine erkennen. Er lauschte den Geräuschen im Schacht des Aufzuges, doch es war der Luftzug aus der Ritze, der beruhigend ihm das Kommen in den Nacken blies. Sicher fühlte er sich erst, als die Tür wieder zugeglitten war. Er drückte aus Versehen auf den Knopf für Lobby, anstatt gleich bis in seine Etage durchzufahren. Blieb nur zu hoffen, daß beim unweigerlichen Zwischenstop grad keiner davorstand, der nur darauf gewartet hatte, ihn zu erwischen.

Wer zustieg, war Tom. Besser hätte er es gar nicht treffen können! Der alte Hase hatte nach dem Tod von Mia wie selbstverständlich die Assistentenstelle übernommen und war zum Troubleshooter zwischen Produktion und der übrigen, feindlichen Welt geworden.

»Wer?« fragte Berghstroem leichthin, weil ihm noch nicht der Gedanke gekommen war, der Abtransport könnte etwas mit ihm zu tun haben. Dabei hätte das sorgenvolle Gesicht des Freundes ihn alarmieren sollen.

»Die Urslingen«, sagte Tom, während sie hochfuhren. »Selbstmord.«

»Tot?« entfuhr es Berghstroem, und der Lift war angekommen, die Tür öffnete sich. »Tot?« drängte er noch mal, ohne auszusteigen.

»Koma«, sagte Tom und schob ihn aus dem Gehäuse. »Die Ärzte waren sich unsicher –«

»Über was? Gift? Wieso weiß man das nicht sicher?«

»Unsicher, ob sie durchkommen. Heroin, wahrscheinlich Overdosis. Die Spritze, das Besteck wurden neben ihnen gefunden.«

Sie standen vor Berghstroems Zimmer. »Wie kommen die beiden Schäfchen denn an – Scheiße! Tom, ruf sofort im Hospital an, richt eine Standleitung ein. Scheiße, Scheiße, Scheiße!«

»Wollte ich gerade –« sagte Tom. »Ich halt' dich auf dem laufenden. Du gehst besser nicht runter.«

Er ließ den Producer allein und eilte den Gang zurück, bevor der fragen konnte, weshalb und was sonst so los war. Berghstroem schloß die Zimmertür hinter sich zu und machte kein Licht an. Man hätte das von unten sehen können. Durch die Tüllgardinen drang genügend Helle in den Raum. Auf der Piazza hatten die Beleuchter ein paar Scheinwerfer, die der Sturm nicht umgeworfen hatte, an die Laternenmasten gebunden, deren eigene Zylinder samt und sonders zersprungen waren. Ihre flach einfallenden Strahlenbündel illuminierten die Szenerie, in der die Bühnenarbeiter sich durch die Trümmer wühlten, um das Wenige zu bergen, das noch brauchbar war. Mit dem Blick aus dem Fenster vernahm Berghstroem auch wieder das Heulen des Windes, den Ton, den er verloren hatte. Der Sturm toste noch immer, wenn auch mit verminderter Heftigkeit. Er zerrte lustlos an den herabhängenden Dekorationen und zerstörten Aufbauten. Rechts das Haus des Metzgers war fast völlig verschwunden. Da es sich an eine bestehende Gebäudeecke, in der Mama Masic mit ihren Flüchtlingskindern hauste, angelehnt hatte, war wohl darauf verzichtet worden, es im Gemäuer zu verankern. So waren die leichte Holzkonstruktion und die Rigipsplatten praktisch nur angeklebt worden, und nun waren sie dahin, Krümel, ein paar Splitter. Das Ehebett hing noch oben in Balkonhöhe, weil sich der Bettkasten mit dem Fensterrahmen verhakt hatte, der Strohsack, die Decken waren verschwunden, ebenso wie der Stand des Meisters Ugo. Nur der Hackklotz stand noch da.

Mama Masic war mit ihrer Kinderschar jetzt ins Freie getreten. Sie trug den kleinen Jerry auf dem Arm. Die Asylanten hatten sich wohl während des Sturms im hintersten Winkel ihrer gekachelten Behausung verkrochen gehabt. Vielleicht in der massiven Kühlkammer, dachte Berghstroem. Die Tribüne, auf schnelle Montage hin ausgelegt, war ein Haufen Kleinholz. Das Wirtshaus zur Linken hatte standgehalten, weil es als freistehender Bau solider gefertigt war. Ihm fehlten lediglich die Veranda, das Dach, die Treppe und das einladende Schild, also eigentlich alles, was es von einem nackten klobigen Bimssteinblock unterschied.

Mit Erleichterung stellte Berghstroem fest, daß wenigstens die kostbaren Kostüme keinen Schaden genommen hatten. Elgaine Coeurdever hatte sie in den Kasematten eingelagert, wo sich auch die Umkleideräume befanden. Sie wurden jetzt von den Arbeitern in ihren großen geflochtenen Korbkisten weggetragen und auf einem Lastwagen verstaut. Die Designerin stand vor dem eichenen Tor in der Mauer, das allem Unbill standgehalten hatte, und dirigierte das Verladen, ihre beiden Assistenten hakten auf den Listen ab.

Elgaine trug einen knallgelben Friesennerz, der ihrem indianischen Teint sehr zupasse kam, durchfuhr es Berghstroem schmerzlich. Ihre Fransen klebten ihr immer noch an Stirn und Schläfen, so wie er sie als luziferische Botschafterin unten im Restaurant in Erinnerung behalten hatte. Sie wandte ihre Schritte jetzt zum Hotel, wohl um ihre eigene Abreise in die Wege zu leiten. Elgaine! Keine Nacht mehr würde sie mit ihm unter dem gleichen Dach schlafen, und damit erledigte sich auch der hybride Wunschtraum des Beieinanderseins unter gleicher Bettdecke. Wie viele Stunden war er nachts schweißgebadet aufgefahren, weil er glaubte, sie stünde vor seiner Tür, war sie ihm in seinen Fieberträumen erschienen, kühl und rätselhaft. Nie hatte er zuendegeträumt, wenn sie mit lässiger Bewegung dazu ansetzte, ihren weißen Kittel fallen zu lassen. Berghstroem hütete sich, fürchtete sich vor der Vereinigung mit der Herrin seiner Sinne stärker noch als wie er sie herbeisehnte. Wie würde sie sich von ihm verabschieden?

Es klopfte. Mit wenigen Schritten war der Producer an der Tür, dann besann er sich. Das gutturale »Don Manuel?« von Kisha versicherte ihm keinen unerwünschten Besuch. Als er die Tür öffnete, stand Tilde Carson vor ihm.

»Darf ich eintreten?«

Ihre Zofe ließ sie vor der Tür warten. Die Diva nahm in dem einzig freien Sessel Platz, so daß Berghstroem vor ihr stehenbleiben mußte, bis sie ihrer langen Spitze eine Zigarette aufgesetzt hatte und er ihr Feuer geben konnte.

»Ich bin pleite«, sagte sie und blies ihm den Rauch ins Gesicht. »Meine Gage werden Sie mir ja wohl nicht zahlen können, aber wenigstens eine standesgemäße Rückfahrt?«

Berghstroem schluckte. Es war besser, die Stahlkassette gar nicht erst herzuzeigen, denn er wußte zwar nicht, wie es um ihre Finanzen stand, wohl aber, daß Madame Flugzeuge und Bahnen, jedwedes öffentliche Transportmittel verabscheute und grundsätzlich mittels Taxi reiste, meist spontan gewählt, wie ihr gerade der Fahrer zusagte. Danach richtete sich auch die Länge der Fahrt. Paris — Sankt Petersburg war eine der bekanntgewordenen Touren, weil der Produzent die Annahme der Quittung verweigerte. Drei solcher Belege, überschlug er schnell, und die Kasse war leer. Er hatte aber drei Dutzend zu befriedigen, von den lokalen Forderungen ganz zu schweigen.

»Wetten, daß meine Pleite —« setzte er an, Quatsch! »Darf Ihnen die Produktion einen Wagen mit Fahrer zur Verfügung stellen, ausnahmsweise —?«

»Ich brauch' Bares«, sagte die Carson leise. »Ich weiß sonst nicht, wie —«

»Der Satz gilt«, sagte Berghstroem. »Lassen Sie mich nachdenken, wie das Dilemma zu lösen ist. Ich hab' schon aus Luft und Blei Gold gemacht, aber noch nie aus einem Haufen Scheiße!«

»Man kann immer dazulernen«, lächelte sie und erhob sich. »Mein Liebster, ich verlasse mich auf Sie!«

Würdevoll schritt sie zur Tür, gerade noch, daß er sie ihr aufhalten konnte.

Als er hinter ihr abgeschlossen hatte, holte er die Stahlkassette aus dem Wandsafe. Das Blöde war, daß er ausgerechnet heute nicht die Bank abgezapft hatte, um die Cashbox aufzufüllen. Seine Kasse enthielt nicht mehr als vierzig Millionen Lire, da brauchte er gar nicht nachzuschauen. Er tat's aber doch.

Unten in der Halle saß still und gottergeben Signor Tagliabue und wartete darauf, daß jemand von der Produktion ihm mitteilte, ob er nun entlassen sei oder sich weiter zur Verfügung halten sollte. Er drehte sich mit zitternder Hand eine Zigarette und achtete darauf, sich durch Würde von den Komparsen abzuheben, die in der Lobby lärmten, sie wollten ihr Geld haben, und zwar sofort. Es waren vor allem die Mitglieder des ›Cantate‹-Chores, und sie wurden angeführt von Signor Alfredo Fiorante. Der Apotheker bekleidete das Amt eines stellvertretenden Chorleiters, doch aus seinem Lamento war hauptsächlich der Schadensersatz für seine Scheibe herauszuhören. Es strömten immer mehr Bürger herbei, die als Statisten sich ein bequemes Zubrot verdient hatten und nun die Chance witterten, als ›disoccupati‹ weiter bezahlt zu werden.

Daß ausgerechnet Don Achille, von dem sie streng gewerkschaftliches Denken glaubten einfordern zu können, verkündete, es handele sich nicht um Arbeitslosigkeit, sondern um einen klaren Fall von ›forza maggiore‹, höherer Gewalt, der Staat also verpflichtet sei, Jesi zum Notstandsgebiet zu erklären, irritierte sie sehr. Erst recht brachte sie auf, daß er verlangte, die wilde Versammlung sei mit sofortiger Wirkung als aufgelöst zu betrachten und alle Genossen sollten machen, daß sie nach Hause kämen. Signor Alfredo warf sich sofort zum Sprecher freier Bürger auf.

»Ein Parteisekretär der Roten hat euch nichts zu befehlen! Don Achille ist mitnichten ein Versicherungssachverständiger, für mich sind erst mal die Veranstalter Verursacher des Schadens!« rief er der erregten Meute zu, um dann weiter auszuführen: »Nur durch Verschulden eines offensichtlich grob fahrlässig frei herumschwirrenden Konstruktionsteils ist meine Scheibe zu Bruch gegangen!«

Gerade zu diesem Zeitpunkt kamen die römischen Beleuchter und Bühnenarbeiter von der Piazza herein, verdreckt und erschöpft von den Räumungsarbeiten, wütend und frustriert allemal. Als sie hörten, was den Apotheker und seine Chormitglieder bewegte, überschütteten sie die singenden Krämerseelen mit beißendem Spott. Dabei kam auch höhnisch zur Sprache, daß das Schaufenster schon zersprungen war, bevor das Zelt sich auflöste und davonflog, worauf Signor Alfredo die Lobby verließ, um sich anwaltschaftlichen Beistandes zu versichern.

Don Achille stieg auf einen Stuhl und rief: »Die Gewerkschaft steht hinter euch!«, worauf die Beleuchter und Bühnenarbeiter aus Rom nur lachen konnten. Sie drückten den noch um die Bar versammelten Einheimischen ihre gefüllten Gläser in die Hand und drängten sie brachial von der Theke ab.

»Geht doch heim zu Mamma!« rief der Oberbeleuchter. »Und probt dort erst mal den Aufstand!«

»Singt ein Lied! Singt ein Lied!« rief ein anderer. »Und laßt uns Arbeiter jetzt in Ruhe einen trinken!«

Das konnte Don Achille wiederum als Lokalmatador nicht zulassen, und er rief:

»Wir sind hier in Jesi und lassen uns nicht von Römern —« Weiter kam er nicht, weil jemand den Stuhl wegzog, auf dem er stand.

»Ich stehe hier —« schrie er.

»Und ich sitze«, sagte der massige Oberbeleuchter.

Ausgerechnet jetzt quetschten sich Franck und Co mit laufenden Videokameras durch die Drehtür des Hotels, während von oben, über die Treppe, die Serafinis herunterschritten. Sie begleiteten den Maresciallo der Carabinieri und zwei seiner Mannen, die von der Inspektion des Zimmers der Urslingen kamen.

Der Maresciallo blieb auf dem Absatz stehen und sagte: »Don Achille, ich warne Sie! Kein Aufwiegeln! Wir haben den Fall im Griff!« Er ließ sich von einem seiner Untergebenen einen durchsichtigen Plastikbeutel reichen und hielt ihn hoch. Deutlich war die Einwegspritze zu erkennen. »Wer hier in Jesi mit Drogen —«

»Quatsch nicht!« rief jemand aus dem Hintergrund, und der breitbeinig mitten in der Halle sitzende Oberbeleuchter sagte, weil er die Cameras auf sich gerichtet fühlte: »Wir wollen unsern Lohn!«

Auf dieses Stichwort hin brach der Tumult wieder los. Don Achille schrie zurück: »Die Gewerkschaft —!«, und die Carabinieris verließen die Halle durch die Drehtür.

»Sag's noch mal!« forderte Frank den Oberbeleuchter auf. »Mach sie richtig an.«

»Die Produktion ist pleite —« soufflierte Wolff dem sich wichtig fühlenden Obelix. »Auf die Gewerkschaft ist kein Verlaß!«

Der Mann wollte gerade bereitwillig die Sätze nachdröhnen, als ihm Mark Sheraton den Stuhl unter dem breiten Hintern wegtrat.

»Du hältst die Schnauze!« sagte er bedrohlich leise, und der mächtige Brocken rappelte sich wortlos auf und trollte sich zu den Seinen an der Theke.

»Ach, schau mal, die Hotelbrigade spielt sich als freiwillige Feuerwehr auf«, rief einer aus dem Chor. Da stand schon Tony Hilton vor ihm und knallte ihm rechts, links an die Backen, daß der Mann vornüber zu Boden ging.

»Wer nicht in diesem Hotel wohnt, der geht jetzt besser«, sagte der jüngste der Serafini-Brüder.

»Wir Jesianer können hier —« begann ein anderer, der noch nicht begriffen hatte. Ed Hyatt ließ ihn auflaufen, ganz dicht. Der Sänger war einen halben Kopf größer und fuhr fort, die Fäuste bereithaltend »— saufen, ohne euch um Erlaubnis fragen zu müssen.«

Ed schien das einzuleuchten, er nickte, sein Schädel schoß hoch, dem Quärulanten direkt unter die Nase, aus der sofort das Blut spritzte. Er fiel hintenüber, in die Arme seiner Sangesfreunde, die jetzt — unter Mitnahme der Verletzten — die Lobby räumten. Don Achille sorgte dafür, daß alle, die hier nichts verloren hatten, verschwanden und verabschiedete sich von den Serafinis mit Handschlag.

»Ich schau' jetzt mal im Hospital vorbei«, sagte er, »wie es um das unglückliche Liebespaar steht.«

»Der Maresciallo meinte, sie seien noch nicht über den Berg«, sagte Mark. »Ich finde es — na ja, ganz fabelhaft, daß Sie sich um die beiden Kinder kümmern. Gute Nacht, Don Achille.«

»Ich komme mit euch«, erhob sich da aus seiner Ecke Signor Tagliabue, »in Vertretung der Produktion«, setzte seinen Hut auf und schob seinen Arm unter den des Vizebürgermeisters. »Man muß sich ja schämen —« murmelte er im Hinausgehen.

»So arg kindlich und völlig unerfahren«, meldete sich Wolff zu Wort, kaum daß die Herren gegangen waren, »sollte man sich nicht gleich 'nen Goldenen Schuß setzen!«

Tony Hilton schaute ihn freundlich an. »Woher weißt du, daß es Heroin war? Und gar gleich wieviel?«

Wolff grinste nicht im geringsten verlegen. »Das hat der Rettungsarzt diagnostiziert, er wird sich auskennen.«

»Bleibt immer noch die Frage, wie die Kids an das Zeug gekommen sind —«

»Und«, hakte Ed nach, »wer sie angeleitet hat, eine solche Dosis —?«

»Schluß jetzt«, griff Mark ein und fingerte eine Zigarette aus seiner Packung. »Hettrich, hast du mal Feuer?«

Der Angesprochene klopfte sich links-rechts-links auf die Brusttaschen seiner Kampfweste, dann fiel ihm ein, aus seiner Hosentasche ein Zündholzheft hervorzuziehen. Er riß für den ältesten der Serafinis ein Streichholz ab, was den nur veranlaßte, ganz nebenbei zu sagen: »Ach, hast du dein Dunhill nicht mehr?«

Das brennende Streichholz zitterte leicht in der Hand von Hettrich, aber Mark schien nicht darauf zu achten, und so antwortete der Gefragte fest: »Ich muß das Feuerzeug heute wohl auf meinem Zimmer vergessen haben.«

Mark bot nun auch den anderen von seinen Zigaretten an.

»Wir lösen noch heute abend auf«, sagte Franck zu Wolff, Hettrich und Galinsky. »Hier ist nichts mehr zu holen«, fügte er erklärend hinzu, an Marco Serafini gewandt. Der nickte versonnen, während Wolff und Galinsky ihre Kameras absetzten und die Filmerei einstellten.

»Geht jetzt packen«, wies Franck sie an. »Wir fahren —«

»Zum Abschied sollten wir noch einen zusammen trinken«, sagte Mark. »Die Serafini-Brüder laden euch ins ›Dunes‹ ein.«

Franck sah keine Möglichkeit, das Angebot abzuschlagen. »Wir wollten eigentlich die Nacht durchfahren —« versuchte er es dennoch, doch gegen die Autorität von Mark Sheraton half dieser Einwand wenig, und mehr hätte eine Beleidigung bedeutet.

Tony Hilton lachte. »Wenn Ihr dann noch auf euren Beinen stehen könnt! Sonst übernachtet Ihr halt im Motel und setzt eure Reise morgen früh fort.«

»Also«, sagte Galinsky »besaufen will ich mich nicht. Hauptsache, wir verlassen diesen blöden Ort so schnell —«

»Un posto sfortunato«, stimmte ihm Tony aufmunternd zu. »Deswegen geben wir euch die Ehre und begleiten euch bis ins ›Dunes‹.«

Gemeinsam verließen Franck & Co und die Serafinis die Lobby des Hotels. Nur die Beleuchter und Bühnenarbeiter standen noch an der Bartheke und kühlten ihr Unbehagen. Mit den Serafini-Brüdern war schlecht Kirschen essen.

Oben auf seinem Zimmer lag Manuel J. Berghstroem angezogen auf seinem Bett und starrte zur Zimmerdecke hinauf, auf der die Lichtkegel der Autoscheinwerfer vorüberwanderten. Jesi, der Verkehr, hatten wieder Besitz von der Piazza genommen. Durch die Scheiben der Balkontür drang immer noch das an- und abschwellende Sausen des Windes, die Fenster schepperten unter seinen Stößen. Er versuchte die Stimmen seiner Leute herauszuhören, die dort immer noch aufräumten. Mal vermeinte er Mias freches Organ zu vernehmen, so wie sie immer zur Arbeit ermunterte, ohne als Antreiberin anzuecken. Er wischte die quälende Erinnerung beiseite, doch gleich schoben sich die Urslingens ins Bild — gleiche Szene im weißblauen Licht, ob es sich nun um den OP-Saal oder die Leichenhalle handelte, immer ragten nackte Füße unter einem Laken hervor. Es war ihm, als sähe er seine eigenen Füße. Es hatte ihn kalt erwischt. Nicht weil ihm im überheizten Zimmer fröstelte, sondern weil ihm die Seele fror. Mit Katastrophen war er in seinem Leben noch stets fertig geworden, sie ließen ihn aufblühen, doch diesmal legten sich Selbstvorwürfe, die Erkenntnis seines Versagens wie ein Eisring um seine Brust. Er hatte unverantwortlich hoch gespielt, leichtsinnig das Verhängnis herausgefordert, es geradezu gefördert und beschworen. Jetzt hatten andere dafür bezahlt, und er lag da und sinnierte über seine Gefühlsarmut, haderte mit dem Schicksal, weil es nicht glimpflicher mit seiner Befindlichkeit umgegangen war. Er bemitleidete den Manuel J. Berghstroem wegen seines Mißerfolges bei der Inka-Prinzessin, schalt sie ›Coeur d'hiver‹, ein Herz aus Eis, zieh sie der mangelnden Sensibilität, seine eigene Liebesunfähigkeit völlig außer acht lassend. Mia hatte ihm ihr Herz auf dem silbernen Tablett dargeboten. Wie hatte er es ihr gedankt? Eigensüchtig, sorglos, schutzlos hatte er sie gelassen — bis dann ihr Herz herausgeschnitten in der Gerichtsmedizin lag.

Das Telefon klingelte, er traute sich nicht, den Hörer abzunehmen, tat es dann doch, ohne sich zu melden. Es war Tom:

»Die Urslingens scheinen gerettet, nach endlosen Transfusionen und Blutwäschen, liegen aber noch immer auf der Intensivstation.«

Berghstroem atmete schwer, schon um Anteilnahme vorzu-
täuschen. »Was haben sie als Grund angegeben?«

»Die Ärzte lassen noch kein Verhör zu!« Toms Lautstärke
wechselte, seine Stimme klang jedoch nicht weniger besorgt.
»Unten in der Halle brauen sich Gewalttätigkeit und Frust
zusammen, zur trüben Suppe. Du zeigst dich dort besser jetzt
nicht«, sagte der Freund. »Die Deutschen putschen die Römer
auf, sie bekämen alle kein Geld!« Das hatte, neben dem
unüberhörbaren Ton des Vorwurfs, wie eine Frage geklungen.

»Da könnten sie nicht mal so unrecht haben«, sagte Berghstroem bitter und warf einen Blick in die offene Stahlkassette
neben seinem Bett. »Für alle reicht es eh nicht —«

»Ich komm' rauf«, sagte Tom. »Ich klopfe viermal —« Die Leitung war unterbrochen, Berghstroem hieb auf die Gabel und
legte dann auf.

Als es dann klopfte, entriegelte er mißlaunig die Tür und warf
sich wieder auf sein Bett. Ins Zimmer traten aber Franck, Wolff
und Hettrich. Galinsky hatten sie im Flur als Wache gelassen.
Sie schlossen die Tür hinter sich und blieben in einer Reihe stehen.

»Was wollt ihr?« Berghstroem bemühte sich, keine Angst,
keine Erregung zu zeigen, nur Unwillen. Die drei Kameramän-
ner trugen wie üblich ihre paramilitärische graue Kluft mit den
Schnürstiefeln. Sie wußten, daß sie als Mannschaft bedrohlich
wirkten, und genossen die aufsteigende Panik des Producers.
Franck fingerte ein Schriftstück aus der Brusttasche und reichte
es wortlos dem Dicken, der sich im Bett aufgesetzt hatte.

Es war ein Fax von Maxi, vor einer halben Stunde abgesandt
— er warf einen Blick auf den Absender, es war eine Vorwahl in
der Gegend, wie er erstaunt feststellte. Die Mitteilung war kurz
und bündig: › . . . dem Überbringer ist auf der Stelle die Produk-
tionskasse samt vorhandenem Inhalt, den sie zum Zeitpunkt der
Vorlage dieses Schreibens enthält, sowie Schlüssel auszuhändigen.‹

Einwandfrei die Unterschrift des Herrn Maximilian F. Bock.
Berghstroem warf einen Blick auf die geöffnete Stahlkassette,
die Franck natürlich längst erspäht hatte.

»Das ist nicht sein Geld«, empörte sich Berghstroem, »schon
längst nicht mehr!«

»Wir haben den Auftrag«, sagte Franck eisig. »Zwingen Sie uns nicht . . .«

»Ihr vergreift euch an fremdem Eigentum. Dieses Geld gehört dem Bock nicht.«

»Das weiß ich nicht«, sagte Franck, »und es ist auch nicht mein Bier.«

Seine zwei Kumpane grinsten. Berghstroem unternahm einen letzten Versuch der Auflehnung.

»Genaugenommen ist alles so gut wie ausgegeben, die Leute unten warten nur darauf, daß ich sie auszahle. Ich muß sie —«

»Sie hätten, Herr Berghstroem, aber sie haben nicht. Damit gilt: ›Wie sie liegt und steht!‹« Jetzt lachten Wolff und Hettrich ihr breitbeiniges Landsknechtslachen.

»Machen Sie uns bitte keine Schwierigkeiten«, sagte Franck. »Wieviel ist drin?«

»Einundvierzig Millionen dreihundertzweiundsiebzig Tausend und ein paar —«

»Ich stell' Ihnen eine Quittung über einundvierzig Millionen Lire aus«, sagte Franck großzügig. »Wollen Sie mir die bitte vorzählen?«

»Zählt doch selber!« sagte Berghstroem wütend. »Ich hab' gerade erst Kassensturz gemacht.«

Franck besann sich und sagte: »Dann händigen Sie mir bitte jetzt die Kassette aus. Ich möchte mich ihrer nicht bemächtigen . . .«

Berghstroem nahm die offene Kassette, in der der Schlüssel steckte, vom Nachttisch und reichte sie ihm. Franck griff hinein und zählte die dreihundertzweiundsiebzigtausend Lire ab und legte sie gebündelt auf den leeren Platz neben dem Bett. Hettrich hatte mittlerweile einen Quittungsblock entsprechend ausgefüllt und ließ Franck unterschreiben. Der legte den Wisch oben auf das Lirebündel, schloß die Stahlkassette ab und warf sie Wolff zu.

Lautlos wie immer schoben sie ab. Der letzte zog die Tür leise hinter sich zu.

Berghstroem griff zum Telefon. »Sarai morto, tedesco«, krächzte ihm eine Stimme entgegen. »Un debito come il tuo si può soltanto cancellare con sangue!« Dann wurde aufgelegt. Jetzt war es soweit: Mit seinem Blut sollte er für ›Stupor Mundi‹ büßen! Ganz klar, die Drohung betraf ihn.

Der Producer fuhr zusammen, als es jetzt viermal an seine Zimmertür klopfte, die er nicht abgeschlossen hatte.

»Chi è?« brüllte er vor Unsicherheit.

»Tom!«

»Wieso kommst du erst jetzt?« empfing er den Freund ärgerlich. »Inzwischen hat man mich ausgeraubt!«

»Du hast doch nicht etwa die Polizei —?« Der Römer schien von dem Tatbestand als solchem nicht sonderlich beeindruckt, eher schien er zu befürchten, sein deutscher Freund könnte die Spielregeln außer acht gelassen haben, nach denen man in keinem Fall die Staatsgewalt einschaltet. Er sah das Lire-Päckchen auf dem Nachttisch.

»Deine Landsleute waren schneller als die unsrigen?« Etwas Bewunderung schwang mit. »Franck hatte mich in deinem Auftrag zum Hospital geschickt.«

»Und?« sagte Berghstroem müde. »Wie geht es den Tröpfen? Ich meine, hängen sie noch am Tropf?«

»Unverändert, das heißt wohl besser. Die Carabinieri lassen niemanden zu ihnen, man rechnet damit, daß sie noch heute nacht vernehmungsfähig —«

Es klopfte schon wieder an der Zimmertür, zaghaft. Tom ging hin und machte auf, Kisha trat ein. Die schwarze Zofe war schon im Mantel und lächelte verlegen. »Madame Tilda —«

»Ich hab' kein Geld!« Berghstroem versuchte das hübsche Kind nicht zu verschrecken, aber ihre Augen füllten sich sofort mit Tränen.

»Bitte, bitte«, sagte sie. »Sie können alles von mir haben.« Dabei schälte sie sich aus ihrem Wintermantel, warf ihn zu Boden und machte Anstalten, sich auch ihres enganliegenden roten Kleides zu entledigen.

»Auch Herr Tom«, fügte sie schluchzend hinzu, sich wie eine Katze auf das Bett zubewegend, was ihr bei allem Kummer durchaus mit erotischem Reiz gelang.

Tom legte ihr aber den Mantel wieder über die Schultern und empfing als Dank ihre heftige Umarmung, allerdings auch ein noch heftigeres Schluchzen.

»Madame Tilda —« war bruchstückweise herauszuhören »— fährt fort mit der Eisenbahn, aber sie kann mich nicht mitnehmen. Es reicht nicht für zwei. Sie will mich entlassen, dann verlier' ich meine Aufenthaltserlaubnis —« Der Rest war nicht zu verstehen, außer daß sie nicht wieder auf den Strich gehen wolle.

»Warum eigentlich nicht?« murmelte Berghstroem, den schon fuchste, daß Tom überhaupt anwesend war.

»Blöder Hund«, sagte der grinsend. »Das Wasser steht dir bis zur Halskrause, aber in der Hose —«

»Jedem zum Tode Verurteilten wird ein letzter Paff gewährt. Warum nicht mir?« fragte Berghstroem trotzig und erhob sich von dem Bett, auf dem er die ganze Zeit gesessen hatte. »Nimm sie mit«, sagte er mit komplizenhafter Geste. »Du hast sie eh am Hals!«

Tom ließ sich darauf nicht ein, er löste Kisha von sich und fragte sie:

»Wieviel braucht denn Madame sofort?«

Die kleine Katze hörte sofort auf zu heulen und strahlte ihn an. Dann zog sie ihn zu sich und flüsterte ihm ins Ohr. Tom schien beeindruckt, doch er sagte:

»Richte der großen Tilda Carson aus«, er straffte sich, »ich würde die Summe als à conto ihrer Gage für ein mehrwöchiges Gastspiel an meinem Theater betrachten.« Er schob Kisha zur Tür und war unschlüssig, ob er ihr folgen sollte.

»Mach's schriftlich«, riet ihm Berghstroem augenzwinkernd. »Und mit Stempel und Siegel!«

Er begleitete ihn lächelnd hinaus, und Tom ging mit Kisha.

Bergstroem wollte endlich die Tür schließen und den Schlüssel herumdrehen, als er Signor Tagliabue armwedelnd den Hotelflur auf sich zukommen sah.

»Schauen Sie mal aus dem Fenster!« keuchte er. »Die ganze Piazza ist in Aufruhr, die Carabinieri sperren das Hotel ab.«

Bergstroem ließ ihn eintreten, löschte aber das Licht. Sie schlichen zum Fenster und sahen durch die Tüllgardinen hinunter.

Es war zwar kein Volksauflauf, aber etliche erregte Grüppchen standen diskutierend herum, einige schauten auch mal zum Hotel hoch. Es war dem Producer, als wüßten sie genau, welches Zimmer er bewohnte. Er erkannte die beiden rivalisierenden Gesangsvereine, den Apotheker, er sah auch Don Achille bei einem Haufen, der jetzt Transparente entrollte und mitgebrachte rote Fahnen. Was drauf stand, konnte er nicht lesen. Sicher nicht die zugesagte Unterstützung für ›Stupor Mundi‹. Dann entzifferte er, in unbeholfenen Lettern aufgepinselt, so etwas wie ›Stupor bulli, stupro culi‹, was soviel heißen mochte wie ›Staunt nur ihr Frechen! An euren Ärschen werden wir uns rächen!‹

Signor Tagliabue, der vom Henker bis zum Podestà das Spektakel begleitet hatte, starrte tief traurig auf die verwüstete Stätte seines Wirkens. »Schade«, seufzte er. »Eine solche Rolle erhält man in meinem Alter kaum noch einmal anvertraut. Schade, schade.«

Das Klingeln des Telefons befreite Berghstroem aus der rührseligen Situation. Voller Elan ergriff er den Hörer:

»Sei già morto, misero pezzo di merda! Avrai quel che meriti per la fregatura che hai dato —« dröhnte die Stimme, es war nicht etwa dieselbe wie vorher. »Tu non lascerai vivo questa citta! Non passerai!«

Berghstroem hatte beim letzten Satz den Hörer dem Herrn Tagliabue hingehalten, der ganz blaß geworden war.

»Man hält Euch für einen Betrüger. Ihr werdet die Stadt nicht lebend verlassen — so lautet die Drohung. Das solltet Ihr ernst nehmen, dottore«, flüsterte er. »Stellt Euch unter Eskorte.«

»Welche bitte?« scherzte Berghstroem und legte auf. Sein Blick fiel auf das armselige Häufchen von Lirescheinen. »Wollten Sie nicht eigentlich um Geld fragen, Signor Tagliabue?« sagte er freundlich. »Ich weiß, daß Ihnen mehr zusteht. Aber nehmen Sie das schon mal —«

»Aber wieso denn ich?« stammelte der, als ihm Berghstroem das gesamte Bündel in die Hand drückte.

»Als Zeichen meiner Anerkennung«, endete Berghstroem und begann ihn aus dem Zimmer hinauszukomplimentieren, denn das Telefon klingelte schon wieder.

Als er ihn endlich los war, hatte das Klingeln schon aufgehört, dafür hörte er vor seiner Tür die Stimmen der Serafinis. Mark mit seinem dröhnenden Organ fragte den Tagliabue: »Ist der Boß zu sprechen?«

Berghstroem, glücklich, daß ihn noch jemand als solchen ansah, rief: »Sheraton, kommt nur rein!«

Er war wirklich froh, die alten Kumpels von Cinecittà um sich zu wissen. Sie kamen rein und schlossen hinter sich die Tür mit dem Schlüssel ab. Das änderte die Gemütslage des Producers auf der Stelle, er bekam Angst, erbärmliche Angst.

Mark Sheraton lächelte. »Schöne Scheiße«, sagte er. »Dir

bleibt nicht mal Zeit zu packen. Steck die Zahnbürste ein und schleich dich in genau fünf Minuten hinauf, über die Dienstbotenstiege zur Suite der Coeurdever!«

»Ich kann gleich mitkommen«, warf Berghstroem schnell ein. »Ich bin bereit −«

»Nein«, sagte Mark. »Wenn wir zusammen gesehen werden, dann bringen wir dich hier nicht mehr lebend raus −«

»Und wenn sie mich auf der Treppe erwischen?«

»Dann hast du Pech gehabt, aber kein besonders großes, das Hotel könntest du sowieso nicht unerkannt verlassen. Erkennt dich einer, ist es aus − Allora auguri!«

Sie verschwanden wieder. Berghstroem schloß hinter ihnen ab und warf sich aufs Bett.

Er Manuel J. Berghstroem, wollte nicht wie ein Dieb in der Nacht verschwinden, er würde wiederkommen, wie einst der Kaiser. Einen Triumphbogen sollte Jesi ihm errichten, den Corso mit Spruchbändern schmücken: »Willkommen dem Schöpfer von ›Stupor Mundi‹«, in allen Sprachen sollten sie flattern, das Fahrverbot würde für ihn aufgehoben sein, die Carabinieri auf ihren Moto Guzzis vorneweg, er in einer offenen Limousine, die Leute warfen Blumen, die Kinder erhielten bedruckte Luftballons, er winkte huldvoll zurück, an seiner Seite − die Coeurdever? Ray und Rinaldo sollten in einer zweiten Limousine fahren. Die Carson? Am besten allein! Der Kaiser hatte niemanden zur Seite. Macht macht einsam, einsame Größe, damit Jesi demütig begriff, was es sich antat, ihn heute davonzujagen wie einen räudigen Straßenköter. −

Berghstroem vergab der Stadt und schnaufte vor Erleichterung und geborgtem Glück. Friedrich war sein Schirmherr − nie ließe ihn der Staufer verkommen!

Die vorgegebenen fünf Minuten schienen ihm eine Ewigkeit. Er zwang sich an das Finale von ›Stupor Mundi‹ zu denken, das sie eigentlich heute hatten zum letzten Mal proben wollen. Er sah das von innen magisch erleuchtete Zelt vor sich, hörte die Chöre, erlebte schaudernd, wie es sich öffnete, wie der Hofmarschall das Kind einforderte, und endlich sang die Kaiserin ihr Lied, sein Lied, für das er bei Rinaldo − gegen den Widerstand von Ray − durchgesetzt hatte, daß sie es nach der Melodie von ›Bajuschki baju‹ sang. Er war das Kind, der kleine Junge, er hörte die Stimme seiner Mutter, wie sie ihn liebevoll in den

Schlaf sang — Das Telefon schrillte, er riß den Hörer hoch: »Pronto — pronto?!«

Nur schweres Atmen, keine Antwort. Da schwieg er auch, atmete gegen den anderen an. Dann legte der auf. Die fünf Minuten waren reichlich verstrichen, er sprang auf, schlich auf Zehenspitzen ins dunkle Bad, ertastete seine Zahnbürste und arbeitete sich vor zur Tür. Er lauschte. Nichts! Er drehte, zur Sicherheit seinen massigen Körper dagegenstemmend, langsam den Schlüssel, öffnete einen Spalt weit und schob mangels einer anderen Abwehrwaffe die Zahnbürste vor, dann zwängte er sich hinterher, der Flur lag leer im Sparlicht der Wandkonsolen. Er schloß hinter sich ab und wandte sich zur Schwingtür, hinter der er das Personaltreppenhaus wußte. Die nackten Holzbohlen knackten fürchterlich, und er traute sich auch nicht, Licht zu machen. Bis ins oberste Stockwerk mußte er steigen, gewärtig, jeden Augenblick würde die Beleuchtung angehen und von unten das Wutgeschrei seiner Häscher ertönen.

Berghstroem hatte es geschafft, der Flur des Dachgeschosses lag vor ihm, teppichbelegt im warmen Licht der Messingleuchten. Hier hatten Ray, Elgaine und die Carson ihre Suiten, mehr gab es nicht. Die Coeurdever hatte auch noch alle anderen Kammern als ihre Ateliers belegt. Er vernahm ihre Stimme und die der Serafinis. Sie scherzten. Er drückte vorsichtig die Klinke herunter. Sie standen vor einer offenen Kostümkiste aus Korbgeflecht, die nur halb mit Kleidern gefüllt war und tranken Champagner. Elgaine reichte ihm ein bereits gefülltes Glas. »Gute Reise, Manuel«, sagte sie freundlich und, als er es hinuntergestürzt hatte, fügte sie hinzu: »Ein angenehmes Schlafmittel, damit du nicht unter den Strapazen des Transportes leidest.«

Berghstroem schaute etwas verwundert, weil er schon in seinem Bauch spürte, daß es ihn benommen machte. Elgaine trug ihren weißen Arbeitskittel, wie immer, wenn sie in ihren vier Wänden weilte, und darunter nichts. Er starrte sie an.

»Es ist besser, Emanuele«, sagte Tony Hilton, »du steigst jetzt in die Kiste. Wenn du vorher einschläfst, müssen wir dich heben.«

Er wies auf den freien Raum unter dem offenen Deckel hin. Auch Ed reichte ihm den Arm, und ächzend ließ sich der dicke Mann zwischen den Wänden nieder.

»Rutsch!« sagte Ed. »Sonst geht der Deckel nicht zu.«

Berghstroem winkelte die Beine an und verschob seine Mas-

Kapitel XV

Der Hierophant

In di[...]s
dem Innern des Zeltes der Schrei des neugeborenen Knaben
Friedrich.

GROSSER CHORAL »STUPOR MUNDI«
2. Strophe

Geistlichkeit: Stupor Mundi!
Deus Pater, Filius et Spiritus Sanctus, gratias
agimus
cui homo detrahit ex (de) terra sceleris.
Sine Ecclesia nulla muliercula parere posset.
Virgo Maria adiuvante, pro nobis
absolutionem sit.

Von den Würdeträgern gesungen, ertönt die Dankeshymne
aus dem Innern des Zeltes. Mit dem Geburtsschrei sind draußen alle Feindseligkeiten erloschen. Die harrende Menge läßt
es sich nicht nehmen, mit der dritten Strophe zu antworten.
Diesmal singen auch die Männer mit.

GROSSER CHORAL »STUPOR MUNDI«
3. Strophe

Volk
von Jesi   Stupor Mundi!
Der heil'gen Jungfrau danken wir von Herzen
sie gütig Beispiel gab nur für Gottes Lohn
daß die Kaiserin mit Schmerzen

In der schwach beleuchteten Tiefgarage öffnete sich die Tür des Lastenaufzuges, der sie mit dem Hotel verband. Die drei Serafinis schoben die Kiste vom Liftboden hinaus auf den Beton der Garage, wobei sie sich Mühe gaben, ihr Gewicht als nichts Außergewöhnliches erscheinen zu lassen. Sie hatten den Lieferwagen mit offener Hecktür direkt davor geparkt, hoben die Kiste mit raschem Griff und wuchteten sie auf die Ladefläche. Franck & Co hatten sich ebenfalls in der Hotelgarage eingefunden, auch ihr Volvo-Stationwagon wurde reisefertig gemacht.

Franck glich die Materiallisten ab, während Wolff und Hettrich ihm laut die Nummern der Videokassetten vorlasen, bevor sie diese paketweise zusammengeklebt in den Volvo luden. Galinsky verstaute die Kameras und das Tongerät in den Aluminiumkoffern, dazu die Batterien und Handleuchten. Das Videoteam arbeitete schnell und routiniert.

»Wir fahren Kolonne«, erklärte Mark Sheraton. »Unser Transporter bestimmt leider das Tempo und fährt deshalb voraus, dann ihr und als letzter der Alfa.«

»Klingt wie ein Spähtruppunternehmen, so mit Nachhut und Flankendeckung«, lachte Wolff, und Franck sagte; »Mir ist's recht, wir haben Zeit —«

Das entsprach zwar keineswegs der Wahrheit, denn ihnen brannte der Boden unter den Füßen, aber sie zeigten es nicht. Wäre es nach seinen Leuten gegangen, wären sie schon längst über alle Berge. Aber eine überstürzte Abreise hätte den Verdacht auf sie gelenkt, und noch vor Erreichen der Grenze, das war Franck klar, hätte man sie wieder eingefangen. Jetzt, im allgemeinen Aufbruchstrubel, fiel ihre Fahrt nicht auf. ›Ein Ausflug ins ›Dunes‹‹! Deswegen hatte er auch dem Angebot der Serafinis zugestimmt. Nerven behalten, das war's!

»Panzer meldet: klar zum Gefecht«, Hettrich knallte die Hacken zusammen.

»Eigentlich schade«, Wolff grinste. »Wenn die Meute jetzt in der Halle sich über die Kasse hermacht, sie knackt und leer findet —«

»— werden sie die dicke Emmy lynchen!« setzte Hettrich schadenfroh hinzu.

»Das hätt' ich gern noch auf Kassette!«

»Quatsch!« entschied Franck barsch. »Einmal muß ein Ende sein. Wir fahren jetzt!«

Die Serafinis, die kein Wort gesagt und sich auch nur unbeteiligt angesehen hatten, Pokerface, nickten. Tony bestieg den Lieferwagen, Franck & Co besetzten den Volvo, Wolff am Steuer, daneben Frank, die beiden anderen im Fond. Ed übernahm das Steuer des Alfa, der als letztes die Garage verließ. Sie rollten nacheinander, aber dicht aufgefahren die Rampe hoch, durch die Seitengasse auf die Piazza. Schon bei der Ausfahrt warfen mehrere Leute, die in Grüppchen wie Streikwachen herumstanden, argwöhnische Blicke durch die Wagenfenster, aber als sie die Serafinis und die Deutschen erkannten, machten sie keine Anstalten, sie aufzuhalten oder gar zu kontrollieren. Mark kurbelte sein Fenster runter und rief dem Maresciallo zu: »Wir fahren ins ›Dunes‹!« Der Maresciallo nickte, bemüht, dem nachfolgenden Volvo keine besondere Aufmerksamkeit zu schenken, eingedenk der Worte des Kommissars: ›Laßt sie noch im eigenen Saft schmoren!‹ Die Carabinieri scheuchten die Gaffer zur Seite und winkten die Kolonne durch.

Das Hotel hielt die Staatsmacht weiterhin abgesperrt, was aber nicht hinderte, daß sich, außer den römischen Beleuchtern, immer mehr Einheimische durchmogelten. Und da diejenigen, die solcherart dem polizeilichen Gebot trotzten und über Schleichwege und Hintertüren hineingelangten, keineswegs den zahmen Teil der Bevölkerung darstellten, war die Stimmung entsprechend geladen. Noch hatte keiner gewagt, die Stahlkassette, die einsam auf einem eigens für die Auszahlung freigehaltenen Tischchen stand, anzurühren. Auch wachten die verschiedenen Parteien eigensüchtig über deren Unversehrtheit, als ahnten sie, daß es für alle kaum reichen würde.

Vor dem Hotel traf jetzt, im eigenen Bus, Nemos deutsche

Hilfstruppe ein, die sich aufführte, wie sich Italiener ›Sturmtruppen‹ vorstellen. Doch als die Deutschen der Carabinieri ansichtig wurden, machten sie schlagartig kehrt und marschierten mit Gesang in die nächste Seitengasse. Der Maresciallo lächelte befriedigt. Die Deutschen drangen geordnet und ohne Gebrüll durch die Tiefgarage vor und erreichten unbeanstandet die Hotelbar.

Die kleine Kolonne, vorneweg der Transporter mit der Kostümkiste, dann der Volvo von Franck & Co und am Schluß der Alfa, fuhr zügig Richtung Küste, unterquerte die Autobahnen, passierte den Nato-Flughafen und bog erst dann nach Norden, ein allen vertrauter Weg aus nächtlichen Ausflügen zur Diskothek. Sie verließen die asphaltierte Straße und rumpelten jetzt langsamer den parallel verlaufenden Feldweg durch die Dünen und das mannshohe Gestrüpp. ›Dunes‹, ihr Ziel war so bekannt, daß es keiner Hinweisschilder bedurfte, und konnte sich leisten, versteckt zu liegen wie die nahen Hangars der Kampfbomber.

Plötzlich bremste der Lieferwagen ab, seine Bremslichter flackerten rhythmisch auf, und zwang so auch den nachfolgenden Volvo zum Halten, denn die Straße war zu eng zum Überholen.

»Was ist?« rief Wolff aus heruntergekurbeltem Fenster nach vorne, wo Tony Hilton schon ausgestiegen war.

»Hier muß es gewesen sein«, sagte Tony. »Ich wollte mir den Ort noch mal ansehen.«

Inzwischen war auch der Alfa aufgefahren, und Mark trat hinzu, als wüßte er nicht, was gespielt wird. Das veranlaßte Franck ärgerlich zu sagen: »Was soll hier denn —« und dann, als ob es ihm jetzt dämmerte: »Ach so —«

»Das ist doch kein Grund mitten in der Nacht —« rügte Mark Sheraton halbherzig seinen Bruder, doch der antwortete weiter auf das Gebüsch zu stampfend:

»Ich will bloß mal sehen, wo Mia den Jerry versteckt hatte, daß ihn keiner, daß man ihn erst am nächsten Morgen fand.«

»Mittag«, sagte Franck, »als auch die Mia gefunden wurde.«

»Und was willst du da jetzt noch sehen, Antonio?« wandte Mark ein, bewegte sich aber schon in die eingeschlagene Richtung.

Inzwischen waren auch Hettrich und Galinsky ausgestiegen,

und Ed rief spöttisch: »Da habt ihr die magische Anziehungs-kraft des ›luogo del delitto — ›Tatort‹, wie ihr sagt!«

Mark wartete zögernd innehaltend, bis Franck sich ihm genähert hatte. »Um Magie handelt es sich kaum, sondern eher darum, daß jeder beweisen will, daß er den Ort betreten kann. Eine Verweigerung könnte auf ein schlechtes Gewissen schließen lassen.«

»Dann dreh' ich gleich um«, spottete hinter ihnen Hettrich. »Ich hab' immer ein schlechtes Gewissen.«

Galinsky wirkte blaß, als er hinter den anderen her trottete. Franck sagte ärgerlich:

»Nun ist es gut, ich hatte nicht vor, hier im Sand Phantomspuren nachzúforschen.« Er blieb aber nicht stehen, weil vor ihm aus dem Gestrüpp erregt die Stimme von Tony zu vernehmen war.

»Hier ist es gewesen! Da stecken noch die Markierungen der Mordkommission!«

Wolff war als erster bei ihm. »Na und?« sagte er und wandte sich ab, um zurückzugehen. Tony warf das Dunhill-Feuerzeug so hinter ihn, daß es knapp neben seinem Absatz zu liegen kam, dann verdrückte er sich seitlich ins Gebüsch.

Inzwischen waren Franck und Mark, gefolgt von Hettrich und Galinsky eingetroffen. Sie trampelten im Sand herum, und Hettrich nörgelte: »Schön — und wo soll jetzt Klein-Jeremy abgeblieben sein? Das tät mich mal interessieren!«

»Hier!« rief der unsichtbare Tony aus einiger Entfernung.

In diesem Moment ließ Ed den Motor an und sein Fernlicht flach über den Boden gleiten. Er rief: »Nun kommt doch endlich, ihr Langweiler! Laßt uns weiterfahren!«

Mark beobachtete aus den Augenwinkeln, wie Hettrich das Feuerzeug im Sand entdeckte und Franck anstieß. Er wandte sich schnell ab und tat so, als interessiere er sich für den Verbleib seines Bruders. Als Mark sich wieder umdrehte, strebten Franck & Co schon vor ihm eiligen Schrittes auf ihren Volvo zu. Das Dunhill war verschwunden. Er warf wie unabsichtlich den Sand auf, stocherte mit seiner Schuhspitze herum: Da war weit und breit kein Feuerzeug mehr zu sehen. Jemand mußte es aufgehoben haben.

Schnell schloß er zu Tony auf und maßregelte ihn wegen seines idiotischen Einfalles, der sie nur kostbare Zeit hätte vertrö-

deln lassen, die man längst bequem im ›Dunes‹ verbracht haben
könnte. »Tony zahlt eine Strafrunde!« verkündete er, und Wolff
haute in die Kerbe: »Eine doppelt dreifache!«

»Du meinst wohl, ich kann nicht rechnen«, entgegnete Tony
und klopfte dem Einsteigenden auf die Schulter, bevor er sich
hinter das Steuer des Lieferwagens klemmte. Ungeachtet der
Schlaglöcher brauste er los, daß die anderen ihm kaum folgen
konnten. Er kurvte auf den Parkplatz zwischen dem Eingang
zum ›Dunes‹ und dem weiter hinten liegenden Agip-Motel.

Berghstroem fühlte die Erschütterung, die Schläge des Feldwe-
ges, als säße er an Mias Stelle hinter dem Steuer des hartgefeder-
ten Minis. Sie rüttelten seine Bilder durcheinander, verzerrten
sie wie bei einer Empfangsstörung durch Gewitter, es blitzte und
krachte, und Mia raste mit ihrem roten Mini durch die Dünen,
durch das Gestrüpp — verfolgt von einem unsichtbaren, über-
mächtigen Gegner, dessen Lichter sie nicht ausließen, sie duckte
sich, sie schlug Haken, verharrte in einer Mulde — immer wieder wurde sie aufgespürt. Wenn sie glaubte, den Verfolger abgeschüttelt zu haben, die Dunkelheit habe sie verborgen, dann
genügte ein Blick, ein zwanghafter Blick in den Rückspiegel —
und die Augen des grausamen Tieres glühten in der Nacht, starrten ihre Beute unablässig an, glitten näher und näher. Sie sprang
auf, der rote Mini machte einen Satz, und sie raste weiter —
dachte sie, hoffte sie, und Berghstroem hoffte mit ihr, in seinem
Traum in der schwarzen Kiste, aus dem er zum Glück, und Dank
des Schlaftrunks, nicht erwachte. Er wäre wahnsinnig geworden
oder, wahrscheinlicher, er hätte gedacht, er wäre tot. Nichts
mehr sehen können, sich nicht rühren können, aber seinen Körper noch spüren, schreien können, aber den Schrei so erstickt
hören, als habe man nicht geschrien, Muskeln und Nerven fühlen, aber Gefangener sein in einem weichgepolsterten Sarg, dessen Deckel verschlossen ist, und gerüttelt werden — jederzeit
konnte es aufhören, weil er ins Grab gesenkt wurde. ›Manuel J.
Berghstroem lebendig begraben‹, Unterzeile: ›Der geniale
Schöpfer von ›Stupor Mundi‹ hat gebüßt für seine Schuld‹. Die
Hölle nahm ihn auf, Maxi hatte ihn wieder, konnte ihn ins Meer
versenken, in Beton eingießen, in ein Krematorium schieben —
aus seinem Helikopter fallen lassen, auf einer wenig befahrenen
Eisenbahnstrecke stehenlassen, in ein Säurebad werfen. Alles

das war möglich und konnte eintreten, wenn das Rütteln und Schütteln plötzlich aussetzen würde. – Der rote Mini raste nicht, seine Räder drehten im Sand durch, und die Augen des Tieres kamen im Rückspiegel näher. Da sah sie deutlich die schmalgerippte Doppelspur im Sand, wie der Abdruck zweier parallel sich schlängelnder Reptilien, armdicke Schlangen, sie umkreisten sie, kreisten sie ein und trieben sie ohne Entrinnen. Fäuste packten sie, schlugen ihr ins Gesicht, rissen sie vorwärts vor den Moloch, das Götzenbild auf Rädern, dem der Speichel aus dem breiten Maul troff, dessen große Augen hinter schwarzen Gläsern glühten. Die Fäuste stießen sie, zerrten sie an den roten Haaren, ein Knebel wurde ihr in den Mund gestoßen, eine blaue Flamme sprang vor ihr Gesicht, wanderte sengend über ihre Haut, den Hals, die Brüste, bis der glühende Feuersalamander ihre Spitzen umkreiste, sich glühend in ihre rosigen Knospen fraß, bis nur noch rußig-blutig aufgeplatzte Stümpfe aus den zitternden Hügeln ragten. Die Fäuste ließen ihr Opfer fahren. Mia sank in die Knie. Nicht einmal der Knebel konnte ihren Schrei mehr lindern. Sie wollte den Schmerz herausschreien – eine silbern funkelnde Klinge glitt zwischen ihr entsetztes Gesicht und ihre verwüsteten Brüste und trennte ihr gemartertes Gehirn von der flatternden Lunge. Der Schrei erstarb röchelnd – Berghstroem zwang stöhnend das Dunkel der Nacht über die Szene.

Der Einlaß zur Diskothek lag tief hinten in der künstlichen, mit Sand überdeckten Grotte, nur ein paar flackernde Lichter, eher eine Notbeleuchtung, wiesen auf ihn hin. Tony Hilton parkte seinen Lieferwagen und kontrollierte den Korb auf der Ladefläche, indem er sein Ohr dranhielt. Das leise Schnarchen der dicken Emmy war kaum zu hören. Er verschloß befriedigt die Hintertür und wartete auf die anderen.

Der Volvo mit Franck & Co traf ein, dicht gefolgt von dem Alfa der Serafinis. Franck schien die Lust am Diskobesuch und gemeinsamen Besäufnis verloren zu haben, er murmelte etwas von ›am besten gleich weiterfahren‹, doch Wolff und Hettrich wollten unbedingt erst mal und ›sofort einen hinter die Binde gießen!‹, Galinsky wurde dazu verdonnert, sich abstinent zu halten, damit er dann das Steuer übernehmen könnte. »Nur einen, zum Abschied«, ließ sich Franck breitschlagen, und

Mark Sheraton grinste: »Und einen auf die gute Zusammenarbeit!«

»Das Gepäck lassen wir im Wagen«, ordnete Franck an. »Der Don läßt den Parkplatz ja bewachen«.

Er wies auf zwei Gestalten, die aus dem Dunkeln traten und die Ankömmlinge mit ihrer Stabtaschenlampe kurz ableuchteten, während sie die Wagennummern notierten.

»Darauf kannst du dich verlassen«, sagte Ed, und gemeinsam schritten sie in die Grotte. Plötzlich aber hielt Franck inne und sagte:

»Ich hab's mir überlegt —«

»Du willst doch nicht kneifen?« sagte Tony.

»Vor wem wohl!?« kam Wolff seinem Chef zuvor.

»Galinsky schafft das Gepäck ins Hotel! Wir übernachten dort — unter Eurem Namen, miei cari!« wandte sich Franck grinsend an die Serafinis.

»Wie das?!« fragte Ed, aber sein ältester Bruder stieß ihn an.

»Die Zeche zahlt, wer heute nacht als erster unter den Tisch geht«, verkündete Franck, »und das werdet ihr sein, i Signori Sheraton, Hilton und Hyatt. Also ist es nur recht und billig«, er wirkte seltsam aufgekratzt, sein Lachen leicht hysterisch, »billig vor allem, daß ein Agip-Motel dazukommt.«

Franck hielt sich anscheinend für ungeheuer witzig und seine Idee für genial. Die Serafini-Brüder wunderten sich, daß ihr Bruder Mark voll darauf einstieg.

»Klar! Wir überlassen euch unsere Personalausweise. Los, gebt sie her!« forderte er Tony und Ed auf, die sie nur zögerlich herausrückten.

»Es sind aber nur drei —« Es schien, als ließe sich Mark, von Francks Heiterkeit angesteckt, willenlos überrumpeln.

»Galinsky wird im Volvo schlafen«, entkräftete Franck den letzten Einwand, und Mark übergab dem Jüngsten die eingesammelten Dokumente.

»Jetzt will ich aber endlich was zu trinken!« rief Hettrich und steuerte auf die Stahltür mit der Sichtblende zu. Dumpf erklang der Afro-Sound und das Stampfen aus dem verzweigten Höhlensystem des ›Dunes‹. Die anderen folgten im Gänsemarsch durch das Drehgatter.

Franck wußte, was er tat, und Mark hatte begriffen, was den anderen bewegte. Beide hatten von ihren Autotelefonen aus in

Jesi angerufen und erfahren, daß die Urslingens wieder vernehmungsfähig waren.

Die Stadt war in Aufruhr. Trotz der späten Abendstunde, es ging auf Mitternacht zu, hatten sich fast alle auf der Piazza eingefunden, die als Statisten oder Chöre bei ›Stupor Mundi‹ mitgewirkt hatten. Vielen ging es gar nicht so sehr um das Geld, das sie noch zu bekommen hatten oder mit dem sie gerechnet hatten, woraus die wildesten Krakeeler einen einklagbaren Anspruch ableiteten, sondern um den verlorenen Spaß. Sie fühlten Trauer und Wut darüber, daß ihnen plötzlich das Stück, die Oper von Jesi, genommen sein sollte, von dem sie sich eine Abwechslung, eine Überhöhung ihres Provinzalltages versprochen hatten. Jeder Mitwirkende war stolz darauf gewesen, hatte sich als hervorgehoben aus der Masse seiner Mitbürger gefühlt, hatte sich davon etwas für sein Leben, für seine Zukunft ausgemalt und hatte vor allem damit vor Freunden und fernen Verwandten reichlich angegeben. Die Händler hatten sich besondere und erhöhte Umsätze erwartet, und viele Unternehmer hatten noch viel weiter geplant — und jetzt sollte alles nur eine Seifenblase gewesen sein? Eine ›fregatura‹ von diesen deutschen Gauklern? Ein Luftschloß mitten auf der Piazza, das der erstbeste Wirbelsturm einfach so davonblasen konnte? Die einen warfen den Machern Leichtsinn in der Konstruktion vor, andere den fehlenden Abschluß einer entsprechenden Versicherung, aber einig waren sich alle, daß die Truppe sich völlig undeutsch verhalten habe, sie sei Hals über Kopf fahnenflüchtig geworden, habe Jesi und seine Bürger schmählich im Stich gelassen, schlichtweg verraten! So klangen Sprechchöre über den Platz, die zumindest von weitem sich so anhörten wie ein schlechtbesetztes Fußballstadion, wenn die Eigenen am Verlieren sind. Kleine Gruppen heizten die Trauerstimmung immer wieder mit kämpferischen Parolen auf, die in ihrem stupiden Trotz auch nur dumpfe Verzweiflung verrieten, und die beiden verfeindeten Chöre drückten ihren Schmerz durch Absingen des großen Chorals aus. ›Stuuuporr munndi, stuppor mundi —‹ tönte es traurigschaurig, abgesetzt gegen die Jubel-&-Begrüßungs-Kantate, bei der einige auch ihre mitgebrachten Fanfaren schrill und mißtönig einsetzten. In Ermangelung eines Chorleiters sangen beide Haufen erbärmlich schlecht und das auch noch durcheinander, laut gegeneinander, um sich zu übertönen. Diese Geräuschkulisse umwaberte das belagerte Hotel. Doch wäre jetzt das Team der Macher erschienen, insgeheim immer noch erwartet wie der Messias, die Piazza hätte ihnen Palmenwedel zu Füßen gestreut und schlagartig das Hosiannah des Huldigungschorals angestimmt.

In der Halle köchelte jetzt, nach einem knappen Aufschrei der Empörung, der ohnmächtige Zorn der endgültig Getäuschten. Die römischen Beleuchter hatten, schon um die brodelnde Erwartung zu dämpfen, denn ihnen schwante, daß in dem Topf nichts außer Luft sein würde, unter allgemeiner Zustimmung den Deckel der Stahlkassette mit einem Brecheisen hochgestemmt und das Schloß gesprengt. Nachdem sich jeder von der Leere überzeugt hatte, trat betretenes Schweigen ein.

Ausgerechnet jetzt betraten Ray und Reinhold die Halle. Sie hatten sich gestritten und taten es auch noch weiter. Rinaldo warf dem Regisseur Defätimus vor, weil er nicht einfach weiterprobte — »Wir appellieren an das Volk der Marken!« rief der Komponist, als sei er Robespierre auf einer Sitzung des Konvents, es fehlte nur noch, daß er die Stadtfahne von Jesi schwenkte, »und du wirst sehen, wie alle dir folgen werden — auch ohne baren Lohn!« Er sah sich beifallheischend um, erntete aber nur eisiges Schweigen.

»Es tut mir leid für die Stadt, für das Stück und deine Musik«, sagte Ray freundlich, um ohne weiteren Trost hinzuzufügen: »Aber ich bin kein Phantast. Die Dekorationen sind ein Trümmerhaufen, die Kostüme geklaut oder sonstwie mit der Künstlerin verschwunden, und Geld ist auch nicht mehr —«

»Gar keins!« schrie einer der Deutschen und zeigte auf die erbrochene Kasse. Jetzt rafften sich auch die Einheimischen zum verbalen Protest auf, sie stießen Flüche und Verwünschungen aus. Rinaldo sah schnell ein, wohin, auf welche Seite er gehörte.

»Die paar Bretter nageln wir wieder zusammen, ein Zelt leiht uns jeder Zirkus, und die Klamotten nähen wir selbst, unsere Frauen!«

»Bravo!« brüllten die Männer, »und Typen wie dich«, attackierten sie den Regisseur, »die uns zeigen wollen, wie man sich bewegt, aber in der Not sich in die Hosen scheißen, die können wir auch zum Teufel jagen!«

Da brüllten die Leute noch mehr. Die Deutschen schrien »Feigling!« und »Schwule Sau!« und übersetzten das auch gleich den italienischen Schreiern, so daß zur Wut auf den ›tedesco vile e vigliacco‹ auch noch der Haß auf den ›frocio infame, finocchio codardo‹ kam und in wüsten Drohungen gipfelte, bis zum sofortigen Wiederaufbau des Galgens, um ihn daran aufzuknüpfen. Es herrschte bei weitem keine Lynchstimmung wie in den Südstaaten, aber Ray war doch heilfroh, daß jetzt Nemo erschien und als erstes ›seinen‹ Deutschen das Maul verbot, zweitens sie dazu vergatterte, ›einen deutschen Landsmann im Ausland nicht hängen zu lassen‹. Nun war Ray weder deutsch, noch war Jesi, so dicht an der Adria eigentlich Ausland, aber der Appell fruchtete, Nemo hatte seine Fans im Griff. Sie umringten den Regisseur, der jetzt von Leidenschaft ergriffen ausrief, daß ›Stupor Mundi‹ nicht tot sei und er wiederkommen würde, worauf sich gerade eine Saalschlacht zu entzünden drohte, als die Carabinieri in die Lobby stürmten und nach Franck & Co verlangten. »Haftbefehl!« Die Urslingens waren vernommen worden und hatten nicht lange verschweigen können, wer ihnen das Heroin verkauft hatte – »zu einem geradezu lächerlichen Preis!«, wie der Maresciallo hinzufügte. Inzwischen kamen seine Mannen von der Rezeption zurück und steckten ihm die unerfreuliche Nachricht, daß die Vögel ausgeflogen seien. »Abgereist!«

»Fahndung!« schnaubte der Maresciallo und, um seinem Ärger sofort Luft zu machen, ließ er nun die Lobby räumen, und zwar von allen Anwesenden. Wer im Hotel wohne, habe sich unverzüglich auf sein Zimmer zu begeben und für ein Verhör bereitzuhalten. Das traf auch den alten Herrn Tagliabue, der die ganze Zeit still und verbittert in der Ecke gesessen hatte. Ray und Nemo gingen hoch, ohne Rinaldo eines Blickes zu würdigen, der hinter den Carabinieri auf die Piazza trat.

Das Volk draußen hatte nach dem Absingen der diversen, mühsam einstudierten Lieder, sich auf Kurzformeln geeinigt, die auf Fernsehbildung schließen ließen. Sie gröhlten »Siamo stufi dei muppets«, was bald zu »stupi – mupi« verballhornt, dafür aber endlos wiederholt wurde. Als Bea, jetzt nur noch – oder wieder Signora Delle Delizie, über die Piazza auf das Hotel zuschritt, riefen sie: »Miss Piggie – stupi mupi – piggie!«

Bea beschleunigte ihre Schritte. Ihr war der Auftritt ihres Rinaldos zu Ohren gekommen, daß er dem Regisseur schmählich in den Rücken gefallen sei, und damit auch der letzten Chance, ›Stupor Mundi‹ für Alfia und Jesi zu retten. Als er von den Carabinieri begleitet aus der Hoteltür trat, verstellte sie ihm zornbebend den Weg und spuckte ihm vor die Füße. »Traditore!« schmetterte sie. Die Meute johlte, und sie drehte sich um und ging ab.

Erst Mia, jetzt er selbst. ›Stupor Mundi‹ sollte geschlachtet werden, das Herz sollte aus dem noch zuckenden, warmen Leib gerissen werden. Die Metzgergesellen mit ihren blutigen Gummischürzen standen schon bereit. Sie hatten die törichten, kalten, sturen, grauen Gesichter von Franck & Co, doch sie warteten wohl noch auf ein Signal vom Meister. Elektrozange an den Brustkorb, Bolzen vor die Stirn und dann der rasche Schnitt. Mia war schon ausgeblutet, ausgenommen, Kopf nach unten, eine Kette um die Fesseln, entschwebte ihr geöffneter Leib in einen dunklen Himmel, der von Wetterleuchten zuckend immer wieder erhellt wurde. Das Herz taten die Metzgergesellen in ein Glas. Geschenk an den Meister.

Elgaine, die Herrin über Kostüme und Ausstattung, hatte erst den Lastwagen mit seiner kostbaren Fracht auf den Weg geschickt, an eine Adresse, die nur sie kannte, dann hatte sie dafür gesorgt, daß der unglückselige Berghstroem aus den Turbulenzen herauskam, und damit war für sie in Jesi nichts mehr zu tun. Die Coeurdever hatte sich den Abschluß ihrer kreativen Tätigkeit für ›Stupor Mundi‹ anders vorgestellt. Sie war auch noch längst nicht gewillt, das Handtuch zu werfen. Den Mächten, die sich da ins Spiel gemischt hatten, fühlte sich eine Elgaine Coeurdever gewachsen. Es war jetzt nur wichtig, reaktionsschnell auf alle weiteren Entwicklungen einzugehen. Das konnte sie nur, wenn sie sich frei bewegen konnte. Der gute Berghstroem hatte zwar wie ein Verlierer ausgesehen, wie er so traurig in den Rettungskorb gestiegen war, aber er war auch ein Stehaufmännchen. Sämtliche anderen Herren am Spieltisch kannte sie, konnte sie um den Finger wickeln, ihnen in die Karten schauen. Schon deswegen sollte keiner versuchen sie auszubluffen.

Elgaine Coeurdever ließ sich nicht abhängen. An der Rezeption hatte sie sich von Jakob, dem Henker und arbeitslosen

Podestà, wortreich über alles Vorgefallene informieren lassen, sich dafür auch herzlich bedankt und ihm versichert, daß sie dem Gebot der Ordnungsmacht natürlich Folge leisten werde und sich für ein Verhör bereithalte. Sie waren zusammen im Lift hochgefahren.

In ihrer Suite angekommen, packte sie sofort ihre Koffer, schaffte sie auf Zehenspitzen in den Lastenaufzug, dessen Tür sie blockierte. Wie richtig, kam es ihr, hatte sie doch gehandelt, sämtliche Kostüme sofort nach dem Orkan auf einen Lastwagen laden zu lassen und den schon Richtung Deutschland loszuschicken, und zwar an eine Adresse, die nur ihr bekannt war. Die Gewänder und Roben waren Gold wert, weitaus mehr als ihr als Schöpferin noch an Honorar zustand. Bereits im Mantel und mit ihrer letzten Tasche fuhr sie ihr Gepäck nach unten in die Tiefgarage und verstaute alles im Jaguar. Sie setzte sich hinter das Steuer. Ohne Licht fuhr sie langsam die Rampe hoch. Als sie den ›Streikposten‹ vor der Ausfahrt erblickte, schaltete sie das Fernlicht ein und brauste auf die Gruppe los, die erschrocken und geblendet zur Seite sprang. Der Jaguar fegte über die sich leerende Piazza und entschwand aus Jesi.

Der Hauptauslaß aus dem unterirdischen Labyrinth des ›Dunes‹ befand sich in einer anderen Grotte und war so konstruiert, daß die Gäste unwiderruflich ins Freie befördert wurden. Die stählerne Schwingtür öffnete sich nach außen, und die drei Serafinis, Arm in Arm mit Franck & Co, wankten hinaus, sich gegenseitig abstützend, denn auch das Videoteam hatte gehörige Schlagseite.

»Gebt zu«, grölte Wolff lachend, »daß ihr geschlagen seid. Ich könnte noch stundenlang weiter —«

»Keinen Tropfen mehr!« wies ihn sein Chef zurecht, der als einziger sich einigermaßen aufrechthielt. »Wir gehen jetzt zu Bett und morgen früh—«

Da trat hinter ihnen Don Pepe, Patron des ›Dunes‹ aus dem Tor, gefolgt von zwei Kellnern.

»Einen Abschiedstrunk auf meine lieben Gäste!« sagte er mit dem schmalzigen Pathos seines Animiergewerbes. »Ein kleiner Nightcup aufs Haus!«

Dem mochte keiner widerstehen. Don Pepe gab den Bediensteten einen Wink. Der eine balancierte schon sieben vorbereitete große Schwenker auf silbernem Tablett, bereits mit einer rubinroten, ins Violette changierenden Flüssigkeit zwei Finger hoch angefüllt. Der andere ließ jetzt den Champagner knallen und goß jedes der Gläser auf, daß es schäumte.

Hettrich wollte sich gleich einen Drink vom Tablett nehmen, aber Don Pepe Salò verwies es ihm mit ausgesuchter Höflichkeit. »Erlauben Sie mir, in meiner bescheidenen Rolle als Ihr Gastgeber, daß ich Sie persönlich bediene.«

Er griff jedes Glas einzeln und reichte es jedem. »Mit Verlaub«, »Wohl bekomm's« und »Auf die werte Gesundheit.« Als alle ihren Drink in der Hand hielten, rief er fröhlich: »Wir trinken ›ex‹! Auguri!« Und da keiner ihm nachstehen wollte, taten es ihm alle gleich.

»Poh!« rief Wolff. »Ein Höllen-Cocktail, aber Spitze!« Auch die anderen schnalzten, wenn auch schnaufend.

»Una miscela mortale«, keuchte anerkennend Tony Hilton. »Das ist wohl der Flachleger des Hauses?«

»Eher der Rausschmeißer!« sagte sein Bruder Ed grinsend. »Schmeckt nach mehr.«

»Kommt nicht in Frage«, sagte Mark. »Unsere Gäste wollen ihr Hotelzimmer nicht auf allen vieren erreichen −«

»Dieser Cocktail ist meine eigene Kreation«, plauderte Don Pepe aufgeräumt. »Wir haben ihn ›Dunes-Imperial Brut‹ getauft. Er steht nicht auf der Karte.«

»Brutal!« rief Hettrich aufgekratzt. »Ein echter Killer!« Dann besann er sich und schlug Don Pepe kumpelhaft auf die Schulter. »Habt ihr nicht ein sicheres Plätzchen für unseren Volvo«, grinste er. »Ich meine einen verschwiegenen Ort, wo man nicht gleich über ihn stolpert − du verstehst schon −?«

Der Herr des ›Dunes‹ lächelte fein. »Wo man kein Nummernschild identifizieren kann, weder vom Hubschrauber aus, noch von einem zufällig vorbeikommenden Streifenwagen −«

Er hatte das weder ironisch noch als Frage formuliert. Schon zog er sein Handy aus der Innentasche des Jackets und tippte eine Code-Nummer ein. Direkt neben ihnen in der Grotte fuhr ein Teil der Wand zur Seite und legte eine Höhle frei, groß genug, um einen Lastzug aufzunehmen. Gleichzeitig traten die beiden Parkplatzwächter aus dem Dunkel der Nacht in die schwach erhellte Grotte.

»Weckt den Fahrer des Volvos«, wies Don Pepe seine Leute an. »Er soll den Wagen herbringen.«

»In die Heia mit dem Schwedenpanzer!« prustete Wolff. »Darauf müssen wir noch einen trinken!« Er schaute den Don herausfordernd an, doch der hatte schon Weisung erteilt.

»Diesmal für acht! — Euer vierter Mann!« wandte er sich erläuternd an Franck, der wenig begeistert schien.

Die Kellner entschwanden mit den eingesammelten Gläsern und der leeren Flasche, dafür tauchten am Eingang der Grotte die abgeblendeten Lichter des Volvos auf. Die Parkwächter dirigierten Galinsky in die Höhle. Er stieg verschlafen aus und trat torkelig in den Kreis der Versammelten. Inzwischen wirkten alle ganz munter, wenn sie auch immer noch schwankten und ihre Stimmen unsicher klangen, aber nicht etwa lallten.

»Gleich bekommst du was zu schlucken!« tröstete ihn Hettrich, und da kamen auch schon die Kellner zurück, die Schwenker neu mit der roten Flüssigkeit aufgefüllt. Der Don öffnete diesmal eigenhändig die Champagnerflasche, ließ den Korken zur Decke der Höhle knallen und schenkte ein. Feierlich verteilte er die Schwenker an die um den Volvo Stehenden.

»Es ist mir eine Ehre und besonderer Genuß«, sagte er, sich vor jedem leicht verneigend, »auf die Gesundheit der Herrschaften trinken zu dürfen!«

»Ex und hopp!« rief Wolff und stürzte den Inhalt seines Glases hinunter, auch Hettrich goß es sich hinein wie ein kühles Bier, nur Galinsky nippte und sagte: »Das schmeckt aber scharf!«

»Memme!« sagte Franck, der bislang gezögert hatte, eigentlich willens, nicht mehr zu trinken. Dann aber hatte er den verächtlichen Blick von Mark Serafini auf sich gerichtet gesehen und sein Glas bis auf den Grund geleert.

Galinsky überwand seinen Widerwillen und begann auch zu trinken, als Wolff ihn plötzlich stieren Blicks anstarrte, die Augen quollen ihm fast aus dem Kopf, sein Mund öffnete sich zum Schrei, aber nur ein Röcheln kam hervor. Er klappte zusammen wie ein Taschenmesser und fiel dann vornüber, mit dem Gesicht auf den Betonboden der Höhle.

»Verrat!« keuchte jetzt auch Hettrich, weil er noch sah, wie sich die Seitenwand aus dem Fels schob und die Höhle nach außen hin abschloß. Er versuchte sich an Franck festzuhalten, der sich gegen den Volvo lehnte und stöhnte.

Galinsky ließ sein halbausgetrunkenes Glas fallen und schleppte sich wie ein waidwundes Tier in die hinterste Ecke, wo er zusammengekauert hockenblieb. Der Don war schon beim Sturz von Wolff zurückgetreten wie ein Matador, der weiß, daß er den tödlichen Stich angebracht hat und jetzt den Stier zu seinen Füßen verenden sehen will. Seinen Blick auf Franck und Hettrich geheftet, hielt er mit abgewinkelten Armen die Serafinis zurück, die allerdings auch kein Verlangen verspürten, der Exekution aus noch größerer Nähe beizuwohnen. Die Parkwächter und die beiden Kellner standen bei dem Schiebetor und schauten dem Vorgang unbeteiligt zu.

Francks Kraft reichte schnell nicht mehr aus, den Körper seines Kumpanen zu halten. Hettrich rutschte, Mund und Nase gegen die Scheibe gepreßt und verzerrt, langsam zu Boden und blieb zu Füßen seines Chefs liegen. Franck hatte Schaum vor dem Mund, aber er hielt sich noch, dann schrie er auf, wollte sich auf den immer näher kommenden Don werfen, doch versagten ihm die Beine, er knallte mit dem Hinterkopf auf die Motorhaube und fiel dann wie ein nasser Sack.

Einen Augenblick herrschte in der Höhle die respektvolle Ruhe, die sich nahezu jeder Todesfall zu verschaffen weiß. Dadurch war das Wimmern des kleinen Galinsky besonders deutlich zu vernehmen.

»Sollen wir ihn — ?« fragte sachlich einer der Parkwächter.

»Schafft ihn her«, befahl Don Pepe. »Abfüllen könnt ihr ihn später. Ich will ihm noch Gelegenheit geben, sein Gewissen zu erleichtern.«

Die beiden gingen um den Volvo herum in die dunkle Ecke. Das Wimmern hatte aufgehört.

»Er hat gekniffen, Don Pepe« rief einer.

Das Mienenspiel des Bosses verriet nur kurz den Ärger, daß etwas nicht ganz so gelaufen war, wie er es gewünscht hatte.

»Packt ihn zu den andern —« und zu Mark Sheraton gewandt: »Sie hatten den Tod doppelt verdient. Einmal mag ich nicht leiden, daß Gäste, die uns besuchen, auf dem Heimweg belästigt werden, ausgeraubt, vergewaltigt, ermordet — und dann noch in unmittelbarer Nähe des ›Dunes‹. Das macht sich nicht gut und ist zu bestrafen.« Der Don räusperte sich. »Der andere Grund ist ein Geschäftsprinzip: Die Herren hier«, er wies mit der Spitze seines Schuhs auf die leblosen Körper, zu denen jetzt die Parkwächter den an seinen Füßen und unter den Achseln mehr herbeigeschleiften als getragenen Galinsky legten, »haben bei uns für den Export eingekauft. Eine solide Menge mit entsprechendem Rabatt.«

Don Pepe wiegte bedauernd sein Haupt. »Wir mußten in Erfahrung bringen, daß sie sich bereits in Jesi als Wiederverkäufer betätigt haben — zu völlig irregulären Preisen. Das kann nicht geduldet werden und ist allein schon Grund genug —«

Mark Sheraton hatte sich Mühe gegeben, seine Ungeduld zu zügeln. »Ihr habt unsere Hochachtung, Don Pepe«, sagte er. »Eure Vermutung war goldrichtig, wie das Dunhill beweist. Nur hätten wir gern gewußt, *warum* die Kerle Mia umgebracht —«

Da schlug der auf dem Rücken liegende Galinsky die Augen auf. Nicht einmal angstvoll, sondern wie in Trance flüsterte er leise: »Jeremy — ich wollte es nicht, ich habe ihn im Gebüsch gesehen — Sie wollten ihn schlachten —«

»Was redest du da?« Tony Hilton kniete bei dem Jungen nieder, um ihn besser zu verstehen. Auch der Don war näher getreten.

»Warum das Kind?« bohrte Tony. »Wieso schlachten? Warum?«

»Er war der Kaiser, der Kaiser mußt' es sein!«

»Aber warum Mia?«

Galinsky drohte wieder wegzutreten, dabei war förmlich zu spüren, wie sein absterbendes Gehirn mit seiner Zunge, seinen Lippen rang, um die richtigen Worte zu formulieren.

»Sie hatte doch alle gesehen..., sie mußte... Es sollte wie, wie ein Ritual wirken...« Er brachte den Satz nicht zu Ende, Tony fühlte seinen Puls und hob die Augenlider leicht an, die Pupillen blickten starr.

»Der ist hin«, sagte Ed.

»Wieso sagt der alle«, murmelte Mark, »und nicht uns?«

»Ritual?« unterbrach ihn Tony ungläubig. Er ließ die erschlaffte Hand fallen und erhob sich. »Hättest du diesen ›burini‹ soviel Phantasie zugetraut?«

Don Pepe ließ sich seine Skepsis anmerken.

»Das stimmt erstaunlich mit dem Gutachten des Psychologen überein, den die Kriminalpolizei hinzugezogen hat. Die Schnitte, das herausgeschnittene Herz, deuteten auf rituelles Töten hin, auf was Religiöses, schwarze Magie oder so — ich hab's nicht glauben wollen«, sagte der Don leicht erschüttert in seinem Weltbild. »Ich versteh's auch jetzt nicht so recht.«

»Ich sehe es so«, sagte Mark, bemüht den Don nicht zu düpieren. »Sie wollten es mit dem Kind machen, Mia hat das irgendwie kapiert, ist mit dem Kind geflohen, wollte es retten, und weil sie ihr Ziel nicht erreichen konnten, haben sie ihr Mütchen an Mia gekühlt.«

»Die Schweinepriester haben sie eiskalt geschlachtet«, fügte Ed hinzu.

»Diesen blöden Hirnen kann eine solche Idee nicht gekommen sein«, wies ihn der Don zurecht.

»Aber warum?« rief Tony »Warum das alles?«

»Sie waren ein Sabotagetrupp«, sagte der Don. »Sie sollten ›Stupor Mundi‹ torpedieren —«

»Fragt sich nur, in wessen Auftrag?« sinnierte Mark Sheraton.

»Das fragst du dich noch?« meinte Don Pepe, und nur Tony Hilton fühlte sich bemüßigt hinzuzufügen: »Ein pezzo da novanta, ein Haifisch«, was ihm ein dünnes, verächtliches Lächeln einbrachte.

»Es wird keine Spuren geben«, sagte Don Pepe ruhig. »Geht euch jetzt ausruhen, eure Ausweise findet ihr beim Nachtportier, die Zimmer gehen auf mich. Das fremde Gepäck lasse ich abholen. Noch einen Schluck Champagner?«

»Nein, vielen Dank«, sagte Mark. Die Schiebetür öffnete sich. Beim Hinausgehen drehte er sich noch einmal um. »Il nostro rispetto, Don Pepe«, sagte er und deutete ein Verneigen an, seine beiden Brüder desgleichen. Sie schritten durch die Grotte in die Nacht hinaus.

»Wir sollten Emanuele in seinem Körbchen wecken«, sagte Tony. »Wenn er wach geworden ist, wird er vor Angst gestorben sein —«

»Oder sich zu Tode geschwitzt haben«, feixte Ed. »Er kann sich im Hotel frisch machen —«

»Nein«, sagte Mark leise. »Niemand darf ihn sehen, auf dem Parkplatz sind die Wächter, im Hotel der Nachtportier. Wir müssen den Korb mit aufs Zimmer nehmen —«

»Ach«, seufzte Tony, »dann lassen wir die dicke Emmy doch lieber schlafen.«

»Nein«, sagte Mark noch mal sehr bestimmt. »Ich muß mit ihm reden. Also schafft ihn ins Hotel! Man kann mit dem Wagen bis vor den Eingang fahren.«

Die drei waren über den Parkplatz bis kurz vor das Agip-Motel gelangt. Es wehte immer noch ein stark böiger Wind aus Südwest. Mark Sheraton ging straffen Schritts voraus.

»Ich beschäftige den Portier —«

Tony Hilton und Ed Hyatt standen bei ihrem Lieferwagen und sahen, daß jemand die Nummernschilder abmontiert hatte.

»Das war einer von denen —« rief Ed aufgeregt.

»Franck & Co?«

»Ich wette, wir finden die Schilder in deren Gepäck —«

»Oder im Volvo«, sagte Tony. »Der kleine Galinsky hat nicht geschlafen —«

»Aber er hat immerhin Jeremy nicht ans Messer geliefert.«

»Dafür aber uns«, knurrte Tony. »Die wären heute Nacht noch mit unseren Ausweisen durch alle Straßensperren . . . Wir lassen den Lieferwagen einfach irgendwo stehen. Er ist eh geliehen — von der Produktion.«

»Das stecken wir aber dem Emanuele nicht«, lachte Ed jetzt. »Morgen früh muß der nicht mehr getragen werden. Der kann schön mit uns im Alfa sitzen.«

Sie stiegen ein und fuhren bis vor die Hoteltür.

In Jesi verließen Ray Maulman und Nemo die Kaserne der Carabinieri. Sie waren bis jetzt verhört worden.

»Das Ganze kommt mir wie ein teuflisches Komplott vor«, sagte Ray zu dem Barden der Deutschen. »Franck, Wolff, Hettrich wie schwarze Engel, die eigentlich nur hergekommen waren, um Unheil zu stiften — ausgerechnet die armen Würmer als Opfer! Sie müssen denen das letzte Geld abgenommen haben für die Todesspritze —«

»Der Haß sitzt so abgrundtief, daß sie sich wie Druiden, wie Hohepriester fühlen mit göttlichem Recht zu töten, was ihnen fremd daherkommt«, sinnierte Nemo.

»Und der kleine Galinsky?«

»Pimpf! Bewährungshelfer.«

»Und wer steckt dahinter?« wollte Ray Maulman wissen. »Meine Herkunft kann denen ja auch nicht grün sein — ?«

»Pervers genügt schon!« lachte Nemo. »Dahinter steckt Kapital aus der Wirtschaft, das ist für solche werterhaltenden Ideen gern zu haben. Zucht und Tugend, Ordnung und Fleiß!

»Ich meine, wessen Hirn so etwas ausbrütet —« Ray fand es nicht so komisch, »und lenkt?«

»Die Monster sind überall«, Nemo gab sich keine Mühe, ihn zu trösten. »Wahrscheinlich schon auf dem Mond —«

»Ich will nicht mit den Wölfen heulen!«

»Wie ich, willst du sagen?«

Ray antwortete nicht, sondern schlang seine Arme um den Hals des blonden Recken. Nemo sagte:

»Ach Ray, solange sie mein Geheul für ihr deutsches Liedgut halten und mich für einen der ihren und das noch fürstlich lohnen, kannst du dich an meiner Seite sicher fühlen —«

Er küßte Ray auf den Mund.

Kapitel XVI

DER STERN

»PUER APULIAE«
ABSCHIEDSLIED DER KAISERIN FÜR IHREN SOHN

Wohin du auch gehst, mein Prinz, mein Sohn,
mein schwach's Herz bleibt immer dein,
Puer Apuliae.
Was dir auch je beschieden schon,
für mich bleibst du immer mein
Puer Apuliae.

So wart' ich auf dich im sonn'gen Schloß,
hüt für dich die eisern Kron,
Puer Apuliae.
Leid soll mich nicht raff'n hin, bis mein Schoß
darf halt'n dich, nun König schon,
Puer Apuliae.

Und mußt einst tragen die Ehr, die Last
der Kaiserkron, werd' ich nicht mehr sein,
Puer Apuliae.
Dir gehört dann die Welt, doch niemand hast,
der dich liebt wie ich ewig, mein
Puer Apuliae.

Es ist ein Wiegenlied voll großer Mutterliebe, die sich der
Staatsräson unterwerfen muß. Alle schweigen, viele weinen,
da springt Rinaldo vor und dirigiert alle Anwesenden zur

In einem Hotelzimmer des Agip-Motels saß der der Kiste entstiegene Manuel J. Berghstroem auf dem Bett des ältesten der Serafinis. Sein Anzug war zerknittert, und so fühlte er sich auch. Mark Sheraton stand am Waschbecken und rasierte sich. Der unglückliche Producer neidete ihm die Naßrasur ebenso wie das frische Hemd, das neben ihm bereitlag. Er schaute mißmutig auf seine Zahnbürste, die blöd aus seiner Brusttasche ragte.

»Für etwas von deiner ›Pasta del Capitano‹ wäre ich dir sehr verbunden, Mark«, nörgelte er. »Ich kann mich sonst nicht so landfein machen —«

»Sei froh, Alter«, murmelte Mark auf seine altmodische Klinge konzentriert, »daß dir dies noch vergönnt.« Er schlug den überflüssigen Schaum unter dem laufenden Wasser ab. »Wenn es nach Don Pepe ginge, würdest du das Schicksal der Videotruppe teilen, aber vorher hätte er dich noch an den Füßen aufgehängt, so sauer ist der wegen des vermasselten Geschäfts!«

»Ich? Was hab' ich mir denn zuschulden kommen lassen?«

»Du hast den Floh ›Stupor Mundi‹ in sein Ohr gesetzt. Er hat bereits Reisebusse geordert, um die Touristen allabendlich von Rimini und Riccione nach Jesi zu karren, Eintrittskarten und Essen in seinen Restaurants inbegriffen — und danach noch ins ›Dunes‹!«

»Hab' ich ihm nie —!« empörte sich Berghstroem. »Kein Wort, geschweige denn ein Angebot!« Dabei fiel ihm siedendheiß ein, daß er sehr wohl ein Marketing-Abkommen mit Don Pepe getroffen hatte, sogar schriftlich! Verdammt! Und das Konto ›Pro Jesi‹?

»Das war auch nicht gefragt«, sagte Mark gedehnt und wusch sich die Schaumreste vom Kinn. »Er hat damit gerechnet, und du hast ihm einen Strich durch die Rechnung gemacht!«

»Der Sturm —«

»Nein«, sagte Mark, »die Pleite, das Versagen. Dafür hat er uns beauftragt, dir deine Eier in den Mund zu stopfen.«

Er beobachtete jetzt die Wirkung seiner Worte im Spiegel, der ihm das Gesicht des Producers zeigte. Berghstroem zuckte mit keiner Miene, nicht einmal als Mark jetzt das Rasiermesser sorgfältig im Handtuch abwischte, daß die Klinge im Licht der Neonröhre matt aufblitzte.

»Und warum tust du nicht, wie dir geheißen?« sagte Berghstroem und stand langsam auf.

»Reg dich ab«, beruhigte ihn Mark. »Wenn ich es gewollt hätte, lägen von dir schätzungsweise 140 Kilogramm im Korb, und lediglich dein Kopf würde Don Pepe erfreuen. Also setz dich wieder!«

»Ich will mir die Zähne putzen«, sagte Berghstroem. »Ich hab' so 'n Geschmack im Mund.«

»Bedien dich«, sagte Mark. »Du mußt noch mal in die Kiste, damit dich der Boß nicht sieht.«

»Ich denke nicht daran«, sagte Berghstroem und begann zu bürsten. »Sag mir lieber, weswegen du dich so unbotmäßig verhältst?«

Mark streifte das frische Hemd über seinen muskulösen Oberkörper, der selbst im Winter nichts an seiner Bräune verloren hatte.

»Die Sachlage hat sich insofern geändert, als die Serafinis nicht vereinbarungsgemäß bezahlt worden sind. ›Stupor Mundi‹ schuldet uns Geld —«

»Warum nimmst du nicht einen rückständigen Lohn von dem, was Franck & Co aus der Kasse gegriffen haben?«

Mark sah ihn erstaunt an. »Wir greifen nicht in fremde Taschen, schon gar nicht, wenn die Besitzer kalt sind, und erst recht nicht, wenn das Geld Don Pepe gehört.« Er knöpfte das Hemd auf der Brust zu. »Hinter deinem Unternehmen, Emanuele, steht jemand, der weder dir noch deinem ›Stupor Mundi‹ wohl will. An den werden wir uns halten!«

Mark Sheraton legte jetzt sogar einen dunklen Binder an, so hatte ihn Berghstroem noch nie gesehen. Beim Knoten der Krawatte fuhr er bedächtig fort:

»Er hat es versäumt, uns unser Honorar rechtzeitig auszuhändigen, damit ist der Vertrag gebrochen. Jetzt bestimmen *wir* die Höhe unserer Forderung.«

»Du kennst Maxi Bock nicht«, sagte Berghstroem.

»Nein«, sagte Mark. »Deswegen sollst du uns ja auch zu ihm bringen.« Er warf seinen Blazer über. »Ich wecke jetzt meine Brüder. Du wartest hier. Alle weiteren Instruktionen erhältst du während der Fahrt zum Flughafen. Denn —« sagte er, die Hand schon am Türgriff, »du mußt Italien verlassen, für einige Zeit ›auf die Matratzen gehen‹, auch wenn du's auf die leichte Schulter nimmst und denkst, der alte Sheraton hat in zu vielen Mafia-Filmen mitgewirkt. Ich sage dir, hier oder in Rom bist du deines Lebens nicht mehr sicher, oder präziser: Wenn du nicht fliegst, bist du ein toter Mann! Parola di Serafini!«

Mark lächelte, ging aus dem Zimmer und zog den Schlüssel hinter sich ab.

Der Nachtportier hatte Berghstroem beim Verlassen des Hotels nicht gesehen. Er hatte mithelfen müssen, die Kiste hinunterzuschaffen, die sie in den Lieferwagen schoben, während Berghstroem in den Alfa schlüpfte. Die Serafinis hatten ihre Ausweispapiere zurückerhalten, und ein Blick in den Kofferraum bestätigte ihnen, daß Don Pepe auch sonst sein Wort gehalten hatte. Der graue Samsonite lag gleich obenauf.

In der frühen Morgendämmerung fuhren sie auf der Küstenstraße, das Meer war immer noch bewegt und der Himmel grau, bei der ersten Auffahrt waren sie auf die Autobahn gewechselt.

»Schade«, sagte Berghstroem und starrte auf die weißen Schaumkronen der Brandung, während der Horizont sich erst violett, dann rot verfärbte, das nahe Aufgehen der Sonne über der Adria verkündend. »Wir haben einfach Pech gehabt.« Er zündete sich eine Zigarette an. »Das ist aber noch längst kein Grund für den Don Pepe, sich so —«

»Er hat den Transport für sich beansprucht — und nun ist da nichts, kein Sommerurlauber besucht das Nest Jesi in den Marken, nur weil da vor 800 Jahren ein Kaiser zur Welt kam! Don Pepe hat sein Gesicht zwar nicht verloren, aber ein Kratzer —« Mark, der vorne auf dem Beifahrersitz saß, drehte sich um »— das reicht!«

»›Stupor Mundi‹ ist ja noch nicht völlig untergegangen. Vielleicht kommen wir nächstes Jahr wieder —«

»Besser nicht!« knurrte Tony Hilton, der neben Berghstroem döste, und sein älterer Bruder fuhr fort:

»Es ist ja nicht er allein. Don Achille hat in zwei Hotels investiert, die Marchesa hat unter Vorlage uralter Katasterblätter das Anrecht der Familie Costa-Pelicosi auf die gesamte Piazza geltend gemacht, die ihr — bei eingeräumtem Verkehrsrecht — in städtischer Erbpacht für 99 Jahre überlassen ist, womit sie aber bei jedweder kommerziellen Nutzung die Hand aufhalten kann. Dem ihr bei dieser dubiosen Aktion äußerst hilfreichen Don Pasquale hat sie bereits eine ansehnliche Stiftung vermacht. Der Apotheker hat seinen Laden an Signor Delle Delizie verkauft, der sich schon eine Lizenz beschafft hat, dort eine Pizzeria zu eröffnen und, und, und —« endete Mark seine Aufzählung.

»Da habt ihr schön was angerichtet«, sagte Ed, ohne den Blick von der Straße zu lassen. »Und du wunderst dich noch, daß dir Jesi kein Denkmal hinstellt? Der einzige, der dich in guter Erinnerung behalten wird, ist der Bankdirektor, trotz der von euch hinterlassenen Schulden. Nur von den Zinsen der aufgenommenen Gelder könnten die Geschädigten auf Jahre hinaus ein ganzes Kommando, eine Schwadron anheuern, die dir im glimpflichsten Fall mit einer Eisenstange Arme und Beine bricht oder dir in die Knie schießt und die Nase abschneidet!«

»Ich verstehe«, sagte Berghstroem. »Wir haben es falsch gemacht. Wir hätten erst Jesi und Umgebung aufkaufen sollen, bevor wir mit den Proben beginnen.«

»Ja«, sagte Tony. »Du hättest vorher mit uns reden sollen.«

»Schwamm drüber«, sagte Mark. »Wir sind gleich da. Emanuele holt jetzt die Kastanien aus dem Feuer!« Er nickte dem Producer aufmunternd zu.

Vor ihnen lag zur rechten Hand die Abfertigungshalle des Airports und zur Linken das Jolly-Hotel. Berghstroem kannte es, dort hatte er — war das erst gestern gewesen? — Tilde Carson abgefangen. Vor dem Hoteleingang stand der Jaguar von Elgaine Coeurdever.

Sie parkten den Alfa auf dem Parkplatz vor dem Flughafen und gingen zu Fuß zum Jolly hinüber. Die Serafinis setzten sich in die Halle an die Bar, wo ein Fernseher das Frühstücksmagazin ausstrahlte, und Manuel J. Berghstroem ließ sich an der Rezeption die Nummer im Haus von Maximilian F. Bock geben. Damit kannte er Stockwerk und Zimmer. Er fingierte in der

Telefonkabine bei offener Tür den Anruf, sagte gestreßt »Ich komme rauf« und schritt zum Lift, ohne von jemandem aufgehalten zu werden.

In den Morgennachrichten des lokalen Fernsehens kam ein lakonischer Bericht über die letzten Auswirkungen des durchgezogenen Wirbelstrums. Das Bild zeigte Überschwemmungen und weggespülte Straßen an der Küste, entwurzelte Bäume und demolierte Boote. Der Sprecher verlas die Schadensmeldungen.

… Vier deutsche Touristen, die trotz der Sperrung die alte Uferstraße benutzt haben, wurden mit ihrem Fahrzeug ein Opfer der Sturmflut, die den Volvo ins Meer gerissen haben muß. Sie konnten sich nicht retten. Der Fahrer ist eingeklemmt im umgestürzten Wagen ertrunken, die Leichen der anderen wurden unweit der Unfallstätte am Strand angetrieben gefunden. Die Polizei ermittelt …«

Maximilian F. Bock auf Zimmer 417/418 schaute nicht fern. Er saß in seinem Rollstuhl hinter dem Schreibtisch, den das Jolly ihm in die Suite gestellt hatte, und sagte, den Hörer auflegend, nervös zu Elgaine: »Ich versteh' gar nicht, wo die Kerle bleiben?«

Die Coeurdever stand im Mantel vor ihm und wiederholte schnippisch. »Sie sind vor mir losgefahren. Wahrscheinlich sind sie versackt.«

Maximilian F. Bock reagierte unwirsch. »Ich habe gerade mit der Diskothek telephoniert, dort waren sie nur auf Stippvisite. Sie seien stocknüchtern in ihr Auto gestiegen — was soll die Direktion auch anderes sagen!« lachte er bitter.

»Sie werden ihren Rausch in einem Hotel ausschlafen, Boß«, wagte einer der beiden Pfleger einzuwenden, der hinter ihm stand, bereit, das Gefährt seines Meisters auf Wink in die gewünschte Richtung zu rollen. Der andere stand mit verschränkten Armen an der Tür. »Sollen wir nachforschen?«

»Ihr könnt nicht alle Absteigen entlang der Küste abfragen!« grollte Bock, und Elgaine ging um den Tisch herum und legte beruhigend ihre Hand auf seinen Arm. Das war das Bild, das sich Manuel Berghstroem bot, als er, ohne anzuklopfen, die Tür öffnete und im Zimmer stand, bevor der Gorilla überhaupt reagieren konnte, und jetzt sagte Bock resigniert: »Laß ihn.«

»Tach, Maxi!« sagte Berghstroem und dann; »Halloh, Elgaine.«

Er blieb vor dem Tisch stehen.

»Was willst du?« sagte Maxi unfreundlich.

»Wissen, was gespielt wird — was für ein Spiel *du* spielst!« Der Finanzier schaute ihn erstaunt an, dann sagte er bösartig;

»Wäre es nicht angebracht, du würdest mir Rechenschaft ablegen über den Verbleib der Gelder?«

»Der Sturm hat sie davongeweht, in alle vier Himmelsrichtungen, deine Lappen!«

Maxis Contenance hatte vor Elgaine zu bestehen, die seinem Werben noch längst nicht nachgegeben hatte. Berghstroem hatte sich von ›seiner Inka-Prinzessin‹ freigeschwommen, er mußte keine gute Figur machen, wohl aber dem anderen die Tour vermasseln.

»Du hast mal wieder eine Pleite gebaut, Jonathan«, sagte Maxi mit der Fürsorglichkeit eines Freundes, so hörte es sich jedenfalls an. »Du hast als Producer nichts als Scheiße gebaut. Nicht der Sturm, der nur die Schleier wegriß, hinter denen du dein totales Unvermögen verbirgst, er blies die Tür vom Scheißhaus weg, auf dem du jetzt mit nacktem Arsch hockst und auch noch die Chuzpe hast, um Papier zu jammern, damit du dir deinen dicken Hintern abwischen kannst! Nee, mein Lieber, nicht mit mir!«

Berghstroem lächelte, die Vulgarität war Schwäche, und er sagte: »Das habe ich gespürt, daß du mir nicht beistehen wolltest, sondern mich reinreiten, verderben. Warum das ganze Theater?«

»›Stupor Mundi‹ ist als Idee ein großer Wurf, genial und dazu bestimmt, etwas Großes zu werden —« Maximilian F. Bock tätschelte die Hand Elgaines auf seinem Arm, die es vermied Berghstroem anzuschauen. »— nur nicht in deinen Händen, Jonathan. Freiwillig hättest du es nicht hergegeben, also mußte ich dir die Hände erst mal abhacken —«

»Und hast dabei in deinem Wahn das Stück zerstört —«

»›Stupor Mundi‹ ist nicht zerstört, nur du«, er begann seinen Sieg zu genießen. »Ich besitze die Rechte, die Aufzeichnung der Proben, die Kostüme —«

Er triumphiert, dachte Berghstroem, dem es wie Schuppen von den Augen fiel. So kann kein Sieger aussehen.

»Du sagst ja nichts, Jonathan. Hat es dir die Sprache verschlagen?«

»Ja, Maxi«, sagte Berghstroem »ich beginne von dir zu lernen. Ich werde so verschlagen, daß ich schweige. Oder willst du von mir hören, daß du unser Unternehmen wahrscheinlich fabelhaft versichert hast, daß sein Ruin schon einen Reibach darstellt, wenn du nicht sowieso alle Ausgaben steuergünstig abschreiben konntest?«

»Das ist noch längst nicht alles, mein Freund«, Maxi grinste. »Du hast alle schlafenden Hunde, Löwen sind es nicht, in und um Jesi geweckt, gereizt, und sie schnappten zu. Jetzt hocken sie auf ihren Fehlinvestitionen, und ich kaufe sie ihnen ab.« Er lachte roh. »Da du schon so gut wie verschwunden bist, sage ich dir auch, wer das für mich erledigt, als unverdächtige, äußerst ehrenwerte Strohfrau —« Elgaine, dachte Berghstroem, und es gab ihm doch einen Stich.

»Die reizende Marchesa Fulvia«, ließ der Finanzier die Katze aus dem Sack. »Die alte Dame will mir ihr Hotel samt Piazza überlassen —«

»Das freut mich«, sagte Berghstroem. »Ich hoffe, daß du ›Stupor Mundi‹ groß herausbringst, denn von jeder Aufführung samt Auswertung der Nebenrechte, stehen mir 25 Prozent zu. Davon kann ich gut leben —«

»Du hast unseren Vertrag nicht sorgfältig gelesen, Jonathan«, sagte Maxi bedauernd. »Er setzte voraus, daß du das Stück innerhalb einer limitierten Zeit bis zur Aufführungsreife entwickelst. Das hast du nicht geschafft, die verbleibende Zeit reicht nun nicht mehr —«

»Du hast den Vertrag vielleicht gründlich gelesen, aber ihn in einem Punkt nicht verstanden, Maxi! Du magst mir jetzt vielleicht die 25 % Gewinnbeteiligung streitig machen, daß ändert aber nichts daran, daß mein Copyright nicht unter die von dir beanspruchten Nutzungsrechte fällt. Damit scheiße ich dir vor die Füße, und womit ich mir den Arsch abwische, wirst du dann schon sehen! Servus, Maxi!« Er wandte sich zum Gehen.

»Verschwinde!« brüllte Maxi.

»Ich gehe«, grinste Berghstroem ungerührt. Er hatte die Hand schon auf der Klinke.

»Wohin denn?« Maxi war verunsichert.

»Aufs Klo«, sagte Berghstroem. »Dort häng' ich mich auf oder gebe eine letzte Pressekonferenz.«

»Geh zum Teufel!«

»Dort komm' ich gerade her«, sagte Berghstroem amüsiert und öffnete die Tür.

»Halt ihn fest!« schrie Maxi seinen Türsteher an, der die Tür wieder zudrückte.

»Willst du ihm nicht sein Ticket geben?« mahnte da Elgaine, die der Szene unbeteiligt beigewohnt hatte.

»Welches Ticket?« Maxi war entweder unwillig oder hatte tatsächlich nicht den Überblick.

»Das US-Roundtrip, das ich gekauft habe«, erinnerte ihn Elgaine, »auf deine Kreditkarte.« Ihr Lächeln glich dem einer Sphinx, wenn diese Wesen denn solche Gemütsaufwallungen kannten.

»Auch das noch!« stöhnte Maxi, aber es war gespielt. »Das hätte ich fast vergessen!« sagte er entschuldigend zur Coeurdever, zog die Schreibtischschublade auf und entnahm ihr den offensichtlich schon vorbereiteten Umschlag. »Roundtrip First Class«, grummelte er jovial. »Damit bin ich dich erst mal los!«

Er gab den Flugschein dem hinter ihm stehenden Pfleger und schickte ihn vor zu Berghstroem. Der steckte das Kuvert ein, ohne einen Blick darauf zu werfen.

»Täusch dich nicht, wie ein Straßenköter werde ich mich an deine Fersen heften und an jedes Hotel pinkeln, in dem der große Maxi F. Bock absteigt — vor laufenden Fernsehkameras werde ich über deine Machenschaften —«

»Das kannst du den Indianern in der Mojave-Wüste erzählen oder den Eskimos in Alaska, je nachdem wo du dich als Penner verkriechst!«

»Ich denke gar nicht daran, meinen Herrn und seine gefüllten Fleischtröge zu verlassen — selbst wenn dein Hautgout schon so weit fortgeschritten ist, daß du stinkst, Maxi!«

»Raus!« brüllte der Financier, fing sich dann aber wieder. »Ihr begleitet Herrn Berghstroem zum Gate«, wies er seine beiden Gorillas an. »Laßt ihn nicht aus den Augen, bis die Maschine abgehoben hat. Guten Flug!« sagte er. »Gebucht ist er schon. Der nächste nach Los Angeles. Hollywood wartet auf dich.«

»Ich sehe, du hast an alles gedacht«, sagte Berghstroem. »Hallo Elgaine, nice to have met you, wasn't it?«

Er ging, gefolgt von den beiden Aufpassern. Das hatte ja fabelhaft geklappt, freute sich Berghstroem. Er hatte das Ticket nach Amerika in der Tasche, und die beiden Gorillas gaben Pfötchen. Sie nahmen ihn in die Mitte, als sie den Lift verließen.

Tony und Ed saßen an der Bar, Mark war nicht zu sehen. Berghstroem zwinkerte ihnen zu. Kaum war er aus dem Jolly abgeführt worden, zahlten sie.

Mark Sheraton stand vor dem Glaskasten der Flughafenpolizei und gab dem diensthabenden Unteroffizier ein Autogramm. Der war alt genug, sich noch an die Glanzzeiten des Italowesterns zu entsinnen. ». . . es ist dennoch merkwürdig«, setzte er das Gespräch fort, »daß der Wagen italienische Nummernschilder trug, die für eine Mietwagenfirma angemeldet sind −«

»Wurde nach den Fahrern gefahndet?« fragte Sheraton.

»Nicht schlecht geraten, Sheriff«, sagte der Polizist. »Sie tauchten heute nacht auf der Liste auf, ausgeschrieben von Jesi, wurden aber heute morgen wieder gelöscht − höheren Ortes, noch bevor die Leichen gefunden wurden. Seitdem herrscht Funkstille, Nachrichtensperre. Ich bitte Sie −«

»Ich bin kein Reporter«, lachte Mark. »Ich bin hier in besonderer Mission, höheren Ortes.« Er hatte in der Eingangstür des Flughafens Berghstroem entdeckt, exkortiert von den beiden Gorillas. Mark Sheraton wies diskret mit dem Kinn auf sie. »Die zwei Typen rechts und links gehören zu derselben Clique wie die Gelöschten, behaltet sie im Auge, Chef!«

»Danke Sheriff!« sagte der Unteroffizier und tippte an seinen Mützenschirm.

Mark Sheraton ging schnellen Schritts Richtung ›Abflug‹. Am Gate standen bereits Berghstroem und seine beiden Begleiter an. Mark sah, wie seine Brüder mit einem Koffer sich an dem Trio vorbei vordrängelten. Der eine Gorilla beschimpfte Tony, der wurde patzig, und im Nu war eine Rangelei im Gange, in der nicht auffiel, wie Ed blitzschnell ein kleines Päckchen in die Tasche des einen Leibwächters gleiten ließ. Ade, schöner Schnee, dachte Mark. Der Boß hatte es ihnen zum Abschied zugesteckt.

Da war auch schon die Polizei zur Stelle, gleich vier Mann hoch, unter der Führung des eifrigen Unteroffiziers. »Ihre Flugscheine bitte!« Die konnte − außer Berghstroem, der unbehelligt blieb, keiner der Streitenden vorweisen.

»Kommen Sie bitte mit«, sagte der Polizist. Tony wollte seinen Koffer absetzen. »Den dürfen Sie hier nicht stehen lassen«, wies ihn ein junger Polizist zurecht. Tony schaute hilfesuchend zu seinem älteren Bruder, der zuckte die Achseln, und Tony nahm den Koffer wieder an sich. Mark sah zu, wie seine Brüder sich widerstandslos abführen ließen, während die beiden Gorillas laut, aber vergeblich schimpften. »Leibesvisitation!« hörte Mark noch die Stimme des Polizisten, bevor die Arretierten in die Station gedrängt wurden.

»Irgendwann sollten auch Sie mal Ihr Hemd wechseln, Professore Berkestrom«, sagte eine Stimme hinter dem Producer, der gerade einchecken wollte. »Geben Sie mir Ihr Ticket, wir haben noch viel Zeit«, Mark Sheraton lächelte dabei die junge Dame hinter dem Schalter an. »Ich habe mir erlaubt, dem Professore ein neues Hemd zu kaufen«, informierte er sie geschwätzig. »Kommen Sie, Professore, ich hab's draußen im Wagen.« Er hatte den Widerstrebenden unter den Arm genommen und zog ihn mit sich fort.

»Was soll das, Mark?« zischte Berghstroem. Sie sahen beide, wie jetzt Ed und Tony, von der Polizei entlassen, kofferschwenkend auf sie zukamen. »Ihr solltet euch lieber beeilen«, sagte Berghstroem. »Wer weiß, wie lange die Zitadelle unbewacht bleibt —«

»Lange!« rief Ed, der den letzten Satz gehört hatte. »Die reden sich gerade in Untersuchungshaft wegen unerlaubten Rauschgiftbesitzes!« Er lachte.

»Wartet hier«, befahl Mark, nahm Tony den Koffer ab und ließ sich anscheinend von Berghstroem umstimmen. »Sie haben recht. Wir checken jetzt erst mal ein.« Er wedelte mit dem Ticket. »Hier halten Sie mal einen Moment den Koffer!«

Er behandelt mich wie ein Kind, dachte Berghstroem. Mark Sheraton legte für ihn das Ticket vor. Die junge Dame fragte: »Wie möchte der Herr sitzen?«

»Raucher, Gang«, sagte Mark anstelle des Gefragten.

»Gepäck?«

»Nein!« rief Berghstroem patzig und ignorierte den zweifelnden Blick auf den Koffer in seiner Hand.

»Meine Brüder wollen sich noch von Ihnen verabschieden, Professore«, sagte Mark, nahm das Ticket und die Bordkarte entgegen und lächelte der jungen Dame dabei zu. Er führte Berghstroem ein paar Schritt in die Richtung.

»Ach«, rief er dann, »ich lasse Sie ja immer noch den Koffer tragen! Geben Sie her«, er nahm ihn Berghstroem aus der Hand, den Tony und Ed jetzt mit der Schilderung ihres Taschenspielertricks derart ablenkten, daß er nicht mehr auf Mark achtete.

Mark trat nochmals an den Schalter. »Der Professore ist etwas zerstreut«, vertraute er der Dame an. »Er bildete sich doch wahrhaftig ein, das schwere Ding ginge als Handgepäck durch!«

Die junge Dame versah den Koffer wortlos mit dem Gepäckstreifen und heftete den Abschnitt hinten ans Ticket.

»Vielen Dank«, sagte Mark und schaute zu, bis der Koffer auf dem Förderband verschwunden war. Dann ging er zu den anderen. Er stopfte Berghstroem die Bordkarte in die Brusttasche, drückte ihm das Ticket in die Hand, das der sofort wegsteckte.

»Danke, Mister Sheraton«, sagte Manuel und schüttelte allen Serafinis die Hand. »Ohne eure selbstlose Fürsorge wäre ich längst —«

»So selbstlos ist sie nicht«, grinste Tony.

»Dafür ist sie transkontinental«, fügte Ed hinzu.

»Sie müssen jetzt gehen!« sagte Mark. »Wir erledigen das hier schon!«

Sie winkten alle drei, bis Manuel J. Berghstroem hinter der Sicherheitskontrolle verschwunden war.

In Malpensa war er in den Jumbo umgestiegen. Berghstroem fühlte sich elend und zerschlagen. Seine Haut hatte er gerettet, aber er war ein Verlierer. Als ›Loser‹ sollte man nicht nach L. A. fliegen, überkam es ihn aus der Erinnerung an so viele Niederlagen, die er dort schon erlitten hatte — und wie frisch und voller Elan war er diese Hochburg des Showbizz stets angegangen! L. A. war knallhart, wenn man nicht oben war. Es drückte einen mit der ganzen Fresse in den Zement, wenn man Schwäche zeigte oder Pech am Bein, und es war auch nicht der feine Beton vor dem Graumans, sondern der abgelatschte rissige billiger Motels in Downtown, wo Müll zwischen Müll landete. Er flog zwar Erster Klasse und konnte die Beine hochlegen, aber seine Barschaft würde ihn gleich nach Ankunft in eine dieser Absteigen zwingen, auf ein schmuddeliges Bett, von dem aus der Blick die Wahl auf den nicht funktionierenden Ventilator hatte oder durchs Fliegengitter auf den Hinterhof. Was sollte er eigentlich in Kalifornien? Mit nichts als einer Zahnbürste. Gut, er konnte sich von dem Purser einen dieser Waschbeutel geben lassen, das war im Preis mit drin. Warum hatte er nicht auf dem angebotenen frischen Hemd bestanden, oder wenigstens Socken zum Wechseln? Er konnte sich selbst nicht leiden, klingelte nach einem Bourbon ohne Eis und war in seinem Sessel eingeschlafen, bevor ihm serviert wurde.

Manuel J. Berghstroem träumte. Die Tribünen auf der Piazza von Jesi waren gefüllt mit festlich gekleideten, erwartungsvollen Menschen. Er begrüßte in der Pause, schon im Kostüm des Beichtvaters, die eintreffenden Honoratioren, und die Marchesa Fulvia stellte ›il nostro impresario‹ dem Präsidenten der Provinzverwaltung vor, dem Direktor der Akademie der Schönen Künste aus dem nahen Bologna, dem Chef der Festspiele von Spoleto, dem Assessor für Kulturelle Angelegenheiten in den Marken, mit Sitz in Ancona und dem aus Rom herbeigeeilten Ministerialrat aus dem Ministerium für ›Turismo e Spettàcolo‹. Er gab allen die Hand, und sie lachten, sie lachten ihn aus, schallend. Sie schnitten Grimassen, und diese Fratzen behielten sie bei, ihre Nasen wurden zu Schnäbeln, Masken aus Dantes ›Inferno‹. Er sah sich in seiner Mönchskutte fliehen, die Glocke, die den Beginn des zweiten Aktes dreimal schrill anzeigen sollte, schrillte unaufhörlich —

Manuel J. Berghstroem wachte schweißgebadet auf, er hatte wohl geschnarcht, denn sein Puls flatterte. Er blätterte lustlos in den Tageszeitungen, die ihm die Stewardeß hingelegt hatte. da stand es: ›Stupor Mundi geplatzt!‹ — fett und groß. Unterzeile: ›Forza maggiore o forzato dall' alto?‹ Mit seiner Vermutung lag ›Il Messaggero‹ gar nicht so falsch! ›. . . la compagnia internazionale, finanziata da fonti tedeschi oscuri si dissolve . . .‹ Dunkle Quellen, trübe — kann man wohl sagen . . . Alles in Auflösung und so weiter . . . Hinterlassenschaft: unbezahlte Rechnungen, gebrochene Verträge, ein in letzter Minute vereitelter Drogensuizid — die Lerchen hatte also überlebt! —, ein ungeklärter Mordfall, von allen anderen Gesetzesverstößen ganz zu schweigen. Berghstroem wußte, warum er während einer Produktion sich einen Dreck um das kümmerte, was die Presse schrieb. Es war eh verpufft und vergessen bis zur Premiere! Er griff nach dem inzwischen lauwarmen Whiskey und schaute hinunter auf den Atlantik in der Nachmittagssonne. Flöckchen lagerten über den Wassern. Schäfchen. Ihr Anblick schläferte ihn ein.

In der Suite des Jolly-Hotels jagte Maxi im Rollstuhl, das Tranchiermesser, diesen Türkensäbel schwingend, Elgaine um den Schreibtisch herum. Die Türsteher hatten nur die Order, sie nicht entkommen zu lassen, fassen wollte er sie selber. »Du wärst besser mit Jonathan gefahren, der dich vergöttert!«

Maxi trug ein Lätzchen um den Hals gebunden und sah aus mit seiner dicken Brille und seinem schwarzen Bart wie ein gräßlich verzogenes Kind, so schrie er auch.

»Ich habe dich gekauft wie eine Hure – jetzt gehörst du mir!«

In der anderen Faust hielt er die zweizinkige Gabel des Silberbestecks, die er auf und nieder stieß. Irgendwie wirkte er wie eine mechanische Puppe auf Rädern und furchtbar komisch, wenn da nicht dieses irre Glitzern in den Augen hinter den starken Brillengläsern gewesen wäre, die rasiermesserscharfe Klinge und der sich zusehends verringernde Abstand zwischen dem sausenden Gefährt und der flüchtenden Coeurdever. Noch lachte Elgaine. »Bock, du kriegst mich nicht! Du kannst mir die Welt zu Füßen legen.« Ihr Atem ging stoßweise, die Sichel kam näher.

»Ich werde dir das Herz herausschneiden!«

»Aus dir wird kein Inka-Priester!« spottete sie, »selbst wenn ich keuchend in deine Hände falle.«

Sie rannte und rannte, ihre Schritte, die erst noch leichtfüßig wie eine Gazelle wirkten, begannen zu stolpern. Elgaine trug nichts als ihren weißen Arbeitskittel, und darunter, das wußte Berghstroem, war sie nackt. Eine Nacktheit, die er nie zu Gesicht bekommen hatte, die er herbeisehnte, vor der er sich fürchtete. Nackt würde die Inka-Prinzessin geopfert werden, lebend des noch pulsenden Herzens beraubt, aus ihrer kleinen harten Brust geschnitten, näher und näher rückte die Klinge in der Faust des wahnsinnigen Priesters, ein fuchtelnder Rumpf auf Speichenrädern, das Gesicht eine verzerrte Maske mit Brillenaugen. Elgaine ermattete, ihr Herz schlug wild und hoch im Hals, so wollte er sie, sie taumelte, schwankte, der Türkensä-

340

bel blitzte, der weiße Kittel begann ihr von den Schultern zu gleiten, sie konnte nicht mehr — da platzte die Tür zur Suite auf, durch die brechende Füllung stürzten die drei Serafinis, Mark Sheraton an der Spitze. Sie warfen sich zwischen das erhobene Tranchiermesser und die zusammengesunkene, entblößte Coeurdever. Maxi fiel das Besteck aus der Hand und er greinte wie ein Kind, Mark Sheraton hob den Körper der Prinzessin auf und trug sie in seinen Armen aus dem Raum, der weiße Kittel hatte sich wieder geschlossen, eine dunkle Locke klebte an ihrer nassen Stirn — sie sah Berghstroem ins Gesicht. »Das Zelt!« sagte sie tonlos.

Das war nun genau das, woran Berghstroem nicht erinnert werden wollte. Er versuchte dem Alptraum zu entkommen, zwang ihn zu einem heilen Bild der Welt von ›Stupor Mundi‹.

Er sah das von innen heraus erleuchtete Zelt in seiner gewaltigen Majestät, erhaben erscholl der gregorianische Kirchengesang, die tiefen Bässe, von draußen antwortete demütig das Volk, der Jubel der Kinderstimmen stieg auf wie Lerchen, dann blähte sich das Zelt, als würde es aufgeblasen wie ein Bubblegum, die Stimmen verstiegen sich ins Diskant, er fürchtete sich, das Zelt platzte mit einem knallenden Peitschenschlag —

Er hatte das Whiskeyglas vom Klapptisch gefegt. Berghstroem fuhr hoch und schämte sich, sein Herz klopfte bis zum Hals. Verdammte Apnoen, schimpfte er lautlos vor sich hin, sie würden ihn noch umbringen eines Tages. Er durfte nicht in der Rückenlage einschlafen. Sein Blick ruhte auf dem dunkelblauen Nordmeer, wo Eisschollen das Land ersetzten. So sehr er auch hinstarrte, um ihre Verschiebungen zu registrieren, sie schienen sich nicht zu bewegen.

Die Kaiserin, seine Mutter, hielt ihn im Arm und sang ›Puer Apuliae‹ nach der Melodie seiner Kindheit ›Bajuschkij baju‹.

Wohin du auch gehst, mein Prinz, mein Sohn,
mein schwach's Herz bleibt immer dein,
Puer Apuliae!
Was dir auch je beschieden schon,
für mich bleibst du mein
Puer Apuliae!

Die Kardinäle und Bischöfe summten leise mit. Tränen liefen ihnen in die grauen Bärte, er tat sich selbst so leid, er wollte auch weinen, doch es gelang ihm nur ein Wimmern, schließlich ein tiefer Schluchzer, und Berghstroem riß die Augen auf.

Er rieb sie sich, vor ihm im Gang trat Elgaine aus der Toilette und kam lächelnd auf ihn zu.

»Du hast einen gesegneten Schlaf, Manuel«, sagte sie. »Man hört dich bis in die Economy.« Sie setzte sich in den freien Sitz neben ihn.

»Wieso —« kratzte Berghstroem seine Verblüffung zusammen. »Du hier?«

»Ich will mich bei Freunden in Kalifornien erholen —«

»Ich dachte, du machst mit Maxi —?«

»Dachte der auch«, das war jetzt wieder die überlegene Coeur d'hiver, seine Inka-Prinzessin aus glühendem Eis. »Kaum warst du weg, unter wohl berechneter Mitnahme der Irrenwärter, kamen deine drei Westernhelden herein und sagten: »This is a hold up!«

»Bewaffnet?«

»Keine Spur«, erzählte Elgaine. »Sie wirkten eher wie elegante Spieler. Als erstes rissen sie das Telefon aus der Buchse, dann warfen sie Herrn Bock deinen Vertrag hin und sagten: ›Wir steigen ein.‹ Maxi fragte ungläubig: ›Ihr wollt anstelle von dem Berghstroem...?‹ — er konnte es gar nicht fassen, ›in seinen Anteil —?‹ ›In deinen, Bock!‹ sagte Mark Sheraton. ›Los, schreib: Ich trete hiermit unwiderruflich —‹«, Elgaine lachte, ein kleines silberhelles Lachen, das so unerwartet im Kontrast zu ihrer dunklen Stimme stand. »Bock lachte die Serafinis aus: ›Wir sind doch nicht im Spaghetti-Western.‹ Mark grinste böse: ›Vielleicht aber in einem Edgar Wallace mit Ihnen als Kinski.‹ ›Ihr habt doch gar nichts in der Hand‹, lachte Maxi ob des Vergleichs. ›Das hat der Staatsanwalt auch nicht, aber wir könnten ihn ermuntern, dein Alibi für eine gewisse Nacht zwischen ein Uhr fünf und ein Uhr fünfunddreißig zu überprüfen. Der Portier erinnert sich noch genau an deine ungewöhnliche nächtliche Ausfahrt...‹ Maxi überlegte nicht lange. Sie diktierten ihm einen juristisch ausgefeilten Text, der Maxi Bock auch nicht ein Prozent ließ, noch irgendein Rechtlein, Lizenzchen oder sonstwas. Ich mußte als Zeuge unterschreiben, daß Herr Max-Friedrich Bock, Max-Friedrich mit Bindestrich, nix Maximilian«, jetzt lachte sie, es klang wie das Gurren von Waldvögeln in der Nacht, »daß der ›eigenhändig und im Vollbesitz seiner geistigen Kräfte‹ seinen mir bekannten Namenszug geleistet und zum Beweis der totalen Zession alle in seinem Besitz befindlichen oder ihm zugänglichen Materialien und Aufzeichnungen übereignet habe. Hier muckte Maxi auf, er hätte nichts zu übergeben, weil er nichts in der Hand habe. Mark tröstete ihn, er brauche nur zu unterschreiben. Das tat Herr Bock dann auch, kopfschüttelnd.«

»Und was wollen die Serafinis damit?« fragte sich laut Manuel J. Berghstroem, Jot für Jonathan, kam es ihm, dafür aber Bergh mit Ha und Stroem mit oe!

»Das fragte ich mich auch«, sagte Elgaine, »aber sie fragten mich, wohin ich die Kostüme geschafft hätte. Ich gab ihnen zur Antwort: ›An einen sicheren Ort!‹ Die jüngeren Hotel-Brüder markierten daraufhin breitbeinig den Griff zum Colt, doch Mark sagte: ›Okay, the Lady is a tramp! Ich bin sicher, sie wird uns alles in tadellosem Zustand liefern, wenn's soweit ist.‹

»Und was hast du gesagt?«

Elgaine beugte sich zu ihm, Berghstroem, als wolle sie ihn küssen. »›Ich kann's abwarten!‹« und zu Maxi hab' ich gesagt: ›Doch wohl kaum hier, bei Ihnen, Herr Bock! Unser Vertragsverhältnis ist mit Ihrer Unterschrift beendet worden. Es war mir kein Vergnügen, aber eine Lehre.‹ Dann bin ich rüber zum Flughafen, deine Maschine war schon weg, und habe mich — letzter Bockservice — von seinem Hubschrauber nach Malpensa bringen lassen, und da bin ich!«

»Economy?«

»Elgaine Coeurdever fliegt nur First, merken Sie sich das, Mister Berghstroem. Ich kauf' mir meine Tickets selber!«

»Ich würde meins gern verkaufen«, sagte Berghstroem, »und dafür etwas mehr Bargeld in der Tasche haben.«

»Ich liebe deine Tolpatschigkeit, Manuel«, gurrte Elgaine. »Nachdem du zu dick bist, um mit mir auf der Bordtoilette zu vögeln, laß uns den Rest des Trips Backgammon spielen. Ich habe einen Set bei mir. Ich löhne cash, und von dir nehme ich Schuldscheine.« Sie lachte. »Zur Not auch Anteilsscheine von ›Stupor Mundi‹!«

Sie spielten. Berghstroem gewann natürlich, bis die Landeklappen ausgefahren wurden.

»Wir verabschieden uns lieber jetzt, Manuel«, sagte Elgaine, stand auf und strich ihren Rock glatt. »Auf dem Airport werde ich abgeholt – und für den Anflug über Marina Bay habe ich dem Captain versprochen, noch mal vorbeizukommen! His touchdown drives me crazy!«

Sie umarmte ihn, wie er es von ihr gewohnt war.

Berghstroem sah Elgaine bei der Ankunft nicht wieder. Mit seinem ewigen Schlafbedürfnis hatte er sich angewöhnt, selbst für äußerst beschränkte Zeitabschnitte unverzüglich Morpheus Arme zu suchen, ganz gleich, ob es sich um Taxifahrten oder Zugreisen handelte oder um das Landen, das Ausrollen einer Maschine.

Drei Kardinäle schritten mit brennenden Kerzen den Mittelgang der Ersten Klasse des abgedunkelten Jumbos hinab, in Richtung auf die Tür zum Cockpit.

REQUIEM ETERNAM DONA EIS, DOMINE,
et lux perpetua luceat eis,
Te decet hymnus, Deus in Sion,
Et tibi reddetur votum in Jerusalem.

Düster erklang ihr Trauergesang. Ihre Gesichter waren von inquisitorischer Strenge, soweit Berghstroem, der sich versteckt hielt, im flackernden Schein der Flammen, im Schatten ihrer breitkrempigen Hüte zu erkennen vermochte. Sie glichen denen der Serafinis – oder waren es Franck & Co, ohne den kleinen Galinsky? Auf jeden Fall waren sie uralt, versteinert, weiß wie Mauerwerk aus bröckelndem Kalk. Sie lösten sich im Dunkel des Oberdecks auf, als seien sie durch die Wand gegangen. Berghstroem, der nie fest schlief, zu seinem Kummer, wußte, daß es ein Traum war, weil Prozessionen mit offenem Feuer in keinem Flugzeug gestattet sind, und die Serafinis auch nicht zu Kardinälen erhoben sein konnten und Franck & Co zur Hölle gefahren waren. Aus der Bordtoilette, gleich neben dem Cockpit schlüpfte Elgaine, sie trug die Jacke des Ersten Offiziers, das konnte er an den Streifen sehen, und hatte darunter nichts an. Die Stewardeß verschwand hinter der sich spaltweit öffnenden Tür zur Pilotenkabine. Sie hatte eine ungeheure Ähnlichkeit mit der Coeurdever! Seine Inka-Prinzessin als Stewardeß? Berghstroems Blick glitt, weil er es nicht sein lassen konnte – warum war er so unruhig, sie konnte es nicht sein! −, durch das Panel, er ging durch es hindurch, den Kardinälen folgend, die auch durch Wände gehen konnten. Berghstroem lauschte.

»Wo hast du die Kostüme hingeschafft?« hörte er Mark Sheratons Stimme. »Es ist für dich gesünder, Elfy« − ja, er nannte sie ›Elfy‹! − »wenn du sie herausrückst. Wir sind in die Rechte deines Maxi eingetreten.«

Die Coeurdever schwieg eisern. Sie saß auf den Knien des Kapitäns, der sich jetzt zu seinem Copiloten umdrehte.

»Wir können dich zwingen. Gib sie heraus!«

Sie trug nur die Jacke des Ersten Offiziers über der nackten Haut und konnte sich nicht rühren, denn Mark Sheraton hielt sie im Polizeigriff, ihren angewinkelten Arm hinter ihren Rücken gedreht. Mit der freien Hand tauchte er seinen Kardinalssiegelring mit dem Kreuz der Templer, wie Berghstroem auffiel, in die Flamme der Kerze, ohne ihn vom Finger zu nehmen. Seine Hand war aus Stein. Der Ring wurde rußig in der Hitze.

»Unter der Achsel sieht man das Mal nicht so. Du kannst sogar wieder Bikini tragen Elfy«, sagte Mark. »Beiß die Zähne zusammen, Kleines«, und er machte Anstalten, ihr die Jacke von der Schulter zu streifen. Da lachte die Coeurdever:

»Sie sind nicht mein Partner, Mark − schon gar nicht mein Geschäftspartner. Bauen Sie bitte nicht darauf, daß Sie die Zeit in Jesi mir ein genehmer, sogar angenehmer Liebhaber waren −« Sie entwand sich seinem Griff, ohne daß er Widerstand leistete, zog ihre Jacke wieder straff. »Als solcher möchte ich Sie in Erinnerung behalten!« Elgaine beugte sich vor und blies die Kerze aus. Sie sangen ›Stupor Mundi‹, den großen Schlußchoral nach der Melodie von ›Happy birthday‹, und das ganze Flugzeug klatschte Beifall.

Gelungene Landung! Davon wachte Berghstroem auf.

LAX, Los Angeles International!

EPILOG

Ich liege unter Palmen am Pool, in einem Liegestuhl mit Sonnendach. Neben mir ein Tischchen, auf dem mir gerade eisgekühlter Tequila Sunrise serviert wurde, ohne Zucker mit viel Lemon, wie ich ihn liebe. Ich blättere in den Vormittagsausgaben von ›Variety‹ und ›Hollywood Reporter‹. In beiden finde ich unter der Rubrik ›Arrivals from Europe‹ beziehungsweise ›Back to L.A.‹ die knappe Notiz: ›Manuel J. Berghstroem, CEO, SMEC‹. Das liest sich banal für jemanden wie dich, Maxi — für Kenner hier ist es jedoch eine klare Aussage, mit allen Weihen der Branche, betreffs meines Status als ›Chief Executive Officer‹ und des Standes der ›Stupor Mundi Entertainment Company‹. Auf der anderen Seite meines Liegestuhls räkelt sich ein braungebrannter Rücken, frisch dem Pool entstiegen, Wassertropfen perlen noch zwischen den schmalen Schulterblättern. Mein Blick gleitet über den festen Hintern und verliert sich in den langen Beinen auf der weißen Liege. So einfach ist das, Maxi!

In der Halle des Flughafens, als ich bei meiner Ankunft, an den Gepäckbändern vorbei, dem Ausgang zustrebte, trat ein smarter junger Mann auf mich zu, ein Latino.

»Sie müssen Mister Börgstream sein«, sagte er ziemlich sicher, mit weich rollendem ›Err‹. »Ich bin von unseren gemeinsamen Freunden, den Serafini-Brothers from Rome, Italy, gebeten worden, Sie abzuholen. My name is Julio Ramada.«

»Sind Sie ein Vetter?« Ich konnte mir ein Grinsen nicht verkneifen. »Ramada?«

»Wir sind nicht verwandt«, sagte der. »Ich heiße wirklich so. Darf ich um Ihr Ticket bitten —«

»Ich hab' kein Gepäck —« sagte ich, doch Mister Ramada nahm schon einen grauen Samsonite vom Band. »Die Nummer stimmt«, verglich er den Hänger mit dem Abschnitt. »Sie hatten ihn wohl vergessen«, sagte Ramada, »es ist ein anstrengender Flug.«

Er trug den Koffer vor mir her zu einer gestreckten Limousine.

»Für die Zeit Ihres Aufenthalts steht Ihnen mein Wagen mit Fahrer zur Verfügung. Sie sind im Beverly gebucht.«

Ich lächelte. »Ja, ich glaube —«, dann fiel mir der Koffer ein, den der Fahrer gerade im Velour belegten Kofferraum verstaute. »Darf ich schnell einen Blick hineinwerfen?«

Mister Ramada ließ die Verschlußschnallen springen. Der Samsonite war mit Kassetten angefüllt. Obenauf lag das Libretto von ›Stupor Mundi‹, mein persönliches Exemplar, und in einer Plastikhülle ein frisches, weißes Hemd.

»Die Kassetten sind wohl die komplette Aufzeichnung des von Ihnen produzierten Films, Mister Börgstream?« sagte Julio Ramada, als er neben mir im Fond Platz genommen hatte. In seiner Stimme schwang ungeheuer viel Anerkennung mit, und er rief dann auch »Great, great!«, bevor ich auch nur sagen konnte: »Ich hoffe —«

»I heard it's a masterpiece, and I guarantee that we will make a buster out of it!«

›Relax!‹ sagte ich mir, ›just relax!‹

»Wer sind Sie, Mister Ramada, was machen Sie?« Ich gab mir Mühe, unbefangen und lässig zu wirken.

»Ich handele im Auftrag der Firma, die jetzt Ihr Partner ist, Mister Börgstream. Ich bin Ihr Agent.«

Ich trinke auf dich, Maxi, ich hoffe, du magst Tequila Sunrise — oder soll ich dir etwas anderes bestellen? Wann und in welcher Form ›Stupor Mundi‹ hier von Hollywood mediengerecht aufbereitet, eingespeist und vermarktet wird, weiß ich nicht. Interessiert mich auch nicht. CEO Manuel J. Berghstroem kriegt jede Woche seinen Scheck, ›Producer's fee‹, und das Luxushotel dazubezahlt, damit er dableibt. Wenn dem nicht mehr so ist, erfahr' ich es aus der ›Variety‹ unter Rubrik ›Back to Europe‹. Mein Agent ist guten Mutes.

Ich frage mich nur, Maxi, warum du mir das alles hast widerfahren lassen, was zum Teufel du mit dem aufwendigen, komplizierten Manöver bezweckt hast? Wieso mußte Mia sterben? Nur weil sie mir nahestand? Gut, ich weiß, man muß pro zehn Millionen Produktionskosten mit einem Todesfall rechnen. In Anbetracht deiner bisherigen Knauserigkeit steht uns dann ja noch ein reichlicher Geldsegen ins Haus. Das macht die Parker zwar nicht wieder lebendig, aber vielleicht hast du es getan, um dir den Thrill zu verschaffen? Doch sicher nicht, um mir auf die Beine zu helfen, die dir den Dienst versagen!

Hab' ich dir meine Seele verkauft? Ja, hab' ich. Nun ist — völlig unüblich! — eingetreten, daß der Teufel mit seiner Hölle zwar nicht Konkurs gegangen ist, aber eine Schlappe einstecken mußte. Du sahst dich genötigt, unseren Pakt an Dritte zu zedieren — und peinlicherweise ist der unausgesprochene Teil nicht übertragbar. Löst er sich in Luft auf? Bin ich dich los? Oder gehört meine Seele immer noch dir, und alle hier sind nur deine Erfüllungsgehilfen? Wie auch immer, dieses Fegefeuer ist erträglich, selbst wenn die Schöne auf der Matratze deine Tochter sein sollte!

Am Abend, wenn die Stunde der Dämmerung sich ankündigt, lasse ich mich über den ›Strip‹ chauffieren und dann den Sunset hinunter bis zum Ozean. Neben mir im Fond sitzt die braungebrannte Dame, die vor einigen Tagen, mitten in der Nacht, zu mir ins Beverly gezogen ist. Sie hatte Ärger bekommen wegen der Nichtherausgabe ihrer Klamotten. Man hatte ihr, um sie zum Reden zu bringen, an diskreter Stelle eine Warnung ins Fleisch gebrannt, so wie man im Mittelalter mit gewissen Damen verfuhr. Es sieht aus wie ein ›M‹, sie hat es mir gezeigt. Das kann an alles Mögliche erinnern, von Mark bis Maxi, von Manuel bis — Vielleicht ist es auch nur ein umgedrehtes ›W‹ wie ›Warning‹?

Auf jeden Fall hat mein Agent das in Ordnung gebracht, die Kostüme gehören jetzt der SMEC, und Elgaine Coeurdever wurde in der gleichen Nacht meine zärtliche Geliebte. ›Wir fahren gut zusammen, Manuel‹, lächelt die Inka-Prinzessin und bläst mir fordernd den Rauch ihres Zigarillos ins Gesicht.

Zwischendurch serviere ich Whiskey aus dem eingebauten Mahagonischränkchen, wir trinken uns zu und schauen hinaus durch die getönten Scheiben der Limousine, gleiten im Abendrot erst durch das Lichtermeer der Stadt, dann durch die Canyons, dem Meer entgegen. Die vorbeihuschenden schlanken Palmen heben sich gegen den Himmel ab, von orange bis violett in allen Farben auf die Stereoleinwand projiziert, die sich Firmament nennt, und die blinkenden Lichter der auf- und absteigenden oder in Warteschleifen kreisenden Flugzeuge funkeln wie Sterne.

Die Nacht von Jesi liegt hinter uns.

Das war gestern.

Berghstroem/Schillir

STUPOI

Historical in ein

Uraufführung zur Feier des 800. Gebu

Heinrich VI, Kaiser des Römischen Reiches..
Constance d'Hauteville, die Kaiserin........
Dietrich von Röpkenstein, Hofmarschall....
Bruder Gebhard, Beichtvater des Kaisers...
Rinaldo, Narr von Jesi..................
Ramon de Mirepoix, Troubadour.........
Ugo, der Metzger von Jesi..............
Alfia, seine Frau.....................
Bartolo di Todi, staufischer Podestá zu Jesi.
Monsignore Tommaso, Bischof von Jesi....
Jakob, der Henker der Marken...........
Konrad von Urslingen, Herzog von Spoleto.
Margarete von Urslingen, Herzogin........

> sowie:
> Zwei Benediktiner, zwei Assassinen,
> fahrendes Volk, Gefolge des Herzogs,
> Leibwache des Kaisers und Hofstaat
> der Kaiserin, Abordnungen der Sarazenen
> und Griechen, normannische Ritter und
> deutsches Kriegsvolk, Mönche, Bischöfe
> und Kardinäle, das Volk von Jesi.

aulman

MUNDI

ld und zwei Akten

ges des Stauferkaisers Friedrich II

lbert Artaud
lde Carson
emo von Weimar
anuel J. Berghstroem
einhold Schilling
aymond Maulman
ualtiero Serra
eatrice Delle Delizie
rride Tramezzina
l Tomei
sare Tagliabue
oscha P. Dimitrov
tarina Dimitrov

Manuel J. Berghstroem präsentiert
STUPOR MUNDI
Inszenierung von Raymond Maulman
Libretto von Manuel J. Berghstroem
Musik von Reinhold Schilling
Bühnenbild & Kostüme von Elgaine Coeurdever
Die Chöre des Musikvereins »Cantate«
und des »Teatro Spontini«

DANK FÜR MITARBEIT

Roman Hocke für die Kühnheit, sich auf den neuen Autor eingelassen zu haben, für die zuchtmeisterliche Strenge des Lektorats, diesen bei der Stange des Themas zu halten, für die Begeisterung, mit der er das Unterfangen mittelalterliche Historie, das Berghstroem'sche Libretto und dessen Realisierung als Historical in der Phantasie des Peter Berling über Stock und Stein begleitete.

Michael Görden für seine kluge und ausgleichende Tätigkeit als mein nimmermüder Agent, kritischer Ansprechpartner und aufbauender Weggefährte.

Meiner PR-Betreuung Anke Lütkenhorst thanks for push & feeling, cradle and feedback.

Dario Della Porta, Professor für Musikgeschichte an der Universität von Aquila, für die fachmännische Beratung beim Texten des integrierten Librettos ›Stupor Mundi‹ und insbesondere für seine Übertragung ins Italienische und Provençalische.

Daniel Speck für die Zulieferung der arabischen Textzeilen, und Dr. Otto Schönberger für die griechischen.

Meinen PC-erfahrenen Mitarbeiterinnen Sylvia Schnetzer und Dr. Gudrun Weiss für ihre Geduld und Belastbarkeit, mein ›Manu-skript‹ in leserliche Ausdrucke verwandelt zu haben.

Weiterer Dank gilt Dottoressa Rosalia Bigliardi von der Biblioteca Communale Planettiana in Jesi und ganz speziell dem Col. Francesco di Pietro von der Aeronautica Militare, Servizio Meteorologico, Ciampino, für seine fachkundige Zuarbeit beim ›Zusammenbrauen‹ des Unwetters.

QUELLEN

Berling, Peter: *Franziskus oder Das zweite Memorandum.*

ders.: *Stupor Mundi.* Libretto für ein Historical (unveröffentlicher Privatdruck).

Das Falkenbuch Kaiser Friedrich II. Nach der Prachthandschrift in der Vatikanischen Bibliothek, Hrsg. v. Willemsen, Carl A.

Kaiser Friedrich II in Briefen und Berichten seiner Zeit. Hrsg. u. übersetzt v. Heinisch, Klaus J.

Kantorowicz, Ernst: *Kaiser Friedrich II.*

Luconi, Giuseppe: *Jesi attraverso i secoli.*

Masson, Georgina: *Friedrich II von Hohenstaufen.* Eine Biographie.